OS INGLESES

COLEÇÃO POVOS & CIVILIZAÇÕES

COORDENAÇÃO JAIME PINSKY

OS ALEMÃES *Vinícius Liebel*
OS AMERICANOS *Antonio Pedro Tota*
OS ARGENTINOS *Ariel Palacios*
OS CANADENSES *João Fábio Bertonha*
OS CHINESES *Cláudia Trevisan*
OS COLOMBIANOS *Andrew Traumann*
OS ESCANDINAVOS *Paulo Guimarães*
OS ESPANHÓIS *Josep M. Buades*
OS FRANCESES *Ricardo Corrêa Coelho*
OS INDIANOS *Florência Costa*
OS INGLESES *Peter Burke e Maria Lúcia Pallares-Burke*
OS IRANIANOS *Samy Adghirni*
OS ITALIANOS *João Fábio Bertonha*
OS JAPONESES *Célia Sakurai*
OS LIBANESES *Murilo Meihy*
OS MEXICANOS *Sergio Florencio*
O MUNDO MUÇULMANO *Peter Demant*
OS PORTUGUESES *Ana Silvia Scott*
OS RUSSOS *Angelo Segrillo*

Proibida a reprodução total ou parcial em qualquer mídia sem a autorização escrita da editora.
Os infratores estão sujeitos às penas da lei.

A Editora não é responsável pelo conteúdo deste livro.
Os Autores conhecem os fatos narrados, pelos quais são responsáveis, assim como se responsabilizam pelos juízos emitidos.

Consulte nosso catálogo completo e últimos lançamentos em www.editoracontexto.com.br.

Peter Burke
Maria Lúcia Garcia Pallares-Burke

OS INGLESES

editora**contexto**

Copyright © 2016 dos Autores

Todos os direitos desta edição reservados à
Editora Contexto (Editora Pinsky Ltda.)

Foto de capa
Troca de guarda do Castelo de Windsor,
Diego Delso (CC BY-SA 3.0)

Montagem de capa e diagramação
Gustavo S. Vilas Boas

Preparação de textos
Lilian Aquino

Revisão
Ana Paula Luccisano

Dados Internacionais de Catalogação na Publicação (CIP)
Angélica Ilacqua CRB-8/7057

Burke, Peter
Os ingleses / Peter Burke, Maria Lúcia Garcia Pallares-Burke. –
1. ed., 2ª reimpressão. – São Paulo : Contexto, 2023.
416 p. (Povos e Civilizações)

Bibliografia
ISBN 978-85-7244-941-0

1. Ingleses 2. Inglaterra – História 3. Inglaterra – Cultura
4. Inglaterra – Política e governo 5. Inglaterra – Usos e costume
I. Título II. Pallares-Burke, Maria Lúcia Garcia III. Série

15-1266   CDD 942

Índice para catálogo sistemático:
1. Ingleses

2023

EDITORA CONTEXTO
Diretor editorial: *Jaime Pinsky*

Rua Dr. José Elias, 520 – Alto da Lapa
05083-030 – São Paulo – SP
PABX: (11) 3832 5838
contato@editoracontexto.com.br
www.editoracontexto.com.br

*Para João Adolfo Hansen,
nosso grande amigo e interlocutor*

SUMÁRIO

PREFÁCIO	11
QUEM SÃO OS INGLESES?	15
Caráter nacional?	15
Estereótipos	16
Os ingleses em mudança	17
Identidade e imaginação	17
Listas de "anglicidade"	19
Atualizando a "inglesidade"	22
O teste de cidadania: solução ou fiasco?	23
Valores britânicos	24
Maiores problemas de definição	26
Ufanismo	27
Quem é o "outro"	28
Inglês ou britânico?	30
Medo e nostalgia	30
Observadores estrangeiros e quase estrangeiros	32
Observadores nativos	34
Anglofilia	34
Uma visão pessoal	35

INGLESIDADES	37
As regiões do Reino Unido	37
As regiões na Inglaterra	51
Classes e culturas	54
"Princesas do dólar" e boas maneiras	60
O papel das mulheres	61
Emancipação dos homossexuais	76
Culturas juvenis	78
Culturas étnicas	80
COMO O PAÍS FUNCIONA	97
Instituições nacionais	97
Instituições locais	145
Semi-instituições	160
O *establishment*	176
Os clubes	179
Mudança e continuidade	180
MODO DE VIDA E VALORES	183
A cultura material	183
Comidas	183
Bebidas	192
Vestuário	198
Moradias e moradores	205
Jardinagem e vida no campo: duas devoções inglesas	222
Vilas	230
Parques	232
Locomoção	234
Estátuas, *talking statues* e nomes de ruas	239

A cultura imaterial 244
    Sociabilidade 244
    Outros passatempos favoritos 257
    Atitudes e valores 261
    Liberdade e privacidade 273
    O silêncio entre os ingleses 276
    O tempo: assunto quebra-gelo? 277
    Keep cool and carry on 280
    Grandes satiristas 286
    A cultura do *common sense* 288
    Mudanças 291

AS ARTES 293
  Museus e exposições 295
  Teatro 298
  Artes nas províncias 300
  A democratização da arte 301
  Corais 306
  BBC Proms 307
  Tradições 310

A PRESENÇA DO PASSADO 337
  Preservando o passado 340
  55 a.C. 342
  A era das invasões 343
  1066 – A conquista normanda 344
  1215 – Magna Carta 346
  1415 – Agincourt 348
  1534 – A Reforma Inglesa 348
  1588 – A Armada Espanhola 349

1605 – A Conspiração da Pólvora (*The Gunpowder Plot*)	350
1642-51 – Guerra Civil inglesa	352
1688 – A Revolução Gloriosa	355
A Revolução Industrial	356
Trafalgar e Waterloo	358
O *Reform Act* de 1832	360
1851 – *The Great Exhibition*	361
A Primeira Guerra Mundial	362
A Segunda Guerra Mundial	363
O triunfo do fracasso	368
O Império	369
Mitos, heróis e vilões	377
EPÍLOGO: UM BRASIL NUM CLIMA FRIO?	**381**
Contrastes	381
Histórias entrelaçadas	383
Ingleses no Brasil	384
Relações culturais	386
Anglófilos brasileiros	388
Brasil na Inglaterra	389
Afinidades	390
Deus é brasileiro ou inglês?	391
Hibridismo	392
CRONOLOGIA	**399**
SUGESTÕES DE LEITURA	**405**
AGRADECIMENTOS	**409**
OS AUTORES	**411**

PREFÁCIO

Certa vez, um autor francês deu alguns conselhos a quem pretendia visitar a Inglaterra:

"Não fale muito, até ter alguma coisa interessante a dizer. Se na França é rude deixar a conversa morrer, na Inglaterra é imprudente mantê-la a qualquer custo. Nenhum inglês o culpará pelo seu silêncio."

"Seja modesto. Um inglês dirá: 'eu tenho uma pequena casa no campo'; mas, se visitá-lo, vai descobrir que a 'pequena casa' é uma mansão. Se você for um campeão mundial de tênis, diga, 'eu não jogo muito mal'; se você cruzou o Atlântico num barco a vela, diga, 'eu velejo um pouco'."

"Se for convidado para jantar às 8h30, isso significa 8h30 e não 8h29 ou 8h31. A pontualidade inglesa é mais do que um hábito; é um vício."

"O inglês é excepcionalmente discreto. Esteja preparado e não se surpreenda."

Como ilustração, o autor conta uma história cômica. Um jovem inglês, que fora convidado para uma festa à fantasia numa casa de campo de vizinhos, chega fantasiado de bobo da corte, com espalhafatosa roupa de seda vermelha e verde e chapéu pontudo e colorido. Estranha um pouco que a casa não esteja toda iluminada, mas é recebido com a maior naturalidade pelos anfitriões, não fantasiados. A conversa que então se entabulou foi tão agradável que o jovem logo se esqueceu da roupa que vestia e de que era o único convidado presente. Ao se despedir, após horas de conversa, o anfitrião lhe diz: "Foi muito bom vê-lo hoje, mas não se esqueça de voltar daqui a uma semana: na próxima segunda-feira, vamos dar uma festa à fantasia!"[1]

A essa ilustração, podemos acrescentar outra, igualmente reveladora da característica discrição inglesa. Uma amiga brasileira, recém-chegada a Cambridge pela primeira vez, encantada com o fato de estar numa cidade tão conhecidamente erudita, entrava em qualquer canto onde avistasse sinais de vida acadêmica, desde os *colleges* seculares até bibliotecas e livrarias de todos os tamanhos. Certo dia, chamou-lhe a atenção numa rua um corredor de livros, que começava junto à porta aberta da entrada de uma pequena casa, com a parede lotada de longas e altas prateleiras exibindo grande quantidade de obras compactamente arrumadas. Entrando no que pensou ser um sebo, passou a examinar os livros, tirando-os das prateleiras, folheando-os lentamente e recolocando-os no lugar. Notara, logo ao entrar, um homem jovem em pé, aparentemente distraído, que ela acreditou ser o dono, sorrindo polidamente para ele. Após um bom tempo envolvida nessa pesquisa de livros de segunda mão, viu que o fim do corredor se abria para uma saleta, onde, para sua surpresa, uma criança e uma jovem a observavam de modo, por assim dizer, interrogativo e intrigado. Só então suspeitou, embaraçada, que aquilo não era uma livraria e, voltando-se para o "vendedor" que continuava ali "à sua disposição", perguntou-lhe: "Aqui é uma livraria, certo?", e ele respondeu calmamente: "*No. It's my home.*"

Apesar de conselhos como os mencionados e outros nessa linha poderem ser considerados ainda válidos, nosso objetivo neste livro não é dizer aos estrangeiros como se comportar com os ingleses. Também não é ser uma espécie de guia turístico, que indica os lugares de grande interesse e os melhores *pubs* a visitar no país. É, sim, um guia a respeito dos ingleses; dos ingleses, e não da Inglaterra. Ou seja, ao invés de pretender aconselhar os visitantes sobre o que ver, nosso objetivo é lhes mostrar o que há por trás do que veem, tornando explícito muito do que os nativos assumem como natural.

Em resumo, tratando de temas bastante variados (alguns dos quais serão abordados sob mais de um ângulo em diferentes partes deste livro), que vão desde monarquia, *habeas corpus* e BBC até cerveja, *fish and chips* e *country houses*, passando pela invasão normanda, o amor dos ingleses por sapos, jardinagem e esportes, bem como por sua obsessão pelo tempo, incluindo a meteorologia marinha, nós tentaremos descrever e explicar a "inglesidade" ou "anglicidade".

Centrando a atenção nos ingleses, os outros habitantes do Reino Unido – os escoceses, os galeses e os irlandeses – não serão abordados, a não ser ocasionalmente. No entanto, não nos atendo à distinção entre "ingleses" e "britânicos" que hoje é feita pelos nativos – e que os brasileiros desconsideram na linguagem coloquial –, aqui e ali vamos usar os termos "inglês" e "anglicidade" como sinônimos de "britânico" e "britanicidade". Da mesma forma, usaremos as denominações "Grã-Bretanha" e "Reino Unido" como equivalentes, apesar de oficialmente elas terem significados distintos, como veremos mais adiante.

NOTA

[1] André Maurois, *Three Letters on the English*, 1938.

QUEM SÃO OS INGLESES?

Quem são os ingleses? Como são? Tolerantes ou preconceituosos, gentis ou agressivos, silenciosos ou falantes? Como eles se imaginam e como os outros os veem?

CARÁTER NACIONAL?

Costuma-se dizer que é o estudo do "caráter nacional" que pode responder a essas questões. Muitas pessoas, de dentro e de fora da Inglaterra, acreditam na existência de um "caráter nacional", por analogia ao caráter individual. Em 1951, por exemplo, o *Festival of Britain* (Festival da Grã-Bretanha), organizado pelo governo como parte de seu programa de recuperação pós-guerra, evocou o "caráter britânico", identificando o amor pela natureza e pelo lar como algo especificamente britânico, tão britânico quanto "a excentricidade e o humor britânicos". Em 2003, um comunicado oficial do governo sobre cidadania ainda empregava a fórmula "caráter nacional". Para os próprios ingleses,

A figura simbólica do britânico John Bull foi diversas vezes usada em cartuns e campanhas de caráter político. A ilustração o mostra convocando voluntários na Primeira Guerra Mundial.

desde o início do século XVIII, o personagem John Bull, homem do campo simples, pesadão, honesto, franco e carnívoro personifica esse caráter. A criação desse tipo coincide com o momento em que o bife britânico passou a ser sinônimo da afluência comercial dos ingleses, traço que, ao lado do seu amor à liberdade, os distinguiria de seus vizinhos e inimigos, os franceses. Entre estes, os ingleses passaram a ser conhecidos como "*les rosbifs*" ("os rosbifes").

Alguns estrangeiros, por sua vez, tendem a caracterizá-los como reservados, hipócritas, satisfeitos consigo mesmos, pouco sociais e desinteressados por sexo. Um historiador e professor universitário holandês, que viveu na Inglaterra nos anos 1920 e 1930, escreveu sobre os "ingleses rudes, ignorantes, limitados, previsíveis, teimosos, pragmáticos, silenciosos e confiáveis".

ESTEREÓTIPOS

Em contraste, outros estrangeiros, como o brasileiro anglófilo Gilberto Freyre, acreditam que tais descrições são estereotipadas. Incomodado com a visão que vigorava no Brasil sobre os ingleses, Freyre procurou, em sua obra de 1948, *Ingleses no Brasil*, combater o que chamou de "meias-verdades". Defendendo-os contra aqueles que os acusavam de ser irreparavelmente hipócritas, etnocêntricos, secos, insulares e gananciosos, argumentou que aqueles que assim os qualificavam davam a público uma visão completamente distorcida. Ela poderia ser facilmente desmontada por um estudo cuidadoso dos muitos ingleses que se estabeleceram no Brasil durante o século XIX e que foram exemplares em honestidade, altruísmo, cosmopolitismo etc.

Estereótipos como os mencionados, fornecendo imagens do inglês ou da inglesa típicos, podem não ser completamente falsos, mas, na melhor das hipóteses, são parciais, como aliás são todos os estereótipos que, simplificando a complexidade das coisas, exageram aspectos da realidade e acabam sendo, quando muito, "meias-verdades". Quase todos os traços atribuídos por alguém ao inglês já foram criticados por outros como sendo apenas mito. Além disso, se considerarmos que esses traços supostamente gerais diriam respeito a quase 64 milhões de pessoas – a população da Grã-Bretanha em 2015 –, é óbvio que um altíssimo grau de variedade deve ser considerado em qualquer descrição.

Levando em conta essas qualificações e precauções sobre a ideia de "caráter nacional", as generalizações aqui feitas nada mais serão que relativas, sugerindo que os ingleses tendem a se comportar de certa maneira, mais do que pessoas de outros lugares. Como em qualquer outra nação, eles se assemelham menos a um indivíduo e mais a uma família, na qual personalidades diferentes coexistem e se chocam, apesar de todas as semelhanças familiares. E, sendo as generalizações relativas, elas dependem em grau considerável da posição onde se coloca o observador. O que pode surpreender visitantes brasileiros, por exemplo, pode não causar nenhuma surpresa a um sueco e vice-versa.

OS INGLESES EM MUDANÇA

De qualquer modo, é necessário lembrar que grandes mudanças culturais e sociais, causadas, entre outras coisas, pela migração maciça após a Segunda Guerra Mundial, estão tornando obsoletos alguns dos estereótipos tradicionais. A ideia do inglês fleumático, por exemplo, que poderia ter sua parcela de verdade no século XIX, quando somente as classes média e alta viajavam para fora do país e disseminavam essa imagem do "caráter nacional", obviamente perdeu relevância numa época em que fãs de futebol arruaceiros (os chamados *hooligans*) perturbam as cidades europeias, de Barcelona a Istambul. Há alguns anos, esse caráter supostamente fleumático do inglês foi desmentido numa ocasião memorável: o funeral da princesa Diana. As flores jogadas durante todo o cortejo funerário, as velas acesas e as oferendas votivas deixadas nos pequenos altares erigidos espontaneamente pela população país afora, enfim, todas as demonstrações abertas de sentimentos de amor, de perda e de horror diante de sua trágica morte foram seguramente "não inglesas". A circunspecção e o silêncio digno da multidão que acompanhou o funeral talvez tenham sido o único aspecto não surpreendente da ocasião e revelador da "inglesidade" dos espectadores.

IDENTIDADE E IMAGINAÇÃO

Enfim, este livro pode ser mais bem descrito como um ensaio sobre a *identidade* do povo inglês, ao invés de sobre seu caráter. Em outras palavras, este livro tenta descrever e interpretar a *cultura* inglesa; cultura no sentido de um modo de vida e de valores, normas e expectativas nela expressos. É verdade que muitos indivíduos desafiam essas normas algumas vezes e alguns poucos as desafiam praticamente sempre, mas as normas ainda fornecem um guia aproximado do comportamento cotidiano. De qualquer modo, no que se segue, será impossível não falar que "o inglês" ou "os ingleses" fazem ou gostam de fazer certas coisas; mas o que queremos dizer com isso é que a cultura na qual nasceram ou para onde migraram os encoraja a gostar dessas coisas ou a fazê-las.

O famoso ônibus londrino é um ícone da cidade, ao lado das caixas de correio com brasão real e das cabines de telefone vermelhas. Esta versão mais recente, com linhas modernas, ainda mantém duas características tradicionais: a cor vermelha e os dois andares.

Muitos ingleses e estrangeiros têm uma vívida ideia da "inglesidade", ou seja, de certos símbolos que definem a cultura inglesa e que algumas vezes foram (e ainda são) explorados por razões econômicas e políticas. Em 1951, por exemplo, o ano do *Festival of Britain*, o governo enviou uma frota de ônibus vermelhos de dois andares, tão caracteristicamente londrinos, numa turnê pelo continente, a fim de atrair mais compradores para os produtos nacionais.

LISTAS DE "ANGLICIDADE"

Quatro famosas descrições da cultura inglesa, vindas de dentro dela, foram em parte provocadas pela Segunda Guerra Mundial e pela necessidade de tornar explícito aquilo pelo qual a nação estava lutando. Em geral bem-humoradas, elas são reveladoras de uma habilidade do povo inglês já muitas vezes apontada e louvada por seus admiradores: mais do que nenhum outro, segundo eles, este é um povo que sabe rir de si mesmo.

Um típico *pub* do campo com um nome bastante comum desde o século XVII, "The Green Man", localizado na planície da região de East Anglia. Segundo alguns estudiosos, o nome é associado à figura da cabeça humana ornamentada com folhas, que simboliza a interdependência entre o homem e a natureza.

O escritor George Orwell, mais conhecido pelo seu romance pessimista sobre o futuro, *1984*, descreveu o que chamou de "civilização inglesa" em termos de "cafés da manhã substanciosos e domingos sombrios, de cidades enfumaçadas e de ruas sinuosas, de grandes campos verdes e esguias caixas de correio vermelhas", não esquecendo "uma deliciosa xícara de chá" e o *pub*, que descreveu como "uma das instituições básicas da vida inglesa". Quanto aos ingleses, Orwell imaginou que um visitante estrangeiro iria rapidamente notar sua "insensibilidade artística, gentileza, respeito pela legalidade, suspeita em relação a estrangeiros, sentimentalismo em relação a animais, hipocrisia, distinções de classe exageradas e obsessão por esporte".

O poeta e crítico T. S. Eliot, um norte-americano que se tornou cidadão britânico (e alguns diriam, mais inglês do que os próprios ingleses), descreveu a cultura inglesa por meio de outra miscelânea de itens: Derby Day (uma corrida de cavalos), Regatta Henley (tradicional competição de remo entre Cambridge e Oxford), Cowes (uma corrida de iates), uma final de Campeonato de Futebol, queijo Wensleysdale, beterraba no vinagre, igrejas góticas do século XIX e música de Elgar (compositor de um famoso hino nacional não oficial).

Outro poeta e crítico inglês, John Betjeman, incluiu em sua lista – feita durante a Segunda Guerra Mundial – instituições e experiências que considerou tipicamente inglesas, como a Igreja Anglicana, os *Women's Institutes* (clubes femininos apartidários devotados a atividades voluntárias e de ensino), os *bed & breakfasts*[1] de vilarejos, as estações de trem rurais e "o som do cortador de grama nas tardes do sábado".

Um pouco mais tarde, em 1956, o historiador de arte alemão, Nikolaus Pevsner, que fez da Inglaterra o seu país adotivo (e que reaparecerá muitas vezes neste livro), descreveu a "inglesidade" em termos de "*understatement*, aversão a estardalhaços, desconfiança da retórica [...], independência pessoal, liberdade de expressão, sábias conciliações, [...] uma fé eminentemente civilizada na honestidade e no jogo justo, capacidade de enfrentar uma fila com a maior paciência, [...] e o conservadorismo aberto e convicto, visível no uso das perucas nos tribunais e das becas nas escolas e universidades" (nos anos 1950, os professores das escolas secundárias ainda usavam becas nas aulas).

Understatement, essa peculiar maneira inglesa de falar de forma moderada, que se caracteriza pela atenuação, abolindo qualquer manifestação de drama ou excitação, é um traço de "inglesidade" frequentemente listado. Exemplos significativos são as tão usadas expressões "*not bad*" e "*not bad at all*" – que, diferentemente do que dizem de modo literal, em geral significam "ótimo" e "magnífico" na linguagem comedida inglesa. A "sábia conciliação" apontada por Pevsner é uma característica louvada também por outros observadores estrangeiros, que são seduzidos por um país que,

Grand Match between Oxford and Cambridge, April 14th 1841, gravura de Francis William Topham

A competição anual entre as universidades de Cambridge e Oxford ainda atrai público, embora seja ofuscada por muitos outros eventos esportivos. O entusiasmo que ela provocava no século XIX – como mostra o quadro – era bem maior.

avesso a extremos e inclinado a equilibrar antagonismos de todo tipo, teria inventado a "tradição de conciliação" e as "revoluções brancas", sem sangue.

Como historiador da arquitetura, Pevsner também chamou a atenção para "janelas que nunca fecham direito e aquecimentos que jamais aquecem" (felizmente, essas não são mais marcas características da "inglesidade").

Sobre a "aversão a estardalhaços" (*fuss* para os ingleses), apontada por Pevsner como traço distintivo do caráter britânico, o próprio título da comédia de Shakespeare *Much Ado about Nothing* (traduzido no Brasil como *Muito barulho por nada*)*

---

* N.E.: Nesta obra, para uso de itálico e redondo no caso de menção a publicações (livros, jornais, revistas) foi adotado o seguinte critério: quando há edição em português, os títulos aparecerão em itálico, e quando a tradução é livre e sem edição em português, aparecerão em redondo. O mesmo critério foi seguido para títulos de obras de arte, como filmes, espetáculos teatrais e pinturas.

já oferece um exemplo revelador que recua ao final do século XVI. *Ado* era a palavra usada para designar o que hoje é chamado, pelos ingleses, de *fuss*. Uma história mais recente é ainda mais ilustrativa disso. Em 1982, quando o biólogo Aaron Klug recebeu um telefonema no Departamento de Biologia Molecular da Universidade de Cambridge lhe comunicando que ganhara o Prêmio Nobel de Química, exclamou: "Agora eu posso comprar uma bicicleta nova!" Nenhum estardalhaço, ou *fuss*, quer do governo ou da mídia, resultou dessa notícia. Na França, ao contrário, o comunicado de que três franceses haviam recebido o Prêmio Nobel foi recebido com estardalhaço ou, no dizer dos ingleses, com muita *fuss*; o governo francês até decretou feriado em comemoração ao grande feito. Nesse caso, o fato de a Grã-Bretanha ocupar o segundo lugar dentre os ganhadores do Nobel, só sendo ultrapassada pelos Estados Unidos, e de só a Universidade de Cambridge ter obtido 90 dos prêmios talvez possa, em parte, explicar a reação dos ingleses.

ATUALIZANDO A "INGLESIDADE"

Dois anos após Pevsner ter feito sua caracterização da cultura inglesa, Raymond Williams, um galês de origem humilde que se tornou eminente professor de Literatura Inglesa da Universidade de Cambridge e que pode ser descrito como um Antonio Candido britânico pela sua combinação de política de esquerda com crítica literária e sociologia, considerou a lista feita por T. S. Eliot muito estreita, pois se limitara a "esporte, comida e pouca arte". Sugeriu então que se acrescentassem outras razões para o ufanismo inglês: "produção de aço, viagem de carro como lazer, fazendas mistas (criando gado e produzindo trigo), Bolsa de Valores, mineração de carvão e transporte de Londres". Se é verdade que, 50 anos após Williams ter feito esses acréscimos, o metrô (que celebrou seus 150 anos de existência em 2013) e os ônibus londrinos ainda podem ser tidos como motivo de orgulho dos ingleses, a indústria de aço e a mineração de carvão praticamente desapareceram.

Quatro décadas mais tarde, em 1998, o jornal popular inglês *The Sun* – que compete com o *Daily Mail* pela maior circulação diária no Reino Unido – públicou uma lista do que chamou de "100 razões pelas quais é ótimo ser inglês". A lista incluía os Beatles, o ator Michael Caine, cabines de telefone vermelhas, o programa matinal diário *Today* (da Radio 4, da BBC), bingo, Wimbledon, *fish and chips* (peixe frito com batata frita, tradicionalmente servidos embrulhados em jornal), *Lancashire hotpot* (caçarola de carneiro com legumes), não esquecendo também a "confortante e deliciosa xícara de chá inglês".

Mais recentemente, em 2006, o governo lançou uma pesquisa sobre o que chamou de "ícones da Inglaterra". Entre os itens mais populares escolhidos pelo público, além do Big Ben, o críquete, Sherlock Holmes, o chapéu-coco e, obviamente, "uma boa xícara de chá", havia duas inovações significativas: o Empire Windrush, o navio que levou os primeiros imigrantes jamaicanos para a Grã-Bretanha em 1948, e o carnaval de Notting Hill, uma tradição que esses imigrantes levaram do Caribe para Londres. Esses são pequenos sinais de que os caribenhos e seus descendentes agora são considerados ingleses, pelo menos por parte da população.

A fim de atualizar essa lista, o que deveria ser acrescentado hoje, como "ícones ingleses"? William e Kate, o jovem e charmoso casal da realeza? Colin Firth, o ator que representou o rei George VI no aclamado filme *O discurso do rei*? No que diz respeito à comida típica, *fish and chips* teria no mínimo de ser substituída ou complementada com *curry*, um dos pratos mais populares do país. Quando Ronald Biggs – o famoso assaltante do trem pagador que fez do Brasil sua segunda pátria e morreu em Londres em 2013 – decidiu se entregar à polícia britânica em 2001 e deixou sua casa no ensolarado Rio de Janeiro por uma prisão na sombria Londres, teria dito que, durante as três décadas que viveu no Brasil, sentira muitas saudades de três coisas: cerveja inglesa, *marmite* e *curry* (ver capítulo "Modo de vida e valores").

O TESTE DE CIDADANIA: SOLUÇÃO OU FIASCO?

O problema do que conta como inglês, do que é autenticamente inglês (ou britânico) – na verdade, do que é pura e simplesmente autêntico – nos últimos anos tem sido objeto de manchetes de jornal e até mesmo de uma certa ridicularização da própria questão. Em 2005, o governo instituiu o chamado *British citizenship test* (teste de cidadania britânica) para os imigrantes que quiserem se naturalizar ou permanecer indefinidamente no país, com a justificativa de que esses aspirantes devem compartilhar de valores comuns aos demais cidadãos.

Desde então, uma sucessão de tentativas oficiais tem sido feita para definir *britishness*, supondo-se, em todas elas, ter a chave para conhecer seus ingredientes fundamentais. A última dessas tentativas, posta em vigor em março de 2013, concentra-se mais no conhecimento das instituições e da cultura britânicas que as anteriores, criticadas por serem muito triviais e simplistas.

Mas o problema que permanece crucial é o de quem teria a autoridade inquestionável para determinar no que consiste a *britishness*, a identidade cívica que deve unir a todos? Quem declara o que é relevante e o que não é relevante na história e na cultura britânicas? Após estudar o livro intitulado *Life in the United Kingdom: a Journey to Citizenship* (Vida no Reino Unido: uma jornada para a cidadania), o candidato, quer seja ele um cirurgião altamente treinado da Índia ou da Austrália, ou um apanhador de legumes de Bangladesh semiletrado, é testado por um questionário – pelo qual paga 50 libras. Se responder corretamente a 18 das 24 questões propostas, terá acertado os 75% necessários para ser aprovado.

As realizações da engenharia britânica, o nome dos inventores do *hovercraft* (aerobarco) e dos caixas eletrônicos, a poesia de Robert Burns, os discursos de Churchill, a identidade do santo patrono da Escócia, a música de Benjamin Britten e dos Beatles fazem parte do que o ministro da Imigração descreveu como "valores e princípios que fazem a essência de ser britânico" e que, portanto, são centrais para que o imigrante "participe da vida britânica". Criticado como "gozação da *britishness*" ou uma verdadeira "paródia" por presumir que existe um acordo dos britânicos sobre o que os faz ser o que são, esse teste tem também sido apontado como totalmente inapropriado para atingir seu pretenso objetivo de melhorar a coesão e a integração das comunidades. Se essa é realmente a intenção, dizem os críticos, os nativos deveriam também ser testados ao lado dos imigrantes – e o que se conclui, a partir dos testes feitos por uma amostra de 12 mil britânicos, é que a maioria seria reprovada. No caso dos dois autores deste livro, seguramente um de nós perderia a nacionalidade britânica adquirida há anos, se as consequências do fracasso no teste fossem retroativas. O outro, britânico nato, teria mínima chance de ser aprovado, se as perguntas do teste se concentrassem em esporte, música popular ou tecnologia.

VALORES BRITÂNICOS

A questão dos "valores britânicos" que caracterizam a "inglesidade" voltou a provocar discussões acaloradas em meados de 2014, quando o primeiro-ministro David Cameron declarou com veemência a necessidade de se pôr de lado certo escrúpulo e timidez, tão britânicos, de falar sobre "nossas realizações e nossa britanicidade". Nesse país, disse ele, temos passado a mensagem preocupante de que "se você não acredita em democracia, tudo bem; se a igualdade não é a sua praia [*your bag*] não se preocupe; se você é totalmente intolerante para com os outros, nós ainda assim o toleramos".

É mais do que hora, disse o primeiro-ministro, de promover e defender abertamente os "valores britânicos" centrais, que formam a "base da britanicidade": "crença na liberdade, tolerância para com os outros, aceitação da responsabilidade pessoal e social, respeito e manutenção do Estado de Direito". Esses valores, disse Cameron,

Esta edição do jornal popular *The Sun* pretendia ser a "celebração sem remorso da Inglaterra", por ocasião da Copa do Mundo de 2014, quando a típica modéstia inglesa deveria ser temporariamente suspensa para dar lugar à necessária torcida.

que são tão britânicos quanto "a bandeira, o futebol e o *fish and chips*", devem ser promovidos "em cada escola e para todas as crianças deste país".

O motivo de tal intervenção foi a revelação de que várias escolas de Birmingham, dominadas por uma "cultura de medo e intimidação", estariam sendo guiadas por extremistas muçulmanos. Esse apelo do primeiro-ministro gerou discussões sobre questões fundamentais, como a dos valores e os meios de transmiti-los: podem ser ensinados em sala de aula ou só é possível transmiti-los pelo exemplo de vida?

Num tom bem diferente, entre leve e jocoso, o jornal *The Sun* dedicou um número novamente voltado a estimular o orgulho nacional, em feitio semelhante ao que publicara em 1998, como vimos, mas abolindo a tradicional página 3, com modelos *topless*. A edição de 24 páginas de 12 de junho de 2014, data da abertura da Copa do Mundo em São Paulo, tinha como objetivo estimular no público um orgulho aberto pela "inglesidade" e pelo futebol inglês. Distribuída gratuitamente em 22 milhões de casas britânicas, essa "celebração sem remorso da Inglaterra", conforme os próprios editores reconheciam, ia contra a maneira modesta e discreta de ser inglesa, sempre tendendo a minimizar os feitos e as virtudes da nação e de seu povo – maneira de ser que, ao menos no período da Copa, como diziam, precisava ser suspensa. A capa era uma montagem com 118 fotos de personalidades que, conforme eram apresentadas, "capturam a própria essência da Inglaterra hoje".

"Quais as características que melhor refletem a 'inglesidade'?", uma das pesquisas encomendadas para essa edição chegara ao seguinte resultado (em ordem decrescente): "respeito pelo jogo limpo, falar sobre o tempo, ser tolerante para com os outros, fazer fila, não deixar transparecer suas emoções (*keeping a stiff upper lip*), sarcasmo, dificuldade para reclamar em público" etc.

Sabe-se que muitos "presenteados" não aceitaram a edição comemorativa, que causou controvérsia em certos círculos, a ponto de Ed Miliban, o líder do Partido Trabalhista até maio de 2015, desculpar-se por aparecer na mídia com essa edição do *The Sun* nas mãos.

MAIORES PROBLEMAS DE DEFINIÇÃO

O espinhoso problema da definição de uma identidade cívica foi tema da brilhante sátira do romancista Julian Barnes em *England, England* (*Inglaterra, Inglaterra*) (1998). O autor imagina um homem de negócios do futuro, *sir* Jack, transformando a Ilha de Wight, no sudoeste da Inglaterra, num parque de diversões temático, que reproduz versões em miniatura do Big Ben e do Palácio de Buckingham (incluindo o próprio rei para atrair mais turistas). Os assistentes de *sir* Jack criam um catálogo das "50 quintessências da 'inglesidade'", que inclui *pubs*, críquete, Robin Hood e assim por diante, enquanto o "subcomitê gastronômico" elabora uma lista dos pratos tipicamente ingleses que os turistas deverão saborear. Não podemos resistir à tentação de imaginar o que seria um equivalente brasileiro do parque temático idealizado por Barnes: a ilha de Itaparica povoada com miniaturas do Congresso Nacional, do Cristo Redentor e da avenida Paulista, assim como de uma "casa-grande e senzala" completa, com uma igreja de Ouro Preto e uma escola de samba. Um desfile de Carnaval ocorreria todos os dias, enquanto um restaurante supostamente típico serviria uma mistura de feijoada, rodízio de pizza e acarajé.

Tradicionalmente, a identidade nacional era algo que se assumia como sendo tão óbvia que não havia necessidade de falar ou mesmo de pensar sobre ela. George Bernard Shaw, escritor irlandês que viveu na Inglaterra, caracterizou uma nação sadia como aquela que seria inconsciente de sua nacionalidade. Sem dúvida, é mais fácil manter essa atitude quando se vive numa ilha, mesmo que desde 1994 ela esteja unida ao continente pelo Eurotúnel. Um sinal dessa autoconfiança – atualmente enfraquecida, mas ainda não destruída – é o fato de os ingleses demorarem muito mais do que os brasileiros para perguntar aos visitantes estrangeiros o que acham do seu país; e isso quando perguntam, o que pode muito bem não acontecer.

UFANISMO

Quando foi primeiro-ministro, Tony Blair certa vez declarou: "os britânicos são especiais, o mundo sabe disso, e nós, em nossos pensamentos mais íntimos, sabemos disso. Essa é a maior nação do mundo!" Será que seus compatriotas compartilham dessa visão? O famoso dramaturgo Tom Stoppard, que nasceu na então Tchecoslováquia, de lá saiu como refugiado de guerra e estabeleceu-se na Inglaterra em 1946 quando ainda criança, lembra-se de seu padrasto inglês lhe dizer: "Você tem noção de que eu o transformei em britânico?" Como diz Stoppard, ele tinha uma crença profunda de que "nascer inglês era ter tirado o primeiro prêmio na loteria da vida".

Suspeitamos que muitos ainda pensem assim, mesmo que se sintam envergonhados de admiti-lo, e que somente uma minoria considere as palavras de Blair e do padrasto de Stoppard excepcionalmente exageradas. Afinal, como dizia Bernard Shaw com seu habitual sarcasmo, "todo britânico médio imagina que Deus é inglês".

De qualquer modo, a atitude de Blair faz parte de uma longa tradição, que recua para muito antes do Império Britânico, cujo poder poderia ser enganosamente visto como causa desse ufanismo. Em 1500, um embaixador de Veneza na Inglaterra escreveu para a família dizendo que os ingleses eram "grandes amantes de si mesmos e de tudo que lhes pertence". A abertura com que a Inglaterra, ao longo da história, recebeu refugiados políticos e religiosos já foi apontada como uma medida da segurança e estabilidade sentida pelo país, segurança e estabilidade tidas como praticamente inabaláveis por fatores externos.

Para alguns, a insularidade britânica, ao lado dos poderosos navios da Royal Navy (Marinha Real Britânica) – conhecidos tradicionalmente como os "muros de madeira da Inglaterra" – que defendiam a ilha, constituiriam uma das fontes dessa segurança, autoconfiança e orgulho. Como Norman Tebbit, um ministro do governo de Margaret Thatcher nos anos 1980, disse certa vez: "a bênção da insularidade sempre nos protegeu contra cachorros loucos e ditadores".

É esse sentimento que talvez explique a falta de entusiasmo que muitos britânicos têm em relação à União Europeia e a promessa feita pelo primeiro-ministro David Cameron de fazer um *referendum* sobre a relação do Reino Unido com a União Europeia se ele fosse reeleito em maio de 2015 – e que agora, tendo ele sido reeleito, será efetivamente realizado. Pesquisas de opinião feitas em 2014 sugeriram que a maioria da população britânica votaria para a saída da União.

QUEM É O "OUTRO"

Assim como no caso de tantas outras nações, os ingleses definem sua identidade – quando se importam em defini-la – contra o "Outro". Tradicionalmente, o "Outro" tem sido a França, o principal inimigo desde a Guerra dos Cem Anos (1337-1453) até as Guerras Napoleônicas (1799-1815). Os escoceses, por sua vez, há muito tempo têm considerado os franceses seus aliados contra os ingleses. A Alemanha não desempenha o mesmo papel como "Outro" ou inimigo, apesar das duas guerras mundiais, talvez por estar mais distante da Inglaterra do que a França.

Mesmo as alianças com a França na Primeira e na Segunda Guerra mundiais não foram suficientes para eliminar a tradicional suspeita com relação à nação rival do outro lado do Canal da Mancha, uma rivalidade que ficou particularmente óbvia quando Margaret Thatcher era primeira-ministra (1979-1990). O projeto de Thatcher para a nova British Library (Biblioteca Britânica) foi uma tentativa de suplantar o projeto de Mitterand para a nova Bibliothèque Nationale da França. Do mesmo modo, quando convidada em 1989 para a celebração do bicentenário da Revolução Francesa, organizada por Mitterand, ela não perdeu a oportunidade de comentar publicamente que os britânicos haviam estabelecido os direitos humanos cem anos antes dos franceses, e sem a mesma violência. Muito tempo antes, em 1859, Charles Dickens (autor cujos livros nunca deixaram de ser publicados) contrastara nesses mesmos termos a Revolução Francesa com a Revolução Gloriosa de 1688, um dos maiores orgulhos dos ingleses, em um dos seus muitos *best-sellers*, *Tale of Two Cities (Um conto de duas cidades)*.

Nas primeiras décadas do século XXI, quebrando a tradição, os debates sobre identidade estão se tornando mais intensos, e alguns comentaristas falam da crise de identidade que eles revelam. Manifestações de nacionalismo são feitas mais abertamente do que antes, com o uso, por exemplo, da bandeira nacional branca, vermelha e azul, conhecida como *Union Jack*, porque combina as bandeiras tradicionais da Inglaterra, Escócia e Irlanda. Pode-se vê-la esvoaçando na frente das casas e apartamentos, reproduzida em objetos de uso diário, desde guarda-chuvas até blusas, botas e óculos de sol, embrulhando espectadores nos jogos de futebol (ou mesmo pintadas em suas caras) e assim por diante. E não é tão incomum ouvir pessoas resmungando coisas como "fale inglês na Inglaterra" ou mesmo "a Inglaterra para os ingleses".

A nova e monumental British Library em St. Pancras, Londres, foi o maior prédio público construído no país no século XX. Planejada quando Thatcher era primeira-ministra, ilustra a tradicional rivalidade entre Inglaterra e França, pois sua construção foi uma resposta à nova Bibliothèque Nationale de France, planejada pelo presidente Mitterrand.

INGLÊS OU BRITÂNICO?

A grande questão a ser discutida mais longamente no próximo capítulo é esta: "inglês ou britânico?". Para os ingleses, que assumem seu domínio como um dado, os dois termos são praticamente sinônimos. Para a fúria dos escoceses e dos galeses, eles frequentemente dizem, desafiando ou desconsiderando os dados geográficos, que "a Inglaterra é uma ilha", como se toda a ilha fosse ocupada pela Inglaterra e não fosse compartilhada por três países.

"O que é britanicidade?", perguntou Gwynfor Evans, o antigo presidente do *Plaid Cymru* (o Partido Nacional galês). Sua resposta amargurada foi a seguinte: "se alguém pergunta qual é a diferença entre a cultura inglesa e a britânica, logo percebe que não há diferença. Elas são iguais. A língua britânica é a língua inglesa. A educação britânica é a educação inglesa. A televisão britânica é a televisão inglesa. A imprensa britânica é a imprensa inglesa. A Coroa britânica é a Coroa inglesa e a rainha da Grã-Bretanha é a rainha da Inglaterra".

O título oficial do Estado, "Reino Unido" – cujo nome completo é Reino Unido da Grã-Bretanha e Irlanda do Norte – nunca foi aceito fora dos círculos oficiais. Na linguagem cotidiana, a identidade mais inclusiva que se estende para o País de Gales, Escócia e Irlanda do Norte é a de "britânico"; identidade que, no entanto, é somente aceita pelos irlandeses protestantes, pois os católicos a rejeitam. Os imigrantes recentes, do Caribe ou do Paquistão, por exemplo, tendem a dizer que são "britânicos pretos" ou "britânicos asiáticos", ao invés de usarem o termo "inglês". Por outro lado, os britânicos estabelecidos há mais tempo tendem a se autodenominar "ingleses", "galeses" ou "escoceses", dependendo do caso. As guerras com a França podem ter encorajado a consciência de identidade britânica protestante no século XVIII, mas a longo prazo e para a maioria das pessoas, a ideia de "Grã-Bretanha" acabou por se tornar muito menos atraente do que a ideia de Inglaterra.

MEDO E NOSTALGIA

Hoje em dia, ouve-se frequentemente a reclamação de que a Grã-Bretanha está se tornando menos britânica, ou a Inglaterra menos inglesa, sendo os queixosos, em geral, conservadores que resistem ressentidos à mudança cultural em nome de uma espécie de "Inglaterra intemporal" usualmente localizada na infância. Eles perderam a fé de George Orwell de que, não importa o que aconteça, "a Inglaterra será sempre a Inglaterra, um animal eterno se alongando para o futuro e para o passado e, como

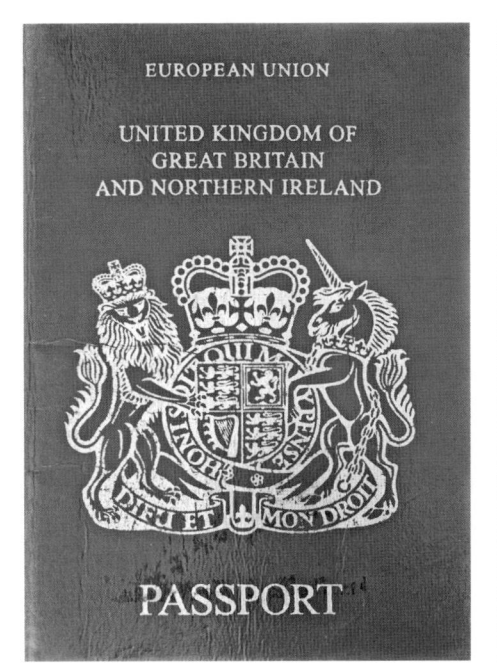

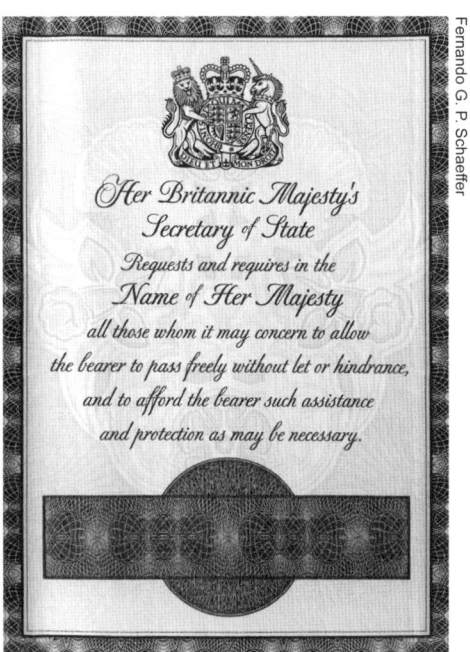

Apesar de terem entrado na comunidade europeia nos anos 1970 e terem aceito a substituição do passaporte azul pelo vermelho, os britânicos se recusaram a renunciar ao símbolo tradicional de sua monarquia, que ilustra a capa do documento: um leão e um unicórnio segurando o brasão real.

todas as coisas vivas, tendo o poder de se transformar em algo irreconhecível, mas que permanece, ao mesmo tempo, o mesmo".

Algumas pessoas culpam a americanização da cultura por essa perda de "anglicidade", o que tem acontecido desde que os ianques estacionaram na Grã-Bretanha durante a Segunda Guerra Mundial. Outras, especialmente os membros dos partidos de ultradireita – o pequeno UKIP (United Kingdom Independent Party) e o ainda menor National Front – põem a culpa na União Europeia, na imigração ou no multiculturalismo. A substituição do tradicional passaporte britânico azul pelo passaporte vermelho da Comunidade Europeia em 1988 foi lamentada por muitos, incluindo John Major, que prometeu, quando foi primeiro-ministro, que nunca iria permitir "nossa distinta identidade britânica se perder na Europa federal".

Na verdade, a tentativa feita pela União Europeia de abolir o brasão real dourado da capa do passaporte britânico, assim como o texto tradicional da primeira página, causou um verdadeiro furor entre o público. Afinal, ambos são muito caros aos britânicos em geral, que apreciam a tradição e querem ser claramente associados à sua nação, quer sejam admiradores ou não do ocupante do trono. O texto que abre o passaporte contém, há mais de 300 anos, palavras que ainda impressionam: "O Secretário de Estado de Sua Majestade Britânica requer e exige em Nome de Sua Majestade que todas as autoridades relevantes permitam ao portador passar livremente sem obstáculo ou embaraço, e ofereçam ao portador toda a assistência e proteção que se faça necessária". Foi em 1641 que os passaportes – que não eram documentos obrigatórios – deixaram de ser assinados diretamente pelo rei (no caso, Carlos I) e passaram a ser assinados em nome do rei, pedindo ou mesmo exigindo, segundo o texto centenário, que seus súditos fossem protegidos e ajudados quando fora de sua terra.

O desenvolvimento dos movimentos nacionalistas na Escócia e no País de Gales, que levou ao estabelecimento, em 1999, do Parlamento escocês e da Assembleia galesa, assim como a debates sobre a independência escocesa (sobre a qual houve um *referendum* em setembro de 2014), deu origem a uma espécie de reação nacionalista inglesa. Um sinal dela, mais ou menos visível desde 1990, é a celebração do Dia de São Jorge, o patrono da Inglaterra, em 23 de abril – celebração praticamente inexistente antes dessa época. Outra é o aumento da exposição da bandeira inglesa, ou seja, da bandeira de São Jorge com sua cruz vermelha sobre fundo branco que vem tomando o lugar da *Union Jack*. A cruz de São Jorge agora aparece cada vez mais nas bandeiras exibidas nas janelas de casas particulares e pintadas nas caras dos fãs de futebol quando a "Inglaterra" joga em outro país. Uma virada significativa parece ter ocorrido no campeonato Euro de futebol de 1996, realizado na Inglaterra, talvez em resposta à ideia de um Parlamento escocês que estava sendo discutido pelo governo naquela ocasião.

OBSERVADORES ESTRANGEIROS E QUASE ESTRANGEIROS

Este livro é o mais recente de uma longa série de estudos sobre os ingleses feitos tanto por estrangeiros quanto por nativos. Os estrangeiros incluem Voltaire, que viveu em Londres antes de escrever seu *Lettres sur les anglais* (*Cartas filosóficas*, 1734) e liderou toda uma onda de escritos e manifestações anglófilas no século XVIII; Hippolyte Taine, intelectual positivista e autor de *Notes sur l'Angleterre* (Notas sobre a Inglaterra, 1872); o diplomata-arquiteto alemão Hermann Muthesius, um entusiasta da arquitetura doméstica inglesa; o escritor tcheco Karel Capek, autor de *English Letters*

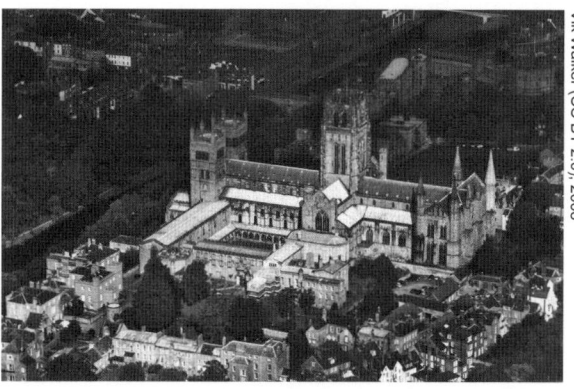

Muitos estrangeiros escreveram sobre os ingleses e sobre a Inglaterra. O historiador de arte alemão Nikolaus Pevsner descreveu a catedral e o palácio episcopal de Durham, instituídos Patrimônio da Humanidade pela Unesco, como "uma das maiores experiências visuais da Europa".

(*Cartas inglesas,* 1924); o escritor e membro da Académie Française André Maurois, autor de várias obras sobre os ingleses; o historiador holandês Gustaaf Renier, cujo livro, publicado em 1931, tinha o título espirituoso de *The English: Are They Human?* (Os ingleses: são eles humanos?); o jornalista húngaro George Mikes, que se naturalizou britânico e públicou em 1946 o *best-seller How to be an Alien* (Como ser um estrangeiro); o historiador de arte alemão Nikolaus Pevsner, que transmitiu por uma estação de rádio e depois públicou uma série de aulas sobre *The Englishness of English Art* (A anglicidade da arte inglesa, 1970); e uma série de escritores norte-americanos, desde o romancista Henry James, que se tornou cidadão britânico, até Sarah Lyall, uma jornalista contemporânea que se casou com um inglês.

 Localizado em algum lugar entre o estrangeiro e o nativo está George Orwell, cujo nome verdadeiro era Eric Blair. Orwell, que nasceu na Índia e era filho de um administrador colonial, chegou a trabalhar para a Polícia Imperial Indiana antes de se estabelecer na Inglaterra e se transformar num dos mais importantes e lúcidos escritores e cronistas da cultura inglesa do século XX. Membro da classe alta inglesa, educado em Eton (a mais prestigiosa *public school* britânica, que de pública só tem o nome, como veremos mais adiante), pode-se dizer que Orwell descobriu a Inglaterra, especialmente a classe trabalhadora inglesa, como um antropólogo o faria, tendo vivido no East End, a região pobre de Londres, e em Lancashire, a fim de observar a população destituída.

 Em certo sentido, Nicolaus Pevsner pode ser equiparado a Orwell em seu papel de observador "quase estrangeiro". Tendo vivido na Inglaterra durante meio século, foi descrito como observador da arte inglesa com a "dupla visão de um estrangeiro nativo". Sua familiaridade com a arquitetura do continente lhe permitiu dizer, por exemplo, de Durham, uma linda cidade ao norte da Inglaterra, que "o conjunto de catedral, castelo e monastério na rocha só pode ser comparado a Avignon e Praga".

OBSERVADORES NATIVOS

Quanto aos nativos que escreveram sobre a Inglaterra, eles incluem o brilhante jornalista Walter Bagehot, cujo estudo sobre a Constituição Britânica (publicado em 1867) tornou-se um clássico e cujo próprio sobrenome serve de título a uma coluna semanal política da prestigiosa revista inglesa *The Economist*; Geoffrey Gorer, um antropólogo social que investigou em 1950 o que ele chamou de "caráter inglês" através de um questionário; Anthony Sampson, o Bagehot dos anos 1960, cuja *Anatomy of Britain* o deixou famoso; os jornalistas Jeremy Paxman e Andrew Marr, importantes figuras da mídia contemporânea; um jornalista que virou historiador, Peter Hennessy; a também antropóloga social, Kate Fox; e um geógrafo estatístico, Danny Dorling. O rápido aumento de livros sobre os ingleses escritos por ingleses – e aparentemente para consumo dos ingleses – a partir dos anos 1990 sugere que há uma crescente incerteza sobre a identidade nacional.

Alguns dos estudos sobre os ingleses estão desatualizados em muitos aspectos, enquanto, obviamente, todos os autores têm suas perspectivas particulares e, em alguns casos, suas próprias agendas. Alguns nativos, tais como o filósofo conservador Roger Scruton e o jornalista defensor da pena de morte Peter Hitchens, por exemplo, escreveram lamentos por uma Inglaterra que eles acreditam estar em vias de desaparecimento. Querem, como diz Scruton, contribuir para "conservar as coisas em vez de fazê-las desmoronar".

ANGLOFILIA

Muitos estrangeiros adotam a cultura inglesa, entre eles grandes escritores, como os norte-americanos Henry James e T. S. Eliot e o polonês Joseph Conrad, todos literalmente fascinados pela "inglesidade" de seu país de adoção. Gilberto Freyre foi outro anglófilo confesso e convicto que, apesar de restrições aos "excessos de reticência característicos dos anglo-saxões", ficou totalmente seduzido por um país onde, como dizia, "nunca há excessos nem para a esquerda nem para a direita". Quando jovem e frustrado com sua condição de brasileiro, chegou a lamentar-se: "Por que não nasci inglês…?" O historiador Geoffrey Elton (nascido na Alemanha e conhecido originalmente como Gerhard Ehrenberg) começou sua história do *The English* (O inglês, 1992) com a confissão de que, ao chegar à Inglaterra em 1939, aos 17 anos de idade, "em poucos meses despontou-me a certeza de que eu havia chegado ao país no qual eu deveria ter nascido".

A crer no que dizem muitos anglófilos, por trás dessa anglofilia está a admiração pela história, instituições e liberdade dos ingleses.

Voltaire, no século XVIII, propunha que a França e o mundo imitassem o que invejavam, convicto que estava de que, aclimatadas a um novo ambiente, as instituições e os valores ingleses poderiam vingar. "Por que o mundo não pode ser mais parecido com a Inglaterra?", perguntou. Outro francês, já no século XX, André Maurois, louvou a trajetória de um povo que teria tido um destino tão impressionante quanto o dos romanos antigos e que criara um império mais vasto do que o Império Romano. "Algumas tribos saxônicas e dinamarquesas, perdidas numa ilha às margens da Europa, misturadas com alguns sobreviventes celta-romanos, e organizada por aventureiros normandos, se tornaram em alguns séculos os senhores de um terço deste planeta."

A força do legado britânico – visível para além dos antigos limites do Império Britânico, e décadas após este ter deixado de existir – alimenta ainda uma certa anglofilia. Como lembrou o historiador Felipe Fernández-Armesto, quando hoje se veem jogos de críquete em Cingapura ao lado de uma catedral anglicana, esquimós falando inglês e jogando futebol, advogados usando perucas como os ingleses, nos tribunais de Melbourne, congregações da Patagônia cantando hinos em galês, peças de Shakespeare sendo representadas na Alemanha mais do que as de qualquer dramaturgo alemão, não há como não reconhecer que "o povo que exerceu maior impacto sobre o resto do mundo foi o britânico".

Pode-se dizer que alguns estrangeiros se tornaram mais ingleses do que os próprios ingleses, tanto que seus testemunhos são suspeitos porque, como apontou o filósofo Isaiah Berlin (que chegou à Inglaterra vindo da Rússia em 1921, com 11 anos), ofereciam de volta à Inglaterra "seus mitos mais autocomplacentes". Por outro lado, outros imigrantes como Renier e Mikes – os autores de *The English: Are They Human?* e *How to be an Alien* – falam da Inglaterra com um misto de deleite e de irritação. Karl Marx, que está enterrado no pitoresco cemitério de Highgate, em Londres, após ter vivido nessa cidade mais da metade de sua vida, ali escrevendo grande parte de sua obra na biblioteca do British Museum (Museu Britânico), é outro bom exemplo de imigrante que sentia certa exasperação com o modo de ser do inglês e com o fato de, nesse país, "até mesmo o trabalhador ser burguês".

UMA VISÃO PESSOAL

Na qualidade de autores deste livro, não podemos, obviamente, nos colocar como exceções e reconhecemos que aqui expressamos nossas visões pessoais. Ou seja, como residentes da Grã-Bretanha, ao falarmos dos "ingleses", estaremos, de certo modo, falando em nome de mais de 60 milhões dos demais residentes.

O que, no entanto, é mais incomum, é que nossa obra se desenvolveu a partir de um diálogo entre um nativo (que viveu algumas vezes no estrangeiro e é neto de quatro imigrantes que chegaram à Inglaterra há mais de um século) e uma estrangeira (uma brasileira que vive há mais de 25 anos na Inglaterra). Escrevemos este livro especialmente para os brasileiros, quer estejam visitando a Grã-Bretanha, quer já a tenham visitado, pretendam visitá-la ou simplesmente queiram saber mais sobre ela.

No capítulo seguinte, procuramos distinguir a Inglaterra do restante da Grã-Bretanha e também notar algumas das principais variações de "inglesidade". O terceiro capítulo focaliza as instituições britânicas, e o quarto discute o modo de vida inglês e os valores que expressa. O quinto capítulo tem por tema as artes e o capítulo sexto, a história inglesa, seguido de breve conclusão que oferece algumas comparações e contrastes entre a Inglaterra e o Brasil.

NOTA

[1] Alojamentos que oferecem cama e café da manhã, e têm uma atmosfera aconchegante e simpática. São, em geral, estabelecimentos pequenos e frequentemente fazem parte de uma residência particular.

INGLESIDADES

Gilberto Freyre, um pernambucano patriótico, disse certa vez que pretendia escrever sobre "Brasis" no plural, em vez de "Brasil" no singular. Do mesmo modo, como apontamos no capítulo anterior, procuraremos fazer o mesmo, já que falar sobre "o inglês" é bastante problemático dadas as grandes diferenças entre os ingleses. A cultura britânica ou inglesa diferencia-se por região, por classe social e grupo étnico, assim como por gênero e por geração. Como o romancista Salman Rushdie notou nos anos 1980: "há, é claro, muitos britânicos", fato que ele – nascido em Bombaim, muçulmano de origem, educado em *public school* inglesa e residindo na Inglaterra grande parte de sua vida – tinha boas condições para notar.

AS REGIÕES DO REINO UNIDO

É útil lembrar que o termo Reino Unido (United Kingdom of Great Britain and Northern Ireland, mais conhecido simplesmente como United Kingdom ou UK) refere-se oficialmente à união do que no passado eram quatro países separados: Inglaterra, Escócia, País de Gales e Irlanda do Norte. A Inglaterra representa 84% da população da união, a Escócia, 8%, o País de Gales, 5% e a Irlanda do Norte, 3%.

Já Grã-Bretanha (Great Britain ou GB) é o nome oficial dado aos reinos da Escócia, Inglaterra e ao Principado do País de Gales, todos localizados na ilha da Grã-Bretanha, a maior das Ilhas Britânicas. Finalmente, o termo Ilhas Britânicas (British Isles) é puramente geográfico, referindo-se às duas grandes ilhas – Grã-Bretanha e Irlanda – e mais 5 mil ilhas menores, que fazem parte do arquipélago, dentre elas as ilhas de Wight, Man, Hebrides etc.

A distinção oficial entre GB e UK nem sempre, no entanto, é clara para os povos envolvidos, e tanto ingleses, quanto escoceses e galeses ficam às vezes confusos sobre o que quer dizer GB e UK. Como disse um estudioso, "somente na Irlanda do Norte as pessoas referem-se precisamente à ilha do outro lado do mar como 'GB'".

MAPA DO REINO UNIDO

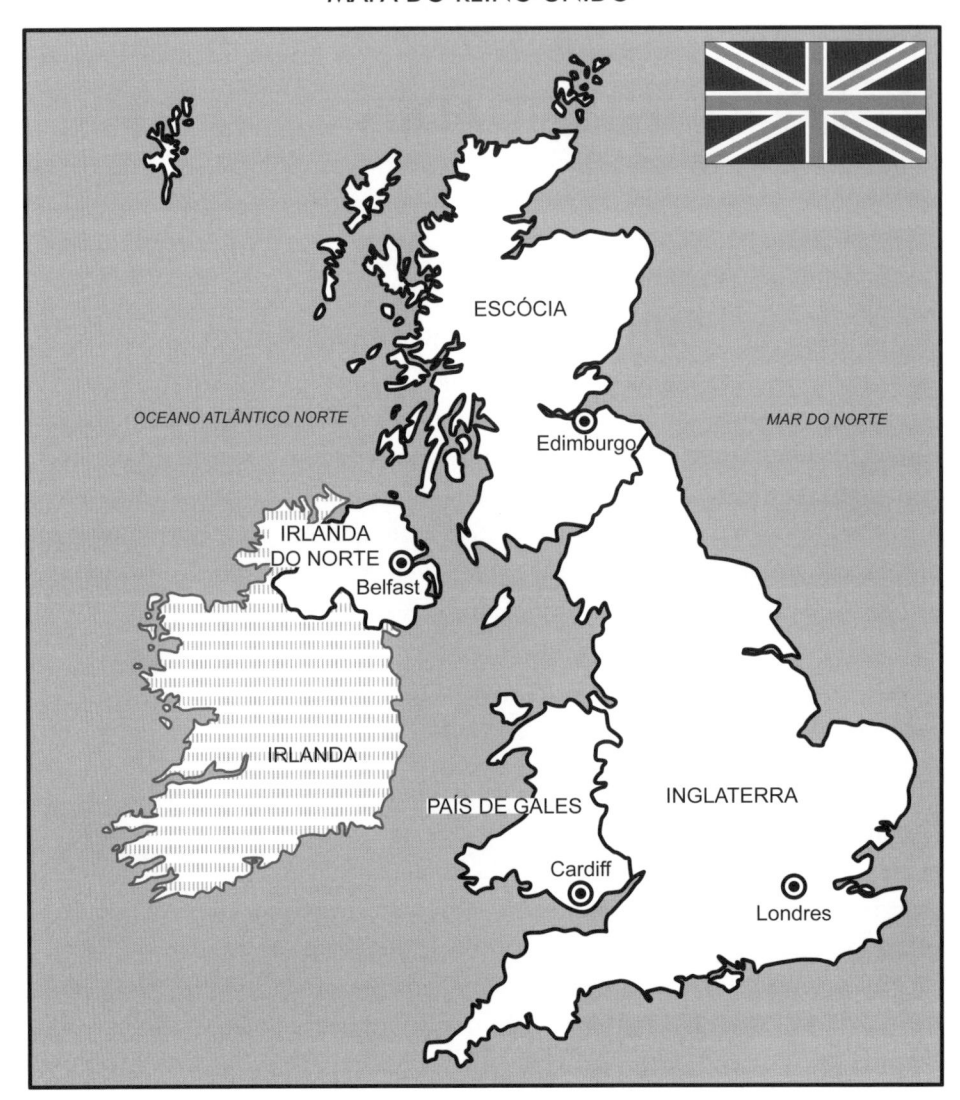

ESCÓCIA

OCEANO ATLÂNTICO NORTE

MAR DO NORTE

Edimburgo

IRLANDA DO NORTE
Belfast

IRLANDA

PAÍS DE GALES

INGLATERRA

Cardiff

Londres

Se considerarmos o nível macro, o Reino Unido é parte de uma região maior, o noroeste da Europa, ao lado da Holanda, Dinamarca, Noruega e Suécia. Todos esses são países protestantes e democráticos, mantêm um rei ou rainha como chefe de Estado e suas populações, assim como o clima, são relativamente frios, ao menos de acordo com os observadores do sul. Na verdade, ao se ouvir uma descrição dos suecos como reservados e reticentes, é difícil não fazer analogia com os ingleses. Todos esses países, assim como a Grã-Bretanha, têm uma tradição, mais ou menos longa, de tolerância para com as diferenças culturais e étnicas, apesar de recentemente essa tolerância estar se enfraquecendo devido aos altos índices de imigração.

Ainda no nível macro, os britânicos se sentem, ou ao menos se sentiam até bem recentemente, como parte do que se chamava de "Greater Britain" (Grã-Bretanha maior), ou seja, um grupo de ex-colônias, especialmente Austrália, Nova Zelândia e Canadá, nas quais muitos imigrantes britânicos se estabeleceram. Esse sentimento era recíproco, e muitos desses "britânicos do além-mar" dele compartilhavam fortemente, ao menos até o momento em que o Reino Unido se uniu à Comunidade Europeia.

Faremos a seguir um retrato em miniatura das culturas dos países com os quais os ingleses coexistem, mas cujas populações tendem a se considerar muito distintas destes. Num livro sobre os britânicos, essas descrições poderiam ser vistas como escandalosamente breves, mas acreditamos que sejam suficientes para colocar os ingleses num contexto mais amplo.

A Escócia

Para os ingleses, a Escócia é uma região, mas para os escoceses é uma nação. Apesar das muitas invasões inglesas ao longo de sua história, o país foi independente até 1603, quando o rei Jaime VI herdou o trono inglês e se tornou Jaime I – por ser o parente mais próximo da rainha da Inglaterra, Elizabeth I, que morreu sem filhos. Mas, mesmo tendo se ligado à poderosa Inglaterra, a Escócia tinha o seu próprio parlamento até o perder em 1707, quando o Act of Union instituiu a união com a Inglaterra. Só após quase três séculos, em 1999, a Escócia recuperou o seu parlamento, que tem o nome de Assembly (Assembleia).

Com uma população de 5 milhões, que representa 8% da do Reino Unido, suas maiores cidades são Edimburgo, a capital, com quase 500 mil habitantes, enquanto sua rival, Glasgow, tem quase 600 mil. A população não está crescendo e tende a declinar se a imigração não aumentar.

Se, seguindo o exemplo de T. S. Eliot sobre os ingleses, quisermos tentar reduzir a cultura escocesa a uma pequena lista de itens distintivos, poderíamos incluir o Festival de Edimburgo, whisky (lá chamado de *scotch*), a poesia de Robert Burns, o prato nacional *haggis* (bucho de carneiro recheado com vísceras), gaita de fole, *kilt* (saia usada por homens), golfe, os romances de Walter Scott, o monstro do *Loch Ness* e o *tartan* (um desenho distintivo das roupas de lã, associado a certas famílias ou "clãs" escoceses).

A Escócia tem o seu próprio sistema legal e bancário, com uma moeda que não é facilmente "válida" na Inglaterra, pois há muitos lojistas que se recusam a aceitá-la; o que não é recíproco, pois a libra esterlina inglesa é normalmente aceita na Escócia. Tem também seu próprio sistema escolar e suas próprias universidades centenárias, que muitos escoceses preferem à Oxford e à Cambridge, as mais prestigiosas universidades inglesas. A St. Andrews, atualmente mais lembrada como o lugar onde o príncipe William conheceu Kate Middleton, foi fundada em 1413, Glasgow em 1411, Aberdeen em 1494 e Edimburgo em 1583. Tem também sua própria igreja, a Igreja da Escócia, da qual a rainha da Inglaterra não é a chefe (como o é da Igreja Anglicana), mas a frequenta quando visita seu palácio escocês de Balmoral. A Escócia tem seus próprios jornais diários, tais como *The Scotsman* e o *Daily Record*, e, apesar de ser servida pela prestigiosa emissora pública de rádio e televisão BBC (British Broadcasting Corporation), muitos escoceses suspeitam dessa instituição, considerando-a muito inglesa. Os escoceses têm também a sua própria bandeira, com a cruz de seu padroeiro, Saint Andrew.

A Escócia possui também sua própria língua, ou línguas. A língua tradicional do país, o gálico escocês, é falada hoje em dia somente por 1% da população. O inglês escocês – falado por todo o restante da população –, quer seja descrito como um dialeto ou uma língua propriamente dita, é ligeiramente distinto do inglês da Inglaterra em vocabulário e sotaque. Mais bem conhecido como *scots* ou *Lowland scots* (*scots* das terras baixas), não é sempre inteligível para os ingleses. *Taggart*, uma série de televisão cujo nome se deve ao detetive escocês assim chamado, precisaria, na verdade, de legendas para ser entendida no sul; ou ao menos precisava quando o personagem era representado pelo ator Mark McManus, originário de North Lanarkshire, nas proximidades de Glasgow, que falava com um forte sotaque local.

Os escoceses podem ser reconhecidos por nomes bastante característicos, tais como Andrew para meninos e Fiona para meninas, e por sobrenomes como Campbell, Hume, Jardine, Macfarlane, Mackenzie ou Macpherson (*Mac* significa "filho" em gálico escocês). Eles se orgulham muito da paisagem do país, especialmente dos *lochs* (lagos) e dos *glens* (vales) das Highlands (Terras Altas), a região montanhosa do Norte. Têm também orgulho de seu passado, do qual faz parte uma longa história de conflitos com os ingleses.

Os heróis nacionais incluem dois líderes do que agora é chamado de "guerras da independência escocesa": Robert the Bruce e William Wallace. Este último derrotou

Este imponente monumento, erigido no centro de Edimburgo, homenageia o escritor escocês *sir* Walter Scott. Nenhum monumento grandioso semelhante foi erigido em homenagem a Shakespeare, reconhecidamente o maior escritor da língua inglesa.

os ingleses na Batalha de Stirling Bridge (1297), vividamente recriada no filme *Braveheart* (1995, no Brasil *Coração valente*). O website oficial do Monumento Wallace, em Stirling, o descreve como "patriota, mártir e guardião da Escócia". Quanto a Robert the Bruce, seu exército derrotou os ingleses em Bannockburn (1314), uma vitória comemorada todo dia 24 de junho com uma marcha para o local do campo de batalha e com a oferenda de louros depositados aos pés da estátua de Bruce no centro da cidade de Stirling.

Um terceiro herói nacional é Bonnie Prince Charlie, em outras palavras Charles Edward Stewart, conhecido na Inglaterra como o Young Pretender (jovem pretendente) por ele se dizer herdeiro do trono britânico. Em 1745, Charles liderou uma invasão da Inglaterra, que tendo sido derrotada foi seguida por uma repressão brutal aos *highlanders* (habitantes das Terras Altas) que haviam apoiado a rebelião com grande entusiasmo.

A história escocesa também tem suas realizações pacíficas das quais se orgulha, em especial o iluminismo escocês do século XVIII, que a partir de seus centros em Edimburgo e Glasgow, foi liderado pelo filósofo David Hume e pelo economista político Adam Smith.

Não obstante o impacto que esse movimento de ideias teve pelo mundo afora, a levar em conta o número e o tamanho dos monumentos erigidos, o poeta Robert Burns e o escritor Walter Scott desempenham um papel mais importante na imaginação nacional do que Hume e Smith. Estátuas em honra a Burns podem ser encontradas em 14 cidades escocesas, enquanto em Edimburgo Walter Scott é celebrado com um monumento imponente chamado *Waverley* – uma torre de mais de 60 metros de altura com a figura de Scott sentada no centro das 4 colunas – perto da estação de trem que também leva o nome do seu romance histórico mais famoso, *Waverley*. A história aí narrada se passa na Escócia no famoso ano de 1745, quando o "jovem pretendente" quis restaurar a dinastia escocesa na Inglaterra.

O CRESCIMENTO DO NACIONALISMO ESCOCÊS

O nacionalismo escocês, relativamente adormecido nos séculos XVIII e XIX, reviveu no XX, em parte devido ao declínio industrial do país. Como os nacionalistas escoceses consideram seu país uma colônia explorada pela Inglaterra, eles foram encorajados em seus objetivos de independência pela queda do Império Britânico a partir de 1947. O Partido Nacional Escocês (SNP), no poder desde 2007, foi fundado em 1934 e adquiriu grande força com a descoberta do petróleo no Mar do Norte nos anos 1960, petróleo que muitos escoceses consideram exclusivamente seu. A *Devolution* (Descentralização), em outras palavras, semi-independência, há muito tempo um tema debatido, foi implantada em 1998 pelo Scotland Act, a que logo se seguiu o estabelecimento do parlamento escocês em Edimburgo. Em 2007, o SNP ganhou 47 lugares no parlamento escocês (que não deve ser confundido com o parlamento britânico, com base em Westminster, Londres), tornando-se o partido majoritário na Escócia e seu líder, Alex Salmond, o primeiro-ministro escocês – substituído em 2014 por Nicola Sturgeon.

O apoio escocês para a independência do país – que em 2012 estava estimado em 30% da população – foi testado por um *referendum* realizado em 18 de setembro de 2014. Supõe-se que Salmond tenha insistido nessa data, que coincide com o aniversário de 700 anos da Batalha de Bannockburn, com a esperança de que ele derrotaria a Inglaterra como um novo Robert the Bruce. Antes do *referendum*, investigações de jornalistas revelaram que alguns escoceses, provavelmente uma minoria, não gostam dos ingleses, por considerá-los uns arrogantes que tratam os escoceses como se fossem inferiores. "Os ingleses pensam que nos possuem", uma escocesa disse ao repórter.

Quando a campanha deslanchou em 2014, não só o apoio à independência cresceu, como também a campanha oposta, conhecida como a "Better together campaign" (campanha melhor juntos) – até então um tanto *blasé* e demasiado confiante – organizou-se mais seriamente, arregimentando figuras escocesas proeminentes do mundo político e artístico, como o ex-primeiro-ministro britânico Gordon Brown e a famosa autora da série *Harry Potter*, J. K. Rowling.

O resultado final mostrou que a maioria da população escocesa (55%) preferiu manter-se unida ao Reino Unido. No entanto, os 45% que votaram a favor da independência da Escócia apontaram para a necessidade de mudanças que se estendem para além das fronteiras escocesas. Como disse o então vice-primeiro-ministro Nick Clegg, o *referendum* marcou um novo capítulo não só na história da Escócia, mas também de todo o Reino Unido, pois o voto contra a independência "claramente não foi um voto contra mudança". É por isso que, considerando as mudanças constitucionais à vista, alguns comentaristas qualificaram o *referendum* como uma nova "Revolução Gloriosa".

O País de Gales

Este país, a oeste da Inglaterra, contém somente 5% da população do Reino Unido e ocupa uma área relativamente vazia, com muitas colinas e montanhas, incluindo Snowdon, a montanha mais alta ao sul da Escócia. A terra é ocupada em grande parte pela criação de ovinos, vividamente descrita por Bruce Chatwin em seu romance *On the Black Hill* (*Os gêmeos de Black Hill*), de 1982. A capital, que é também a maior cidade, é Cardiff, com 300 mil habitantes, mas o país se caracteriza por ser composto por pequenas cidades, como Merthyr Tydfil (com 30 mil pessoas), ou Aberystwyth (com 16 mil, sem contar os estudantes da universidade), e por vilas – muitas delas, antigos centros de mineração, atividade hoje em declínio.

O estereótipo que os ingleses alimentam com relação aos galeses é que eles são pães-duros (como os escoceses) e discretos, mas, ao mesmo tempo, falantes. Já os galeses se veem a si próprios como igualitários, mais exuberantes e hospitaleiros do que os hierárquicos, silenciosos e reservados ingleses. Eles têm o costume de chamar as pessoas por apelidos, que tendem a minar as pretensões de grandeza associadas a títulos – como, por exemplo, chamar um porteiro de uma universidade de "almirante". São também mais hostis à autoridade, provavelmente porque as autoridades em vigor eram tradicionalmente estrangeiras.

MAPA DO PAÍS DE GALES

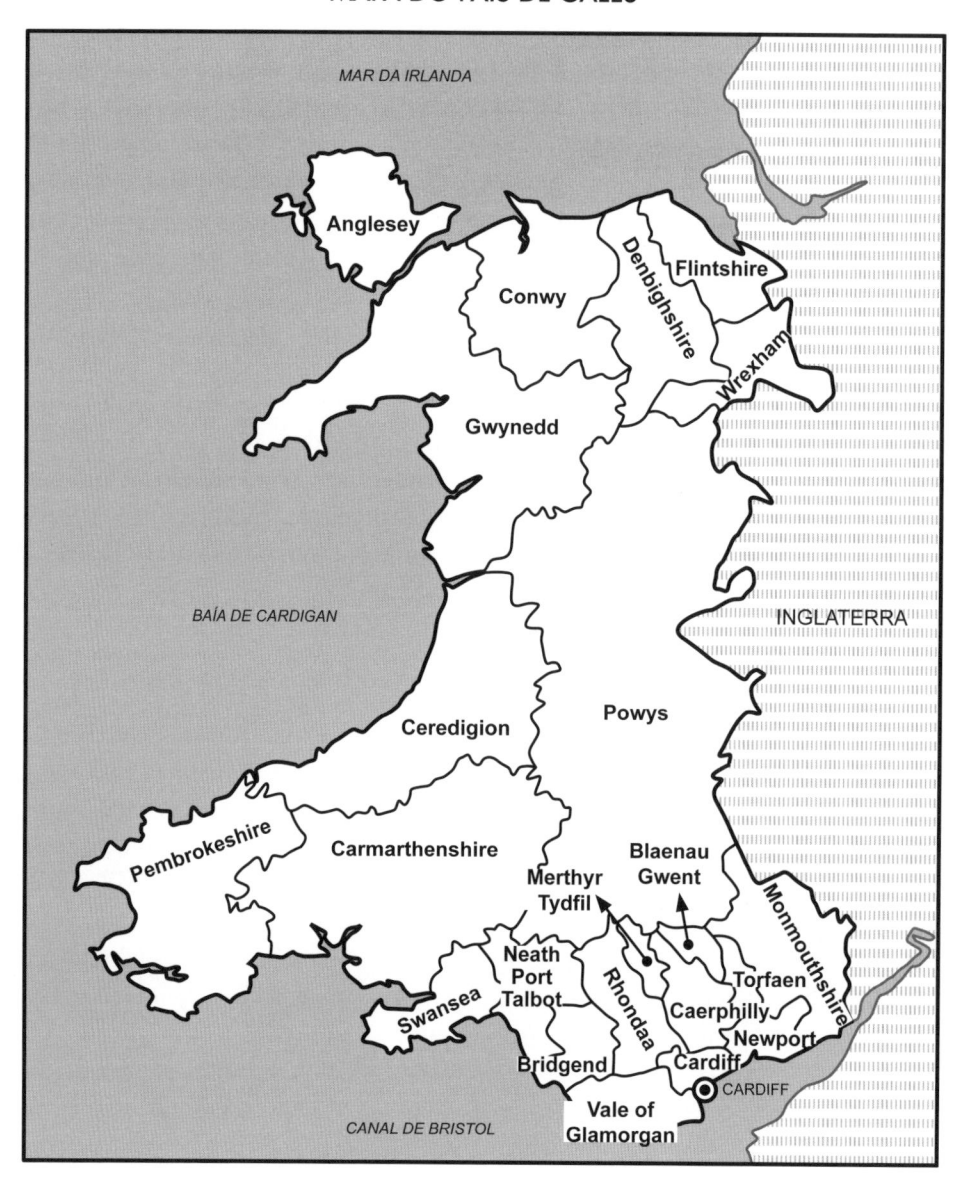

MAR DA IRLANDA

Anglesey
Conwy
Denbighshire
Flintshire
Wrexham
Gwynedd

BAÍA DE CARDIGAN

Ceredigion
Powys

INGLATERRA

Pembrokeshire
Carmarthenshire
Merthyr Tydfil
Blaenau Gwent
Monmouthshire
Neath Port Talbot
Swansea
Rhondda
Torfaen
Caerphilly
Newport
Bridgend
Cardiff
Vale of Glamorgan
● CARDIFF

CANAL DE BRISTOL

Para reconhecer os galeses, além de seu sotaque musical, é importante prestar atenção aos nomes. Entre os sobrenomes galeses mais comuns estão Edwards, Evans, Jenkins, Jones, Morgan, Thomas e Williams. Os primeiros nomes comuns para meninos são Dylan, Gwyn, Hywel, Prys e Rhodri; enquanto para meninas são Ffion, Glynis, Megan e Rhiannon.

A CULTURA GALESA

Diferentemente da Escócia, o País de Gales não possui instituições distintas, como um sistema legal, financeiro ou educacional. Como o escritor galês Jan Morris apontou: "Apesar de ser um país, o País de Gales não é um Estado. Tem uma capital, mas não um governo; possui seus selos, mas não sua própria moeda; uma bandeira, mas não embaixadas; uma língua autóctone, mas não leis autóctones".

A diferença entre o País de Gales e a Inglaterra é, pois, essencialmente, uma questão cultural. Para descrever a cultura galesa do mesmo modo como T. S. Eliot descreveu a cultura inglesa, pode-se começar com o *National Eistedfodd*, um grande festival literário e musical, com milhares de competidores, que acontece anualmente na primeira semana de agosto e é conduzido totalmente na língua galesa. Uma lista de itens culturais distintivos poderia incluir: corais, castelos, minas de carvão, queijo Caerphilly (para tomar o lugar do queijo Wensleydale da lista de Eliot sobre os itens ingleses) e *hwyl*, uma palavra praticamente impronunciável pelos não galeses, que significa inspiração e entusiasmo, especialmente na oratória.

Enquanto os ingleses são devotos do futebol, os galeses preferem rúgbi, um jogo de bola muito mais violento em que os jogadores correm com a bola na mão e seus oponentes tentam arrancá-la, derrubando-os. O centro desse esporte é o Millenium Stadium, em Cardiff. A religião é outro domínio no qual o País de Gales é distintivo, com a "Capela" sendo mais importante do que a "Igreja". Isso significa no vocabulário religioso (e não arquitetônico) que as "Capelas", ou seja, as Igrejas protestantes (não conformistas ou dissidentes, como as metodistas, batistas e quakers, por exemplo) são mais importantes do que a Igreja Anglicana, referida usualmente como "Igreja". A cultura da "Capela" é marcada pelo puritanismo (muito evidente nos domingos galeses, em que *pubs* e lojas permanecem fechados) e por pastores carismáticos, cheios de *hwyl*.

A cultura da "Capela" também inclui a grande importância dada à música, que constitui marca da cultura galesa de modo geral. Bandas de metais e corais, especialmente masculinos (existe uma Associação Galesa de Corais Masculinos) florescem em todo o país e os espectadores de jogos de rúgbi cantam em massa, sendo uma de suas canções favoritas o hino nacional galês "Hen Wlad Fy Nhadau" (Terra de nossos pais).

Um dos pontos altos da cerimônia de inauguração da loja matriz da renomada loja de departamento *John Lewis* em Cardiff, em 2009, foi a apresentação de um grande coral cantando em língua galesa.

A RESISTÊNCIA NA HISTÓRIA GALESA

Os castelos são uma das maiores atrações do País de Gales, havendo mais de 400 espalhados pelo país, incluindo castelos medievais espetaculares como Beaumaris, Caernavon, Conway, Harlech e Caerphilly (conhecido também por ser o local onde se realiza o Festival do Queijo do mesmo nome). A ironia da história é que esses castelos, que hoje são motivo de orgulho nacional, foram originalmente construídos por reis ingleses, tais como Eduardo I, a fim de submeter e reprimir os galeses.

O magnífico castelo de Caernavon do século XIII, que se tornou um dos orgulhos do País de Gales, foi originalmente construído por ordem do rei inglês Eduardo I para manter submissos os recém-colonizados galeses.

Petrusbarbygere (CC BY-SA 3.0)

Após terem sido submetidos à força ao reino inglês, a história do País de Gales tornou-se sinônimo de resistência. Owain Glyn Dwr (Owen Glendower, para os ingleses), por exemplo, que morreu no início do século XV, era um príncipe galês que liderou uma revolta contra a Inglaterra. O início do século XIX foi marcado pelo Levante Merthyr (1831), um protesto dos mineiros contra salários baixos e desemprego, e pelos Motins Rebecca (1839-1843) encampados por agricultores que protestavam contra impostos vestidos de mulher. No século XX, em 1910 e 1911, vieram os Motins Tonypandy, quando os mineiros e a polícia entraram em conflito violento em decorrência de uma disputa industrial entre os proprietários das minas e os trabalhadores. Winston Churchill, um herói para muitos ingleses, é lembrado no País de Gales com rancor por ter sido o ministro que reprimiu esses motins com violência, enviando tropas do exército para ajudar a polícia a enfrentar os mineiros.

A POLÍTICA E A LÍNGUA GALESA

A política galesa é tradicionalmente mais de esquerda do que a política inglesa, e o Partido Trabalhista tem sido o mais votado em todas as eleições desde 1922. O inflamado Aneurin Bevan, filho de um mineiro de carvão, foi *Deputy leader* (vice-líder) do Partido Trabalhista galês até sua morte, em 1960. Neil Kinnock, outro filho de mineiro e igualmente inflamado e eloquente, foi líder do Partido Trabalhista entre 1983 e 1992, permanecendo ainda uma importante figura na política britânica. No entanto, a consciência nacional crescente está transformando a política galesa. O Partido Nacional Galês, Plaid Cymru (fundado em 1925, antes do Partido Nacional Escocês), tem crescido em força e importância, e um grau considerável de autogoverno foi concedido ao país em 1999, com o estabelecimento da Assembleia Galesa, que se reúne em Cardiff.

A consciência nacional tem o suporte da língua galesa, que pertence à família das línguas célticas que inclui o escocês, o irlandês e o bretão, porém é mais atuante do que todas essas. Em 1891, mais de 50% da população do País de Gales falava o galês. Esse número declinou para menos de 20% cem anos mais tarde, mas está agora crescendo, ajudado pelo estabelecimento da televisão galesa em 1982 e pela decisão das autoridades, em 2011, de tornar o galês a língua oficial do país. Tendo uma longa tradição literária – incentivada em parte pelo festival *National Eisteddfodd of Wales*, a maior competição europeia de música e literatura –, um número considerável de romances e poemas é ainda publicado na que é agora a língua oficial do país.

Irlanda, norte e sul

A Irlanda foi invadida pelos normandos um século após eles terem invadido a Inglaterra em 1066. Mas, ao final do século XVI, já estava completamente conquistada pelos ingleses e oficialmente incorporada ao Reino Unido em 1801. Em 1922, após um longo conflito, três quartos da Irlanda, no sul, tornou-se independente sob o nome de *Irish Free State* (Estado Livre Irlandês), enquanto a Irlanda do Norte escolheu permanecer parte do Reino Unido.

O maior problema, e origem principal do conflito entre a Inglaterra e a Irlanda, dizia respeito à identidade religiosa. O Estado Livre Irlandês, que se tornou em 1937 a República da Irlanda, foi e ainda é oficialmente um país católico, mas metade da população da Irlanda do Norte – um dos três países que compõem o Reino Unido, como vimos – é protestante. Eles descendem principalmente dos escoceses que lá se estabeleceram no século XVII (o sotaque distintamente irlandês do norte é uma mistura de escocês com irlandês). Os protestantes apoiam o Reino Unido, a ele se ligam patrioticamente e são totalmente contra a separação dessa união. Na verdade, pode-se dizer que a Irlanda do Norte é o único lugar onde o objeto de patriotismo é o Reino Unido, e não a Inglaterra, a Escócia ou o País de Gales, como no caso dos habitantes desses três países. A metade católica da população da Irlanda do Norte, no entanto, geralmente apoia a união com a República da Irlanda.

Após uma geração marcada por confronto e terrorismo, a Irlanda do Norte assemelha-se à Bélgica, no sentido de ser um território em que duas nações coexistem com dificuldade. Uma das "nações" da Irlanda do Norte apoia o protestantismo, o Reino Unido e o time de futebol Rangers, enquanto a outra apoia a Igreja Católica, a República da Irlanda e o time de futebol Celtic. A capital, Belfast, tem algumas partes protestantes e outras católicas. Para se descobrir qual parte é qual, deve-se olhar para os meios-fios das calçadas: nas áreas protestantes, eles são pintados nas cores da *Union Jack* (vermelho, branco e azul), e nas áreas católicas eles são pintados nas cores irlandesas (verde, branco e laranja). Alternativamente, devem-se observar as pinturas murais, com suas referências a Israel e Palestina. Os protestantes, como os judeus, se veem como o povo escolhido e apoiam os israelenses; enquanto os católicos, tradicionalmente os desfavorecidos na Irlanda do Norte, se identificam com os palestinos.

O herói protestante é Guilherme III, o holandês que venceu o rei católico Jaime II na Irlanda, na Batalha de Boyne em 1690. Até hoje, o *slogan*: "Lembrem-se de

MAPA DA IRLANDA DO NORTE E DA IRLANDA

1690" pode ser visto nas ruas, pintado nas paredes, frequentemente acompanhado de imagens de um homem a cavalo. Todo ano, no dia 12 de julho, o aniversário da batalha, militantes protestantes fazem um desfile pelas ruas de Belfast e de outras cidades ao som de tambores. A polícia planeja a rota com cuidado, pois, se alguns participantes entrarem nas áreas católicas, serão atacados por uma chuva de pedras e garrafas, podendo ser mortos, como de fato tem acontecido. Por outro lado, muitos católicos da Irlanda do Norte apoiam o Exército Republicano Irlandês (IRA) – uma organização guerrilheira que tem o objetivo de unir a Irlanda do Norte com a República Irlandesa – e os heróis que lutaram pela independência da Irlanda, no início do século XX, como James Connolly e Patrick Pearse.

Um episódio memorável da história da Irlanda foi o chamado *Easter Rising* (Levante de Páscoa) de 1916, quando, sob a liderança de Pearse e Connolly, um grupo de republicanos ocupou o Correio Central de Dublin e declarou a independência da Irlanda, sob um governo provisório, *The Provisional Government of the Irish Republic*. Dias depois, o levante foi derrotado pelo Exército britânico e seus líderes foram executados. Logo em seguida eles passaram a ser oficialmente lembrados como mártires e heróis da independência irlandesa. A glorificação póstuma de Pearse, por exemplo, que teve seu nome dado a um museu e a uma estação de trem em Dublin, já foi apropriadamente descrita como "o triunfo do fracasso".

Outras ilhas do Reino Unido

Há também algumas ilhas que são parte da Grã-Bretanha, mas não parte do Reino Unido ou da União Europeia: a ilha de Man, no Mar da Irlanda, com uma população de mais ou menos 80 mil pessoas; as *Channel Islands*, isto é, as ilhas do canal da Mancha, entre a França e a Inglaterra, que são Jersey, Guernsey (conhecida por ter dado asilo ao grande escritor Victor Hugo, que lá viveu 15 anos e onde escreveu *Os miseráveis*), Alderney e Sark, com 160 mil habitantes ao todo. Todas essas ilhas são oficialmente autônomas, tendo seus próprios parlamentos e sistemas de taxação (os impostos são mais baixos do que no Reino Unido). Elas emitem seus próprios passaportes (apesar de seus habitantes serem cidadãos britânicos) e têm suas próprias línguas (manx, uma língua céltica, na Ilha de Man, e quatro dialetos do francês nas Ilhas do Canal), apesar de, na prática, a maioria dos habitantes falar inglês grande parte do tempo.

Essas ilhas, como mini-Grã-Bretanhas, oferecem, em escala pequena, uma vívida ilustração do apego dos britânicos às tradições, ao menos na forma, senão na substância. A forma mais extrema de tradição, quer genuína ou inventada, é a de Sark, uma ilha com a população de cerca de 600 pessoas que foi, ao longo da história, base e refúgio de piratas. Até 2008 ela era administrada por dois oficiais com títulos medievais, o *Seigneur* e o *Seneschal*. No entanto, desde o advento da "democracia" em 2008, grande parte do poder não oficial passou a ser exercido pelos irmãos gêmeos Barclay, dois homens de negócio ingleses que construíram para seu uso um castelo pseudomedieval numa pequenina ilha vizinha, a Brecqhou, sobre a qual Sark exerce jurisdição.

AS REGIÕES NA INGLATERRA

Em contraste com as distinções que vimos anteriormente, as variedades dentro da Inglaterra são relativamente pequenas. Contudo, essas diferenças, por menores que sejam, se revestem de grande importância para as pessoas envolvidas – comprovando o fenômeno descrito por Freud como "o narcisismo das pequenas diferenças". As distinções são, no entanto, culturais mais que políticas e raramente levam ao desejo de independência, e muito menos a movimentos para obtê-la. As regiões inglesas poderiam ser mais bem descritas como microrregiões, ao menos para os padrões brasileiros.

A Inglaterra está dividida em 48 condados (*counties*) e contém por volta de 10 mil vilarejos históricos. Falando de um modo geral, há quatro regiões principais:

1. os *home counties* (condados de casa), a região perto de Londres, ao sudeste do país, que inclui os condados de Kent, Sussex, Surrey, Essex e Hertfordshire;
2. as *Midlands* (terras do meio), a região ao redor de Birmingham, a maior cidade do país após Londres e onde vivem por volta de 1 milhão de pessoas;
3. o *West Country* (região do oeste), que inclui os condados da Cornuália, Dorset e Devon, e sob o nome de "Wessex" servem (os dois últimos) de cenário para os romances de Thomas Hardy;
4. e o Norte, que inclui os condados de Yorkshire, Lancashire, Northumberland, County Durham e Cumbria.

52 | Os ingleses

MAPA DA INGLATERRA DIVIDIDA EM CONDADOS

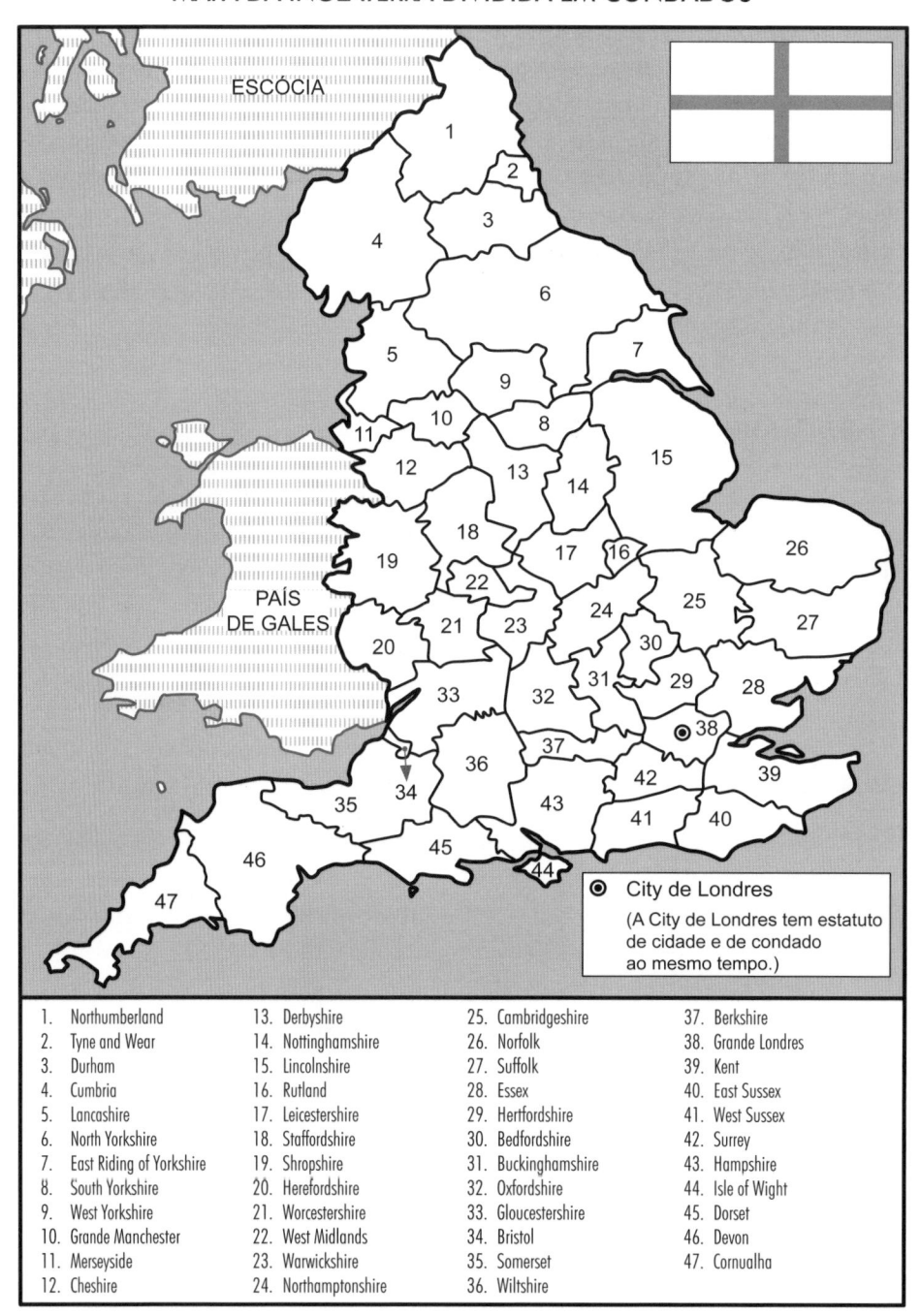

ESCÓCIA

PAÍS DE GALES

● City de Londres

(A City de Londres tem estatuto de cidade e de condado ao mesmo tempo.)

1. Northumberland
2. Tyne and Wear
3. Durham
4. Cumbria
5. Lancashire
6. North Yorkshire
7. East Riding of Yorkshire
8. South Yorkshire
9. West Yorkshire
10. Grande Manchester
11. Merseyside
12. Cheshire
13. Derbyshire
14. Nottinghamshire
15. Lincolnshire
16. Rutland
17. Leicestershire
18. Staffordshire
19. Shropshire
20. Herefordshire
21. Worcestershire
22. West Midlands
23. Warwickshire
24. Northamptonshire
25. Cambridgeshire
26. Norfolk
27. Suffolk
28. Essex
29. Hertfordshire
30. Bedfordshire
31. Buckinghamshire
32. Oxfordshire
33. Gloucestershire
34. Bristol
35. Somerset
36. Wiltshire
37. Berkshire
38. Grande Londres
39. Kent
40. East Sussex
41. West Sussex
42. Surrey
43. Hampshire
44. Isle of Wight
45. Dorset
46. Devon
47. Cornualha

O Norte e o Sul

A grande disparidade está entre o Norte e o Sul do país, que diferem em preços de casa (muito mais baixos no Norte), em taxas de desemprego (muito maior no Norte), em expectativa de vida (mais baixa no Norte) e em padrões eleitorais (politicamente falando, o Norte vota mais para a esquerda do que o Sul). Quando os sulistas pensam nos nortistas, provavelmente pensam primeiro em Yorkshire, o maior condado da Inglaterra (agora dividido em quatro para propósitos administrativos). Ou em Lancashire, que inclui Manchester, cidade com meio milhão de habitantes, e Liverpool, praticamente do mesmo tamanho. Pode-se dizer, no entanto, que há o Norte além do Norte, que inclui os condados que fazem fronteira com a Escócia: Northumberland, Durham e Cumbria.

Northumberland e Durham compõem o Nordeste, uma região tendo como centro a cidade de Newcastle. Conhecidos como *geordies* e falando com um sotaque difícil de ser entendido pelos ingleses de outras regiões, o nordestinos têm uma identidade distintiva. Do mesmo modo que o Nordeste do Brasil, o Nordeste inglês teve um passado áureo e próspero – com minas de carvão, indústria têxtil e de construção naval, no lugar que, no Brasil, era ocupado pelas plantações de cana-de-açúcar –, mas entrou em declínio no século XX.

Na verdade, o Norte como um todo, que foi um símbolo de modernidade na era da Revolução Industrial, tornou-se sinônimo de atraso na era de desindustrialização a partir dos anos 1970. Apesar de o preço das casas e o custo de vida no Norte serem baixos e poderem, em princípio, ser um grande atrativo para a população ali se fixar, há um constante "fluxo para o Sul" alimentado por indivíduos que, assim como tantos migrantes, querem melhorar de padrão de vida, fugindo do desemprego ou de baixos salários.

Como os galeses e os escoceses, os nortistas sentem que o governo, estabelecido no Sul, não leva suficientemente a sério seus problemas. Não é de admirar, pois, que já tenha havido apelos para a criação de uma Assembleia do Norte, na mesma linha da nova Assembleia galesa. No entanto, quando foi realizado um *referendum* sobre o assunto em 2004, a maioria dos eleitores nortistas rejeitou o plano.

O estereótipo dos nortistas (segundo ambos, os nortistas e os sulistas) é que eles são calorosos, expansivos, diretos e francos, que resistem ou ao menos ridicularizam a autoridade. Eles também falam de maneira diferente. Por exemplo, a pronúncia nortista do "a" difere da do Sul. Os sulistas pronunciam *castle* como se fosse "carsel", enquanto os nortistas falam de um "cassel".

Pode-se dizer que o Sul é para a Inglaterra como um todo o que a Inglaterra é para a Grã-Bretanha como um todo. Em outras palavras, os sulistas tendem a considerar que sua região é a Inglaterra verdadeira. A expressão *Deep England* (Inglaterra profunda) passou a ser usada para descrever a imagem idealizada do Sul, especialmente do Sul rural, de condados como os de Surrey, Kent e Sussex, que estão perto de Londres, e em que seus vilarejos passaram a ser habitados por um grande número de famílias de classe média alta.

Não é no Sul, no entanto, que se localiza o "melhor lugar para se viver na Grã-Bretanha" na lista de 2015, tradicionalmente feita pelo *Times*. Chagford, uma pequena cidade do condado de Devon, na região West Country, ocupou o topo da lista. Situada nos limites do Dartmoor National Park, a cidade, cuja história está ligada à exploração de estanho desde 1305, foi descrita como tendo "lindas casas do século XV, espírito comunitário, um restaurante com estrelas Michelin", vida cultural vibrante e excelentes escolas.

CLASSES E CULTURAS

George Orwell chamou a Inglaterra de "o país mais obcecado com classe que existe sob o Sol". Ele não quis dizer com isso que a Inglaterra era o país com a maior desigualdade social, mas aquele no qual as pessoas estão conscientes, num grau fora do comum, das diferenças de classe, mesmo sendo verdade que a maioria não é capaz de definir "classe" e mesmo de dizer quantas classes existem. As diferenças sociais e culturais, resumidas nos próximos parágrafos, aparecem, por assim dizer, como personagens centrais nos clássicos romances ingleses de Jane Austen sobre a elite rural (*gentry*), de E. M. Forster sobre a classe média alta, de D. H. Lawrence sobre a classe trabalhadora e de alguns romances de Trollope sobre a classe aristocrática.

A classe alta ou aristocrática

A Inglaterra é, ou era até recentemente, dividida basicamente em duas culturas: a de classe média e a de classe trabalhadora. Além dessas, que cobrem a maior parte da população, há também a classe aristocrática composta por algumas centenas de nobres hereditários (duques, marqueses, condes, viscondes e barões), grande parte deles vivendo em mansões no campo (equivalentes às antigas casas-grandes da aristocracia rural brasileira) que são agora, muitas delas, abertas à visitação pública a fim de ajudar a sua manutenção. O estilo de vida tradicional dessa reduzida classe alta inclui equitação, caça à raposa, veado e aves, especialmente faisão, perdiz e galo selvagem. Os membros dessa classe, incluindo a rainha, são também reconhecíveis pelo seu modo de falar, especialmente pelo seu sotaque, pronunciando *cross*, por exemplo, como "crawse". Conhecido também como "o sotaque de *public school*" – ou "sotaque de Oxford" –, essa forma de falar está fortemente associada às escolas internas particulares caríssimas para as quais os membros das classes mais altas tradicionalmente enviam seus filhos desde o século XIX.

No caso inglês, não se pode confundir as pessoas que têm títulos com o pertencimento à classe aristocrática. Isso porque todos os anos a rainha (aconselhada pelo primeiro-ministro, que, por sua vez, segue os conselhos do *patronage secretary*, o funcionário responsável por fazer um levantamento dos possíveis homenageados) concede o título de barão, baronesa, cavaleiro e damas a pessoas de várias áreas que se distinguiram como políticos, atores, intelectuais e assim por diante. Esses novos recrutas, no entanto, não têm o estilo de vida dos "verdadeiros" aristocratas por nascimento nem são considerados *upper class* (classe alta) por grande parte da população.

Algumas pessoas levam bastante a sério os títulos adquiridos, enquanto outras os encaram com naturalidade, indiferença ou humor. Conta-se que quando um chofer de táxi londrino chamou a famosa atriz Judi Dench de "puta" por ela ter se colocado inadvertidamente em frente ao seu carro, ela teria gritado de volta: "Dama puta, para você, por favor!"

Todas as classes frequentam as corridas de cavalo, mas as classes alta e média alta podem frequentar o Royal Enclosure (Recinto Real) em Ascot, o famoso hipódromo. Assim como sua mãe foi, a rainha Elisabeth é uma frequentadora entusiasta de Ascot, sendo inclusive proprietária de vários cavalos de corrida. A "Entrada ao Recinto", de acordo com o website de 2014, "é por convite de um membro titular, com crachá, que assistiu às corridas durante os quatro últimos anos". Os que têm permissão para entrar no Recinto Real precisavam, até há pouco tempo, seguir um código mais ou menos rígido de vestuário, que incluía, para as mulheres, por exemplo, usar chapéu, vestido formal "próprio para o dia" (e nunca minissaia e vestidos tomara que caia, considerados "inapropriados"); e, para os homens, fraque cinza ou preto, com colete, cartola preta ou cinza e sapatos pretos.

A classe média e a classe trabalhadora

A fronteira de classe, no entanto, que afeta a maioria das pessoas é a que divide a classe média da classe trabalhadora. Há meio século, as diferenças entre elas eram relativamente claras. Os dois grupos falavam e se vestiam de maneiras diferentes, e gostavam de comidas e de bebidas bem distintas. Simplificando uma situação mais complexa, as diferenças poderiam ser resumidas do modo descrito a seguir.

Os membros da classe trabalhadora, que ainda eram a maioria da população na década de 1950 (72% em 1951), falavam variedades regionais do inglês e caçoavam do inglês *standard* da classe média chamando-o de "inglês BBC". Os homens da classe média usavam chapéu (especialmente chapéus de feltro), enquanto os da classe baixa usavam bonés. A classe média tinha *lunch* (almoço) no meio do dia e *dinner* (jantar) entre sete e oito horas da noite, enquanto a classe trabalhadora tinha *dinner* (almoço) no meio do dia e *tea* (literalmente *chá*, mas significando uma refeição) no final da tarde, entre cinco e seis horas (os homens da classe trabalhadora começavam a trabalhar mais cedo do que os da classe média e, portanto, jantavam e iam para a cama mais cedo). A classe média bebia vinho, a classe trabalhadora bebia cerveja. A classe média bebia café (e também chá), a classe trabalhadora bebia só chá. A classe média ia para o estrangeiro quando em férias, a classe trabalhadora tirava férias, mas permanecia na Inglaterra, indo especialmente para praias de Blackpool e Southend. A classe média era aficionada por críquete; a classe trabalhadora, por futebol.

As crianças da classe trabalhadora deixavam a escola aos 14 anos; as da classe média, em geral, aos 18, sendo que muitas delas prosseguiam os estudos em universidades. As pessoas da classe trabalhadora, especialmente as que trabalhavam nas minas e na construção naval ou fábricas, recebiam salário semanal, pago em moeda, o *pay packet* (pacote de pagamento); enquanto as da classe média, a maioria trabalhando em escritório, recebia salário mensal, pago diretamente no banco (até os anos 1950-60, a classe trabalhadora não possuía conta bancária). A classe trabalhadora pagava aluguel para viver em casas pequenas e modestas; a classe média morava em casas mais amplas, das quais era proprietária. Descrever as preferências políticas das classes era algo mais complicado, mas pode-se dizer que a maioria da classe média votava para o Partido Conservador (Tory), e a maioria da classe trabalhadora votava para o Partido Trabalhista (Labor).

O declínio das classes

Evidentemente, o contraste entre as classes nunca foi tão claro quanto essa descrição faz crer. E, com o passar do tempo, o contraste foi ficando menos nítido. Nos últimos 50 anos, por exemplo, a distância cultural entre as classes foi se tornando menos reconhecível porque estava sendo constantemente minada pela mobilidade social e também pela tendência de os membros mais abonados da classe trabalhadora – os que os vitorianos chamavam de "pobres respeitáveis" – tomarem a classe média como modelo e adotarem o seu estilo de vida. Os anos 1960 representaram provavelmente a principal virada na composição social do país, pois foi a época em que, ao menos para algumas pessoas, pertencer à classe trabalhadora ou ser originário do interior do país não era mais considerado motivo de vergonha.

Um sinal dessa mudança foi a popularidade de *Coronation Street* – uma telenovela que estreou na TV em 1960 e continua sendo transmitida até hoje, sem interrupção – que se passa num meio de classe trabalhadora numa cidade do Nordeste da Inglaterra. Outros sinais emblemáticos dessa mudança foram o aparecimento e o sucesso estrondoso dos Beatles (quatro jovens músicos originários da classe trabalhadora de Liverpool) e a fama do ator Michael Caine (um *cockney*, tal como são chamados os nascidos na região pobre do leste de Londres, reconhecidos especialmente pelo sotaque). O sucesso desses jovens artistas, vindos do que antes eram tidos como ambientes desfavorecidos e sem futuro, ajudou as pessoas a sentirem menos vergonha do seu sotaque regional. David Hockney e Alan Sillitoe, artistas plásticos e escritores também originários da classe trabalhadora, ganharam notoriedade e emergiram nessa época.

Outro aspecto significativo dessa mudança foi político. Os líderes do Partido Conservador tinham tradicionalmente sido aristocratas, tais como Winston Churchill, filho de um duque, e Alec Douglas-Home, um conde que abdicara de seu título para poder ser um membro do Parlamento da Casa dos Comuns. Nos anos 1970 e 1980, no entanto, os políticos de origem aristocrática foram substituídos por Edward Heath (primeiro-ministro de 1970 a 1974) e Margaret Thatcher (primeira-ministra de 1979 a 1990), ambos vindo de classe média baixa – Heath era filho de um carpinteiro e o pai de Thatcher tinha uma modesta mercearia. Durante o governo Thatcher, o conflito de classe ficou mais visível do que o habitual, pois o poder dos sindicatos foi drasticamente reduzido, o que muitos viram como um ataque à classe trabalhadora. No entanto, seu sucessor, John Major (primeiro-ministro entre 1990 e 1997) – que como filho de um ator é difícil de ser classificado socialmente –, ao subir ao poder, declarou que seu desejo era "fazer mudanças que farão de todo esse país uma sociedade genuinamente sem classes". Essa ambição de uma sociedade "sem classes" é notável, ainda mais vinda de um líder do partido conservador. O chamado New Labour (Novo Partido Trabalhista) sob Tony Blair (filho de um inspetor de imposto de renda) continuou na mesma direção.

As divisões de classe hoje

De acordo com uma pesquisa feita em 2007, mais da metade da população do UK ainda se descreve como pertencente à classe trabalhadora. No entanto, mudanças econômicas, sociais e culturais transformaram as tradicionais distinções sociais, muito mais efetivamente do que qualquer primeiro-ministro poderia ter feito. À medida que a produção manufatureira entrou em declínio, muitos empregos manuais também declinaram. Ao mesmo tempo, algumas ocupações tradicionalmente de classe média, tais como a de professor, perderam prestígio e algumas ocupações anteriormente de classe trabalhadora, como a de encanador, ganharam *status*. Concomitantemente, novas profissões no mundo da moderna tecnologia da informação, por exemplo, tornam muito difícil a classificação das pessoas que as exercem.

Outra mudança significativa diz respeito às classes que possuem casa própria. Comparada com a situação de meio século atrás, um número muito maior de famílias é proprietário hoje de sua casa (71% em 2002-2003) e também possui contas bancárias, enquanto a maioria dos jovens (60% em 2009) prossegue os estudos após os 18 anos.

Férias no exterior já deixou de ser prerrogativa de poucos e símbolo de pertencimento à classe média, enquanto o gosto por vinho e café se espalhou pela população, coexistindo com o gosto pela cerveja e pela "deliciosa xícara de chá". O desaparecimento quase total do hábito de usar chapéu ou boné, assim como a ascensão do jeans, hoje onipresente em todos os meios, tornou muito mais difícil classificar as pessoas com base nas roupas, especialmente os jovens, ao menos a distância. E, finalmente, o interesse por críquete ou por futebol não mais serve para distinguir uma classe da outra.

Variações em sotaque têm se mantido como elementos diferenciadores de classe, muito mais do que os outros elementos. Assim, é quase um esporte nacional dos ingleses tentar localizar as pessoas em um sistema de classe, tendo como base seus modos de falar e seus sotaques (isso não se aplica aos estrangeiros, que estão, é claro, fora do sistema).

Enfim, a consciência de classe (inclusive preconceito) não desapareceu entre os ingleses, mesmo que "classe" tenha se tornado hoje uma palavra embaraçosa, que se deve evitar em certos círculos, e que tenha sido substituída oficialmente, desde o final dos anos 1990, pelo eufemismo "classificação socioeconômica".

Sloanes e chavs

Apesar de a palavra "classe" ter se tornado embaraçosa, as pessoas ainda tendem, em geral, a pensar em termos de classe, mesmo quando não utilizam a palavra. Os termos *sloanes* e *chavs*, que se referem a setores específicos da classe alta e baixa, podem ser vistos como substitutos da palavra "proibida".

De um lado, no topo da hierarquia de classes, o termo "*sloane*" (derivado da Sloane Square, uma região rica e elegante de Londres) passou a ser usado nos anos 1980 para descrever os jovens, especialmente as garotas, que podiam pertencer tanto à classe média alta quanto à aristocracia. Um caso exemplar de *sloane* é o da princesa Diana, filha de um conde, na época em que era conhecida ainda como Lady Di; outro é o da duquesa de Cambridge, chamada apenas de Kate Middleton quando era simplesmente membro da classe média alta. Sem conotação pejorativa, o termo parece ser usado indistintamente por membros da própria classe alta ou da classe média ascendente.

De outro lado, no nível mais baixo da hierarquia social, um sinal da sobrevivência da consciência de classe no século XXI é o surgimento de uma nova palavra, "*chav*" (equivalente a caipira, brega ou cafona), usada pejorativamente por jovens de classe média para se referir aos membros da classe trabalhadora, especialmente se esses estiverem vestidos de um modo considerado vulgar pela classe média, usando cores chamativas (*loud*), joias pesadas (*bling*) ou boné de beisebol e roupa de moletom.

Os principais alvos de preconceito são os membros da chamada "*underclass*" (subclasse), ou seja, pessoas que trabalham em empregos de baixo *status* ou que simplesmente não têm qualquer trabalho e são consideradas *thick* (estúpidas), *work-shy* (preguiçosas) e *spongers* (aproveitadoras dos pagadores de impostos), porque vivem de benefícios do governo como, por exemplo, *unemployment benefit* (subsídio de desemprego) e pensão alimentícia para crianças. Os *chavs* do sexo masculino são também considerados bêbados, violentos e antissociais. Piadas sobre os *chavs*, a maioria delas ofensivas, são uma nova forma de humor que circula pelos vários meios de comunicação.

Não obstante o que foi dito, as diferenças de classe são menos importantes hoje do que eram no passado, e não há dúvida de que a tradicional preocupação (alguns diriam obsessão) dos ingleses com a questão da classe declinou significativamente. Longe estão os dias em que, como comentou o renomado sociólogo e crítico literário Richard Hoggart, "o medo da anarquia era crônico na sociedade britânica" e os "bem-nascidos", temerosos da classe baixa, procuravam mantê-la sob controle. Isso ainda era notório, contudo, em 1960, época em que ocorreu o chamado "julgamento do século", quando a editora Penguin foi levada ao tribunal pela Coroa (*Regina* versus *Penguin Books Limited*) por ter ousado publicar *O amante de lady Chatterley*, um romance que era considerado obsceno. Como disse Hoggart, uma das principais testemunhas de defesa no julgamento, o que, na verdade, estava por trás do impedimento legal para a publicação do romance (quase 30 anos após ter sido publicado em Florença pelo próprio autor) era o efeito subversivo que poderia ter entre a classe baixa.

Uma boa anedota, conta Hoggart, ilustra essa postura da classe alta: "Quando se casou com Albert, a rainha Vitória teve a primeira experiência sexual... e gostou muito! 'Os pobres também fazem isso, Albert?', perguntou ela; ao que ele respondeu, 'Sim, querida'. 'Santo Deus! Isso é bom demais para eles!', retrucou a rainha".

De qualquer modo, classes e interesse por classe não desapareceram por completo, haja vista o incrível número de ingleses (calcula-se que mais de 10 milhões) que anualmente se deleitam em visitar as mansões aristocráticas abertas ao público e vislumbrar como os aristocratas vivem. Igualmente revelador foi o grande o sucesso da série de televisão *Classe e Cultura* transmitida pela BBC2 em 2012. Como o programa procurou mostrar, "classe ainda é uma realidade presente, mas agora muito menos importante". Os sinais externos de diferença de classe, tão relevantes no passado, foram em parte substituídos por sinais de riqueza, de idade e de etnia.

"PRINCESAS DO DÓLAR" E BOAS MANEIRAS

Hoje em dia, com dinheiro é possível abrir ou entreabrir as portas de lugares que antes eram prerrogativa dos "bem-nascidos". É verdade que, no passado, especialmente a partir da crise da agricultura dos anos 1870, a riqueza havia aberto as portas da aristocracia britânica para jovens milionárias norte-americanas, as chamadas *dollar princesses*, que conseguiam maridos aristocratas, ao preço de os salvarem da falência.

Cora Levinson, a americana que se casa com o conde Grantham na novela de época *Downton Abbey* (uma série da televisão britânica de sucesso mundial), ilustra bem esse fenômeno, assim como a norte-americana Jennie Jerome, mãe de Winston Churchill. Calcula-se que 350 filhas de milionários norte-americanos casaram-se com aristocratas britânicos entre 1870 e o início da Primeira Guerra Mundial, trazendo consigo à Inglaterra o equivalente a 1 bilhão de libras esterlinas.

Anônimo, c. 1880

Jennie Jerome, mãe do primeiro-ministro Winston Churchill, era uma norte-americana milionária. Ao casar com o lorde Randolph Churchill ingressou na aristocracia inglesa, como outras centenas de *socialites* vindas dos Estados Unidos para salvar nobres falidos.

Desde 2007, conhecendo outros frequentadores *habitués* e ao preço de 500 libras – e desde que se vistam adequadamente, segundo o *dress code* (código de vestimenta) –, as pessoas que quiserem satisfazer a curiosidade ou a vontade de estar nas proximidades da realeza podem frequentar o Royal Enclosure de Ascot e assistir à chegada de seus membros numa procissão de carruagens reais, com toda pompa e circunstância. Isso inclui os estrangeiros, como os magnatas russos que vivem em regiões de Londres que antes eram enclaves da classe alta inglesa.

Para esses magnatas estrangeiros que ambicionam ser aceitos no meio da elite britânica, há novas instituições que os ensinam a se comportar apropriadamente em várias situações. The English Manner é o nome de uma dessas empresas. Propondo-se a instruir os estrangeiros em questões de "protocolo, etiqueta e gestão doméstica e de propriedade", em outras palavras, nas regras de comportamento da classe alta, essa espécie de escola de boas maneiras promete treiná-los nas tão úteis "habilidades sociais" e a ensiná-los sobre o que é aceitável e inaceitável para se estabelecerem com sucesso num "território não familiar". Fundada em 2001 em Somerset, ao sudoeste de Londres, The English Manner vem se expandindo e hoje conta com sucursais e "academias" em lugares como China, Emirados Árabes Unidos, Rússia e Quênia.

Mas, nem tudo está à venda, como se poderia supor. O antigo dono da famosa Harrods, e quase futuro sogro da princesa Diana, Mohamed Al-Fayed, jamais conseguiu convencer as autoridades a lhe concederem a cidadania britânica, mesmo sendo o proprietário da loja de departamentos que é tradicionalmente considerada símbolo da Inglaterra.

O PAPEL DAS MULHERES

Pode-se dizer que à medida que as distinções de classe foram se tornando menos acentuadas, houve um progressivo aumento da conscientização das diferenças entre os sexos, especialmente a partir do Movimento Feminista dos anos 1970. Lutando em prol dos direitos das mulheres, esse movimento se insurgia contra a tradicional e arraigada ideia de que a desigualdade entre os sexos era baseada e justificada pelas diferenças naturais. Há ainda um longo caminho a percorrer para se atingir a igualdade total almejada, mas muito foi conseguido nas últimas décadas.

Um pouco de história do feminismo inglês

Como em tantos outros países, durante séculos prevalecera na Inglaterra a ideia de que as mulheres eram naturalmente inferiores aos homens e que ambos tinham papéis essencialmente diferentes a desempenhar na sociedade: os homens, por causa de sua maior racionalidade e entendimento, deveriam ocupar os lugares de comando, enquanto as mulheres, dada sua fraqueza intelectual e física, tinham na esfera doméstica (como esposa, mãe ou, na pior das hipóteses, como tia solteirona) o seu lugar natural. A *Encyclopédie*, a famosa obra revolucionária do século XVIII – o chamado Século das Luzes – que se propunha a "mudar o modo comum de pensar", não encarava a questão das mulheres de modo diferente. Confirmando a crença na desigualdade entre os sexos, ela assim se referia às características dos sexos masculino e feminino: "A natureza colocou, de um lado, a força e a majestade, a coragem e a razão; de outro, as graças e a beleza, a fineza e o sentimento... O que é charme ou virtude em um sexo, é defeito ou deformidade no outro".

Foi, no entanto, durante esse mesmo Século das Luzes que um debate, já iniciado timidamente antes, sobre o lugar das mulheres na sociedade, adquiriu força. Na Inglaterra, um livreto de 1739, intitulado *Woman not Inferior to Man* (Mulher não é inferior ao homem) – cujo autor ou autora desconhecida se escondia sob o pseudônimo de *Sophia, a Person of Quality* – submeteu a crença na desigualdade entre os sexos ao teste da razão e concluiu não passar esta de preconceito infundado que precisava ser denunciado. Em tom enfático, provava com argumentação lógica, cartesiana, que a desigualdade civil

A imagem de uma típica figura feminina modesta e recatada, aparentando ser da era vitoriana, pode enganar o olhar menos atento. Trata-se, na verdade, de Mary Wollstonecraft, famosa por sua ousadia e por tentar influenciar os rumos da Revolução Francesa no que dizia respeito aos direitos das mulheres.

e política dos sexos, bem como a exclusão das mulheres da vida pública, infringia os ditames da razão e da natureza, pois as mulheres não eram inferiores aos homens, quer na sua capacidade racional ou mesmo física. Algumas décadas mais tarde, em 1789, a Revolução Francesa iria dar um novo impulso a essa batalha pelos direitos das mulheres.

É assim que em 1792, quando os ideais revolucionários de liberdade e igualdade estavam sendo postos em ação, aparece um novo texto, *A Vindication of the Rights of Woman* (Uma defesa dos diretos da mulheres), que iria causar polêmica e grande impacto, mesmo não sendo tão radical quanto o de Sophia. Escrito no calor do momento pela feminista inglesa Mary Wollstonecraft em somente seis semanas, a obra tinha como objetivo influenciar a nova legislação francesa sobre a educação feminina. Dedicando-a ao legislador francês Talleyrand, responsável por um projeto de educação nacional, Mary estava empenhada em defender a causa da metade da raça humana ameaçada de permanecer subjugada e esquecida nessa era promissora em liberdade e em direitos. Até então, como ela argumentava, prevalecia no mundo a ideia errônea de que, sendo o oposto do homem por natureza, cabia à mulher, em vez de cultivar o intelecto, apenas aprender a agradar ao homem e obedecê-lo. Como lamentava, "toda educação feminina deve ser dirigida para um ponto: tornar as mulheres agradáveis". Era contra isso que Mary Wollstonecraft lutava.

Feministas inglesas no Brasil

Para os brasileiros, é interessante saber que a revolucionária obra inglesa *Woman not Inferior to Man*, publicada em 1739 – mas praticamente desaparecida da história europeia desde sua segunda edição em 1743 – foi traduzida na íntegra pela feminista brasileira Nísia Floresta em 1832 com o nome *Direito das mulheres e injustiça dos homens*. Essa tradução, que disseminou pelo Brasil ideias progressistas sobre o papel da mulher em sociedade, aparece, por exemplo, como leitura da personagem Carolina, no conhecido romance *A Moreninha* de J. M. Macedo. A edição brasileira, porém, misteriosamente apresentava como autora não Sophia, mas a conhecida feminista inglesa Mary Wollstonecraft, cuja obra de 1792, conforme se acreditava, teria sido traduzida livremente para o português. Assim, ao longo de mais de 150 anos esse engano persistiu, até que em 1995 um dos autores deste livro descobriu que Nísia traduzira literalmente o texto revolucionário da desconhecida Sophia, a Person of Quality – enquanto a tradução para o português da obra de Wollstonecraft ainda está por se fazer.

Em suma, a tradução de Nísia Floresta, publicada em Recife em 1832 (e republicada duas ou três vezes durante o século XIX), foi responsável por uma daquelas felizes ironias da história. Num país atrasado, recém-saído do regime colonial, ressurgia a obra revolucionária de Sophia que havia quase 100 anos se achava esquecida na metrópole europeia. A atualidade desse texto é de tal monta, disse um estudo feminista dos anos 1980, que se não tivesse desaparecido por quase 250 anos, é de se supor que outra teria sido a história das mulheres. Foi, no entanto, numa terra distante e selvagem, aos olhos do europeu civilizado, e povoada por sinhazinhas pretensamente dengosas e indolentes, que se podia ler o tratado subversivo que iria repercutir, em algum grau, no público brasileiro ao longo de quase 150 anos – antes de ressurgir na Europa, em 1975, numa pequena edição fac-símile.

Mulheres na esfera pública

No século XIX, a participação das mulheres inglesas em vários setores da sociedade foi digna de nota. Algumas fundaram associações voluntárias para combater a escravidão e para apoiar uma ampla reforma eleitoral, que desse voto universal a todos, independentemente de seu nível econômico. Outras, como Elizabeth Fry, dedicaram-se a reformar o sistema carcerário ou, como Florence Nightingale, a reformar o sistema hospitalar e o treinamento das enfermeiras. Ainda outras, como Hannah More, além de se filiarem à campanha contra o tráfico de escravos, procuraram exercer influência moral na esfera pública, dedicando-se, por exemplo, à educação dos pobres, escrevendo tratados éticos sobre os deveres dos poderosos para com a sociedade e sobre a educação das mulheres.

A lady vitoriana Florence Nightingale tornou-se não só uma figura pública, mas também uma verdadeira celebridade graças à sua bem-sucedida campanha para melhorar a higiene dos hospitais.

Nessa época, muitas mulheres, especialmente da classe baixa, já trabalhavam fora de casa, mas foi somente com a promulgação do *The Married Women's Property Act* de 1879, que foi permitido às esposas manterem para si o que ganhavam – quer como presente, quer pelo seu trabalho, por investimento ou por herança. Até então, uma vez casadas, todos os bens das mulheres deixavam de ser seus, e passavam a ser propriedade de seus maridos, que podiam deles dispor como bem quisessem.

Essa lei foi o resultado de pressão de um grupo de feministas que também fez campanha para a abertura das universidades para mulheres. O Bedford College for Women, como parte da Universidade de Londres, foi fundado em 1849. O primeiro *college* feminino em Cambridge, o Girton College, foi criado em 1870, e o primeiro em Oxford, Lady Margaret Hall, em 1878; essas instituições, no entanto, não concederam graus de bacharel às mulheres durante décadas. Quando houve uma votação em Cambridge, em 1896, para se decidir se as alunas poderiam prestar exames para a obtenção de graus, o jornal *The Times* públicou os horários de trem de Londres a Cambridge – algo inédito – a fim de facilitar a vinda de ex-alunos homens para votarem contra essa proposta.

Foi só em 1920, em Oxford, e em 1948, em Cambridge, que as mulheres passaram a receber os graus a que tinham direito. Também foi só em 1937 que a primeira professora foi nomeada em Cambridge, e só em 1945 que as primeiras cientistas foram

Girton é um *college* da Universidade de Cambridge criado em 1869 para mulheres. Foi construído nos subúrbios de Cambridge, com o objetivo de afastar as estudantes das tentações e dos perigos da cidade.

consideradas dignas de serem eleitas membros da Royal Society, uma das mais antigas associações científicas do mundo, que conta entre seus membros com 80 ganhadores do Prêmio Nobel, bem como com figuras da importância de Isaac Newton, Charles Darwin e, mais recentemente, Stephen Hawking.

Mulheres na política

As inglesas participavam da política muito antes de terem adquirido direito ao voto. Afinal, diferentemente da França, que excluía as mulheres da sucessão do trono apelando para a Lei Sálica, dois dos mais famosos monarcas ingleses eram do sexo feminino: Elizabeth I e Vitória. Durante a Guerra Civil Inglesa (1641-1660), a participação das mulheres em manifestações públicas e na prática de organizar petições ao Parlamento foi notória. O movimento político radical conhecido como Levellers (Niveladores) e as seitas protestantes extremistas que se desenvolveram durante a Guerra Civil (quando o sistema repressivo foi temporariamente abolido) deram às mulheres um poder inusitado, ainda que de curta duração, incluindo liberdade de expressão e de pregar e de discutir religião; enfim, de serem independentes da tutela de pais ou maridos – liberdade que foi amplamente utilizada por milhares de mulheres nesse curto, mas significativo período da história.

Na conturbada eleição de 1784, temos outro exemplo importante da ação política feminina, quase 150 anos antes de o Parlamento autorizar o sufrágio universal. A famosa e ousada beldade Georgiana, a duquesa de Devonshire – ancestral da princesa Diana, que assim como ela nasceu em Althorp, a mansão que permanece até hoje propriedade da família – apoiou Charles James Fox, o candidato do Partido Liberal (Whig Party), apesar de ela, assim como todas as mulheres, ser banida formalmente do universo político. Acompanhada por outras mulheres na campanha eleitoral, conta-se que Georgiana andava pelas ruas da região de Westminster, em Londres, relacionando-se com plebeus e, segundo os críticos, distribuindo beijos para açougueiros em troca de voto para Fox. Naquela época, o direito ao voto no Reino Unido não só era prerrogativa do sexo masculino, mas também dos que possuíssem um determinado nível de riqueza. Em consequência, somente 214 mil pessoas – ou seja, 3% da população – tinham direito ao voto.

No distrito de Westminster, no entanto, o número de eleitores era excepcionalmente grande para os padrões da época, pois muitos pequenos proprietários tinham condição de pagar os impostos relativamente baixos ali requeridos para se ter o direito ao voto. Ora, isso fazia com que Westminster tivesse o maior eleitorado do

Retratada aqui pelo famoso pintor Joshua Reynolds, numa cena doméstica convencional, a duquesa de Devonshire ficou famosa na sua época não somente por sua classe e beleza, mas também por sua ativa participação na política, algo bastante inusitado no final do século XVIII.

que qualquer outro distrito do Reino – o que tornava a campanha eleitoral de porta a porta realizada por Georgiana um importante ato político. Enfim, a despeito da crítica feroz da oposição às táticas da campanha Whig, e da inaceitável invasão da esfera pública pelo sexo feminino que a campanha de Georgiana representava, Fox ganhou a eleição.

Voto feminino

Somente em 1918 as mulheres acima de 30 anos adquiriram o direito de voto, desde que preenchessem as exigências econômicas; enquanto as de entre 21 e 30 anos teriam de aguardar mais 10 anos para que pudessem ter esse mesmo direito, só que dessa vez ampliado, sem qualquer restrição. Não foi sem muita luta que esse direito foi adquirido. A pressão sobre o governo feita pelo movimento das chamadas *suffragettes*, que contava com um grande número de voluntárias entusiastas de todas as classes sociais, sob a liderança da família Pankhurst (Emmeline e suas filhas Christabel, Adela e Sylvia), foi essencial para essa conquista. Apelando para militância agressiva e violenta, após se desiludirem com os resultados obtidos por meios pacíficos e com a resposta, muitas vezes violenta, do governo às suas demandas, o lema do movimento passou a ser "*Deeds, not words*" (Atos, não palavras). Assim, durante mais de 25 anos, a partir de 1903 até a vitória final em 1928, as *suffragettes* ousadamente infringiram a ordem estabelecida e desafiaram as autoridades, não se intimidando com a reação violenta do governo e com o encarceramento que muitas delas sofriam com frequência – e contra o qual algumas reagiam fazendo greve de fome.

Nesse período – com exceção da época da Primeira Guerra Mundial, quando a liderança do movimento das *suffragettes* decidiu suspender seu ativismo político para se unir à luta do país contra o "perigo alemão" –, a militância incluiu ações ousadas como tentativas de invadir o Parlamento, demonstrações de rua, protestos dentro da Câmara dos Comuns, confrontação com políticos importantes, destruição de campos de golfe e ataques incendiários em igrejas, castelos e casas de campo de eminentes figuras do governo (sempre cuidando para que os incêndios acontecessem quando os edifícios estivessem vazios, para evitar que houvesse vítimas) e, até mesmo, quebra das vidraças de órgãos do governo e de lojas (incluindo a Selfridge's logo que foi inaugurada). Num só dia de março de 1912, por exemplo, vidraças de 270 estabelecimentos foram quebradas!

Apesar do extremismo de seus atos, as *suffragettes* atraíram grande simpatia de parcela do público e de eminentes políticos e homens de letras, como George Bernard Shaw. Afinal, a militância apelara para a violência, em parte como uma resposta à repressão que vinha sendo cometida, contra as ativistas, pela polícia e pelo governo e, em parte, como uma declaração política – um modo de expor um governo que se importava mais com uma vidraça, ou com propriedades, do que com os direitos das mulheres. Como declarou Emmeline Pankhurst: "o argumento da quebra de vidraças é o mais valioso argumento da política moderna".

AS COMPORTADAS *SUFFRAGETTES* BRASILEIRAS

As *suffragettes* brasileiras, que se organizaram nos anos 1920, sob a liderança da bióloga Bertha Lutz (filha do famoso pioneiro em medicina tropical Adolfo Lutz), não adotaram o mesmo "argumento". Tendo acompanhado o movimento das *suffragettes* inglesas na Europa, onde vivera vários anos e de onde retornara em 1918, Bertha teria percebido que um modo de aumentar as chances de sucesso do movimento feminista e conferir-lhe respeitabilidade no meio brasileiro era desassociá-lo do inglês. Assim, ao clamar pelo estabelecimento de uma liga de mulheres brasileiras, Bertha esclareceu que o que propunha nada tinha a ver com "uma associação de *suffragettes* que iriam quebrar janelas pelas ruas". Ao contrário, buscava unir brasileiras que compreendiam que "as mulheres não devem viver parasiticamente" e que podiam "ser instrumentos no progresso do Brasil".

Assim, para alívio de muitos, o Brasil, que normalmente era tão aberto a ideias vindas de fora, rejeitou a importação dessa chamada "aberração". O anglófilo Gilberto Freyre, sempre pronto a apoiar a imitação das coisas boas, foi um dos que ficaram exultantes com a má recepção do "sufragismo inglês" em sua terra. "Raras as mulheres brasileiras que imitaram daquelas inglesas ossudas e feias os métodos brutais de conquista dos direitos políticos. Uma ou outra esquisitona passou aqui, com o exemplo britânico, a vestir-se mais como homem do que como mulher. Mas nenhuma delas quebrou vidraças nem jogou pedras em soldados de polícia só pelo gosto de afirmar-se igual aos homens mais rudes."

A instituição do voto feminino em 1932 – por uma reforma do Código Eleitoral, confirmada pela Constituição de 1934 – representou uma grande vitória do "feminismo bem-comportado" adotado pelas sufragistas brasileiras. O Brasil foi um dos pioneiros na concessão do voto para as mulheres na América Latina, três anos após o Equador, mas antecedendo a Argentina em 15 anos.

CELEBRANDO AS *SUFFRAGETTES* NA INGLATERRA

Ironicamente, Emmeline Pankhurst, a líder do movimento, faleceu pouco antes da vitória final de seus esforços, em 1928. No entanto, dois anos mais tarde, um monumento em sua honra foi inaugurado no jardim ao lado do Parlamento, o Victoria Tower Gardens. O fato de ter sido inaugurado pelo ex-primeiro-ministro Stanley Baldwin, que ocupara o cargo durante grande parte da campanha pelo voto feminino, parece provar que o reconhecimento do valor histórico do movimento das *suffragettes* logo superou o mal-estar causado por suas ações mais extremistas. Anos mais tarde, em 1970, outro monumento em honra ao movimento foi inaugurado no Christchurch Gardens, ironicamente situado em frente à New Scotland Yard, a polícia metropolitana que tão ferozmente havia combatido as *suffragettes*. Nesse Suffragette Fellowship Memorial pode-se ler a seguinte inscrição: "Este tributo foi erigido pelo *Suffragette Fellowship* para comemorar a coragem e a perseverança de todos aqueles homens e mulheres que, na longa batalha pelo voto feminino, enfrentaram corajosamente o deboche, a oposição e o ostracismo, muitos padecendo violência e sofrimento".

Lara Cin

Frequentemente caluniada pela imprensa da época, Emmeline Pankhurst, líder do grupo militante das *suffragettes*, que lutava pelo direito ao voto feminino, foi homenageada com esta estátua, localizada em Londres, logo após sua morte e o sucesso de sua campanha.

Foi, de fato, em decorrência dessa longa batalha que as mulheres puderam desempenhar importantes papéis na vida pública: em 1919, foi eleita a primeira mulher membro do Parlamento para a Câmara dos Comuns; em 1929, foi apontada a primeira mulher para o cargo de ministro do governo; e em 1979, Margaret Thatcher foi a primeira mulher (e até hoje a única) a ocupar o posto de primeiro-ministro, cargo que exerceu por 11 anos seguidos. Em 2014, 20% dos membros eleitos do Parlamento eram do sexo feminino, enquanto 3 dos 27 ministros de governo eram mulheres. O novo governo Cameron, reeleito em maio de 2015, ampliou substancialmente o número de mulheres ocupando altos postos no seu governo, que de 3 passaram a ser 9. Já o número de mulheres eleitas como membros do Parlamento nessa eleição foi o maior na história: 191 membros, equivalendo a 29% do total.

A emancipação feminina na teoria e na prática

Após a campanha para o voto feminino, a outra grande fase do movimento em prol do que passou a ser chamado *Women's Liberation* aconteceu nos anos 1970. Antes disso, como a escritora Virginia Woolf denunciou em 1938 em seu *The Three Guineas* (*Os três guinéus*), os direitos da mulher eram poucos e frágeis. Se ela se casasse com um estrangeiro, por exemplo, não mais seria legalmente inglesa. Mas mesmo se se casasse com um inglês, seus direitos de propriedade e de divórcio seriam extremamente limitados. Enfim, como disse Woolf, mesmo com direito de voto, a mulher era como uma estrangeira em seu próprio país: "Como mulher, eu não tenho um país".

A primeira conferência da *Women's Liberation*, realizada no Ruskin College, em Oxford, ocorreu em 1970. Dois livros famosos escritos por feministas de renome também foram publicados nessa época: *The Female Eunuch* (*A mulher eunuco*), de Germaine Greer, em 1970, e logo a seguir, em 1971, *Woman's Estate* (O território da mulher), de Juliet Mitchell. O ano 1970 foi também a data do Equal Pay Act, uma lei que proibiu salário e condições de trabalho diferentes para homens e mulheres. Essa lei, em grande parte, foi criada em decorrência de uma greve das mulheres que trabalhavam numa fábrica da Ford em Dagenham em 1968, história que foi objeto do belo filme *Made in Dagenham* (*Revolução em Dagenham*), de 2010. Não obstante esse avanço, essa lei acabou não sendo devidamente observada e foi substituída em 2010 pelo Equality Act, uma lei muito mais abrangente. Ao contrário do ato de 1970, este abrange muito mais do que simplesmente diferenças de salário e condições de trabalho entre homens e mulheres. Desigualdades relacionadas à raça, à idade, à orientação sexual e a qualquer tipo de invalidez são contempladas pela nova lei.

Gradualmente, as mulheres na Inglaterra estão se tornando mais numerosas em várias profissões importantes, mas a mudança tem sido lenta apesar de todos os esforços de organizações como a *National Union of Women Teachers* (União Nacional das Professoras), a *Medical Women's Federation* (Federação das Médicas) ou a *Association of Women Solicitors* (Associação das Advogadas).

Já há tempos as mulheres são proeminentes na área de ensino, em especial nos níveis primários, mas atualmente elas compõem a maioria do corpo docente das escolas secundárias também. Nas universidades, entretanto, somente 20% dos professores são mulheres. Nos anos 1960, somente 10% dos médicos eram mulheres, mas a estimativa atual é que já em 2017 as mulheres serão a maioria nessa profissão. Na Church of England (Igreja Anglicana), as mulheres só começaram a ser ordenadas em 1994, mas hoje elas representam 32% do clero.

No funcionalismo público, as mulheres são hoje maioria, mas os altos cargos ainda permanecem praticamente prerrogativas dos homens. Somente 27 dos 140 embaixadores apontados até 2014 eram mulheres. No campo jurídico, o número de mulheres advogadas é ligeiramente maior do que o dos homens, mas somente 35% delas são *barristers*,[1] frequentemente recebendo menos do que seus colegas, enquanto as mulheres formam somente 12% dos *barristers senior*, conhecidos como QC's (Queen's Counsel). Quanto ao mundo dos negócios, em 2012 somente 14,5% dos postos de presidente e de diretor-geral eram ocupados por mulheres. Em 1999, Maxine Benson e Karen Gill fundaram a Everywoman justamente com o objetivo de apoiar o ascensão das mulheres no campo empresarial. Trabalhando junto ao governo e com apoio de algumas corporações importantes, Everywoman é uma associação que defende a ideia de que quanto mais mulheres atuarem em diferentes áreas de negócio, mais lucrativas essas áreas serão, beneficiando, com isso, tanto os homens quanto as mulheres no trabalho.

Apesar de todos os avanços, o quadro britânico não é cor-de-rosa. A distância entre o salário recebido pelas mulheres e pelos homens pelo mesmo trabalho ainda existe. Em 2012, essa diferença era de 18%. O FTSE *Female Index*, que apresenta anualmente o índice de mulheres ocupando altos cargos corporativos nas 100 maiores companhias do Reino Unido, revelou, em 2012, que apenas um em cinco desses cargos era ocupado por mulheres. Constatações como essas, acrescidas de outras mais dramáticas como, por exemplo, o fato de 70% dos estupros não serem denunciados e de a mutilação genital feminina ainda ser crime perpetrado ilegalmente no Reino Unido, justificam a afirmação frequentemente feita de que algumas batalhas pela emancipação das mulheres foram efetivamente ganhas, mas a guerra ainda está longe de terminar.

Mulheres na família

Em 2013, segundo dados do ONS (Office for National Statistics), havia 18,3 milhões de famílias no Reino Unido, das quais 7,7 milhões (ou seja, 42%) com filhos dependentes. Pouco menos de 2 milhões de famílias são compostas por um adulto (pai ou mãe) com filhos, sendo que 91% dos pais solteiros são mulheres. O número de casamentos caiu consideravelmente desde os anos 1990 e, das 18,3 milhões de famílias, só 12 milhões são compostas por casais oficialmente casados.

Num cômputo geral, o censo de 2011 revelou que o número de pessoas que são casadas na Inglaterra e no País de Gales caiu de pouco mais da metade da população dez anos antes (dados do censo de 2001) para 45%. Desde que o censo foi instituído em 1801, essa é a primeira vez que os casais casados são minoria.

No passado, entre as mulheres nascidas em 1940, uma em cada cinco tinha quatro ou cinco filhos. Mais recentemente, a maioria das mulheres que opta pela maternidade tem dois filhos. O número médio de filhos de mulheres que nasceram em 1967, e estavam completando 45 anos em 2012, era 1,91 criança por mulher. A geração de suas mães tinha, em média, 2,52 crianças. Entre as mulheres nascidas em 1967, uma a cada cinco não teve filhos, quer por escolha ou não, enquanto entre as da geração de suas mães, somente uma a cada nove mulheres não teve filhos. A situação tem, no entanto, mudado e os dados de 2012 revelam que a taxa de fecundidade é a maior desde os anos 1970. Essa mudança em parte se explica pelo maciço aumento de jovens estrangeiras do Leste Europeu, que emigraram para a Inglaterra após 2004, quando seus países se uniram à Comunidade Europeia. Essas mulheres, que concebem quando jovens, tendem a ter uma taxa de fecundidade mais alta.

Por outro lado, segundo os mesmos dados de 2012, o número de mulheres com mais de 40 anos dando à luz atingiu o recorde de 29.994, um salto bem grande se comparado com as 6.519 que deram à luz dez anos antes, em 2002.

A idade média das mães subiu também para perto de 30 anos, em 2012 (29,8 anos), enquanto a idade média era 27 em 1982. Segundo o ONS, essa tendência se deve provavelmente a um conjunto complexo de fatores: "crescente participação na educação superior, crescente participação feminina no mercado de trabalho, crescente importância de uma carreira [para a mulher], os crescentes custos de oportunidade[2] de criar filhos, incerteza do mercado de trabalho, fatores relativos à moradia e instabilidade de relacionamento amoroso".

A maioria das crianças nasce fora de casamentos oficiais. De acordo com o ONS, a proporção de crianças que nasce de mães solteiras atingiu um recorde de 47,5 % em 2012. O aumento foi significativo, pois em 1979 era 11% e em 1988, 25%. Se essa tendência permanecer, em 2016, a maioria das crianças nascerá de pais não casados oficialmente.

Pressionado por especialistas e políticos que acreditam que uma união oficial estimula as pessoas a se manterem unidas, o que seria benéfico para a saúde física e mental dos filhos, o primeiro governo de David Cameron já estudava a introdução de um incentivo matrimonial na forma de benefícios fiscais. "O governo precisa enviar uma mensagem muito clara, mostrando que apoia e respalda o casamento. Essa é a razão pela qual o benefício fiscal para os casados é tão importante", disse um dos ministros. Espera-se que o segundo governo Cameron, iniciado em maio de 2015, implemente essa medida. A crer em vários analistas, casamento não é uma "obsessão de extrema-direita", mas faz parte de uma aspiração mais ou menos generalizada. O que teria levado, então, à drástica diminuição de casamentos? Simplesmente as "barreiras culturais e financeiras que enfrentam as comunidades mais pobres e frustram suas aspirações".

Outra medida cogitada pelo primeiro governo Cameron para estimular uma Grã-Bretanha mais favorável à vida familiar e igualitária é a que foi apelidada pelos críticos de "benefício para o mordomo" (*butler tax break*). Seguindo o modelo da Suécia e da Finlândia, que permite que seja deduzido do imposto de renda metade dos gastos que a família tem com os empregados que contrata para ajudá-la nos trabalhos domésticos, a ideia do governo é criar um incentivo semelhante para amenizar a labuta diária dos casais – ou, alguns diriam, para facilitar a vida da mulher, que é quem arca com grande parte do trabalho doméstico. A exemplo desses países nórdicos, o alto custo de ajudantes – como faxineiras, babás e cortadores de grama – seria compensado pelas deduções permitidas, e isso contribuiria para uma vida familiar mais pacífica e amorosa. Com a promessa de cortar em 12 milhões de libras as despesas com os benefícios sociais, é bastante improvável que o *butler tax break* seja aprovado e implementado pelo novo governo Cameron.

Um estudo do Institute for Public Policy Research (Instituto de Pesquisa de Políticas Públicas) de 2012 evidenciou o que muitos já supunham: 8 de 10 mulheres casadas no Reino Unido assumem a maior parte das tarefas domésticas, e isso significa que muitas delas dedicam 13 horas por semana aos serviços de casa; enquanto só 1 em 10 homens divide as tarefas igualmente com suas mulheres. Trocar lâmpadas, colocar o lixo para fora e fazer pequenos consertos são as três únicas tarefas pelas quais os homem assumem total responsabilidade, segundo outra pesquisa de 2014. Essa persistente relutância dos homens em cooperar mais amplamente nos trabalhos domésticos é fonte de frustração e de tensão no relacionamento dos casais. Outras desavenças conjugais são causadas por diferenças de opinião a respeito da divisão do trabalho, dos padrões de limpeza e do salário da faxineira.

É difícil saber qual o número exato de casas britânicas que empregam faxineiras hoje em dia, já que grande parte desse serviço é feito informalmente e pago em papel-moeda, o que impede que existam números oficiais. Segundo uma pesquisa de 2011 encomendada por uma companhia de seguro residencial, 6 milhões de pessoas no Reino Unido empregam uma *cleaner* em tempo parcial, ao custo de 9 a 12 libras por hora, o que significa um acréscimo de 1 milhão de pessoas em relação à pesquisa anterior, feita 10 anos antes.

No passado, a situação era muito diferente. Em 1911, por exemplo, na época em que se passa a popular série *Downton Abbey,* o número de trabalhadores domésticos era maior do que os que trabalhavam na agricultura. Obviamente o *glamour*, que com frequência aparece retratado em filmes e séries televisivas, era restrito ao trabalho nas mansões. A maioria dos empregados domésticos (ou empregadas, pois quase todas eram mulheres) trabalhava ou sozinha ou com uma única companheira na casa de seus patrões, sem nada de glamoroso em seu dia a dia. A Primeira Guerra Mundial foi um divisor de águas nesse setor, assim como em muitos outros: diversas famílias deixaram de ter ajuda doméstica, ao menos em tempo integral. As maiores oportunidades de trabalho que surgiram para as mulheres, em decorrência da ausência dos homens que haviam deixado seus empregos para lutar na guerra, fizeram com que as antigas domésticas passassem a trabalhar em fábricas, escritórios e outros empregos com melhor condição de trabalho. Apesar disso, em 1931, o serviço doméstico ainda era a ocupação de 24% da mão de obra feminina e exigia-se das empregadas um tratamento deferente aos seus "superiores" e o uso de uniforme, que muitas consideravam estigmatizante.

Enfim, o que se pode dizer com certeza, mesmo considerando a ajuda doméstica atualmente em ascensão, como a pesquisa de 2011 sugere, é que o número de empregados caiu dramaticamente após os anos 1930. Mesmo assim, os padrões de vida doméstica mudaram só superficialmente ao longo de décadas e 40 anos de feminismo não fizeram muita diferença nesse setor. Mais de 8 entre 10 mulheres nascidas em 1958 disseram que, em casa, lavam e passam mais roupa do que seus maridos, enquanto 7 entre 10 mulheres nascidas em 1970 afirmam o mesmo.

Para muitos analistas e críticos do *butler tax break* proposto, o caminho para uma sociedade igualitária passa por mudanças ligadas às reivindicações do feminismo moderno: assistência em tempo integral às crianças, horas de trabalho mais flexíveis para os homens, direito do pai a tirar licenças para cuidar dos filhos, maior responsabilidade masculina nas questões do cotidiano doméstico, e assim por diante. Eles acreditam que, mais do que auxílio para pagar babás e faxineiras, é esse tipo de mudança que, de fato, pode provocar o fim da desigualdade entre homens e mulheres que ainda prospera na família britânica. Ou, como disse com humor o relatório de um instituto de pesquisa, "para uma efetiva igualdade, a sociedade precisa ver os homens pegarem o aspirador e fazerem a sua quota justa de trabalho".

EMANCIPAÇÃO DOS HOMOSSEXUAIS

Os homossexuais participaram ativamente de um movimento de emancipação que se estendeu por décadas na Inglaterra. Considerado ilegal até 1967 – assim como ainda o é em 78 países do mundo, onde vivem 2,7 bilhões de pessoas – o homossexualismo era crime punido com encarceramento. Inicialmente, uma lei de 1533, o Buggery Act, determinava que a pena para tal crime era morte por enforcamento. Essa lei foi seguida até 1835, quando dois últimos "criminosos", James Pratt e John Smith, foram enforcados. Em 1861, uma nova lei aboliu a pena de morte por homossexualismo, que continuou, no entanto, a ser considerado um crime passível de prisão. (As leis sempre se referiam a homossexualismo masculino, enquanto o lesbianismo não era nem reconhecido e muito menos atingido pela legislação.) Foi sob essa lei de 1861 e de uma emenda de 1885, que o famoso escritor Oscar Wilde foi aprisionado e condenado a dois anos de trabalhos forçados pelo crime que o tribunal qualificou de "*gross indecency*", enquanto Wilde o chamou de "*the love that dare not speak its name*" (o amor que não ousa dizer o seu nome).

Em 1970, três anos após o homossexualismo ter sido descriminalizado, a Gay Liberation Front foi fundada a fim de combater a discriminação e perseguição de homossexuais. Em 1972, a primeira passeata Gay Pride (Orgulho Gay) foi realizada em Londres.

Desde essa época, várias figuras públicas assumiram abertamente sua identidade gay: o diretor de cinema Derek Jarman, o renomado ator Stephen Fry, o romancista Alan Hollinghurst e vários membros do Parlamento. O grande sucesso do filme *Wilde* de 1997, narrando a vida de Oscar Wilde, representado brilhantemente por Stephen Fry, dá uma medida da mudança ocorrida na opinião pública inglesa sobre essa questão.

Inglesidades | 77

Napoleon Sarony, c. 1882

Espirituoso e exuberante, o poeta e dramaturgo irlandês Oscar Wilde foi vítima das leis anti-homossexuais em vigor no final do século XIX. Wilde foi condenado em 1895 a dois anos de prisão com trabalhos forçados pelo crime de "conduta obscena".

Em 2004, o *civil partnership* (parceria civil) tornou-se legal, dando aos casais formados por pessoas do mesmo sexo os mesmos direitos garantidos aos casais heterossexuais, enquanto o casamento entre homossexuais foi permitido por lei 10 anos mais tarde, em 2014. Nessa data, foi estimado que 1,5% da população do Reino Unido identificava-se como gay, lésbica ou bissexual, e uma pesquisa sobre os direitos dos LGBT (sigla que se refere às pessoas lésbicas, gay, bissexuais e transgêneros) na Europa revelou ser esse o país que mais progrediu em direção ao "respeito dos direitos humanos e igualdade total" para os indivíduos de todas as orientações sexuais.

CULTURAS JUVENIS

Uma cultura distintivamente própria da juventude surgiu na Inglaterra após a Segunda Guerra Mundial, quando a melhoria do padrão de vida permitiu aos jovens que já trabalhavam, mas que ainda não tinham família para sustentar, gastar seu dinheiro comprando roupas, motocicletas, discos e outros bens de consumo. Nesse quadro, várias "culturas juvenis" logo surgiram. Mais reconhecidos por suas roupas e gostos musicais, pouco se conhece de suas mentalidades, a não ser sobre o racismo flagrante dos *skinheads*.

Os *teddy boys* dos anos 1950, por exemplo, cujas roupas imitavam e exageravam a moda eduardiana do início do século XX, foram seguidos pelo *mods* (masculinos e femininos) e pelos *rockers* dos anos 1960, com quem volta e meia entraram em conflito, às vezes violento, atraindo grande interesse da imprensa. Os *mods* usavam ternos com calças bem estreitas e gravatas também muito finas, transportavam-se com lambreta e ouviam as músicas da banda *The Who*, distinguindo-se assim de seus rivais, os *rockers*, que guiavam motocicletas, usavam roupa de couro preto e ouviam *rock and roll*.

Os *mods* e *rockers* foram sucedidos pelos *punks* e *skinheads* nos anos 1970. Os primeiros podiam ser reconhecidos pelo seu estilo de penteado característico – *spiky* (cabelo espetado) –, pela música (como o *rock punk* dos *Sex Pistols*) e pela moda (roupa rasgada e presa com alfinetes). Os *skinheads*, tanto homens como mulheres, eram assim chamados por rasparem a cabeça. Ironicamente, dada a associação desses dois grupos com racismo e ataques aos negros, os *skinheads* imitavam o estilo de roupas e de música, especialmente *reggae*, dos jovens negros jamaicanos conhecidos como *rude boys* (meninos rudes). Por volta dos anos 1980, a variedade de "culturas juvenis" era tanta que a revista *Time* publicou um artigo sobre elas intitulado "Tribos da Grã-Bretanha".

Como sobreviventes dessa época, pode-se ainda ver alguns poucos *skinheads* pelas ruas inglesas. Os *punks*, no entanto, foram substituídos ou se transformaram em *goths* (diminutivo de "góticos"), grupo que se apresenta como preocupado com a escuridão e a morte (um de seus tipos favoritos de música é a *deathrock*). Eles se denominam *goths*, não no sentido de *bárbaros* (apesar de parte do público provavelmente considerá-los como tal), mas por causa de seu interesse por vampiros e todo um espectro de referências góticas como castelos assombrados, túmulos, o romance *Drácula* de Bram Stoker, filmes de terror, capas.

A maioria da juventude inglesa dos anos 1970 em diante, no entanto, não se associou a nenhuma dessas "tribos", apesar de seus gostos musicais, suas preferências de moda e de decorações do corpo (de *studs* a tatuagens mais ou menos discretas) terem sido influenciados, em maior ou menor grau, pelos *punks* e *goths*.

A Inglaterra é famosa por criar e espalhar entre os jovens do mundo diversas tribos urbanas. Entre elas, o movimento *punk,* surgido nos anos 1970, tinha como uma de suas marcas registradas o penteado moicano, que ainda pode ser visto pelas ruas londrinas, como na foto acima. Antes símbolo de resistência ao sistema, mais tarde tornou-se moda usada por indivíduos variados, tal como já o foi pelo jogador de futebol David Beckham.

De qualquer modo, assim como em outros países que experimentam uma rápida mudança social e tecnológica, a diferença cultural entre as gerações – entre aqueles que trocam mensagens eletrônicas e os que não, por exemplo, ou aqueles que jogam *videogames* e aqueles que não – parece estar se ampliando. Os ingleses mais velhos, por exemplo, ficaram chocados ao perceber esse grande abismo por ocasião do saque e queima de lojas no verão de 2011, quando um motim – iniciado com a morte do jovem negro Mark Duggan pela polícia, no bairro londrino de Tottenham –, que se alastrou por Londres e outras cidades inglesas, foi alimentado e organizado através da mídia social, tendo o "bbm" (blackberry Messenger) desempenhado nisso um papel central.

CULTURAS ÉTNICAS

"A primeira coisa que se descobre sobre os ingleses é que eles não são ingleses – no sentido de não serem, em absoluto, originários da Inglaterra." Esse foi o modo jocoso com que um estudioso referiu-se à insensatez de se acreditar numa pureza racial anglo-saxônica, ressaltando a importância da imigração para a história da Inglaterra. Para começar, os romanos dominaram o país durante 400 anos, e até um patriota como Winston Churchill reconhecia que a cidade mais importante da Grã-Bretanha fora criada por eles, numa época em que as antigas tribos dos bretões ainda eram primitivas e iletradas: "Devemos Londres à Roma", disse Churchill.

Chamada de Inglaterra por causa dos *angles* (anglos) – uma das tribos germânicas que com os saxões invadiram o país nos séculos V e VI, após os romanos terem se retirado depois de mais de 400 anos de dominação –, o país foi invadido pelos dinamarqueses em meados do século IX e pelos normandos em 1066. Nos séculos XVI e XVII, chegaram da Holanda espanhola e da França protestantes perseguidos à procura de refúgio em um dos países de maior tolerância religiosa da Europa àquela época. A imigração mais dramática ocorreu num espaço de pouquíssimo tempo, logo após Luís XIV, em 1685, oferecer aos protestantes franceses a escolha entre conversão ao catolicismo ou exílio. Como resultado, nada menos do que 200 mil huguenotes abandonaram a França, sendo que um grande número deles foi para a Grã-Bretanha.

A tolerância política também era tida como um apanágio da Inglaterra – país que, durante o século XIX e início do XX, acolheu, mais do que qualquer outro da Europa, refugiados de ideologias políticas e nacionalidades variadas. Alguns exemplos de refugiados acolhidos em solo britânico incluem o imperador francês deposto Napoleão III; o escritor Victor Hugo, perseguido em seu país de origem por ter chamado Napoleão III de "traidor da França"; ditadores como o argentino Rosas; revolucionários como o venezuelano Andres Bello, amigo e colaborador de Simon Bolívar, e os alemães Marx e Engels; socialistas e anarquistas russos como Herzen, Kropotkin e Bakunin; nacionalistas italianos como Garibaldi e Mazzini. Todas essas pessoas e muitas mais encontraram na Inglaterra um lugar onde viver em paz e, em vários casos, continuar a desenvolver suas atividades políticas com liberdade, para a fúria de muitos governos europeus.

No século XIX, chegaram à Inglaterra muitos irlandeses, em busca de trabalho, especialmente após a Grande Fome de 1845; pouco depois dessa onda migratória, vieram os judeus do Leste Europeu, refugiando-se dos terríveis *pogroms* da Europa central e do leste.

Os antepassados de um dos autores deste livro combinam esses dois fluxos de imigração. De um lado, há irlandeses que vieram, ainda jovens, da Irlanda por razões econômicas, na esperança de melhorar seu padrão de vida. Os mais politizados da família, contudo, ficaram na Irlanda e iriam participar ativamente da luta pela independência do que se tornaria, em 1922, o Irish Free State, hoje República da Irlanda. Entre eles estava uma bisavó que escondia e transportava armas para os revolucionários do grupo Irish Republican Brotherhood (Irmandade Republicana Irlandesa) depois que eles atiravam em soldados ingleses. Como várias outras simpatizantes do movimento, fazia isso sob suas saias longas e rodadas, tirando vantagem do sistema policial da época, que não podia revistar mulheres. De outro lado, há imigrantes judeus que vieram como refugiados do Império Russo, em busca de um lugar seguro, longe da perseguição religiosa violenta que sofriam em suas terras de origem.

Em menor número, mas com uma presença marcante na história da Inglaterra estão os imigrantes que vieram da China, Itália e Alemanha. A primeira *Chinatown* que se conhece foi criada em Liverpool, onde se estabeleceu a primeira comunidade chinesa na Europa, ligada ao comércio de seda, algodão e chá. Foi também em meados do século XIX que italianos fundaram o bairro de Little Italy em Londres e se dedicaram a atividades variadas, como fabricar sorvete e doces, abrir e manter restaurantes e lojas, e a fazer trabalho de reboco de parede. Já os alemães dedicaram-se ao comércio de carne ou a trabalhos em refinarias de açúcar.

Se se acrescentar a esses os imigrantes que vinham, em números variados, do imenso Império Britânico, fica compreensível o comentário feito nos anos 1870 pelo escritor de Boston, Henry James. Recém-chegado de Paris a Londres, impressionou-se com a variedade de pessoas que observou na capital inglesa, que descreveu como "o compêndio mais completo do mundo", onde a "raça humana" era mais representada do que em qualquer outro lugar. Não havia, pois, outro local melhor para um romancista se inspirar, concluiu James. Tendo adotado a Inglaterra como sua segunda pátria, ali se estabeleceu e ali morreu como súdito britânico em 1916.

Na primeira metade do século XX, foi a vez de os judeus da Europa central emigrarem para a Inglaterra, escapando do regime nazista, assim como dos poloneses, fugindo tanto das invasões alemãs quanto soviéticas em 1939-1940.

O aumento da imigração nos séculos XX e XXI

Após o final da Segunda Guerra Mundial, em 1945, uma nova onda de italianos emigrou para a Inglaterra. Em 2001, a população britânica de origem italiana tinha por volta de 100 mil membros.

No entanto, o influxo mais rápido e numeroso de imigrantes na história inglesa aconteceu na segunda metade do século XX. Em sua maioria, compunha-se de pessoas oriundas de lugares que eram ou haviam sido parte do Império Britânico. A partir de

1948, por exemplo, um grupo grande veio do Caribe, e, segundo dados de 2001, havia 250 mil pessoas de origem caribenha na Grã-Bretanha, metade deles sendo da primeira geração nascida em solo britânico. Outro grupo significativo veio da Índia, após a divisão do país em Paquistão e Índia, que se seguiu à independência da Grã-Bretanha em 1947. Imigrantes da região do Punjab estabeleceram-se especialmente em Leicester, uma cidade com a população atual de mais ou menos 300 mil pessoas, das quais metade é de origem asiática. Os paquistaneses da cidade de Mirpur e dos vilarejos vizinhos estabeleceram-se principalmente em Bradford, no condado de Yorkshire, que hoje abriga 85 mil asiáticos ou descendentes de asiáticos. Os imigrantes de Bangladesh se estabeleceram principalmente ao leste de Londres, numa zona ao redor de Brick Lane – cujo nome vem da manufatura de *brick* (tijolo) que ali se desenvolveu no século XVI –, que é muitas vezes descrita como Banglatown, seguindo o modelo da Chinatown.

Além desses, os grupos mais numerosos de imigrantes incluem asiáticos de Uganda, expulsos do país africano em 1971; gregos e turcos do Chipre; quenianos, nigerianos, chineses (especialmente de Hong Kong); europeus (franceses, espanhóis, poloneses, húngaros, letões etc.); e, evidentemente, os brasileiros (oficialmente por volta de 100 mil imigrantes).

O número de imigrantes continua crescendo. De acordo com o censo de 2001, 4 milhões e 300 mil pessoas vivendo na Inglaterra e no País de Gales eram estrangeiras – ou seja, 9% da população. E, considerando somente Londres, 3 milhões de londrinos (de uma população total de 7 milhões) eram imigrantes ou "britânicos novos", tal como são chamados os imigrantes e seus filhos. Já segundo o censo de 2011, o número de estrangeiros vivendo na Inglaterra e no País de Gales subiu para 7 milhões e meio (equivalente a 13,4 % da população), sendo que o maior número de imigrantes é originário da Índia, Paquistão e Polônia. Londres permanece a cidade onde se concentra o maior número de imigrantes, ou seja, 37% de sua população.

Assim, o turista que supõe estar tendo contato com ingleses quando é servido em restaurantes ou atendido em lojas, estará muito provavelmente lidando com imigrantes da Europa do Leste ou do Sul, já que jovens estrangeiros espanhóis, italianos, franceses, poloneses, checos, eslovacos e húngaros praticamente dominam esse setor de serviço. E, quando acontecer de numa pizzaria (como aconteceu conosco) o garçom ou a garçonete lhe perguntar se quer que coloque azeite de oliva na mesa, pode começar a falar em português porque é quase 100% certo que você está sendo servido por um brasileiro!

> Lojas vendendo sáris, o tradicional vestido usado pelas mulheres hindus, a leste e norte de Londres, são reveladoras da força das tradições indianas em muitas regiões do país e testemunho da grande diáspora do pós-guerra. Na foto, loja anunciando sáris de alta-costura.

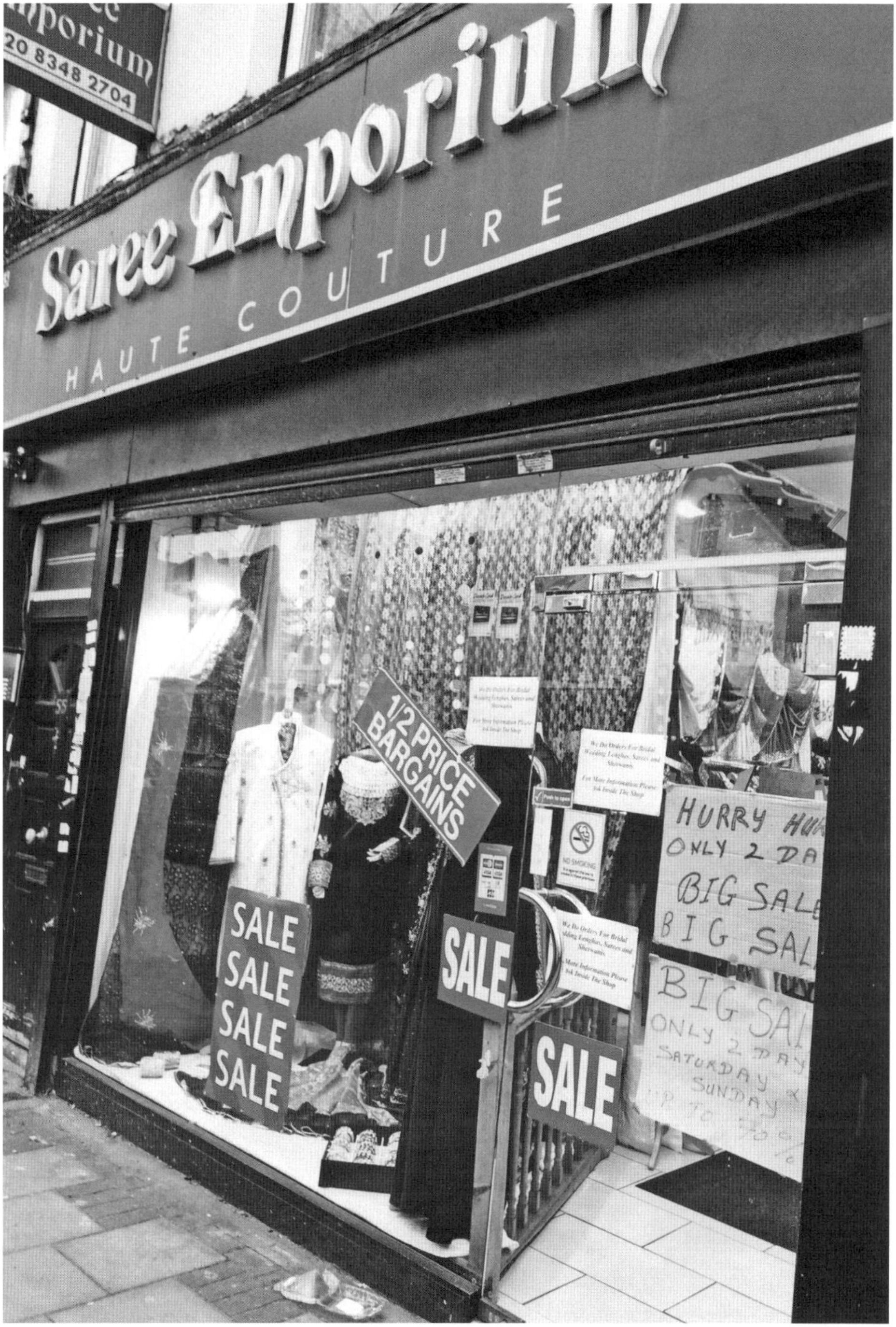

Marco Bora Cin

Enfim, a *política de multiculturalismo* britânica, que se opõe à assimilação e à integração forçadas e favorece ou aceita a diversidade cultural, apesar de controversa ainda vigora, fazendo com que a Grã-Bretanha multiétnica seja uma realidade inquestionável. No entanto, o número crescente de jovens britânicos que abandona o país para se juntar ao autoproclamado Estado Islâmico, um fenômeno dos últimos anos, tem gerado um clima de insegurança no país e provocado um debate bastante acalorado sobre os benefícios e os malefícios do multiculturalismo. A questão central diz respeito ao preço que a sociedade como um todo está disposta a pagar pelo respeito às diferenças culturais de grupos étnicos variados que a política multicultural implica.

IMIGRANTES ILEGAIS

De qualquer modo, essa política de multiculturalismo tem sido apontada como uma das principais razões para a multidão de estrangeiros que está preparada a arriscar tudo a fim de entrar no Reino Unido – por muitos visto como uma "Terra Prometida" – e engrossar a massa de imigrantes ilegais que aí vive.

Nos últimos tempos, tem ocupado as manchetes de jornais britânicos e europeus o drama do crescente número de migrantes da África e do Oriente Médio que, fugindo de guerras, perseguições e miséria, conseguem entrar no continente europeu – após anos de um percurso infernal – e chegar ao porto francês de Calais, nas proximidades da entrada do Eurotúnel, onde acampam em condições desumanas. Idealizando uma realidade cheia de oportunidades e tolerância do outro lado do Canal da Mancha, esses refugiados tentam se esconder dentro e embaixo de caminhões de carga, em *ferryboats* e carros para chegar à terra de seus sonhos.

"É perigoso e difícil... mas todas as noites devemos tentar novamente", disse Mohammed, um sírio, ao repórter do jornal *The Guardian,* que dele se aproximou. "Nós deixamos nossas casas para ter uma vida melhor. Não podemos ficar aqui..."

Para outro migrante, que acabara de saber que sua mulher estava grávida, o sonho era semelhante: "Quando eu chegar à Inglaterra, eu vou estudar e arranjar um emprego e trabalhar para que minha filha possa ter uma vida melhor... Nós não tínhamos uma vida em casa e não temos, na verdade, uma aqui. Assim, temos de continuar tentando".

"O governo no UK vai nos ajudar a estudar na universidade, certo?", é a pergunta (com um leve tom de suspeita de que tudo isso pode não passar de um sonho) que muitos fazem aos repórteres britânicos que os entrevistam.

Para muitos desses refugiados, a travessia do Canal da Mancha jamais se realiza. Para outros, ao contrário, o final é feliz. Tal foi o caso do jovem Mehari Solomon da Eritreia, onde impera um terrível regime ditatorial, e de onde as Nações Unidas acreditam que 4 mil pessoas fogem por mês. Após uma odisseia de 3 anos, ele finalmente conseguiu

Assim como imigrantes de diversas partes do mundo, os brasileiros em Londres trouxeram seus cultos e seus hábitos. Temos aqui um exemplo na parte sul da capital, numa região habitada por muitos africanos e caribenhos: um mesmo prédio abrigando uma igreja pentecostal, um salão de beleza e um centro de depilação.

Foto da autora

chegar à Grã-Bretanha – tida por muitos eritreus como uma terra abençoada – escondido num caminhão carregado de repolho refrigerado. Sete meses depois, foi-lhe concedido asilo político, estabeleceu-se em Cardiff, onde arranjou um emprego.[3]

Outros não são tão afortunados. Conseguem, contudo, entrar na Inglaterra e se diluem na população, trabalhando ilegalmente ou como escravos modernos dos traficantes e seus cúmplices, que lhes cobram altas somas para levá-los para o Reino Unido e os mantêm cativos em razão das dívidas contraídas. Segundo os dados de 2014 da organização Anti-Slavery International (Antiescravatura Internacional), vivem no Reino Unido 13 mil escravos desse tipo. Fenômeno internacional de grandes proporções, do qual nenhum país parece escapar, a escravidão moderna afeta especialmente pessoas vulneráveis, como os imigrantes ilegais, que não ousam procurar a polícia por medo de serem deportados. Portanto, não se sabe quantos desses 13 mil escravos são imigrantes ilegais.

Também é impossível calcular com precisão o número de imigrantes ilegais em geral; a estimativa é que seja algo entre 900 mil e 2 milhões. Sabe-se que parte deles entrou no país legalmente com visto de turista e simplesmente permaneceu por lá após o visto expirar. Outros entraram ilegalmente, com documentos falsos ou simplesmente conseguindo driblar a polícia de fronteira.

No caso dos brasileiros, calcula-se que o número de imigrantes ilegais seja muitíssimo maior do que os 100 mil legais. Segundo os dados de 2011, dentre as 10 nacionalidades que lideram a imigração ilegal no Reino Unido, os brasileiros ocupam o quinto lugar. Utilizando, normalmente, identidade portuguesa falsa, esses imigrantes fazem com que a polícia britânica se depare, como eles mesmos dizem brincando, com a seguinte questão: "*Portuguese or non Portuguese, that is the question*" (Português ou não português, eis a questão).

Transformando a cultura britânica

Se é verdade, pois, que os imigrantes fizeram a Grã-Bretanha ao longo de sua história, as marcas deixadas por alguns dos imigrantes mais recentes transformaram muito rapidamente a cultura e a paisagem britânicas. Por exemplo, os imigrantes africanos, geralmente cristãos, têm hoje na Inglaterra as suas próprias Igrejas, tais como a importante e crescente Celestial Church of Christ (fundada na Nigéria em 1947), contando com 46 paróquias só na cidade de Londres. Há também cerca de 1.500 mesquitas na Grã-Bretanha, algumas delas imponentes, assim como muitos templos hindus e sikhs, importantes religiões originárias da Índia.

No início, a presença dessas construções exóticas causou um choque cultural para os "velhos ingleses", ou seja, para aqueles cujas famílias se estabeleceram na Inglaterra

Vendendo comidas e bebidas de muitas partes do mundo, desde a Polônia até o Irã, este supermercado do norte de Londres, cujo dono é um turco, ilustra uma forma bem-sucedida de multiculturalismo.

Inglesidades | 87

Cenas comuns nas ruas inglesas: muçulmanas com véus demonstram lealdade às suas culturas originais e resistência à assimilação. Da mesma forma, os sikhs indianos mantêm seus turbantes enquanto desempenham as mais variadas funções.

há, pelo menos, um século. Porém, gradualmente, mesquitas e templos passaram a fazer parte integrante da paisagem de algumas cidades ao lado de lojas de sári e de açougues halal, que proveem uma crescente clientela com carnes de animais mortos de acordo com as leis muçulmanas. Em certas regiões londrinas, há também mercados e supermercados que atendem a toda uma clientela cosmopolita, vendendo produtos variados vindos do Irã, Polônia, Rússia, Turquia, Grécia entre outros países. Visitar uma dessas lojas é uma experiência multicultural imperdível: é como se estivéssemos numa pequena Nações Unidas, participando de um encontro *gourmet* de povos distintos, unidos ao redor dos prazeres do paladar. Indianos, poloneses, gregos, iranianos, turcos e outros se misturam a "velhos ingleses" que ali vão buscar produtos exóticos de qualidade e baixo preço, tais como vinho da Geórgia, ayran da Turquia, salsichas da Polônia, tâmaras do Irã etc.

Outros sinais nítidos da cultura multicultural incluem o turbante dos sikhs e o *salwar kameez* (calça e túnica bem folgadas) usado por homens e mulheres indianos, lenço, *niqab* e mesmo a burca que cobrem a cabeça de muçulmanas e não são proibidos de serem usados em lugares públicos, como ocorre em outros países, como a França. Como disse Ed Balls, secretário da Educação do governo Labour, repetindo o que muitos ingleses dizem: "Não é britânico dizer às pessoas o que elas devem usar na rua".

O número de línguas que se ouve pelas ruas da Grã-Bretanha, especialmente em Londres, multiplicou-se nas últimas décadas. Em 2005, estimava-se que entre os alunos das escolas londrinas falava-se 232 línguas maternas, enquanto em partes do leste de Londres a primeira língua de 75% da população escolar do primeiro grau não era o inglês, o que representava um grande problema para o ensino-aprendizagem. Segundo os dados dessa pesquisa, por volta de 1,3 milhão de londrinos falavam urdu, punjabi ou sylheti (que são línguas inteligíveis entre si), 400 mil falavam bengali e 300 mil cantonês.

Novos problemas

Apesar da riqueza cultural que pessoas de origens variadas podem trazer para uma sociedade, há também problemas sérios que vêm com os hábitos e as tradições dos imigrantes, alguns deles inaceitáveis por envolverem violência e sérios abusos dos direitos humanos. Respeitar e tolerar, em nome de um relativismo cultural extremo, certas tradições que violam esses direitos, é visto como algo inadmissível no Reino Unido.

Casamentos forçados, por exemplo, são proibidos por lei no Reino Unido (*Forced Marriage Act*), mas sabe-se que, de fato, muitos adolescentes são forçados a se casar, o que costuma ocorrer durante uma breve visita à terra de origem de sua família. O

Forced Marriage Unit (FMU), um departamento do Ministério do Interior, ajuda na prevenção dessas uniões, organizando campanhas nas escolas e na mídia contra essa prática conhecida como CEFC, ou *Child, Early and Forced Marriage*. O objetivo dessas campanhas é alertar os jovens em risco e ajudá-los a escapar desse destino. Para se ter uma ideia da gravidade da situação, basta saber que por volta de 1.500 pedidos de ajuda são recebidos anualmente pelo FMU. Em 2013, por exemplo, 82% das vítimas eram do sexo feminino e 18%, do sexo masculino, sendo uma porcentagem grande desses jovens com menos de 16 anos. Os casos tratados nesse ano envolviam pessoas originárias de 74 países, a maior porcentagem das vítimas sendo, no entanto, de origem paquistanesa. Parte desse quadro dramático é a reação extrema das famílias diante de jovens que se recusam a aceitar a imposição do casamento arranjado. Um número significativo de *honour killings* (crimes de honra) ou *honour related crimes* (crimes relacionados à honra) é praticado no Reino Unido. Em 2010, houve no mínimo 2.283 crimes desse tipo, mas estima-se que, na realidade, o número seja muito maior.

Outro problema dramático trazido por vários novos imigrantes é a mutilação genital feminina (*female genital mutilation*, FGM), um costume de várias culturas africanas, asiáticas e do Oriente Médio, considerado imoral e inaceitável pelos padrões ocidentais de saúde e humanidade. Essa prática é proibida por lei em toda a Europa desde os anos 1980 – no Reino Unido, pelo Prohibition of Female Circumcision Act de 1985. Contudo, é grande a dificuldade de se combater esse crime, mantido em sigilo pela família da vítima. Assim, infelizmente, muitas crianças e jovens ainda sofrem essa mutilação. Calcula-se que, só na Grã-Bretanha, desde a proibição de 1985, mais de 60 mil mutilações foram praticadas e que mais de 20 mil serão feitas num futuro próximo.

O Female Genital Mutilation Act de 2003 ampliou a legislação anterior, tornando ilegal a um cidadão britânico praticar essa cirurgia também fora das fronteiras nacionais e aumentando a punição do crime, de 5 para 14 anos de prisão. Não obstante essas leis, o primeiro julgamento e condenação por infringir essa proibição na Grã-Bretanha ocorreu somente em março de 2014. Ou seja, foi só quase 30 anos após a promulgação da lei antimutilação feminina, que o sistema judicial britânico conseguiu condenar duas pessoas – um deles um médico – responsáveis por realizar esse tipo de mutilação num hospital localizado ao norte de Londres, região habitada por um grande número de vítimas atuais e potenciais desse crime.

De acordo com muitos ingleses, casos como esses revelam ser errada a total aceitação do relativismo cultural – implícito na política multiculturalista – que, partindo da premissa de que todas as culturas têm igual valor, acaba por negar a existência de valores e verdades universais que sustentam a humanidade comum a todos nós. É em nome desses valores universais que o combate a essas práticas culturais tem se fortalecido; em julho de 2014, o Reino Unido patrocinou, com a colaboração da Unesco, o primeiro "Girl Summit", uma campanha que defende a ideia de que "as meninas não são uma propriedade – elas têm direito de determinar o seu destino". O objetivo maior dessa campanha é mobilizar esforços nacionais e internacionais para acabar com os FGM e CEFC em uma geração.

Mestiçagem

Apesar de não haver muitas imposições das autoridades britânicas, que geralmente aceitam o multiculturalismo (ou pluralismo cultural) – diferentemente do modelo francês de assimilação que, desconsiderando as diversidades étnico-culturais, procura impor as regras e os valores da cultura dominante –, tem ocorrido na Inglaterra um processo de adaptação e assimilação gradual e natural de novos imigrantes e seus descendentes. Em 2001, quase 80% das crianças filhas de pais de minorias étnicas eram britânicas por nascimento. Além disso, muitos dos imigrantes estabelecidos, especialmente os da segunda e terceira geração, se descrevem como britânicos (ao invés de ingleses), considerando-se "britânicos asiáticos" ou "britânicos negros", por exemplo. Por outro lado, adultos mestiços de branco europeu com negro caribenho se identificam como "ingleses", e não como "britânicos".

Mais de meio século de interação entre "ingleses novos", como poderíamos chamar esses imigrantes integrados, e os "ingleses velhos" produziu mudanças em ambos os lados, a mais óbvia sendo a ocorrência de casamentos "inter-raciais" e o nascimento de crianças "mestiças".

Foi no censo de 2001 que apareceu, pela primeira vez, a categoria "mestiça", sendo as principais subcategorias: "branco/asiático", "branco/africano" e "branco/caribenho". De acordo com censo de 2011, há 1 milhão e 200 mil britânicos de "raça mestiça", mas segundo um inquérito não oficial, o número verdadeiro pode ultrapassar 2 milhões.

Outra pesquisa realizada em 2009 revelou que metade dos homens caribenhos tem companheiras de uma etnia diferente da deles. Porém, tal mistura ocorre em grau muito menor entre os paquistaneses, pois entre eles os casamentos arranjados ainda são a norma, sendo a união de indivíduos originários do mesmo vilarejo do Paquistão o ideal para muitos pais. Segundo os dados do censo de 2011, somente 8% dos homens paquistaneses se uniram a mulheres de outra origem étnica, enquanto a porcentagem para as mulheres paquistanesas que se unem a homens não paquistaneses é ainda menor.

Assimilação

Num grau considerável, os imigrantes, ou ao menos seus filhos e netos, aceitaram a cultura inglesa sem terem necessariamente abdicado de seus próprios costumes. É possível ouvir negros falando *cockney* e paquistaneses falando com um forte sotaque de Yorkshire. O inglês indiano é ainda bastante singular e foi zombado afetuosamente numa comédia de televisão dos anos 1990 chamada *Goodness Gracious Me*, criada por atores britânico-asiáticos. De acordo com pesquisas recentes, os imigrantes sul-asiáticos estão entre os que mais apoiam as instituições britânicas.

Assimilação cultural é o tema central dos filmes de Gurinder Chadha, uma sikh do Quênia que dirigiu *Bhaji on the Beach* (1993), sobre um grupo de mulheres hindus de Birmingham fazendo uma viagem de férias tipicamente inglesa em Blackpool, e *Bend it Like Beckham* (*Driblando o destino*, 2002), em que a filha de um casal sikh bem tradicional se rebela contra a família, decidindo jogar futebol. O ator indiano Om Puri, estabelecido na Grã-Bretanha e laureado pela rainha Elizabeth com o prestigioso OBE (Order of the British Empire), é um exemplo bem-sucedido de interpenetração cultural. Ele é famoso por representar "papéis étnicos", como, por exemplo, o do imigrante paquistanês no filme *East is East* (1999). Vivendo no norte da Inglaterra e casado com uma inglesa bastante compreensiva, o personagem interpretado por Puri tem sérios problemas para entender e aceitar o comportamento de seus sete filhos ocidentalizados, um dos quais lhe diz a certa altura: "Nós não somos paquistaneses, papai; somos ingleses".

Uma elite de imigrantes

Um pequeno número de imigrantes ou filhos de imigrantes negros atingiu o topo da pirâmide política ou social. Do Caribe, podem-se citar o eminente sociólogo Stuart Hall, que veio da Jamaica; o apresentador de televisão *sir* Trevor McDonald, originário de Trinidad; e baronesa Amos, da Guiana. Um caso mais raro é o da jamaicana Doreen Lawrence que recebeu o título de baronesa Lawrence of Clarendon. Mãe do estudante negro Stephen Lawrence, brutalmente assassinado por um grupo de jovens brancos em 1993, Doreen recebeu várias homenagens ao longo de sua longa e incansável campanha contra crimes racistas e em prol de uma polícia mais justa. Essas homenagens culminaram, 20 anos após a morte de Stephen, com a outorga do título vitalício de baronesa e um lugar na Casa dos Lordes do Parlamento em 2013, por seu papel central na reforma dos serviços policiais ainda em curso.

Outro exemplo de sucesso recente, nesse caso de filho de imigrantes, é o do brilhante cineasta Steve McQueen, ganhador de vários prêmios importantes e diretor do aclamado filme *12 Years a Slave* (*12 anos de escravidão,* 2013), premiado em vários festivais, de Toronto ao Oscar. Nascido e criado em Londres, McQueen é filho de imigrantes negros do Caribe. Outro filho de imigrantes pobres, também do Caribe (neste caso da Guiana), é o membro do Parlamento pelo Partido Trabalhista David Lammy. Lammy, cuja esposa é branca, chegou a comentar que "integração é algo em que somos muito bons neste país". A popularidade de Lammy dentro do Partido Trabalhista é atestada pelo apoio que teve sua candidatura a prefeito de Londres na eleição de 2016, um dos cargos políticos da maior magnitude na Grã-Bretanha.

Do sul da Ásia vieram duas mulheres que foram homenageadas com o título de baronesa: baronesa Flather e baronesa Warsi. Vindos da mesma região, temos *lord* Ahmed, o primeiro nobre muçulmano, e *lord* Parekh, um imigrante do Gujarat que se tornou um acadêmico e presidiu a Commission on the Future of Multiethnic Britain (Comissão para a futura Grã-Bretanha multicultural). De Uganda veio John Sentamu, que se tornou arcebispo de York, a segunda posição de maior importância na Igreja Anglicana. Algumas pessoas consideram esses exemplos meros disfarces para encobrir a discriminação social vigente (*tokenism*), mas outras os veem como prova de que o sistema está se tornando mais aberto do que era no passado.

Imigrantes nas artes

Sir Salmon Rushdie, nascido em Bombaim, é um dos principais romancistas britânicos. Seu *Satanic Verses* (*Versos satânicos*), aclamado em muitas partes do mundo, foi, contudo, queimado pelos muçulmanos da cidade de Bradford que o consideraram blasfemo logo após sua publicação em 1988.

Há também outros escritores imigrantes de renome como Monica Ali, vinda de Bangladesh, e a jamaicana-inglesa Zadie Smith.

Um dos mais eminentes escultores ingleses, Anish Kapoor, nasceu na Índia, enquanto dois conhecidos artistas contemporâneos são britânicos-nigerianos: o pintor Chris Ofili (ganhador do Turner Prize, o mais prestigioso prêmio de arte contemporânea da Grã-Bretanha) e o escultor Yinka Shonibare, cujo gigantesco *Nelson's Ship in a Bottle* ficou exposto durante mais de um ano (2010-2011) num dos pedestais de Trafalgar Square. Essa escultura foi descrita pelo artista como uma "celebração da imensa riqueza étnica" da Grã-Bretanha de hoje, que ele vê como decorrência, a longo alcance, da vitória inglesa de Trafalgar sobre os espanhóis e franceses em 1805.

No mundo do cinema, é interessante saber que o aclamado diretor Alfonso Cuarón, cujo sucesso mais recente é o filme *Gravity* (*Gravidade*, 2013), nasceu no México, mas se considera um cineasta britânico. Ao receber o Bafta (British Academy of Film and Television Arts) como melhor diretor de 2013, disse as seguintes palavras com carregado sotaque espanhol e simpática ironia, aludindo à campanha anti-imigração de alguns grupos britânicos: "Com esse sotaque tão forte vocês não poderiam saber, mas o fato é eu me considero parte da indústria cinematográfica britânica. Vivo em Londres há 13 anos e fiz quase a metade de meus filmes na Grã-Bretanha. Eu imagino que o meu caso seja muito bom para justificar a contenção da imigração".

Reações ao multiculturalismo britânico

Por um lado, os ingleses (ou os "velhos ingleses") aprenderam a gostar imensamente da comida chinesa e indiana, assim como de filmes, romances e obras de arte produzidas por membros de minorias étnicas. Muitas misturas culinárias ocorreram, simbolizadas pelo apreciado "*curry* com batata frita", o equivalente inglês em culinária à mistura musical brasileira de "chiclete com banana". Alguns adolescentes "velhos ingleses" das cidades de Leicester e Luton aprenderam a xingar em punjabi. "Inglês jamaicano" é o nome de um novo dialeto de inglês, falado não somente pelos imigrantes da própria Jamaica e de outros lugares do Caribe, como também adotado por jovens "brancos". O *reggae*, um estilo de música inventado na Jamaica nos anos 1960, tornou-se popular na Grã-Bretanha antes ainda de ser disseminado pelo resto do mundo. Outro sinal visível de integração étnica e cultural é o Carnaval de Notting Hill, um bairro ao norte de Londres. Criado em 1964 pelos imigrantes de Trinidad, esse evento é hoje parte importante do calendário oficial londrino. Realizado em agosto, quando o clima é supostamente melhor para as festividades, atrai por volta de dois milhões de pessoas.

Por outro lado, preconceito racial, discriminação e mesmo violência contra minorias podem ocorrer, e não somente por parte da pequena parcela da população que vota para o *British National Party*, um partido de extrema-direita que propõe que os imigrantes "voltem para o lugar de onde vieram". Mesmo a polícia muitas vezes não é isenta. Um exemplo disso foi o fracasso em investigar com cuidado e imparcialidade o assassinato do adolescente negro Stephen Lawrence em 1993 (vítima de um ataque racista na fila do ônibus na zona leste de Londres). Cinco anos após o crime, um inquérito judicial concluiu, entre outras coisas, que a polícia era "institucionalmente racista". Foi em decorrência desse inquérito feito, em grande parte, em resposta à campanha intransigente e obstinada de Doreen Lawrence, mãe da vítima (e hoje baronesa Lawrence of Clarendon, como vimos), que mais descobertas foram feitas em 2014, com provas devastadoras da corrupção policial, especialmente da parte dos agentes secretos que trabalharam na investigação do assassinato de Lawrence. Outro caso famoso, que deu origem a outro inquérito policial, foi o de Mark Duggan, morto pela Polícia Metropolitana em agosto de 2011 nas ruas de Tottenham, ao norte de Londres. Essa morte, como vimos, deu origem a um motim que paralisou durante dias parte da capital e se alastrou por outras cidades da Grã-Bretanha. Assim como o inquérito sobre a morte de Lawrence, este também revelou a tensão racial e o clima de suspeita mútua que ainda existe entre a polícia e uma parte do público britânico.

Em decorrência de problemas policiais como esses, ao longo dos últimos anos foram criadas instituições para lidar com as questões raciais, como os Racial Equality Councils (Conselhos de Igualdade Racial). Algumas leis também foram reformadas para acomodar algumas necessidades dos imigrantes. Os sikhs, com seus tradicionais turbantes, por exemplo, são agora isentos da exigência de usar capacetes, quando dirigem motocicletas, e capacetes de segurança quando estão em locais de construção.

O debate continua

As grandes questões sobre assimilação, integração e multiculturalismo permanecem em debate na Inglaterra. De um lado, David Blunkett, antigo ministro do Interior, declarou numa entrevista em 2001 que os imigrantes deveriam ser "mais britânicos", ao que Trevor Phillips, o dirigente negro da Commission for Racial Equality, agora chamada Equality and Human Rights Commission (Comissão para a Igualdade e Direitos Humanos), respondeu pedindo ao governo que "declarasse em que consiste o âmago de britanicidade", chamando a atenção para a complexidade e irracionalidade dessa noção.

Como bem lembrou o jamaicano-britânico Stuart Hall, uma "versão mais global da história de nossa ilha" é fundamental para que se reimagine a *britishness* de "um modo mais profundamente inclusivo", que contemple experiências, valores e aspirações das muitas minorias étnicas que hoje compõem a nação. Afinal, como argumentou, lembrando o desafio de se combinar o respeito pela diversidade com valores comuns compartilhados: "Há várias maneiras de se ser britânico". Na mesma linha foi o apelo de *lord* Parekh para que a nação "celebre a diversidade" que possui, ou, como disse, "uma comunidade de comunidades" que devem interagir e ser abertas a um "diálogo crítico com outras culturas".

O debate ao redor das questões sobre benefícios ou malefícios da integração, assimilação e multiculturalismo, e das vantagens e desvantagens de se receber mais imigrantes, continua até hoje. Um programa de televisão sobre imigração exibido em

2014 revelou a extensão da assimilação ao modo inglês de vida por parte de alguns indivíduos ou grupos. Algumas das famílias indianas entrevistadas afirmaram que adoram críquete, admiram profundamente o sistema parlamentar e são críticos aos imigrantes mais recentes que não estão se adaptando suficientemente à cultura inglesa. Pode-se dizer que imigrantes como esses indianos se tornaram mais ingleses do que os próprios ingleses!

Se exemplos como esse de certo modo minimizam os problemas decorrentes da imigração, há evidência de que há muitas questões ainda em aberto. Em 2011, por exemplo, a BBC2 apresentou uma série de programas sobre o que chamou de "Britânia mestiça", apresentados por George Alagiah, ele próprio filho de mãe europeia e pai africano. Os programas geraram uma avalanche de e-mails dos espectadores que tanto celebravam como condenavam a mistura racial, e tanto apontavam para a discriminação existente como argumentavam que ela estava em extinção.

Uma clara evidência de que a mestiçagem está sendo crescentemente aceita, mas que ainda é vista negativamente por alguns britânicos, é a fundação, em 2012, da Turquoise Association, que se descreve no seu website como "um grupo de jovens adultos de raça mestiça que abraçam, celebram e se identificam com sua herança múltipla" e que tem como objetivo promover a criação de uma comunidade que possa reconhecer e debater "as realizações das pessoas mestiças na sociedade britânica".

NOTAS

[1] No sistema legal britânico, há uma distinção entre dois tipos de advogados: o *barrister* e o *solicitor*. O *barrister* é o que pode atuar nos tribunais e fóruns, ou seja, na frente do juiz. É o *solicitor* que chama o *barrister* para atuar em nome de um cliente e o instrui. A ideia por trás dessa distinção é fazer com que só chegue aos tribunais os casos em que não há solução fora deles (agradecemos à dra. Patricia Pires Boulhosa pela ajuda nessa questão).

[2] Custo de oportunidade é a expressão usada em economia para indicar o que a pessoa deixa de ganhar (ou o que perde) por fazer determinada escolha. Se opta por ter filhos, deixa de ter ascensão profissional, por exemplo. A ascensão profissional é o custo de oportunidade da escolha de ter filhos (agradecemos à economista Maria Helena Zockun por esse esclarecimento).

[3] "'Shameful' death toll of migrants in Calais is revealed", *The Guardian*, 24 dez. 2014; "One man's hellish journey from Eritrea terror to UK sanctuary", *The Guardian*, 6 set. 2014.

COMO O PAÍS FUNCIONA

Subjacente às diferenças descritas no último capítulo, há muitos denominadores comuns à sociedade e à cultura da Grã-Bretanha que a unificam, desde as instituições e semi-instituições (que serão descritas adiante) até o "modo inglês de viver" (que será o objeto do capítulo "Modo de vida e valores").

Trataremos aqui de coisas aparentemente díspares, tais como a monarquia e os jornais, o Parlamento e os museus, o Serviço Nacional de Saúde e clubes sociais, a polícia e as *public schools*; são todas elas, no entanto, instituições ou semi-instituições que, juntas, ajudam a produzir a cultura inglesa – e também, em certo sentido, a britânica, já que há muitos traços culturais "ingleses" compartilhados por escoceses, galeses e irlandeses do Norte.

INSTITUIÇÕES NACIONAIS

A Constituição Britânica

O que une o Reino Unido – o cimento entre os tijolos que o compõem – é um conjunto de instituições políticas. Os britânicos tendem a acreditar que suas instituições são as melhores do mundo, especialmente a Constituição Britânica, conhecida como a *English Constitution*. E também a monarquia e o Parlamento, que regem a Grã-Bretanha na sua totalidade desde a instituição, em 1688, da monarquia parlamentarista, sistema pioneiro que serviria de modelo para muitos outros países.

A Constituição Britânica, que contém o que já foi descrito como "as regras do jogo político", é famosa por não ser escrita. Na verdade, argumenta-se que ela tem durado tanto exatamente por jamais ter sido escrita, o que torna mais fácil adaptar as regras às circunstâncias em permanente transformação.

Tudo isso é verdade, mas só até certo ponto. De fato, não se pode, como no Brasil, comprar uma cópia da Constituição, ou achar um website onde se possa lê-la. Hoje, entretanto, ela se acha incorporada não somente nos costumes, mas também em estatutos votados pelo Parlamento, em tratados (mais recentemente, o Tratado de Lisboa de 2009, afetando todos os Estados-membros da União Europeia) e em outros documentos, incluindo a famosa Magna Carta, que data de 1215 e contém declarações-chave sobre a liberdade inglesa, como veremos mais adiante.

A Constituição é parte central da tradição cultural britânica. Os seus comentaristas mais importantes, ainda citados hoje em dia, são vitorianos, notadamente o jornalista Walter Bagehot, que públicou em 1867 o estudo *The English Constitution*, que se tornaria um clássico. Em certo sentido, pode-se dizer que Bagehot inventou a Constituição pelo mero ato de descrever os costumes tradicionais e publicar essas descrições. Inegavelmente, seu livro influenciou a prática da vida pública, na medida em que tem sido estudado cuidadosamente tanto por ministros quanto por futuros monarcas (incluindo a rainha Elizabeth, quando era ainda princesa, e o príncipe Charles, o próximo monarca na linha de sucessão).

MUDANÇAS NA CONSTITUIÇÃO: ALGUNS EXEMPLOS

A Constituição mudou muito desde o tempo da rainha Vitória, com as regras sendo mais e mais registradas por escrito. Uma mudança profunda se deu, por exemplo, em 2013, quando a linha sucessória vigente há séculos foi radicalmente transformada. O rei Henrique VIII, por exemplo, foi sucedido, após sua morte em 1547, por seu filho mais novo, Eduardo VI, apesar de ter duas filhas mais velhas, Mary e Elizabeth. E foi só após Eduardo morrer sem ter deixado herdeiros que suas irmãs foram coroadas: primeiro Mary, a mais velha, e, após sua morte, Elizabeth I. Semelhante situação não mais se repetirá, pois a sucessão real deixou de ser regida pelo princípio da primogenitura masculina. Assim, se Kate e William tivessem tido uma menina em 2013, ela seria necessariamente a futura rainha, independentemente de o casal vir a ter um menino depois (no caso, eles tiveram em 2013 o menino George e, em 2015, a menina Charlotte).

Outra mudança, difícil e significativa, aconteceu em 1963 (Peerage Act 1963 c.48), quando a Constituição, contradizendo uma prática centenária, passou a permitir que herdeiros de títulos de nobreza renunciassem a seus títulos e a tudo o que este implicava. Tal mudança foi fruto de uma batalha feroz travada por Tony Benn (1925-2014), um membro do Parlamento (MP) pelo Partido Trabalhista, ao longo de mais de uma década.

Quando, em 1960, seu pai, o visconde de Stansgate, morreu, Benn automaticamente perdeu seu lugar na Câmara dos Comuns e assumiu o título e as obrigações do seu pai na Casa dos Lordes (ou Câmara Alta), tal como determinavam o costume e a lei vigente. No entanto, no mesmo dia em que Peerage Act foi promulgado, em 31 julho de 1963 – após uma batalha que ele iniciara anos antes da morte do pai –,

Benn apresentou sua renúncia, declarando: "Eu sou o primeiro homem na história que, por um Ato do Parlamento, é isento de receber um título de nobreza hereditário. Disso estou estatutariamente imunizado". Desde então, 18 outros herdeiros seguiram o seu exemplo.

A velocidade das mudanças na Constituição tem se acelerado nos últimos 20 anos devido a dois fatores. Em primeiro lugar, em razão das reformas internas ao sistema, especialmente a da Casa dos Lordes do Parlamento, uma reforma ainda em processo. Em segundo lugar, porque os tribunais britânicos são obrigados a reconhecer as leis da União Europeia, que se sobrepõem às leis britânicas.

HABEAS CORPUS

Crucial para a Constituição é a *Rule of Law* (Estado de Direito), ou seja, a ideia de que a lei governa a todos, sem qualquer exceção. Símbolo desse Estado de Direito é o requerimento legal conhecido como *habeas corpus* (literalmente, "você pode ter o corpo"), de acordo com o qual um indivíduo que foi preso deve ser levado a um tribunal para ser ou libertado ou acusado de um crime; ou seja, é um instrumento jurídico que protege os indivíduos contra a detenção arbitrária pelo Estado. Esse costume medieval – cujo primeiro exemplo parece anteceder a Magna Carta de 1215 – foi reforçado pelo Habeas Corpus Act de 1679. Como afirmou recentemente um jurista britânico de renome, o *habeas corpus* "tem um *status* mítico na psique do país".

Esse recurso legal, que salvaguarda a liberdade sacrossanta dos indivíduos, foi invocado numa ocasião memorável, em 1772, quando um escravo africano, James Somersett, trazido para a Inglaterra, foi libertado após ter impetrado *habeas corpus*. A defesa, que se baseou em questões legais, e não em princípios humanitários, alegou que sua escravidão era ilegal, pois nenhuma lei, escrita ou não, reconhecia a existência da escravidão na Inglaterra.

Daí a consternação que gerou no país o Anti-Terrorism, Crime and Security Act de 2001, passados dois meses após o trágico ataque terrorista de 11 de setembro em Nova York. Suspendendo o *habeas corpus* no caso de indivíduos suspeitos de terrorismo, esse ato é considerado por muitos uma vergonha nacional, que injuria o Estado de Direito e solapa a liberdade inglesa tradicional.

O *habeas corpus* não tem um "*status* mítico" somente entre os britânicos. Historicamente, atraiu profunda admiração de estrangeiros, como Voltaire, por exemplo, que contrastava os abusos dos poderosos da França – que podiam confinar qualquer um numa prisão ou num hospício com uma simples *lettre de cachet*[1] – com o direito universal do *habeas corpus* inglês, o baluarte da liberdade, que, limitando o poder dos reis, proibia o aprisionamento sem causa e exigia um julgamento público com júri.

Napoleão apela para o *habeas corpus*

Só a força que tinha esse direito de todos na imaginação dos estrangeiros poderia explicar a decisão de Napoleão Bonaparte de pedir asilo ao governo inglês em 1815 – um episódio significativo, mas pouco conhecido na História –, dias após sua derrota na Batalha de Waterloo. Escrevendo ao príncipe regente, ele afirma ter "terminado" sua "carreira política", e conta com a magnanimidade de seu "inimigo mais poderoso e constante" e com as leis de um país que conhecidamente salvaguarda a liberdade individual. Seu objetivo, ao dirigir-se voluntariamente ao navio inglês Bellerophon, era, como esclareceu, ser levado para a Inglaterra e ali se entregar à "hospitalidade do povo inglês" e à "proteção de suas leis", vivendo incógnito "como um cidadão comum" e "sob quaisquer restrições" que o governo inglês lhe quisesse impor.

Diante da decisão do governo de não lhe permitir desembarcar (proibido de aportar, o Bellerophon permaneceu na costa de Plymouth) nem lhe conceder asilo, mas enviá-lo para a ilha de Santa Helena – o que Napoleão viu como uma "sentença de morte" –, seu protesto foi veemente.

Como ele fez questão de deixar claro, não lhe concedendo os benefícios "da sua lei, especialmente os do Habeas Corpus Act" – que, se seguidos, lhe garantiriam o direito de "não ser preso, não ser privado de qualquer liberdade e não ser colocado em confinamento, exceto de acordo com as suas leis" – era toda a Inglaterra que estava sendo desonrada e diminuída perante a posteridade. "Aprisionando-me, como fizeram, vocês mancharam a bandeira e a honra da Inglaterra... Estão se comportando como um Estado mesquinho, não como uma nação grande e livre", disse Napoleão a um membro do Parlamento inglês, pouco antes de iniciar sua viagem para a ilha vulcânica de Santa Helena (ainda hoje uma das mais isoladas do mundo, sem aeroporto e com telefone e internet de baixíssima eficiência).

Como demonstra brilhantemente o historiador Jean Duhamel no seu livro sobre os 50 dias de Napoleão em navio e águas da Inglaterra, a decisão sobre o que fazer com a grande figura gerou "grande ansiedade" no ministério. De um lado, havia muitas dúvidas sobre a legalidade da deliberação tomada e, de outro, não eram poucos os que na Inglaterra, concordando com Napoleão, horrorizavam-se com o ato de barbarismo que representava a recusa de se dar a proteção das leis e o recurso ao *habeas corpus* a alguém que viera voluntariamente apelar para "a justiça e generosidade do povo britânico" – mesmo se tratando de um arqui-inimigo da Inglaterra por 20 anos.

Uma das histórias da Segunda Guerra Mundial sugere que a fama da Inglaterra se espalhara e a certeza de ser bem recebido pelos britânicos era partilhada até pelos soldados alemães abatidos na Grã-Bretanha. Tendo caído no sul da Inglaterra, um piloto alemão foi em direção a um lavrador, colocou as mãos para cima e disse: "Um cigarro e uma xícara de chá, por favor!"

Rui Barbosa – defensor do *habeas corpus* no Brasil

No Brasil, o famoso liberal Rui Barbosa foi o incansável defensor do *habeas corpus* e também o primeiro a impetrá-lo junto ao Supremo Tribunal Federal, nos anos 1890, em favor de indivíduos aprisionados indevidamente pelo Poder Executivo. O *habeas corpus*, como ele argumentava, era um "remédio judicial" para salvaguardar o "tesouro coletivo" ou o "verdadeiro condomínio social" que é a liberdade. Esse "remédio jurídico" era uma das muitas instituições que a Inglaterra – essa terra onde existia, como disse, um "respeito cultual da liberdade, política e civil" – legara para "todo o mundo contemporâneo". Profundo admirador do sistema inglês de governo, dada a "magnificência das instituições liberais" que ali floresciam, Rui admitia com orgulho que, no Brasil, fora "sempre um dos maiores preconizadores deste país, a que o mundo moderno deve a liberdade e Shakespeare".

COMMON LAW

Na Grã-Bretanha, vigora a chamada *common law* (Direito consuetudinário) ou *case law* (jurisprudência), que é interpretada nos tribunais pelos juízes, que, por sua vez, seguem as decisões de juízes anteriores em casos similares. Esse é um sistema que, assim como a filosofia inglesa, pode ser descrito como "empírico", em contraste com as regras do Direito Romano ou do Código Napoleônico, que serviram de modelo para tantos outros países.

O sistema é denominado *adversarial*, ou seja, confrontativo, quer em casos criminais, descritos nos termos "Rainha *versus* Acusado" (por exemplo, "*Regina versus* Brown"), quer em casos civis ("Smith versus Brown"). Os indivíduos que acreditam não terem tido um "julgamento justo" têm o direito de apelação garantido perante um tribunal mais elevado. Simplificando o que é mais complexo, nos julgamentos penais, um advogado, representando a acusação, argumenta que o acusado é culpado, enquanto outro, representando a defesa, argumenta que é inocente. Um comentarista francês descreveu o sistema como sendo bastante diferente do da França por revelar uma "forte disposição para o debate", e pelo fato de os "julgamentos serem decididos não após argumentos apaixonados, mas a partir da centelha de luz que surge do choque de exame direto e cruzado".[2]

O sistema legal assemelha-se a uma peça de teatro, com o juiz e os advogados usando perucas louras e becas e o público ficando em pé em sinal de respeito quando o juiz entra na sala de tribunal. Uma parte ainda mais teatral do sistema político é a monarquia.

A monarquia

No seu estudo clássico sobre a Constituição já mencionado, Walter Bagehot fez uma distinção entre duas partes do sistema político: a "dignificante" e a "eficiente". A parte dignificante ou os "elementos teatrais" do sistema "excitam e preservam a reverência da população", enquanto a eficiente faz com que ele, de fato, funcione. O melhor exemplo da parte "dignificante" do sistema político, na época de Bagehot, assim como hoje, é a monarquia.

Os monarcas britânicos chegaram a exercer um poder absoluto, acima das leis, mas desde 1688, com a chamada Revolução Gloriosa (quando o rei Guilherme III substituiu o rei Jaime II), eles foram se tornando progressivamente "monarcas constitucionais", ou, em outras palavras, figuras de proa. Oficialmente é o monarca que escolhe os ministros, convoca o Parlamento, dá sua anuência às leis (o *royal assent*), comanda as forças armadas, concede honras e até mesmo emite passaportes, que ainda portam o brasão real, com um escudo apoiado de cada lado por um leão e um unicórnio. O governo é chamado de *Her Majesty's Government* (o Governo da Sua Majestade), o correio é o *Royal Mail* e as tradicionais cabines de telefone público vermelhas são decoradas com coroas douradas. Na prática, no entanto, é o primeiro-ministro, com outros ministros e altos funcionários públicos, quem toma as decisões-chave.

A primeira monarca britânica a ser fotografada, a rainha Vitória, é aqui representada de acordo com as convenções de um retrato pintado, desde a sua pose até a cortina drapeada de fundo.

Rui Barbosa, um grande entusiasta das instituições liberais inglesas, como apontamos, expressou inúmeras vezes sua admiração pela monarquia parlamentar inaugurada pela Inglaterra. Como disse alguns anos após a Proclamação da República, em 1895, quando sua desilusão pelos rumos que o novo sistema brasileiro estava tomando já era grande: "Se estivesse nas mãos de uma revolução converter a realeza pessoal dos

Braganças na monarquia parlamentar da casa de Hannover, eu, em 15 de novembro, teria proposto a troca de Pedro II pela rainha Vitória..."

Como ele então argumentou, não só a Constituição inglesa, "com seu inimitável mecanismo de freios e contrapesos", está por trás do "respeito cultural da liberdade" vigente; isso se deve também, em grande parte, ao "espírito singularmente constitucional de seus últimos soberanos" e à "docilidade perfeita da família reinante na Inglaterra à prática sincera do governo parlamentar, cuja cavilação impopularizou e perdeu a monarquia no Brasil...".

ELIZABETH II

O papel da rainha Elizabeth II como "chefe de Estado" do Reino Unido, assim como de 15 outros países da *Commonwealth* (Comunidade britânica), é, portanto, essencialmente simbólico, personificando a Constituição. Citando Bagehot novamente: "a monarquia inglesa fortalece nosso governo com a força de uma religião". Enfim, a monarquia – na pessoa de seus sucessivos soberanos – simboliza a continuidade ou estabilidade das instituições britânicas, assim como a ideia de que o sistema político está acima dos partidos que competem pelo poder dentro dele. Como diz uma expressão tradicional, que recua à Idade Média, "*the king never dies*", pois assim que um soberano morre, seu sucessor o repõe, mantendo-se a continuidade e a estabilidade de todo o sistema.

Usando um de seus famosos chapéus, a rainha Elizabeth une a dignidade de sua predecessora, Vitória, com uma maior acessibilidade, sugerida por uma representação mais informal. Seu marido, o duque de Edimburgo, aparece mais ao fundo, acompanhando-a.

Para desempenhar esse papel simbólico, a rainha Elizabeth aparece em público acenando para a multidão do balcão do Palácio de Buckingham e protagonizando uma série de rituais oficiais, tais como "visitas estatais" a diferentes países, inaugurações de prédios e instituições, e a abertura do Parlamento, em solenidade que acontece anualmente em novembro ou dezembro.

Nessa ocasião estatal solene, a rainha, usando a coroa, chega numa carruagem real e há uma procissão que adentra as Casas do Parlamento lideradas pelo *lord Chamberlain* (título do mais alto funcionário da Royal Household), que caminha de costas a fim de estar sempre olhando a monarca de frente. Ao chegar ao Parlamento, a rainha senta-se ao trono na Casa dos Lordes, coloca seus óculos e lê o *Queen's Speech* (Discurso da rainha), que lhe é entregue pelo *lord Chancellor* (um dos postos mais altos do governo, cujo ocupante é oficialmente nomeado pela rainha, mas na verdade selecionado pelo primeiro-ministro). O "Discurso da rainha" não é, na verdade, de sua autoria, mas sim, redigido pelo primeiro-ministro, ou mais exatamente, por seus assistentes.

Elizabeth na Irlanda: curvando-se diante do passado

Uma das visitas de Estado mais memoráveis dos últimos anos foi a que a rainha Elizabeth fez à República da Irlanda 100 anos após seu avô, Jorge V, ter sido o último monarca a visitar o país, quando este ainda fazia parte do Império Britânico. "Depois de um século de derramamento de sangue, de desconfiança e de uma coexistência difícil e cheia de ansiedade… a rainha abriu uma nova era na história dessas duas ilhas." Essa descrição da visita da rainha octogenária (ela acabara de completar 85 anos) em maio de 2011 é representativa da recepção que teve esse acontecimento, qualificado também como um "divisor de águas" nas relações anglo-irlandesas, profundamente violentas e estremecidas por tanto tempo. Era chegada a hora, como disse a rainha na ocasião, de reconhecer a "importância da tolerância e da conciliação, de sermos capazes de nos curvar diante do passado, mas de não sermos prisioneiros dele".

Alguns momentos lendários dessa visita são ainda frequentemente relembrados como emblemáticos da reconciliação a ser celebrada: a rainha pisou no solo irlandês vestida toda de verde, a cor da Irlanda; visitou o Garden of Remembrance (Jardim da recordação) e, curvando-se em silêncio, depositou uma coroa de flores diante do monumento aos que deram suas vidas pela independência da Irlanda; e no discurso proferido no Banquete Oficial em Dublin – que fez questão de abrir com palavras em irlandês – reconheceu ser "impossível ignorar o peso da história" e o fato de que "retrospectivamente, todos podemos ver hoje coisas que gostaríamos que tivessem sido feitas de outro modo, ou de modo nenhum".

A rainha atrás dos bastidores

Nos bastidores, a rainha Elizabeth também é ativa e não mostra sinais de estar diminuindo o ritmo de sua longa vida como monarca, que se estende há mais de seis décadas. No dia 10 de setembro de 2015, data em que se completaram 63 anos e 217 dias de reinado, ela se tornou a mais antiga rainha britânica no poder, superando sua trisavó, a rainha Vitória. Sua carga horária de trabalho é grande, provavelmente incomparável com a de grande parte dos demais octogenários do país, apesar de ela ter várias folgas, quando vai assistir a corridas de cavalo e se ausenta do Palácio de Buckingham e do Windsor Castle (as duas residências oficiais da monarquia), para suas duas residências privadas, a Sandringham House, na Inglaterra, e Balmoral, na Escócia.

Os documentos oficiais lhe chegam em caixas vermelhas todas as semanas e são rapidamente devolvidos com a assinatura real e com comentários às margens, tais como "boa ideia". A rainha se reúne com o primeiro-ministro todas as terças-feiras à noite; ao serem nomeados, os novos ministros vão ao Palácio de Buckingham para o compromisso simbólico de *kiss hands* (beijar as mãos), enquanto o *Chancellor of the Exchequer* (ministro das Finanças) tem um encontro com a rainha antes de apresentar seu orçamento anual para o Parlamento. Só em 2012, por exemplo, a rainha Elizabeth teve 425 compromissos oficiais, incluindo visitas, recepções, audiências, investiduras, inaugurações etc. E em 2014, seus compromissos superaram em número os de 2013, e incluíram 18 visitas ao exterior. Enfim, conhecida como trabalhadora incansável, sabe-se que ela começa e termina os seus dias cuidando de correspondência e papelada variada, e que as luzes de seu escritório no Palácio de Buckingham são as últimas a se apagar.

O monarca possui também o que Bagehot chamou de "o direito de ser consultado, o direito de encorajar, o direito de advertir". O direito de advertir é raramente exercido, apesar de Elizabeth tê-lo feito quando o primeiro-ministro Anthony Eden a informou de sua intenção de invadir o Egito em 1956. O que normalmente acontece, como ela própria explicou no documentário da BBC *Elizabeth R* (1992), é que o primeiro-ministro "me diz o que está acontecendo ou se eles têm algum problema... Acho muito bom sentir que sou uma espécie de esponja e que todo mundo pode vir e dizer algumas coisas... e ocasionalmente há a possibilidade de eu dar a conhecer o meu ponto de vista". Afinal de contas, Elizabeth tem mais de 60 anos de experiência no centro da política – maior do que a de qualquer um no país nesse aspecto. Daí a surpresa, para não dizer o choque, que causou em muitos ingleses o fato de Tony Blair, quando era primeiro-ministro, não consultá-la antes de abolir os poderes legais do *lord Chancellor*.

A FAMÍLIA REAL

A família real, os Windsor – como são conhecidos desde a Primeira Guerra Mundial, quando abandonaram o nome Saxe-Coburg-Gotha, por soar muito germânico[3] –, tem também um papel público a desempenhar. Como Bagehot apontou na era vitoriana, "uma família no trono [...] rebaixa o orgulho da soberania para o nível da vida miúda. Nenhum sentimento poderia parecer mais infantil do que o entusiasmo dos ingleses pelo casamento do príncipe de Gales [em 1863] [...], mas nenhum sentimento poderia ser mais comum na natureza humana em geral". O que Bagehot notou no século XIX, continua válido para o XX e o XXI. Por ocasião dos casamentos reais (por exemplo, de Elizabeth e Philip em 1947, Charles e Diana em 1981 e William e Kate em 2011), multidões acamparam vários dias antes do evento, ao longo do trajeto dos noivos, a fim de garantir uma boa visão dos novos casais e de saudá-los mais de perto durante o cortejo.

Outras monarquias europeias dão ênfase à família nuclear, mas a família real britânica prefere se apresentar como uma família extensa, aparecendo reunida, em muitas ocasiões, no balcão do Palácio de Buckingham. O entusiasmo público por essa grande família tem tido seus altos e baixos, mas atingiu um dos seus picos por ocasião do Jubileu de Diamante da Rainha em 2012 (foto ao lado).

Enfim, é inegável que muitos dos britânicos, para não mencionar os estrangeiros, seguem com grande interesse os passos da família real, como se seu cotidiano fosse uma novela, alguns até acompanhando diariamente os seus compromissos oficiais, que podem ser facilmente acessados na mídia. Na verdade, a novela real inglesa tem se desenrolado por centenas de anos, incluindo episódios memoráveis, como as seis esposas de Henrique VIII, os casos amorosos de Carlos II e do príncipe regente (futuro rei Jorge IV), para não mencionar a loucura de Jorge III. A forma entusiástica com que foram recebidos os filmes *The Queen* (*A Rainha*, 2006), com Helen Mirren no papel da rainha Elisabeth, e *The King's Speech* (*O discurso do rei*, 2010), com Colin Firth no papel do rei George VI (pai de Elizabeth), é bastante reveladora desse contínuo interesse.

A OPINIÃO PÚBLICA

A atitude da população britânica em relação à monarquia não é, no entanto, contínua e homogênea como o entusiasmo pela família real sugere, tendendo, na verdade, a oscilar. Apesar de a monarquia nunca ter deixado de contar com aprovação majoritária do povo e de o republicanismo jamais ter sido forte o suficiente para representar uma real ameaça à sua permanência, houve períodos em que o apoio popular declinou.

A princesa Diana foi uma dos que melhor compreenderam, na família real, como se chegar ao público britânico, um público que, por ocasião de sua morte inesperada, demonstrou seu amor e admiração de modo dramático.

A popularidade da princesa Diana, que chegou, em alguns momentos, a rivalizar com a da rainha, pode ser entendida não só como efeito de seu charme, sua beleza e seus trabalhos de caridade, mas também por sua sutil rebeldia às convenções e à pomposidade da família real, que agradava tanto admiradores da realeza quanto seus críticos. A biografia de Andrew Morton, *Diana: her True Story* (*Diana: sua verdadeira história*, 1992), vendeu 4 milhões e meio de cópias em um ano, enquanto a famosa entrevista de 1995 que ela deu ao programa de televisão da BBC, *Panorama*, no qual falou publicamente de sua infelicidade e confessou ter cometido adultério, foi assistida por 23 milhões de pessoas.

Uma grande oscilação na popularidade da família real aconteceu nos anos 1980-1990. Após ter atingido 70% de aprovação popular nos anos 1980, a década de 1990 assistiu a um forte abalo no apoio à monarquia, quando a imagem da família real exemplar foi minada pela revelação pública de seus problemas domésticos. Especialmente a partir do chamado *annus horribilis* de 1992, quando três dos quatro filhos da rainha estiveram nas manchetes dos jornais devido a seus problemas matrimoniais – esse foi o ano do divórcio da princesa Anne e Mark Phillips, e das separações de Charles e Diana e de Andrew e Sarah, mais conhecida como Fergie –, a aprovação da monarquia se viu em declínio, apesar de a maioria da população nunca ter deixado de apoiá-la. Mesmo no período crítico dos anos 1990, houve mais uma indiferença em relação à monarquia do que uma oposição republicana propriamente dita.

Em 1992, durante a cerimônia de entrega, na Universidade de Cambridge, de um grau honorário ao renomado intelectual francês Derrida – mais conhecido como o "fundador" da "desconstrução" como um conceito analítico –, consta que o marido da rainha, príncipe Philip, então o reitor, teria dito ao homenageado: "a desconstrução começou a afetar a família real também!"

No entanto, pesquisas de opinião pública mostram que uma sucessão de acontecimentos – como os traumas da morte trágica de Diana em 1997, o aniversário de 50 anos do reinado de Elizabeth em 2002, o casamento de Charles com sua namorada de infância, Camilla Parker-Bowles, no mesmo ano, o casamento de William e Kate em 2011, o Jubileu de Diamante da Rainha em 2012, seguido do nascimento do príncipe George em 2013 – acabou, no final, por estimular um aumento da aprovação da monarquia. Em 2012, por ocasião do Jubileu, uma pesquisa de opinião revelou que a minoria republicana caíra para um recorde de 13%, 5 pontos a menos do que em 2002. Uma das explicações dadas para essa queda é o crescente clima de respeito e simpatia por uma majestade octogenária e um futuro monarca, príncipe Charles, sexagenário.

Desde então, pois, a família real está com popularidade recorde (com a rainha liderando, desde sempre, essa popularidade), mais de dois terços da população acreditando que a Grã-Bretanha tem muito a ganhar permanecendo como está. É interessante apontar que essa popularidade e aprovação não são limitadas a uma classe ou região, estando, na verdade, distribuídas igualmente entre as classes sociais e as várias regiões da Grã-Bretanha, com exceção da Escócia, em que a monarquia é aprovada por 50% da população.

Mesmo em países do *Commonwealth* que se orgulham de sua independência e namoram com a ideia de deixarem de ter a rainha Elizabeth como sua chefe de Estado, como a Nova Zelândia e a Austrália, as pesquisas de opinião em 2010-2014 revelam que mais de 50% da população ainda apoia a manutenção da monarquia. A visita dos futuros reis, William e o bebê George, à Nova Zelândia em abril de 2014 só parece ter ampliado esse apoio. É reveladora a mensagem que um editor de política de uma cadeia de televisão neozelandesa colocou no Twitter*:* "Oficialmente eu não sou mais um republicano". O título da matéria sobre a visita da jovem família real, publicada no jornal britânico *The Guardian*, resume o fenômeno: "O fervor republicano na Nova Zelândia sucumbe diante da ofensiva do charme real".

A questão em que a população parece estar dividida é quanto ao custo da monarquia, apesar de ter havido uma grande mudança em 1992, quando a rainha Elizabeth voluntariamente decidiu pagar impostos de renda e de rendimento de capitais, dos quais tradicionalmente era isenta. Pesquisa de 2014 revelou que 40% da população acredita que a família real é muito dispendiosa para o público continuar a mantê-la da mesma forma como no passado, sustentando seus palácios e grande parte dos compromissos oficiais da realeza.

Por outro lado, 43% da população acredita que os benefícios que a família real traz para o país e para os pagadores de impostos justificam e compensam o alto custo de sua manutenção, que inclui as despesas de 450 dos 1.200 funcionários, de várias categorias, que trabalham na Royal Household. Os últimos dados, revelados em fins de junho de 2014, mostram que o custo público da monarquia britânica aumentou 2 milhões e 400 mil libras em relação ao ano anterior, sendo agora 35,7 milhões, o equivalente a 56 centavos de libra por cidadão britânico por ano, ou pouco mais de 1 centavo por pessoa por semana – notícia que foi recebida pelo jornal *The Guardian* com o jocoso comentário: "Toda aquela dignidade e toda aquela sabedoria, por um vintém por pessoa por semana. Quem quer que tenha chance de apertar a mão real deve dizer a ela: '*Ma'am*, a senhora é muito barata!'"

O Parlamento

A ideia da soberania do Parlamento é uma aspecto central da Constituição, ao lado do Estado de Direito. Sua sede, nas proximidades da Abadia de Westminster e às margens do rio Tâmisa, é o Palácio de Westminster, uma das mais impressionantes construções de Londres. Após um incêndio que praticamente destruiu todo o prédio que sediava o Parlamento no mesmo local desde o século XIII, o Palácio foi reconstruído no século XIX em estilo neogótico, que simboliza a tradição nacional. Grandioso, contém 1.100 salas e é dominado pela alta torre do relógio, conhecida afetuosamente, tanto pelos londrinos quanto pelos turistas, como Big Ben. Tradicionalmente respeitado pelo público, pode-se dizer que o Parlamento começou a passar, a partir de 2009, por uma espécie de crise de confiança, dados os abusos cometidos por muitos de seus membros, como veremos mais adiante.

Construído em estilo gótico por Charles Barry em meados do século XIX, o Parlamento britânico representa tradição e, portanto, continuidade. Sua torre do relógio, Big Ben (em destaque na página ao lado), tornou-se um dos símbolos mais queridos de Londres, tanto por turistas como pelos próprios londrinos.

Lara Cin

HOUSE OF LORDS

A parte "dignificante" do Parlamento – para usar a distinção de Bagehot, já mencionada – é a *House of Lords* (Casa dos Lordes), seguramente a mais tradicional Câmara Alta do mundo e a mais luxuosa sala do Parlamento britânico. Vestidos em mantos vermelhos debruados de pele, os lordes ali se reúnem para discutir e revisar as novas leis, tendo o poder de impedir que certos projetos se transformem em leis – poder que exercem revisando, mas raramente rejeitando os projetos integralmente. Os lordes – que incluem toda uma hierarquia, indo de duques e marqueses a condes, viscondes e barões – só podiam ser hereditários até ser promulgado o Life Peerages Act de 1958, que introduziu os lordes vitalícios, nomeados pelo monarca, por recomendação do primeiro-ministro. Em 1998, uma nova mudança mais profunda ocorreu na composição da Casa dos Lordes, quando o primeiro-ministro Tony Blair reformou o sistema, removendo funções constitucionais da maior parte dos seus membros hereditários. Até essa época, havia 750 lordes hereditários, atuando ao lado de 500 vitalícios, enquanto em 2015 somente 92 hereditários ali permanecem. Desde a reforma de Blair, o futuro dos lordes hereditários na Casa dos Lordes se mantém incerto, havendo discussões sobre sua possível substituição por componentes eleitos ou nomeados, ou por uma mistura dos dois.

HOUSE OF COMMONS

A parte "eficiente" do Parlamento ou, como disse Bagehot, a que faz com que o sistema funcione, é a *House of Commons* (Câmara dos Comuns), composta de 659 membros eleitos, conhecidos pela sigla MP, ou seja, membros do Parlamento. Algumas vezes os MPs são eleitos nas chamadas *by-elections*, que podem ocorrer a qualquer momento, tão logo fique vago um lugar no Parlamento antes das eleições gerais por razões tais como morte, demissão, doença mental, falência ou condenação por "ofensa criminal séria" do MP em questão. Já as eleições gerais são convocadas pelo primeiro-ministro a cada cinco anos. O Parlamento é então dissolvido e todos os MPs perdem os seus cargos, a não ser que sejam reeleitos nos seus distritos eleitorais. O partido político que eleger o maior número de MPs é o que, em geral, formará o novo governo e seu líder será o primeiro-ministro.

Entre 2010 e 2015, o governo britânico era um governo de coalizão, algo praticamente inédito na sua história, com exceção de momentos de crise como durante as duas guerras mundiais. Após o governo de Churchill, durante a Segunda Guerra Mundial, esse foi o primeiro governo desse tipo. Não tendo nenhum dos dois partidos majoritários – o Partido Conservador e o Partido Trabalhista – conseguido eleger a maioria dos MPs nas eleições de 2010, David Cameron, o líder do partido mais votado, o conservador, estabeleceu uma aliança com Nick Clegg, o líder do Partido Liberal Democrata, para evitar que se criasse uma situação de "governo impossível", ou como se diz, um *hung Parliament* (parlamento enforcado), e a eventual convocação de uma nova eleição. Com David Cameron encabeçando o governo como primeiro-ministro, mas tendo Clegg como vice-primeiro-ministro, o Ministério tinha 16 membros do Partido Conservador e 5 do Liberal Democrata. Tendo obtido uma vitória majoritária nas eleições de 2015, o Partido Conservador continuou no poder – e David Cameron continuou a ser a primeiro-ministro – sem que houvesse mais necessidade de um governo de coalizão.

ELEIÇÕES

O processo das eleições é ritualizado, mas o voto não é compulsório: os eleitores, que se registraram previamente em seus distritos, podem votar pessoalmente, pelo correio ou *by proxy*, ou seja, dando procuração para outra pessoa votar por ela, o que pode ser feito desde que o pedido chegue ao *Electoral Register* (cartório eleitoral) seis dias antes da eleição, até as cinco horas da tarde. O procurador de um eleitor – que pode exercer esse papel duas vezes em cada eleição, ou seja, pode votar no lugar de dois eleitores – não precisa ser um eleitor registrado, mas um eleitor em potencial, ou seja, tem de preencher os requisitos para ser eleitor, tal como ser cidadão britânico ou naturalizado. Quando vota pessoalmente, o eleitor deve se dirigir a um local determinado de seu distrito eleitoral, onde, após ser verificado que seu nome e endereço constam da lista dos eleitores, lhe é entregue uma cédula eleitoral e um lápis, com os quais ele entra numa cabine, marca com uma cruz o nome de um dos candidatos, dobra a cédula, a coloca numa urna e sai. Cumpre notar que nenhuma identificação é requerida do eleitor, bastando que ele diga seu nome e endereço para o mesário responsável. Somente na Irlanda do Norte tornou-se necessário, a partir de 2001, apresentar alguma prova de identidade com foto, que, dada a inexistência de carteira de identidade na Grã-Bretanha, pode ser carteira de motorista, passaporte, carteira de transporte público etc.

Para um observador brasileiro, duas coisas são especialmente notáveis nas eleições britânicas: de um lado, o clima ligeiramente solene, marcado por circunspecção, silêncio e um relativo vazio de gente que imperam nos locais de votação; e, de outro, a confiança com que os mesários acatam, sem qualquer suspeita, a informação do eleitor sobre seu nome e endereço, já que, em princípio, seria muito fácil alguém (levado, por exemplo, pelo desejo de eleger seu partido) votar por várias pessoas e em diversos locais, desde que saiba o nome e o endereço de eleitores ausentes ou indiferentes ali registrados.

O SISTEMA ELEITORAL

Um debate sobre as eleições, iniciado há mais de 100 anos, tem ganhado destaque crescente nos últimos tempos. Trata-se da questão de quão justo é o sistema eleitoral vigente, que é usualmente referido por um termo usado em corridas de cavalo, "*first past the post*" (o primeiro que passar a estaca). Esse é um sistema de maioria simples, em que os candidatos com maior número de votos no distrito eleitoral são eleitos. Uma das injustiças apontadas pelos críticos desse sistema é que ele privilegia os grandes partidos e deixa os menores em grande desvantagem, pois poucos são os MPs que esses partidos conseguem eleger para a Câmara dos Comuns. Na eleição de 2005, por exemplo, o Partido Trabalhista elegeu a maioria dos MPs (57%), com somente 36% dos votos. Por outro lado, o partido menor, Liberal Democrat (Liberal Democrata), teve mais de um quinto dos votos (22,6%), mas elegeu menos do que 10% (9,9%) dos MPs. Até mesmo o Partido Comunista, que foi fundado em 1920 e teve sua época áurea antes de ser extinto em 1991, só conseguiu eleger cinco MPs desde 1922, o último deles sendo eleito em 1945.

O argumento dos que propõem a mudança do sistema vigente para o sistema de "representação proporcional" é que ele asseguraria que o resultado das eleições refletisse a proporção de eleitores que dão apoio aos partidos em competição, reduziria a hegemonia dos dois maiores partidos e daria um tratamento mais justo aos candidatos independentes e aos partidos menores; não sendo, pois, por acaso que o maior defensor dessa mudança é o partido Liberal Democrata. Contra esse argumento, há os que temem que, com a mudança de sistema, os partidos de ultradireita, como UKIP (United Kingdom Independence Party) e National Front, consigam, finalmente, eleger seus MPs. Até 2015, o UKIP só tinha um MP, que abandonou o Partido Conservador e filiou-se ao novo partido de ultradireita.

O SISTEMA BIPARTIDÁRIO

Assim como no caso dos julgamentos no tribunal, o sistema parlamentar – que também é "adversarial" ou confrontativo – tem os seus equivalentes da defesa e da acusação, com base em dois partidos: o do governo, ou da situação, e o da oposição, que se sentam em lados opostos em ambas as Câmaras. Esse sistema, ao invés de privilegiar a exposição oratória e peremptória de um único ponto de vista, estimula o debate público. A própria disposição física da Câmara dos Comuns e da Casa dos Lordes contribui para isso, já que as ideias são discutidas e a força das argumentações são testadas por MPs e lordes que se sentam em bancos colocados face a face um do outro.

A Oposição, conhecida como *Her Majesty's Opposition* (Oposição da Sua Majestade), é uma instituição oficial, e o seu líder recebe um salário oficial do governo, o que testemunha o valor que tem o debate e a liberdade de crítica na cultura inglesa.

Durante muitos séculos os principais partidos políticos foram o Liberal, conhecido como Whig, e o Conservador ou Tory. Porém, já há algum tempo, os dois maiores partidos são o Tory Party (Partido Conservador) e o Labour Party (Partido Trabalhista). Os outros partidos menores – inclusive o Partido Liberal Democrata (Liberal Democrat Party, ou simplesmente Lib Dem), que é o descendente do antigo partido Whig – têm de se encaixar nesse sistema que favorece o bipartidarismo.

Quando chega a hora do voto, os MPs a favor, os "*ayes*", vão para um *lobby*, uma espécie de corredor, e os que votam contra, os "*noes*", se dirigem a outro *lobby*, a fim de ali serem contados. A certa altura, sinos são tocados por todo o Parlamento, a fim de advertir os MPs que se encontram dispersos no prédio de que eles têm oito minutos para chegar aos *lobbies* antes de as entradas serem fechadas.

O ritual das *Prime Minister's Questions* (Questões ao Primeiro-Ministro) revela muito bem o aspecto teatral e agonístico do sistema parlamentar, num espetáculo que pode ser assistido pelo público do alto da Câmara dos Comuns, na chamada Stranger's Gallery (Galeria dos visitantes) e é também transmitido por rádio e televisão ao vivo. Essas "questões" tornaram-se parte essencial da cultura política britânica no final do século XIX e desde então são motivo de orgulho para classe política britânica. Uma vez por semana, durante 30 minutos, o líder da oposição e outros MPs de qualquer partido reúnem-se na Câmara dos Comuns e tentam constranger o primeiro-ministro, ao lhe fazer perguntas embaraçosas sobre qualquer assunto, frequentemente acompanhadas por aplausos da oposição e por vaias dos MPs do partido do governo. O drama desse *question time*, que Tony Blair descreveu como "angustiante", é também transmitido para o exterior, sendo assistido por entusiastas da política desde os Estados Unidos até o Japão e a Austrália. Sabe-se, por exemplo, que era assistido regularmente por Bill Clinton e George W. Bush, que chegaram até mesmo a dar conselhos a Blair para um melhor desempenho.

UM GOVERNO POR COMITÊS

Hoje em dia, as câmeras de televisão tornam possível o acesso ao Parlamento às pessoas que não querem enfrentar a fila para visitá-lo pessoalmente. Ficou, assim, mais fácil para os eleitores e o público em geral saber que, muitas vezes, os bancos da Câmara dos Comuns e da Casa dos Lordes ficam praticamente vazios. Isso, no entanto, não significa que os MPs não levem a sério suas responsabilidades, como se poderia supor, mas que o debate público não é mais uma de suas principais atividades, exceto em tempos de crise. Há alguns anos, o líder do Liberal Democrat Party chegou a reclamar de que era na televisão, e não no Parlamento, "que tudo acontece". De fato, a frequência dos debates no Parlamento – que eram tradicionalmente relatados nos jornais de qualidade, como o *Times* e o *Guardian* – tem diminuído gradualmente, substituídos por entrevistas com políticos na rádio e na televisão.

De qualquer modo, os assuntos mais sérios do Parlamento são cada vez mais discutidos e resolvidos nos bastidores, em *Select Committees* (Comitês Especiais) criados para examinar o trabalho de cada departamento governamental: por exemplo, o comitê de Relações Exteriores, de Contabilidade Pública etc.

O GABINETE

Longe do público também acontecem as discussões do Gabinete, num encontro semanal que reúne por volta de 20 ministros – o das Finanças, o do Exterior, o do Interior, e assim por diante, sob a presidência do primeiro-ministro. O Gabinete se reúne às quintas-feiras antes do almoço, normalmente no Cabinet Room, na residência oficial do primeiro-ministro, em Downing Street, número 10. Como há muitos assuntos para serem discutidos em um curto espaço de tempo, comitês especializados do Gabinete foram instituídos, 22 ao todo no ano de 2014, como o Comitê do Legado Olímpico e Paraolímpico, Comitê de Enchentes, Comitê da Reforma bancária etc.

O sistema britânico de governo já foi descrito como um "Governo de Gabinete", porque seus membros supostamente aceitam a responsabilidade coletiva de suas decisões. Essa seria a descrição do que se pode denominar de "o país legal". No "país real", no entanto, o Gabinete seria "90% dignificante" e somente "10% eficiente", como disse um ex-ministro, referindo-se ao pouco poder que os ministros, de fato, possuem.

Em contrapartida, o poder do primeiro-ministro é grande, a ponto de um deles declarar que esse é um cargo que será o que seu ocupante "escolher que seja". Afinal de contas, é o primeiro-ministro que nomeia e despede os ministros. Como o renomado jurista *lord* Hailsham disse numa palestra da BBC em 1976, dado o domínio do primeiro-ministro sobre o partido no governo e a dominância do partido no Parlamento, o governo britânico pode ser descrito como uma "ditadura eletiva".

Desde essa descrição de Hailsham do que, segundo os críticos, se poderia chamar de "o país real", o Gabinete vem perdendo poder para um círculo mais interno e fechado do governo. Durante o governo de Margaret Thatcher, a primeira-ministra normalmente consultava um pequeno grupo de colegas antes de tomar uma decisão. Um membro de seu gabinete se recorda do dia em que ela entrou na reunião, "jogou sua bolsa na mesa e disse: 'Bem, eu não tenho muito tempo hoje; só o suficiente para explodir e fazer vocês me obedecerem'".

Ironicamente, anos depois, Tony Blair, o primeiro-ministro trabalhista, que se presumia mais democrático e progressista do que a conservadora Thatcher, reduziu de duas a uma hora, ou até a menos, as reuniões do Gabinete. Além disso, ele as realizava com menos frequência e se valia fortemente de consultores especiais que não eram membros do Parlamento; Alastair Campbell, em especial, seu *spin doctor* (chefe de propaganda) teve nisso um papel essencial. No entanto, a decisão de colaborar com George Bush na invasão do Iraque foi essencialmente de Blair, mesmo tendo ele se valido do aconselhamento de Campbell.

Um preeminente MP do Partido Trabalhista já falecido, Tony Benn – um político raro, louvado tanto pela direita quanto pela esquerda por sua integridade – não sem razão afirmou há alguns anos que estava na hora de "transformar o cargo de primeiro-ministro de absoluto em constitucional". Não obstante a procedência de críticas como essa, o fato é que os primeiros-ministros não podem perder de todo o apoio de seus colegas mais importantes e renomados. Margaret Thatcher, uma chefe mais autoritária do que a maior parte de seus colegas, caiu do poder inesperadamente em 1990, quando a maioria de seu Gabinete se voltou contra ela.

Funcionalismo público

O Parlamento faz as leis, mas são os funcionários públicos que asseguram que elas sejam colocadas em prática. Eles compõem o terceiro lado do assim chamado *golden triangle* (triângulo dourado) do governo, ao lado da monarquia e do parlamento. Cumpre aqui notar que se, tecnicamente falando, funcionários públicos incluem todas as pessoas que trabalham para o governo, qualquer que seja o cargo que ocupem, na linguagem coloquial dos britânicos, *civil servants* refere-se somente aos funcionários de educação esmerada que exercem posições de importância na hierarquia governamental – e que são, em geral, mencionados pelo público com muito respeito e deferência. Deferência e respeito que se mantêm, apesar das críticas recorrentes que são feitas à burocracia e ao que é chamado de *red tape*, expressão que se refere à rígida e à excessiva regulamentação existente na Grã-Bretanha.

O PODER DE *WHITEHALL*

Os membros preeminentes do serviço público, o qual é conhecido como *Whitehall* – porque seus departamentos principais, tais como Tesouro e Ministério dos Negócios Estrangeiros, estão localizados na rua que leva esse nome, entre a Trafalgar Square e

Westminster Abbey –, exercem um considerável poder nos bastidores. Suas tarefas oficiais são implementar a política, mas na prática eles também participam em sua elaboração. Eles fazem isso de forma anônima, já que seus atos são oficialmente os do ministro que encabeça seu departamento, pois é ele quem assume a responsabilidade pelo que é feito e se desculpa, ou mesmo se demite, quando algo errado acontece.

Assim como a rainha, os funcionários públicos idealmente devem se colocar acima ou fora dos partidos políticos, a fim de garantir estabilidade e continuidade ao longo dos sucessivos governos. Frequentemente se ouve dizer que eles agem como um "mecanismo de freio", opondo-se a ou dificultando mudanças ou, como eles prefeririam dizer, agindo como um contrapeso para os ministros que querem ir muito longe e muito rapidamente. Um primeiro-ministro, referindo-se a isso, apelidou o funcionário público típico de "Sr. Espere-um-Minuto".

Os funcionários públicos que ocupam os mais altos postos na hierarquia são oficialmente subordinados aos ministros, mas enquanto os ministros vêm e vão com uma certa rapidez, os funcionários públicos permanecem contratados até a idade da aposentadoria e frequentemente ficam por décadas nos mesmos departamentos; e novamente, assim como a rainha, acumulam conhecimento com o qual os ministros não podem competir, o que altera a balança do poder em seu favor. Alguns *cabinet secretaries* (chefes do Serviço Civil e conselheiros do primeiro-ministro), por exemplo, chegaram a servir a quatro primeiros-ministros diferentes.

A imagem tradicional desses funcionários públicos é que eles são recrutados nas classes mais altas, educados nas instituições educacionais mais prestigiosas, como Eton e Oxbridge (em referência aos centros de excelência das universidades de Cambridge e de Oxford), mas não recebem o tipo de treinamento especializado que é dado para os candidatos a posições semelhantes em outros lugares (como na França, por exemplo). Decorre daí o apelido de "mandarins" que receberam, pois os oficiais do império chinês também desdenhavam especialização. Ultimamente, contudo, tem havido um esforço para recrutar os funcionários de modo mais democrático e menos elitista; obviamente levará décadas até que os recém-recrutados cheguem ao topo das carreiras.

A polícia (os *bobbies*)

As leis se fazem cumprir pela polícia, outro símbolo da "inglesidade", especialmente o *bobby* local – tal como é conhecido o simpático e amigável policial desarmado, com seu típico uniforme azul-escuro e capacete decorado com um emblema prateado, patrulhando as ruas a pé ou de carro, e ocasionalmente a cavalo.

A HISTÓRIA DA POLÍCIA

A imagem do policial amigo foi criada propositadamente quando o policiamento profissional e centralizado – substituindo o anterior, fundamentalmente amadorístico – foi organizado no início do século XIX, primeiramente em Londres, com a criação do Metropolitan Police Service, e depois no restante do Reino Unido.

Policiais usam os tradicionais capacetes datados do século XIX. Mas a modernidade chegou também à polícia britânica: é comum o uso de bonés. Já os coletes à prova de bala são um item de segurança importante atualmente.

O nome mais famoso pelo qual essa instituição pioneira é conhecida é Scotland Yard, que passou a ser sinônimo de policiamento inglês e objeto de fascínio na imaginação popular, tanto na Grã-Bretanha quanto no estrangeiro – fascínio em muito ajudado pelos detetives da Scotland Yard que muitos escritores incluíram em seus livros, sendo o mais conhecido deles Arthur Conan Doyle, autor das famosas histórias de Sherlock Holmes.

Assim chamada porque uma das entradas da polícia – a que era usada pelo público – estava tradicionalmente localizada na rua de nome Great Scotland Yard, ela manteve seu fascínio e seu nome popular, mesmo após ter se mudado para outra localidade londrina em 1890 e o nome de New Scotland Yard ter sido adotado, desde então, para a sede da polícia metropolitana londrina.

Robert Peel foi o ministro do Interior que criou o Metropolitan Police Service em 1829, e foi pelo seu nome, em diminutivo, Bobby, que os policiais de azul passaram a ser afetuosamente chamados. Para ganhar a confiança do público, que se opunha à profissionalização e à centralização da polícia por temer que ela exercesse poderes ditatoriais sobre ele, até a cor dos uniformes da nova força policial foi objeto de atenção. O azul, e não o vermelho das roupas militares, foi escolhido para que os policiais não parecessem soldados.

Com o que ficou conhecido como os Peelian Principles, Robert Peel quis pautar os princípios que deveriam reger uma "força policial ética", em que a polícia funcionasse em colaboração com o público e com ele desenvolvesse um relacionamento de confiança, respeito e até de afeição. "A polícia é o público e o público é a polícia", como dizia um de seus princípios. Para isso, os policiais eram ensinados a "ser corteses e atenciosos com todas as pessoas, de todas as posições e de todas as classes". A eficiência policial, segundo Peel, deveria ser medida não pelo número de prisões feitas, mas pela ausência de crime; e para assegurar que a responsabilização por seus atos fosse efetiva e verificável, o policial teria um número de identificação, que o público tinha direito de conhecer. Foi a partir dos princípios de Peel que a filosofia da polícia britânica – "inigualável a qualquer outra do mundo", segundo alguns historiadores – passou a ser conhecida como *policing by consent* (policiamento por consentimento). A ideia é que os policiais seriam considerados cidadãos em uniforme, exercendo legitimamente seus poderes com o consentimento implícito dos seus concidadãos.

Essa visão da polícia, que Robert Peel introduziu, e na qual a cooperação pública é parte integrante, pode ser vista, na verdade, como a recuperação de uma tradição muito antiga, que remonta a leis anglo-saxônicas da Inglaterra medieval. Historicamente, os xerifes encorajavam a participação ativa dos cidadãos e dela dependiam para a observância das leis; de tal modo que o direito de qualquer pessoa dar ordem de prisão era praticamente idêntico ao deles. É essa a tradição que está por trás do chamado "poder de todas as pessoas" (*every person's powers*) – de qualquer pessoa, e não necessariamente um cidadão britânico – de aprisionar, desde que seguindo certas regras, quem ela acredita firmemente que esteja prestes a cometer um crime ou já tenha cometido. Conhecido mais comumente como *citizen's arrest*, esse é um poder em vigor na Inglaterra e utilizado ocasionalmente pelas pessoas comuns, apesar de nem sempre com sucesso. Em países que estiveram submetidos à Coroa britânica – Estados Unidos e Canadá, por exemplo –, esse poder existe como um legado jurídico da antiga metrópole.

O PODER POLICIAL DO CIDADÃO

Um dos exemplos mais flagrantes desse poder que tem a pessoa comum de fazer um *citizen's arrest* é o caso do ex-primeiro-ministro Tony Blair, responsável, ao lado do presidente George W. Bush, por invadir o Iraque, com base em justificativas falsas, como a existência de "armas de destruição maciça" no país. Considerado por muitos um criminoso de guerra que deveria ser julgado por um tribunal internacional, Blair recebeu no mínimo cinco vezes ordem de prisão de pessoas comuns. A última delas foi dada pelo garçom Twiggy Garcia em janeiro de 2014, num restaurante de Londres. Tocando o ex-primeiro-ministro no ombro e lhe dando ordem de prisão por ter cometido "crimes contra a paz", o garçom, um tanto nervoso, "convidou" Blair a acompanhá-lo a uma estação de polícia a fim de responder a essa acusação.

Obviamente, seria ingênuo acreditar que tal "prisão" teria sido bem-sucedida, mas a ideia dos que lançam mão dessa possibilidade legal é trazer o assunto para as manchetes nacionais e internacionais e relembrar as pessoas da justiça que ainda está para ser feita. Segundo o website arrestblair.org – em que os crimes de Blair são arrolados, as regras que devem ser seguidas pelo *citizen's arrest* são explicitadas e a agenda de Blair é noticiada –, essas tentativas de prisão têm fundamentalmente, por enquanto, um sentido simbólico, mas terão, sem dúvida, "grande ressonância política". O objetivo mais ambicioso é duplo: desencorajar outros a cometerem crimes semelhantes e "pressionar as autoridades do Reino Unido e dos países que Blair visita a processá-lo por crime contra a paz, ou entregá-lo para ser julgado no Tribunal Penal Internacional". E para isso, acredita-se, a cooperação da pessoa comum com a polícia é essencial.

MUDANÇAS NO SISTEMA

Obviamente, em quase dois séculos desde a atuação de Robert Peel, muita coisa mudou na polícia britânica. Mulheres policiais, por exemplo, foram introduzidas em 1919, com uma pequena interrupção entre 1922 e 1923, quando se tentou aboli-las da força existente, por ser sua "utilidade, segundo o ponto de vista policial, [...] negligenciável", como dizia o relatório no qual se pautou a extinção do posto – decisão contra a qual as policiais se uniram, conseguindo revertê-la. Os policiais sem uniforme, que já existiam desde o início para ações especiais em que sua visibilidade tinha de ser escondida, aumentaram substancialmente em número. Do mesmo modo, o não uso de arma, ainda que permaneça uma marca da polícia britânica, passou a ter mais exceções justificadas por "circunstâncias especiais".

Para autodefesa, a maioria dos policiais carregava originalmente só um porrete de madeira, que foi substituído nos anos 1990 por cacetes extensíveis, acompanhados por "*sprays* incapacitantes". Foi a partir de 1966 que os AFOs (Authorized Firearms Officer) – policiais autorizados a carregar armas – passaram a ser sistematicamente treinados e são só eles que têm autoridade para carregar e usar armas de fogo na polícia britânica (com exceção da Irlanda do Norte, onde todos os policiais andam armados, dado o risco maior de violência armada na região).

O número de AFOs, no entanto, é ainda surpreendentemente pequeno. Segundo estatísticas oficiais, na Inglaterra e no País de Gales, por exemplo, dos 140 mil policiais existentes entre 2010 e 2011, somente 6.653 eram AFOs, e o uso de armas de fogo foi autorizado em 17.209 operações. No período anterior, entre 2008 e 2009, o uso de armas de fogo foi autorizado em 19.951 operações, mas elas somente foram usadas em quatro ocasiões. O fato de pesquisas recentes revelarem que mais de 80% dos policiais preferem continuar desarmados parece indicar que a Grã-Bretanha continuará a ter uma polícia distinta da maioria dos países, ao lado de poucos outros como, por exemplo, a Irlanda, a Nova Zelândia e a Noruega. "Nós temos uma verdadeira paixão pelo fato de o estilo britânico de policiamento ser rotineiramente um policiamento desarmado", como disse, recentemente, um Chefe de Polícia da cidade de Manchester.

Enfim, tudo isso, acrescido da ideia de que a força policial britânica – assim como a monarquia, o funcionalismo público e a BBC – é politicamente neutra, pode dar a impressão de que os britânicos vivem num outro planeta, e num planeta paradisíaco.

CRISE DE CONFIANÇA

Como quase sempre, no entanto, a coisa é bem mais complicada. Essa imagem relativamente idílica da polícia e dos policiais (também chamados *cops*), como personificação coletiva do *fair play* e da equidade vigentes no país, assim como a imagem do *cop* amistoso e solidário, tem sido seriamente manchada nas duas ou três últimas décadas, especialmente a partir da morte do jovem negro Stephen Lawrence, em 1993, assassinado ao sul de Londres por adolescentes brancos, e das investigações que esse crime provocou.

A polícia, ou ao menos alguns de seus membros, tem sido acusada de corrupção e de "racismo institucional", o qual se manifesta de vários modos: bloqueando as carreiras dos oficiais negros; tendendo a considerar os cidadãos mais escuros como suspeitos; usando força desnecessária para controlar demonstrações pacíficas; e enganando o público, quer por se negar a admitir seus erros ou procurando encobri-los com mentiras.

O caso do jovem brasileiro Jean Charles de Menezes, em Londres, em 2005, tomado como um terrorista suicida, e o de Mark Duggan, também em Londres em 2011 – ambos mortos por policiais à paisana autorizados e treinados para utilizar armas de fogo – foram ocasiões em que o acobertamento da verdade com mentiras, por parte da polícia, foi amplamente evidenciado.

Inquéritos judiciais, muitos ainda em curso e com grande publicidade, têm demonstrado que vários setores da força policial de fato pecam por excesso de violência, racismo, sexismo, escamoteamento de evidência criminal etc. Por exemplo, a condenação dos responsáveis pela morte do jovem Lawrence só ocorreu 19 anos após o seu assassinato. Essa demora se deveu à corrupção policial e aos abusos que acabaram sendo paulatinamente expostos pelos inquéritos – os quais foram fruto, em alto grau, da obstinação e da coragem da mãe de Lawrence, homenageada em 2013, como vimos, com o título de baronesa pelos serviços prestados à justiça.

Em decorrência dessas denúncias, oficiais de vários escalões da polícia têm perdido seus postos ou sido suspensos temporariamente até que outras investigações sejam concluídas.

Outro problema que veio a público foi a questão dos "policiais disfarçados" que se infiltraram em grupos ecológicos, considerados pela polícia um perigo para o Estado. Um inquérito público aberto em 2014 trouxe à luz a prática inaceitável de "agente *provocateur*" desempenhado por policiais. No papel que haviam assumido de participantes ativos do movimento, os policiais frequentemente sugeriram ao grupo a realização de atos ilegais.

De qualquer modo, a despeito de todas as medidas corretivas que foram adotadas contra os "maus policiais", pode-se dizer que existe hoje uma crise de confiança inédita na história da polícia britânica. Uma pesquisa de 2010-11 da European Social Survey mostrou que os britânicos confiam na sua força policial menos do que os alemães, os suíços e os escandinavos confiam na deles.

AINDA UMA POLÍCIA MUITO INGLESA

No entanto, em contraste com o Brasil e provavelmente com muitos outros países, o policiamento feito ainda em grande parte por oficiais desarmados e a possibilidade concreta de o público questionar os policiais em ação são coisas que surpreendem muitos estrangeiros.

Em certa ocasião, por exemplo, quando um dos autores deste livro presenciou uma cena no centro de Cambridge que lhe pareceu inaceitável, seu direito de "policiar" o policial, garantido pelo código de prática vigente, foi exercido com sucesso. Dois homens truculentos, sem uniforme, corriam atrás de um homem franzino que teria roubado ou tentado roubar alguma coisa de uma loja da vizinhança. Ao conseguirem segurar o suspeito, o mantinham "preso" sob o peso de suas botas, enquanto tentavam ao mesmo tempo controlar com as mãos o homem, aparentemente frágil, que se debatia ferozmente e pedia ajuda aos transeuntes que se juntavam ao redor da cena violenta e inusitada. Diante da surpresa de um evento desconcertante como esse, a pergunta feita aos robustos senhores foi: "Por que essa violência? Quem são vocês?"; ao que um deles respondeu: "Somos policiais". "Então provem, por favor", foi a resposta que receberam. Um dos policiais largou uma das mãos com que segurava o braço do suspeito, tirou de seu bolso, com dificuldade, a prova de sua identidade policial e mostrou, não sem visível irritação, o distintivo contendo seu nome e o Posto Policial a que pertencia!

Enfim, apesar de todas as crescentes críticas ao comportamento da polícia, muito da simpatia pública que ela tradicionalmente atraiu ainda sobrevive. Reveladora disso é, por exemplo, a popularidade das várias séries de televisão sobre policiais, representando não somente detetives como Jack Frost, em *Touch of Frost* (1992-2010), ou Martin Shaw, em *Inspector George Gently* (iniciada em 2007), como também o dia a dia das delegacias de polícia, tal como *The Bill* (programa semanal que durou mais de um quarto de século: 1984-2010) e *Happy Valley* (que se passa na região de Manchester, tendo uma policial como a personagem central). A adaptação da famosa série de televisão norte-americana *Law & Order*, a *Law & Order* UK, tem como seu principal personagem um simpático detetive *cockney*, ou seja, que fala com o dialeto do distrito leste de Londres (East End), uma região tradicionalmente de classe trabalhadora. Por fim, como comentou um jornalista, "enquanto houver '*cop shows*' [filmes sobre *cops*], a polícia não precisa de propaganda".

As Forças Armadas

As Forças Armadas representam outra principal instituição nacional – ou um grupo de instituições – da Grã-Bretanha. Apropriadamente para uma ilha, o assim chamado Senior Service (a força mais antiga e importante) não é o Exército, mas a Royal Navy (Marinha Real). De fato, os capitães da Marinha, Francis Drake, do século XVI, e Horatio Nelson, do XIX, permanecem heróis sem rival na imaginação popular, incomparáveis a qualquer outro oficial do Exército, mesmo ao duque de Wellington, o general que derrotou Napoleão Bonaparte. A Nelson's Column (Coluna de Nelson), erigida no Trafalgar Square no centro de Londres, em honra à vitória naval sobre os franceses na época de Napoleão, em 1805, impera sobre todos os outros monumentos da capital britânica.

A Marinha, composta por 81 navios e mais ou menos 40 mil marinheiros, tem diminuído de tamanho desde o final da Segunda Guerra Mundial, mas seu prestígio continua inalterado, mesmo tendo sido ultrapassada em tamanho pela Força Aérea. De acordo com uma enquete conduzida em 2005, 42% das pessoas entrevistadas consideraram a Marinha "muito importante" – acima mesmo da monarquia – para a definição da *britishness* (britanicidade). Membros da família real, tais como o príncipe Charles e o duque de Edimburgo, seu pai, frequentemente aparecem em público vestindo seus impecáveis uniformes da Marinha Real. No passado, quando fumar não era ainda malvisto, enquanto a publicidade norte-americana costumava associar tabaco a *cowboys*, seu equivalente britânico apelava para a Marinha, com marcas de cigarro vendidas com os nomes de Senior Service ou Player's Navy Cut, com uma figura de marinheiro ilustrando o pacote de cigarros.

O Exército, que era substancialmente maior no passado, está hoje reduzido a pouco mais de 100 mil soldados, frequentemente atuando no estrangeiro, mais recentemente no Afeganistão. Os oficiais com o *status* mais alto e que participam de forma mais assídua das cerimônias públicas são os que fazem parte da Household Cavalry (Cavalaria da Família Real) – os Life Guards, os Blues e os Royals. São eles que fornecem as guardas do Whitehall e do Palácio de Buckingham, ao lado Brigada de Guardas da Infantaria. Esses são os guardas que usam os chamativos uniformes vermelhos e chapéus altos de pele de urso tanto nas ocasiões solenes, como na tarefa diária de guardar a entrada do Palácio real. Em razão de seu *status*, as exigências e o refinamento das vestes são maiores nesses regimentos – e se diz que os guardas "morrem com suas botas limpas", no sentido de que mesmo nas situações mais perigosas orgulham-se de estar vestidos impecavelmente.

A Igreja Anglicana (*Church of England*)

Essa é a Igreja oficial da Grã-Bretanha, cuja história remonta à famosa decisão do rei Henrique VIII de romper com Roma em 1534, quando o papa não permitiu que seu casamento com Catarina de Aragão fosse anulado para que pudesse se casar com Ana Bolenha. A partir de então, o rei (ou a rainha) é o chefe da Igreja, com os títulos de Supreme Governor (Governante Supremo) e de Defender of the Faith (Defensor da Fé). O príncipe Charles prometeu mudar esse título, quando for rei, para Defender of Faiths (Defensor das Fés), a fim de incluir outras religiões que hoje proliferam livremente no país.

De acordo com o censo de 2011, havia nessa época 6 milhões de católicos na Inglaterra e no País de Gales, sob a liderança do arcebispo de Westminster; 2,8 milhões de muçulmanos, e em menor número, hindus, budistas, judeus etc. Os católicos, assim como os judeus, hindus, muçulmanos etc., têm suas escolas, quer fundadas pelo Estado – que é a maioria – quer por particulares, ou seja, *public schools*, como as mais conhecidas Ampleforth, Downside e Stonyhurst.

Nem sempre, no entanto, foi assim.

DISCRIMINAÇÃO RELIGIOSA

Durante muito tempo após o estabelecimento da Church of England (Igreja Anglicana), pessoas de outras religiões eram discriminadas sob muitos aspectos, mas as mais discriminadas eram as católicas. Nos séculos XVI e XVII, por exemplo, os católicos eram multados se não participassem dos serviços religiosos da Igreja Anglicana e lhes era proibido comprar ou herdar terras, ser membro do Parlamento, ocupar quaisquer cargos públicos ou fazer parte do Exército. No século XVIII, movimentos anticatólicos, usando o *slogan* "Papismo não", eram comuns; entre eles, ficaram famosos os *Gordon Riots* ocorridos em Londres em 1780, quando parte da população reagiu violentamente às novas concessões dadas aos católicos pelo governo. Saques e destruições de propriedades associadas aos católicos convulsionaram a capital inglesa durante oito dias, num episódio descrito como "o maior, o mais mortal e o mais extenso motim urbano na história britânica". Um ato do Parlamento em 1829, o Catholic Emancipation Act, finalmente libertou os católicos da discriminação oficial, dando-lhes direitos civis praticamente iguais aos protestantes, incluindo o direito de voto e de ocupar cargos públicos, mesmo que ainda fossem barrados dos mais altos.

Não obstante essas conquistas, ainda hoje os católicos são excluídos do Trono. Até 1871, um teste religioso excluía todos os não anglicanos (católicos, judeus, metodistas, batistas, quakers etc.) do direito de obter os graus de bacharel e de mestre nas universidades de Oxford e Cambridge, assim como os impedia de ensinar nessas instituições. A Universidade de Londres, fundada em 1836, tinha entre seus objetivos atender à demanda de educação universitária por parte dos não anglicanos.

A catedral de St. Paul foi obra de um dos mais famosos arquitetos britânicos, Christopher Wren. Construída após o Grande Incêndio de 1666 que destruiu a antiga catedral de Londres, ela é o mais importante centro religioso para os membros da Igreja Anglicana.

Fry

Outra mudança significativa, revelando a aceitação do pluralismo religioso, observa-se nos tribunais. Antes, as testemunhas tinham de fazer um juramento com suas mãos colocadas sobre a Bíblia, mas agora é possível jurar com as mãos no Alcorão, enquanto aos ateus é permitido simplesmente dizer que "solene, sincera e verdadeiramente afirmo dizer a verdade".

A Igreja Anglicana é proprietária da Westminster Abbey (Abadia de Westminster), da St. Paul's Cathedral (Catedral de São Paulo) e das grandes catedrais medievais de cidades como Canterbury, Winchester, Salisbury, Lincoln, York e Durham – todas elas, ex-catedrais da Igreja Católica Romana, com exceção da Saint Paul's Cathedral. Essa foi a primeira catedral a ser construída exclusivamente para a Igreja Anglicana, no lugar de uma antiga, totalmente destruída pelo Great Fire (Grande Incêndio) de 1666, que destruiu também grande parte da City de Londres. A Igreja Anglicana é também proprietária de 10 mil antigas igrejas de paróquia, a maioria delas situada em vilarejos. No Exército, onde todos os soldados usam um crachá de identificação com seu nome e religião, "C of E" (abreviação para "Church of England") é a identidade padrão atribuída a todos aqueles que não optam por outra religião.

Muitos não veem problema em aceitar essa identidade, porque a Igreja Anglicana é uma "Igreja ampla", que dá muito espaço para diferenças de opinião entre o chamado anglicanismo *High* (próximo do catolicismo) e *Low* (próximo de metodistas, batistas e outros grupos protestantes). Algumas igrejas anglicanas são adornadas com estátuas de santos e têm até confessionários, enquanto outras são totalmente despidas de imagens.

Em 1963, ficou evidente quão ampla é a Igreja e quão amplo é o espaço que concede às dissidências. Naquele ano, o bispo anglicano John Robinson, em seu livro *Honest to God* (*Um Deus diferente*), negou a existência de um Deus "*out there*" (lá no alto), argumentando que os enunciados sobre Deus eram, na verdade, enunciados sobre o amor. Com essa posição, ele chocou muitos anglicanos, mas não foi tirado de seu posto de bispo da Igreja Anglicana.

Entretanto, apesar de ser ampla, a Igreja Anglicana serve a uma minoria decrescente, ao menos se seus fiéis forem medidos pelo número dos que frequentam suas igrejas. No interior do país, o anglicanismo se mantém mais visível. De qualquer modo, a Igreja Anglicana, mesmo mais vazia do que no passado, mantém-se uma parte importante da Inglaterra imaginada, associada a tradições nacionais. Na festa do santo padroeiro da Inglaterra, por exemplo, a bandeira com a cruz vermelha de são Jorge é sempre hasteada nas torres das igrejas. A chamada "Versão Autorizada da Bíblia", ou seja, a interpretação oficial anglicana – cujos 400 anos de publicação foram celebrados pela Igreja em 2011 – introduziu várias palavras e frases na língua inglesa e é considerada ainda hoje um importante marco literário, até mesmo pelos não crentes.

O Serviço Nacional de Saúde (NHS)

Quem assistiu à cerimônia de abertura das Olimpíadas de 2012, dirigida pelo aclamado diretor de cinema Danny Boyle, não pode deixar de ter notado a magnífica comemoração que ali foi feita dessa instituição nacional conhecida pela sigla NHS (National Health Service). Num espetáculo ousado, inesperado e surreal – que acabou por ser, para muitos espectadores, o ponto alto da noite de abertura –, 800 voluntários do NHS, incluindo enfermeiras com uniformes dos anos 1950 e médicos de verdade, se juntaram a crianças "doentes" e mais de mil outros voluntários para celebrar a instituição pioneira de saúde universal, que serviu de modelo para o mundo. Por exemplo, o Sistema Único de Saúde (SUS) brasileiro, instituído em 1988, baseado nos princípios de universalidade, equidade e integralidade, inspirou-se no NHS britânico.

Criado logo após a devastação causada pela Segunda Guerra Mundial para recuperar a saúde da nação, esse serviço pioneiro e gigantesco – que, segundo os dados oficiais do final de 2013, emprega mais de 1 milhão e meio de pessoas e atende à grande maioria da população – baseou-se no princípio de que, no que diz respeito à saúde, todos os membros da sociedade devem ser tratados igualmente; os que têm mais recursos devem receber o mesmo tratamento dos demais, com a única diferença de que sua contribuição para o serviço de saúde deve ser maior, dado o imposto mais alto que sua renda impõe. O eixo central desse sistema é o médico clínico geral (*general practitioner*, ou GP). É ele que dá o atendimento básico a todos pacientes e os encaminha para os médicos especializados, exames e tratamentos necessários.

O NHS é "a instituição que mais do qualquer outra une nossa nação", dizia o programa da cerimônia olímpica, salientando o paralelo entre seus princípios e o da "igualdade perante a lei". Ou como o próprio Boyle afirmou: "Nós acreditamos, enquanto nação, no programa de saúde universal. É algo que ocupa um lugar especial no coração das pessoas. Um dos valores centrais de nossa sociedade é que, não importa quem você é, será atendido da mesma forma pelo serviço de saúde. Todos nós acabamos indo para lá, não importa quão rico ou poderoso se seja. Você pode até ir para um desses hospitais particulares, mas se algo sério lhe acontece, você vai é para o NHS. Por isso era algo incrível a ser celebrado."

O caso de Stephen Hawking, o físico britânico mundialmente famoso que foi diagnosticado com uma séria doença degenerativa neuromotora aos 21 anos de idade, tem sido lembrado nos últimos anos como um dos orgulhos do NHS. Ele próprio já prestou vários tributos comovidos ao NHS, "o melhor serviço público britânico", como disse, que permitiu que ele sobrevivesse. De fato, somente menos de 8% da população britânica utiliza seguro particular de saúde, e há muitos tratamentos que só são cobertos pelo NHS, e não pelos serviços particulares, tais como diálises, aids, infertilidade etc. Quando Malala Yousafzai, a adolescente paquistanesa que luta pelo direito à educação das meninas, sofreu um brutal atentado à bala perpetrado pelos talibãs na cidade de Mingora, foi um hospital NHS de Birmingham – o Queen Elizabeth Hospital –, especializado em casos semelhantes, que lhe ofereceu o tratamento que salvou sua vida. Foi também na cidade de Birmingham, no centro-oeste da Inglaterra, que sua família se estabeleceu após o atentado e onde Malala Yousafzai recebeu a notícia do Prêmio Nobel de Paz, que lhe foi outorgado em 10 outubro de 2014, dois anos e um dia após ter sido baleada.

MUDANÇAS NO SISTEMA

Quando foi criado pelo governo trabalhista inglês em 1948, esse serviço, que revolucionou a saúde nacional ao prover tratamento gratuito para todos (incluindo remédios, óculos e tratamento dentário) e incorporar todos os hospitais num único sistema nacional sob a égide do Ministério da Saúde, foi acolhido, obviamente, com imenso entusiasmo. Muita coisa mudou desde então. O tratamento dentário, por exemplo, deixou de ser totalmente gratuito, a não ser para pessoas até 18 anos de idade (ou 19, se estudantes), para grávidas ou para quem deu à luz nos 12 meses anteriores e para aqueles que recebem benefícios do governo por desemprego, salário muito baixo etc. Além disso, hoje, os remédios receitados são pagos em parte (em 2014, 7,85 libras esterlinas, por remédio) pelos pacientes, mantendo-se gratuitos para todos até os 18 anos, para as grávidas, para pessoas de mais de 60 anos e para os que têm certificados de isenção por vários motivos.

De qualquer modo, é inegável que esse símbolo do Estado de Bem-Estar Social tem atraído mais e mais críticas nos últimos tempos, não tanto por questões de princípio, quanto de prática, como, por exemplo, falta de enfermeiras e longa lista de espera para cirurgias e consultas com especialistas. Como no caso da Casa dos Lordes, no entanto, muitas reformas do NHS estão atualmente em discussão, especialmente as que dizem respeito à descentralização da administração e à privatização de alguns de seus serviços.

"A MAIS BRITÂNICA DAS INSTITUIÇÕES"

No lado positivo, em contraste com os cidadãos dos Estados Unidos, os britânicos não correm o risco de ir à falência se ficarem seriamente doentes, um ponto central apontado pelo diretor norte-americano Michael Moore, com seu característico estilo provocativo no filme-documentário *Sicko* (2007).

Cumpre acrescentar que o sistema recebeu dos imigrantes contribuição fundamental para o seu funcionamento. Como lembrou o presidente da Commission for Racial Equality (Comissão para a Igualdade Racial), o NHS "é a mais britânica das instituições – inaugurada por um galês, construída por trabalhadores irlandeses, sustentada por enfermeiras caribenhas e agora mantida viva por médicos indianos e de outras nacionalidades, por enfermeiras filipinas e faxineiros somalianos. Isso é a Grã-Bretanha moderna!".

O entusiasmo extraordinário com que a celebração do NHS foi recebida pelo público presente na solenidade de abertura das Olimpíadas de 2012 parece revelador de que o espetáculo conseguiu capturar algo essencialmente britânico: o orgulho que se tem pelo NHS como um todo, em especial pelos princípios que incorpora. Como é comum se ouvir nesse país: "o NHS é nossa religião nacional".

Pode-se até mesmo dizer que há um paralelo entre a monarquia e o NHS, ambas as instituições não sendo consideradas imunes à crítica, mas tidas como absolutamente essenciais para a vida nacional. Numa pesquisa de opinião dos últimos anos, as pessoas deveriam escolher se concordavam com uma dessas duas afirmações: "O NHS é central para a sociedade britânica e devemos fazer tudo o que pudermos para mantê-lo" ou "O projeto do NHS foi muito bom, mas nós provavelmente não podemos mantê-lo na sua forma atual". Perto de 80% das pessoas optaram pela primeira alternativa e só 20% pela segunda.

Um relatório publicado em junho de 2014 pela Commonwealth Fund, uma fundação localizada em Washington DC – respeitada pelas análises que faz dos sistemas de saúde de diferentes países –, dá força ao otimismo dessa parcela significativa dos britânicos. Dos 11 itens analisados em 11 países (incluindo França, Alemanha e Canadá), o NHS atingiu a nota máxima em 8. Como concluiu o relatório, "o Reino Unido se classifica em primeiro lugar, adquirindo os maiores pontos em qualidade, acesso e eficiência". Entusiasmado, mas cauteloso, o presidente da British Medical Association recebeu o relatório com um alerta: "Não devemos ser complacentes", pois pressões de vários tipos, inclusive de políticos "de todas as cores", estão ameaçando "as próprias bases do NHS".

FAZENDO CAMPANHA PARA O NHS

Uma atitude ao mesmo tempo otimista e engajada do público pode ser vista atuante em, ao menos, duas campanhas que confirmam o que Boyle referiu como aquilo "que ocupa um lugar especial no coração da nação". No verão de 2012, foi criado o NHS Change Day (Dia de Mudança do NHS), um movimento popular que surgiu a partir de uma conversa por Twitter, em que um grupo de jovem médicos procurava achar um meio de aprimorar o serviço de saúde. De modo inesperado, esse movimento cresceu rapidamente, conseguindo arregimentar um grande número de pessoas – tanto funcionários do próprio NHS como o público em geral – que assumem publicamente o compromisso de fazer alguma coisa, por menor que seja, para ajudar a melhorar o NHS. O envolvimento das pessoas é de tal monta que esse movimento já foi descrito pela mídia como "mais bem-sucedido do que qualquer partido político". Funcionando na base de *public pledges* (promessas públicas), a ideia é de que todos juntos podem melhorar o sistema e que qualquer um pode contribuir para essa melhoria. Como diz a instrução no website: "Uma promessa pode ser parte de sua rotina diária ou algo extraordinário. É simples. Basta pensar em algo pessoal e fazer uma promessa ou se juntar a uma já existente. Toda voz conta e toda promessa é importante".

Em menos de um ano, 270 mil *public pledges* foram feitas, incluindo promessas sobre coisas aparentemente triviais, tais como: "Eu prometo receber todos os pacientes com um sorriso", feita por uma recepcionista do NHS, ou "Eu prometo continuar com minha terapia do riso", feita por uma enfermeira; e "Eu prometo me comunicar com mais compaixão e honestidade" ou "Eu prometo experimentar o remédio infantil para saber qual é seu gosto", e até mesmo "Eu prometo ficar um dia do ano numa cadeira de rodas para sentir os problemas que isso envolve", assinadas por médicos. O objetivo em 2014 era atingir meio milhão de *pledges*, mas atingiu muito mais: 800 mil. Em 2015, o objetivo mudou: ao invés de registrar as "promessas públicas", passou a registrar as ações efetivamente realizadas.

O que impressiona, no entanto, nesse movimento é a crença de que, independentemente de problemas de orçamento e de política, uma "mudança cultural" numa instituição tem o poder de causar grandes efeitos benéficos, pela inspiração, otimismo e efeito energizador que pode gerar.

Quem passou pela Trafalgar Square, no dia 24 de fevereiro de 2014, deparou-se com uma cena inusitada: a praça central londrina, rodeada pela National Gallery e pela belíssima igreja Saint Martin's in the Fields, transformada numa enfermaria de hospital, com camas, pacientes, enfermeiras, médicos etc. Essa simulação de hospital fazia parte dos preparativos para o segundo NHS Change Day, realizado no dia 3 de março – dia selecionado como simbólico dessa campanha –, e tinha como objetivo conscientizar a população do que se passa num hospital e do valioso papel que os voluntários ali desempenham. A vice-prefeita, Victoria Borwick, que ali estava para servir chá e refrescos aos voluntários envolvidos na encenação, declarou: "aquilo tudo era para mostrar muito do que podemos fazer para apoiar o NHS, que, como todos concordamos, é uma das maiores instituições do país".

Como que complementando o NHS Change Day, surgiu um movimento popular mais político, denominado Keep our NHS Public (Mantenha nosso NHS público), que em ampla campanha em prol desse serviço público faz *lobby* junto aos MPs dos vários distritos eleitorais e organizações e conselheiros do NHS para que lutem contra os cortes de fundos, a privatização e a comercialização do cuidado médico que estão em curso. O broche com o *slogan* "*Proud of the NHS*" (Orgulhoso do NHS), que se vê alfinetado em lapelas, foi produzido para "ser usado com orgulho tanto por quem usufrui como por quem trabalha para o NHS". Essa campanha para afastar o NHS dos interesses comerciais tem um valioso aliado na figura do físico Stephen Hawking. Como ele reafirmou em 2014, "Sou britânico e orgulhoso dele [do NHS] [...] Nós temos de manter esse serviço público crítico e impedir o estabelecimento de um sistema de duas classes, com a melhor medicina sendo destinada para os mais ricos e um serviço inferior para o resto".

Mais eloquente e pessimista, o renomado dramaturgo Alan Bennett comparou recentemente o que ele chamou de "furtivo desmantelamento do Estado de Bem-Estar Social" à dissolução dos monastérios durante a Reforma Protestante, "400 e 500 anos atrás", quando o "lucro" superou qualquer outra consideração.

UMA EXPERIÊNCIA INTERESSANTE

Um dos autores deste livro teve uma experiência que dá força para os que encaram com otimismo a manutenção do NHS e dos princípios universais que pautaram seu surgimento. Viajando com três netos pela bela região de Cotswolds, nos hospedamos num Bed & Breakfast no meio do campo. Já bem tarde da noite, Felipe, recém-chegado do Brasil, inesperadamente começou a passar mal, vomitando sem parar, mesmo quando mais nada restava no estômago. Eram duas horas da manhã quando resolvi telefonar para o serviço de emergência, cujo número estava anotado nas instruções do B&B. Expliquei que estava em determinado B&B, cuja localização não saberia explicar com precisão, que morava em Cambridge, mas estava com três netos crianças (um deles residente no Brasil), passeando pela região, quando um deles, "o estrangeiro", começara a passar mal e não sabia a quem recorrer, pois não conhecia os hospitais ou médicos da região. Falei com algumas pessoas, a quem foi repassado o telefone, e todas elas me pediram várias informações sobre o estado de saúde de Felipe e seu histórico médico; a seguir, me deram instruções do que deveria fazer até Felipe ser visto por um profissional.

Nenhuma pergunta me foi feita, em momento algum, sobre seguro-saúde, sobre número de NHS (um número que os residentes do Reino Unido possuem), sobre meu endereço residencial, sobre meu clínico geral ou sobre qualquer outra coisa que remotamente poderia ser entendida como uma preocupação com o pagamento dos serviços médicos. No final da conversa, avisaram que uma ambulância estava sendo enviada ao local. Nesse ínterim, me instruíram a acordar o dono do B&B a fim de ser alertado para a possibilidade de os outros netos ficarem sob os seus cuidados, pois era bem possível que o paramédico decidisse que Felipe deveria ser levado a um hospital, que ficava a uns 80 kms do B&B; e, nesse caso, obviamente eu deveria acompanhá-lo e as crianças que ficavam não podiam ser deixadas sem supervisão de um adulto. Obedeci às instruções e acordei o proprietário!

Eram 3 horas da manhã, uns 40 minutos após meu telefonema, quando chegou a ambulância com um paramédico muito eficiente. Após examinar Felipe de forma cuidadosa e conversar longamente com um médico por telefone sobre o estado dele, a decisão foi que era melhor não levá-lo ao hospital e aguardar o dia seguinte, quando era muito provável que o garoto estivesse melhor. Que os chamassem novamente, caso isso não ocorresse. Como o paramédico e o médico previram, Felipe acordou no meio da manhã seguinte sentindo-se bem. Dos custos da uma hora e meia de serviço médico no B&B e do serviço de ambulância no meio da madrugada jamais ouvimos falar.

Educação superior: universidades

Para nos atermos às instituições nacionais, cabe aqui falar sobre as universidades, que, diferentemente das escolas nos vários níveis anteriores – do jardim da infância a escolas secundárias, que são incumbência das autoridades locais –, são de responsabilidade direta do Ministério da Educação.

Quando os estudantes se candidatam ao ensino superior, suas inscrições são analisadas e processadas por uma organização central, a Ucas (University and College Admissions Services). Existe, hoje em dia, quase uma centena de universidades britânicas, o que significa que houve um grande crescimento, se considerarmos que em 1962 havia somente 30 e em 1800, somente 7 (2 na Inglaterra, 4 na Escócia e 1 na Irlanda). As várias tabelas de classificação existentes tentam colocar as universidades numa ordem de excelência, com Cambridge normalmente ocupando o primeiro lugar, seguida de Oxford e de outros *colleges* da University of London, como o Imperial College, o University College, por exemplo, e algumas universidades fundadas nos anos 1960, como Warwick e York.

Muitas universidades selecionam os estudantes com base em entrevistas e nos resultados dos exames nacionais, os chamados níveis avançados, A Levels (advanced levels), feitos aos 17 ou 18 anos de idade usualmente em três disciplinas estudadas em profundidade nos dois últimos anos da escola secundária, conhecida como Sixth Form.

FINANCIAMENTO DOS ESTUDANTES

Tradicionalmente, os estudantes se candidatavam a universidades longe de suas residências, pois morar distante dos pais num ambiente estudantil era parte da experiência ambicionada. Para isso, a bolsa de manutenção (*maintenance grant*) dada pelo Estado originalmente a todos os estudantes, e instituída no final da Segunda Guerra Mundial, era imprescindível. Com o fim do sistema de manutenção universal em 1999 e a introdução do sistema de empréstimo, tornou-se mais comum os estudantes optarem por universidades perto de suas residências.

Em contraste com os Estados Unidos, as universidades britânicas são instituições públicas subsidiadas pelo Estado, com três exceções, uma delas a controversa universidade particular New College of the Humanities, fundada em 2012 e acusada, por seus críticos, de "prostituir o saber" e ser "odiosa". Como disse o renomado crítico literário irlandês Terry Eagleton, com sua costumeira eloquência: "Por esse monte de dinheiro [55 mil libras por curso], eu exigiria um tutor 24 horas por dia a me encher com arte do Renascimento ou positivismo lógico a um simples estalar de dedos. Eu também esperaria que eles passassem a ferro minhas meias e engraxassem minhas botas".

Apesar de serem financiadas em grande parte pelo Estado, as universidades inglesas deixaram de ser gratuitas desde 1998, quando os alunos britânicos e da União Europeia passaram a ter de contribuir com 1.000 libras esterlinas por cada ano de estudo, quantia aumentada posteriormente para 3.000 libras. Desde 2010, a maioria das universidades inglesas e galesas cobra o máximo permitido de 9.000 libras anuais, quantia que cobre ainda parcialmente o custo da educação superior por aluno, ao menos nas melhores universidades. Em Cambridge, por exemplo, em 2014 o custo médio por aluno de graduação era 16.500 libras por ano. A taxa anual para alunos estrangeiros que não vêm da Comunidade Europeia é substancialmente maior. Na Universidade de Cambridge, por exemplo, as taxas anuais vão de 15 mil para os cursos de Humanidades a 35 mil libras para cursos de Medicina e Veterinária. As universidades escocesas permanecem gratuitas para os alunos escoceses e da União Europeia, mas cobram taxas variadas dos alunos vindos da Inglaterra, País de Gales, Irlanda do Norte, assim como de todos os demais estudantes estrangeiros.

De todas as universidades do Reino Unido, as que são mais obviamente inglesas e ainda guardam muitas marcas de suas origens medievais são as duas mais antigas, Oxford e Cambridge. A organização dessas universidades é bastante diferente das demais, com uma estrutura federal na qual departamentos coexistem com *colleges*, que não são simplesmente locais de residência para seus estudantes, mas também centros de estudo. Cada *college* seleciona seus próprios alunos (já que eles não se candidatam para a Universidade de Cambridge como um todo, mas para *colleges* específicos entre os 31 existentes) e tem seus próprios recursos financeiros advindos de doações feitas por antigos membros ao longo de séculos.

É essa variação em riqueza dos *colleges* que explica as diferentes regalias que eles oferecem a seus alunos, como, por exemplo, dinheiro regular para compra de livros, para viagens de estudo etc. A riqueza do mais rico dos *colleges* dessas duas universidades, o Trinity College de Cambridge, é imensa, a ponto de ele recentemente comprar a O2 Arena (conhecida anteriormente como o Millennium Dome) por 24 milhões de libras. Esse *college* é também conhecido como um dos maiores proprietários de terra da Grã-Bretanha, o que justifica a ideia corrente de que é possível se andar de Cambridge a Oxford (78 milhas) só pisando em terras pertencentes ao Trinity.

O Trinity College é o mais rico dos 31 que compõem a Universidade de Cambridge. Isaac Newton, Bertrand Russell e Ludwig Wittgenstein foram alguns dos seus famosos membros. Seis primeiros-ministros e 32 Prêmios Nobel também saíram de seus quadros.

Famoso pela magnífica capela medieval, o King's College também faz parte da Universidade de Cambridge. Dentre seus muitos alunos famosos, encontram-se Alan Turing e John Maynard Keynes.

Na verdade, o Trinity College ilustra em grande escala uma característica comum aos *colleges* de Oxford e Cambridge e, em menor escala, a outras universidades britânicas: a importância de doações, feitas especialmente por antigos alunos, ao longo de sua história. Foi assim que muitos *colleges* puderam acumular um número impressionante de propriedades e de bens, especialmente se seu capital foi bem gerenciado. O King's College de Cambridge, por exemplo, teve entre seus funcionários John Maynard Keynes, que além de ser um famoso economista, foi o *bursar* (administrador financeiro) desse *college* fundado no século XV pelo rei Henrique VI. Pode-se, pois, dizer que graças a um certo grau de autonomia e em alguns casos, como nos exemplos mencionados, aos recursos financeiros próprios, que podem suplementar os subsídios dados pelo Estado, as universidades britânicas são instituições públicas, de um lado, e particulares, de outro.

UMA GRANDE INDÚSTRIA BRITÂNICA DE EXPORTAÇÃO

Referindo-se a instituições de ensino universitário, o ministro das Universidades fez, em 2012, uma afirmação que gerou grande polêmica entre os acadêmicos: "A educação é uma grande indústria britânica de exportação", atraindo estudantes estrangeiros que são seduzidos pela alta qualidade do ensino superior britânico, com 4 de suas universidades entre as 6 melhores do mundo e 20 entre as primeiras 100. Na verdade, a despeito de educadores que questionam a transformação da educação em um negócio nacional lucrativo, que "existe para servir a economia", a educação britânica de modo geral já foi apontada como sendo mais valiosa como produto de exportação do que os sistemas financeiros e a indústria automobilística. Para se ter uma ideia, entre 2003 e 2004, os estudantes estrangeiros foram responsáveis por um total de 28 bilhões de libras ganho por instituições educacionais britânicas – desde as universidades mais e menos famosas, escolas de língua pequenas e grandes, escolas secundárias particulares (conhecidas como *public schools* ou *independent schools*), até publicações e radiodifusões ligadas ao setor educacional. Em contraste, 19 bilhões foi o que renderam os serviços financeiros e 20 bilhões a indústria automotora.

A BBC (British Broadcasting Corporation)

A British Broadcasting Corporation, fundada em 1922 e conhecida popularmente como BBC, é outra instituição nacional muito britânica que, assim como as universidades, ocupa uma posição intermediária entre o público e o privado. A taxa de licença anual que essa corporação recebe do público que possui aparelho de televisão (em 2014, custava 145,50 libras para os que possuem televisão em cores e 49 para os que ainda possuem televisão em preto e branco) torna a BBC independente tanto dos anunciantes quanto do governo, e muitos espectadores e ouvintes apreciam grandemente a possibilidade de verem e ouvirem seus programas sem as frequentes interrupções para publicidade. Por outro lado, numa era em que tantas indústrias e serviços nacionais têm sido privatizados – como a British Steel, British Rail, Royal Mail etc. –, a BBC permanece uma instituição pública para o benefício de todos, ao lado de poucas outras instituições nacionais, como o NHS e os grandes museus.

Assim como a monarquia e o funcionalismo público, a BBC é politicamente neutra, ou assim se espera que seja, seguindo os princípios que nortearam sua criação. Sua importância, tanto no âmbito nacional quanto estrangeiro, pode ser avaliada pela descrição feita pelo jornal *The New York Times* em 2003: "A BBC é mais confiável que o governo, mais respeitável do que a monarquia, mais relevante do que a Igreja".

O programa *Today* (transmitido pela Rádio 4 da BBC entre seis e nove horas da manhã todos os dias da semana e das sete às nove horas aos sábados) transformou-se, ele próprio, numa importante instituição nacional, na qual os jornalistas John Humphreys, Sarah Montague e seus colegas entrevistam ministros e outras pessoas de importância nacional, ou mesmo internacional, fazendo questão de lhes propor perguntas bastante incômodas.

Um incrível número de mais de 10 milhões de ouvintes, de idades e interesses variados, começa o dia ouvindo esse programa de notícias e comentários apresentado de modo ao mesmo tempo acessível, informal, interessante e sério. Não surpreende, pois, que o *speaker* (presidente) da Câmara dos Comuns do Parlamento tenha se queixado recentemente que a Câmara estava se tornando "uma subsidiária do programa *Today*", que recebe atualmente a atenção pública que antes era focalizada no Parlamento – enfim, como se fosse quase parte da Constituição britânica.

Personalidades conhecidas da mídia que trabalham para a BBC incluem jornalistas como Huw Edwards, apresentador do programa de notícias das dez horas da noite, e entrevistadores como Jeremy Paxman da *Newsnights* da BBC2, um jornalista chamado de o "grande inquisidor", que pode ser comparado a Boris Casoy por seu talento em fazer perguntas incômodas e insistentes aos políticos. Sua decisão de aposentar-se em junho de 2014 foi recebida com alívio por muitos políticos que temiam *to be paxoed* ("ser paxoado") – expressão que passou a fazer parte do léxico da mídia. Memorável foi a ocasião em que, entrevistando um ministro, Paxman repetiu a mesma pergunta 12 vezes, indiferente ao mal-estar que causava ao político, que se recusava a respondê-la.

Os entretenimentos produzidos pela BBC incluem novelas de longa duração, como *Eastenders*, cuja ação se passa em Londres, exibida desde 1985 e apresentada ainda hoje pela BBC1; e a *Coronation Street*, também transmitida pela BBC, cuja ação se passa no norte da Inglaterra, exibida desde 1960. O programa que tem o recorde de longevidade é *The Archers*, uma novela de rádio que se passa numa vila imaginária chamada Ambridge e que foi transmitida pela primeira vez em 1950.

Impondo-se também como um dos maiores produtos de exportação britânicos, a BBC vende programas e canais pelo Worldwide, seu braço comercial. CBeebies, BBC Earth, BBC Lifestyle, por exemplo, podem ser assistidos ao redor do mundo, do mesmo modo que entretenimentos como *Top Gear*, *Doctor Who* e *Sherlock*.

MUDANÇAS NO SISTEMA

Como outras instituições de importância, a BBC mudou bastante ao longo dos anos. Sob seu primeiro diretor-geral, *lord* Reith (1889-1971), a corporação era relativamente paternalista, seu propósito oficial sendo o de educar ao invés de simplesmente entreter os ouvintes. Reith, na verdade, é ainda venerado e celebrado numa série de palestras que leva seu nome sobre problemas contemporâneos: a série conhecida como as *Reith Lectures*. Em 2008, por exemplo, o historiador Jonathan Spence participou do programa falando sobre a China. Em 2010, foi a vez do astrônomo Martin Rees, que discorreu sobre os limites do conhecimento científico. Em 2011, as palestras foram divididas entre duas mulheres: Aung San Suu Kyi, a dissidente birmanesa e ganhadora do prêmio Nobel da Paz de 1991, e Eliza Manningham-Buller, a antiga diretora-geral do MI5 (abreviação de Military Intelligence 5), a organização responsável pelo serviço britânico de inteligência interna e contraespionagem. Não obstante um programa como esse ainda ser transmitido, ao lado de outros semelhantes como a *Dimbleby Lecture*, pode-se dizer que o *Reith Spirit* (o espírito das ideias de Reith) encontra-se bastante enfraquecido. A ênfase em educar o público deixou de ser fundamental, substituída há algum tempo por um maior destaque no entretenimento, a fim de melhor competir com os outros canais e estações rivais pela atenção do público. De qualquer modo, entretenimentos de qualidade excepcional ainda são oferecidos. Um exemplo disso foi a dramatização de *Guerra e paz* de Tolstoi, transmitida pela Rádio 4 da BBC no dia 1º de janeiro de 2015. Com artistas da envergadura de John Hurt, que fez o papel do príncipe Bolkonski, durante dez horas os ouvintes puderam acompanhar a sina de três famílias aristocráticas russas durante a Guerra Napoleônica e se deliciar com essa obra-prima da literatura mundial.

Outra mudança visível da BBC original é a que se refere ao domínio político. Apesar de ser em princípio apartidária, a antiga BBC era conservadora com um *c* minúsculo, evitando deliberadamente, por exemplo, transmitir por televisão ou rádio críticas à monarquia ou ao governo de modo geral. Em 1985, por exemplo, a diretoria da BBC, a pedido do ministro do Interior, suspendeu a transmissão planejada de um documentário sobre os extremistas políticos na Irlanda do Norte. Por outro lado, a corporação também foi criticada pela direita política por ser "não patriótica" (em outras palavras, relativamente objetiva) nas suas reportagens sobre a Guerra das Malvinas-Falklands em 1982.

UMA BBC RADICAL?

Pode-se dizer que a nova BBC é mais crítica e livre do que a mais antiga. O jornalista Andrew Marr descreveu a cultura atual dessa corporação como "ligeiramente mais radical do que o país mais branco, mais velho, mais conservador e mais suburbano a que ela serve". Para a irritação da rainha Elizabeth, por exemplo, a famosa entrevista da princesa Diana em 1985, quando ela se queixou de seu casamento estar *a bit crowded* (um pouco lotado), porque "havia três de nós neste casamento" – aludindo à presença de Camilla, a namorada da juventude de Charles –, foi transmitida pelo programa *Panorama* da BBC e assistida por 23 milhões de espectadores.

Houve também um grande conflito entre o governo de Tony Blair e a BBC sobre a Guerra do Iraque, quando o jornalista Andrew Gilligan, entrevistado no programa *Today*, argumentou com base em claras evidências que o governo havia mentido descaradamente sobre a existência de "armas de destruição em massa", a fim de justificar sua participação na invasão do Iraque em março de 2003. A BBC recusou-se a pedir desculpas e a reação do governo foi forçar o diretor-geral a renunciar. De qualquer modo, pode-se dizer que a BBC ganhou a batalha, pois, em decorrência da denúncia feita pela corporação, foi aberto um inquérito independente sobre as razões da participação britânica na guerra. Em relação às pessoas comuns, uma pesquisa realizada em 2009 demonstrou que 77% dos entrevistados sentiam-se orgulhosos da BBC.

BBC WORLD SERVICE

Parte da BBC é também a BBC World Service, a maior radiodifusora internacional do mundo. Fundada em 1932 como BBC Empire Service, mudou o nome para BBC Overseas Service alguns anos mais tarde, em 1938, quando iniciou a radiodifusão em árabe, a primeira de uma longa lista de línguas estrangeiras em que passou a transmitir seus programas. Em 1965, seu nome mudou novamente para BBC World Service, coincidindo com a expansão de seus serviços transmitidos em 28 línguas estrangeiras, que conta hoje com uma audiência de 200 milhões de pessoas por semana, em 200 países diferentes. Quando esse serviço foi fundado, o diretor da BBC foi mais do que cauteloso nas suas expectativas. Dirigindo-se à audiência espalhada pelos vários domínios do Império Britânico, afirmou: "Não esperem muito dessa estação no seu início; por algum tempo nós transmitiremos programas comparativamente simples... Os programas não serão nem muito interessantes nem muito bons".

A história provou, entretanto, que a BBC World Service despertou o interesse de muita gente e prestou um grande serviço, ao se constituir, durante muito tempo, na única fonte fidedigna de notícias para muitas pessoas espalhadas pelo mundo. Primeiramente, a grande audiência era composta pelos súditos britânicos, que viam a distância de milhares de milhas desaparecer ao ouvirem as badaladas do Big Ben anunciando o início das transmissões.

Com a proximidade da guerra e em resposta às iniciativas fascistas alemãs e italianas que passaram a utilizar a rádio como instrumento de propaganda, a BBC transformou-se, inaugurando sua transmissão em língua estrangeira (árabe e alemão) em 1938, seguida logo por muitas outras. Com audiência diferente e variada e num período crítico da história, a BBC esmerou-se em usar a verdade como um instrumento de guerra. Sabe-se que até entre os inimigos causava espanto a frequente admissão de fracasso e de erros de estratégia dos britânicos que a BBC noticiava durante a guerra.

Consta que Goebbels chegou a receber de um soldado alemão um relatório analisando "os motivos que inspiram a aparente preferência da BBC pela verdade". De fato, como disse um estudioso, a BBC aprendera que admitir fracassos e consistentemente noticiar problemas era mais eficiente do que prover os ouvintes com consolo ou meias verdades. Com sua credibilidade afirmada e tendo ganhado a confiança dos ouvintes de várias procedências, quando a BBC anunciou, finalmente, as primeiras vitórias dos Aliados, eles não duvidaram do que ouviam.

Anos mais tarde, tanto Nelson Mandela quanto a dissidente Aung San Suu Kyi, quando encarcerados, eram ouvintes fiéis da BBC World Service. "É talvez o maior presente que a Grã-Bretanha deu para o mundo", disse Kofi Annan, ex-secretário das Nações Unidas.

Mas os dias de glória sem rival da BBC já passaram, e esse serviço tem sérios problemas a enfrentar. Mantido até recentemente com verba do Ministério de Relações Exteriores, é agora dependente das taxas pagas compulsoriamente pelos espectadores de televisão na Grã-Bretanha. De qualquer modo, os cortes de verbas, a competição com outras transmissoras e mudanças tecnológicas não parecem ter diminuído as ambições dos dirigentes da BBC, que pretendem aumentar sua "audiência global" para 500 milhões de pessoas até o centenário da instituição, em 2022.

OS RIVAIS

Desde 1955, quando a televisão comercial foi criada, a BBC tem rivais que, ao invés de serem mantidas pelo público que tem um aparelho de televisão, dependem da renda obtida pela publicidade. Atualmente, os principais canais comerciais são ITV (responsável pela transmissão da aclamada minissérie *Downton Abbey*, o maior sucesso nacional e internacional até hoje obtido por um seriado, com uma audiência internacional estimada de 160 milhões de pessoas em mais de 230 territórios), BSkyB, Channel 4 e Channel 5, mas é lícito dizer que se é verdade que eles atraem mais espectadores do que a BBC, seguramente não adquiriram o mesmo *status* de instituição britânica.

Museus

Alguns museus e galerias de arte são considerados instituições nacionais, especialmente os principais, localizados em Londres, como a National Gallery (Galeria Nacional), o British Museum (Museu Britânico), Victoria & Albert Museum (Museu Victoria e Albert), Tate Britain, Tate Modern, Science Museum (Museu da

Ciência), Natural History Museum (Museu de História Natural). Oficialmente, eles são instituições educacionais, não cobram entrada (diferentemente de seus equivalentes na França, Itália, Holanda, Estados Unidos etc.) e recebem visitas regulares de grupos de estudantes.

São mais de 50 as galerias e os museus com entrada gratuita na Grã-Bretanha, e os benefícios econômicos que os maiores deles trazem para o país são estimados em mais de um bilhão e meio por ano. Calcula-se, por exemplo, que cada libra que o Natural History Museum recebe em ajuda do governo gera 4 libras, o que significa que seu impacto econômico é entre 253 e 262 milhões de libras. É interessante lembrar que foi nesse museu londrino que a aclamada exposição de fotografia, *Gênesis*, de Sebastião Salgado, teve sua première mundial em abril de 2013 – uma exposição que marcou época na capital inglesa. O mundo da arte e das ciências britânico anunciou em 2014, com orgulho, que há mais visitantes estrangeiros por ano nos museus da Exhibition Road na região de South Kensington, em Londres – que incluem o Victoria & Albert, o Natural History Museum e o Science Museum – do que na cidade de Veneza (ver capítulo "As Artes").

Banco Central britânico

Outra instituição que faz parte do imaginário popular como símbolo de "anglicidade" é o Bank of England (tal como é chamado o Banco Central britânico). Fundado em 1694, por particulares, está localizado na Threadneedle Street, no centro do centro financeiro, a City de Londres, no mesmo lugar em que sucessivos prédios foram construídos para sua sede, o mais famoso deles sendo obra de *sir* John Soane, um dos mais eminentes arquitetos do século XVIII. Sua demolição, nos anos 1920, para dar lugar à nova sede, foi qualificada por Nikolaus Pevsner como um dos maiores "crimes contra a arquitetura".

O banco é também conhecido pelo apelido de *The Old Lady of Threadneedle Street* (A velha senhora da rua Threadneedle) – uma referência à lenda sobre a irmã de um funcionário do banco condenado à morte e executado por falsificação, em 1811. Chocada com a morte do irmão, ela teria enlouquecido e durante os 25 anos seguintes ia diariamente ao banco da Threadneedle Street perguntar por ele. Ao morrer, a *Old Lady* teria sido enterrada nos jardins da igreja que ladeava o banco, mas seu fantasma é ainda hoje visto perambulando à noite pelas imediações (inclusive pela estação Bank de metrô), perguntando aos transeuntes: "Você viu meu irmão?"

MUDANÇAS NO SISTEMA

O Bank of England exerceu funções diferentes ao longo dos séculos. Seu propósito há mais de 300 anos, era, segundo o seu documento fundador: "promover o bem público e o benefício do nosso povo". Na época, um contemporâneo descreveu o que isso significava nos seguintes termos: "Um banco público... estabelecido por um Ato do Parlamento... para levantar dinheiro para a guerra".

A guerra era contra a França e, em recompensa pelo dinheiro levantado e emprestado ao governo, o banco – formado por uma sociedade de acionistas –, recebia privilégios, tais como o de ser o único banco constituído como uma sociedade anônima (aos demais bancos somente era permitido ter seis sócios) e de estar habilitado a emitir papel-moeda na região de Londres.

Logo, ele se transformou no elemento central das finanças do país e no "banco dos outros bancos" – já que estes, confiantes na sua credibilidade e solidez, utilizavam notas emitidas pelo Banco da Inglaterra como se fossem ouro.

Após 1816, quando oficialmente se estabeleceu o padrão-ouro na Grã-Bretanha – e o volume de papel-moeda em circulação passou a estar estritamente ligado ao estoque de ouro –, o Bank of England transformou-se no guardião das reservas de ouro da nação; e em 1844, ele passou a ser o único banco que podia emitir papel-moeda na Inglaterra e no País de Gales. A Escócia e a Irlanda do Norte ainda emitem seus próprios papéis-moedas.

Apesar de o padrão-ouro ter sido abolido em 1931, o banco ainda permanece um dos maiores guardiões de ouro do mundo – de ouro pertencente não só ao governo britânico, mas também a vários donos. Em fevereiro de 2012, guardava em seu gigantesco cofre-forte subterrâneo da *Threadneedle Street* – que só perde em tamanho para o *Federal Reserve Vault* de Nova York – 197 bilhões de libras esterlinas em ouro.

Em 1946, o Bank of England deixou de ser privado, ao ser nacionalizado pelo Partido Trabalhista, que assumiu o poder logo após o fim da Segunda Guerra Mundial. Em parte, essa mudança vinha atender às críticas que se fazia de quando em quando ao banco de estar atendendo mais a seus próprios interesses do que aos da nação. Mas foi em 1998 que ele adquiriu o *status* de "organização pública independente" por um Ato do Parlamento que lhe garantiu total independência para estabelecer as diretrizes da política monetária, regulando os juros, criando medidas para proteger o sistema financeiro do país, e assim por diante. Foi quando ele se transformou em um "banco moderno", como definiu o seu *governor*, o canadense Mike Carney. Em março de 2014, Carney referiu-se à "missão intemporal" que o banco tem desempenhado ao longo dos séculos e às transformações que tem de sofrer para atender ao seu objetivo original de "promover o bem público". Se para cumprir esse propósito em 1694, entendia-se que era necessário financiar a guerra com a França, hoje, levando em conta "as lições das sucessivas crises financeiras" e os desafios da "economia global em rápida evolução", para cumprir esse mesmo propósito é necessário construir "um banco central do século XXI" que "combine os melhores aspectos de nossa história e tradições com o melhor do moderno e do novo". Em outras palavras, Carney parece estar parafraseando um dos personagens do famoso romance *Il Gattopardo* de G. T. Lampedusa: "*Se vogliamo che tutto rimanga come è, bisogna che tutto cambi*" (se queremos que tudo permaneça como está, é necessário que tudo mude).

INSTITUIÇÕES LOCAIS

Governos locais (*city councils*)

Existe um sistema de governo local que atua paralelamente ao governo central. Eleições regionais são feitas para a escolha de conselheiros municipais (*town councillors*), que, liderados por um prefeito, reúnem-se regularmente na prefeitura e, como um pequeno parlamento, debatem questões de interesse local, legislam e estabelecem os impostos (*council taxes*). Esses funcionários, equivalentes aos de Whitehall, também supervisionam as escolas, os assistentes sociais, o transporte público, parques, bibliotecas públicas e assim por diante.

Administração da City de Londres, com C maiúsculo

A situação de Londres é mais complicada, especialmente porque há, na verdade, duas cidades, duas Londres, a menor delas, dirigida há séculos de modo singular. De fato, a City of London Corporation, liderada pelo *lord Mayor*, é uma instituição medieval que ainda é responsável pela pequena área central de Londres conhecida como *the City* (com C maiúsculo, para se distinguir da *city* (cidade) de Londres mais ampla), ou mais coloquialmente como *the Square Mile* (a milha quadrada). Originalmente, essa área constituía toda a cidade na época de sua criação pelos romanos no século I, mas, ao longo da história, passou a ser uma pequena parte do centro da cidade, onde se concentram os maiores serviços financeiros e de negócios do país; e, alguns diriam, do mundo.

Com uma história que recua aos séculos XI e XII, essa corporação que a administra cuida dos serviços locais e do policiamento dessa pequena região da capital – a única parte da Grã-Bretanha sobre a qual o Parlamento não tem autoridade. Segundo um crítico, a

City Corporation "é o coração negro da Grã-Bretanha, o lugar imensamente poderoso, que não deve qualquer explicação ao público, e onde a democracia vai para morrer".

Eleito todos os anos, *o lord Mayor* é descrito oficialmente como o "Embaixador dedicado a promover a City como a líder mundial em finança internacional e no setor de serviços". Sem receber qualquer salário pelo seu cargo – tradicionalmente o cargo é ocupado por indivíduos bastante abonados que fazem doações à City –, uma de suas funções é dar um banquete anual na Guildhall, a matriz da Corporação, ocasião em que o primeiro-ministro faz um discurso; outra de suas funções é dar um outro banquete anual para os banqueiros na Mansion House, sua residência oficial, ocasião em que o ministro das Finanças também faz um discurso, sempre muito aguardado pelos homens de negócio.

Em 2013-2014, Fiona Woolf assumiu o posto de 686º *lord Mayor* da City. Foi a segunda mulher a ocupar esse cargo nessa série de "embaixadores das finanças", que se estende por 800 anos.

WORSHIPFUL COMPANIES: OUTRA HERANÇA MEDIEVAL

Os votos que mantêm essa instituição *sui generis*, a City of London Corporation, vêm menos dos 9.000 moradores comuns da região, e mais das corporações que mantêm o controle da instituição, dado o maior peso de seus votos. Grande parte dessas corporações é bancária ou financeira, mas também existem as reminiscentes 109 *livery companies*, ou seja, guildas originariamente medievais denominadas desde então de Worshipful Company of Fishmongers, Glovers etc. (literalmente, Ilustríssimas Companhias dos Peixeiros, dos Luveiros etc.). As mais antigas ainda existentes são as Worshipful Companies of Mercers, Grocers, Drapers e Fishmongers (negociantes de tecido, quitandeiros, cortineiros, peixeiros). Hoje em dia, essas antigas guildas desempenham funções diferentes das do passado, tais como administrar associações de caridade e patrocinar atividades educacionais e culturais. Além disso, elas alugam muitas de suas sedes magníficas para banquetes e outros eventos sociais.

A City Corporation ocupou as manchetes dos jornais em 2011-2012 por ocasião do movimento global contra a ganância das grandes corporações financeiras, denominado Occupy London, em solidariedade com os protestos do Occupy Wall Street, de Nova York, que procuravam chamar a atenção global para as desigualdades sociais e econômicas norte-americanas e suas causas. Acampados durante mais de quatro meses, a partir de outubro de 2011, em frente à Catedral de São Paulo, na City de Londres, os ativistas da "ocupação" acabaram sendo removidos à força pela City of London Corporation com o apoio da Igreja Anglicana, em fevereiro de 2012.

Administração da cidade de Londres, com c minúsculo

O prefeito da Londres maior é bem diferente do *lord Mayor* da Londres menor. A função é relativamente nova, pois até o ano 2000 não havia esse cargo, sendo a cidade de Londres, diferentemente das demais cidades inglesas, governada diretamente pelo *city council* (conselho municipal). Foi só nessa data que passou a existir o cargo de prefeito escolhido por eleição geral. O primeiro dos prefeitos, eleito em 2000, foi Ken Livingstone, do Partido Trabalhista e originário da classe trabalhadora. Livingstone, entre muitas coisas, foi um dos mais eloquentes críticos da guerra contra o Iraque e ficou famoso por ter dito publicamente, pouco antes da visita oficial do presidente George W. Bush ao Reino Unido em 2003, que ele era "a maior ameaça à vida nesse planeta".

Livingstone foi substituído em 2008 por Boris Johnson, do Partido Conservador. Membro da classe alta britânica, ele também é um exemplo da miscigenação reinante, com um bisavô turco e antepassados muçulmanos, judeus e cristãos. Apesar dos contrastes óbvios entre eles (Livingstone, por exemplo, cresceu em *council housing estate*, ou seja, um conjunto habitacional popular e foi educado em escola estatal, enquanto Johnson estudou na mais prestigiosa, cara e elitista *public school*, Eton, e na Universidade de Oxford, outro centro de excelência), os dois têm algumas características comuns: ambos são individualistas excêntricos e extravagantes; ambos são destemidos, defendendo suas ideias sem rodeios; ambos podem ser vistos andando de metrô pela cidade, como qualquer cidadão comum, e ambos, enquanto prefeitos, se mostraram muito preocupados em tornar Londres um lugar melhor para se viver.

O governo de Livingstone está associado com a reforma do transporte público. Foi ele quem introduziu a *congestion charge*, ou seja, uma taxa (em 2015, de 10 libras) a ser paga pelos motoristas de carros particulares que circularem nas 8 milhas quadradas na região central de Londres; uma medida ousada que, apesar de originalmente ter sido controversa, foi muito bem-sucedida, tendo reduzido o congestionamento em 20%. Ele também multiplicou as faixas de ônibus e nomeou um especialista norte-americano em transporte público para dirigir o metrô londrino.

Já Boris Johnson, cuja maior função desde que assumiu o posto foi preparar Londres para as Olimpíadas de 2012, o que fez com sucesso, foi responsável por duas outras grandes iniciativas: a proibição do consumo de bebida alcoólica em transporte público e a introdução de uma frota de bicicletas para serem alugadas pelos transeuntes. Por conta da mudança do patrocinador em 2015 – que passou do banco Barclays, que vigorara desde 2010, para o banco Santander –, as conhecidas bicicletas azuis passaram a ser vermelhas, combinando com os tradicionais ônibus de dois andares, cabines de telefone e caixas do correio vermelhas.

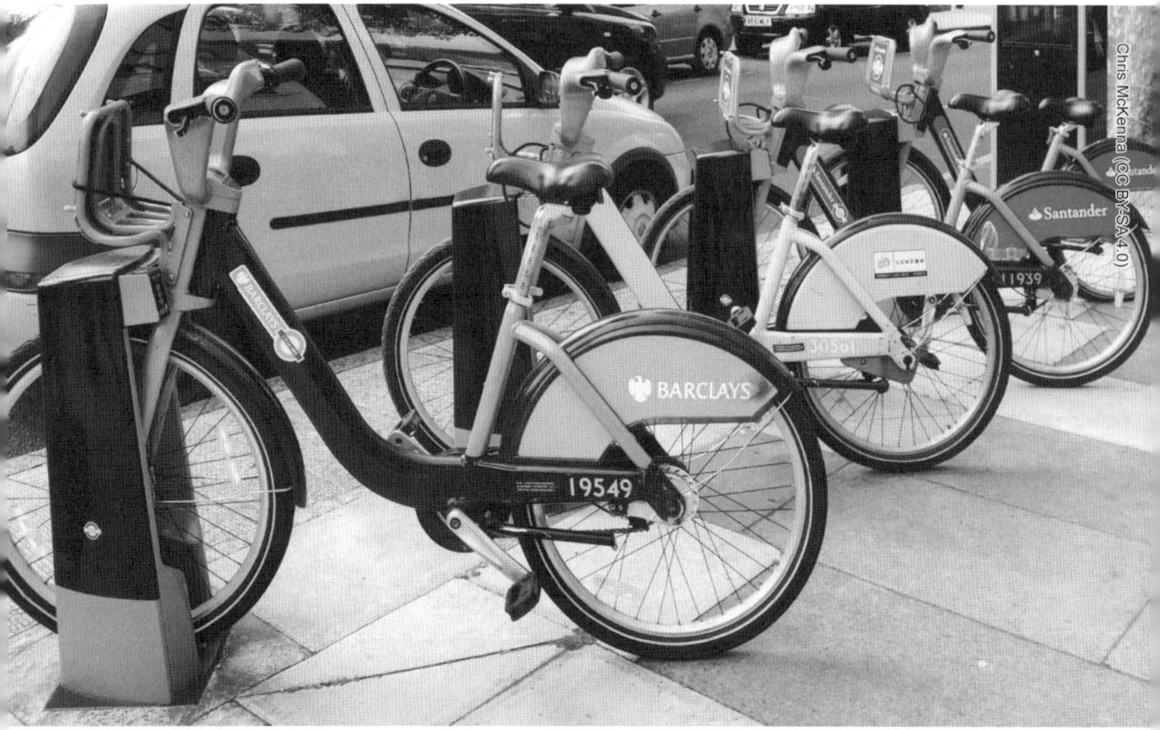

Chris McKenna (CC BY-SA 4.0)

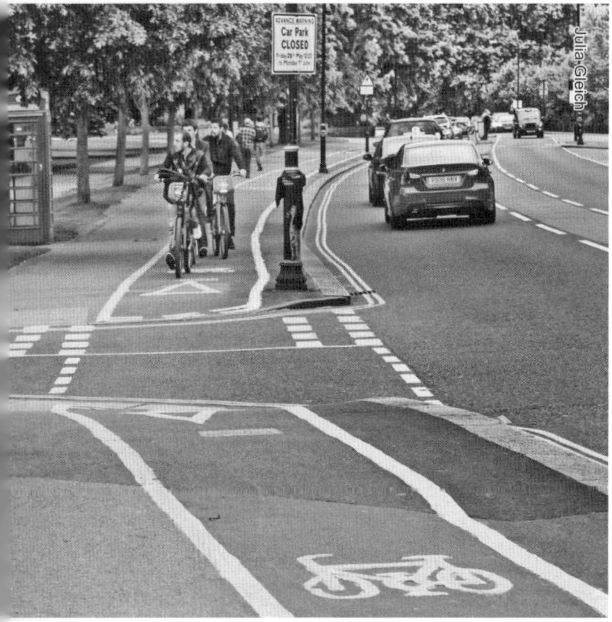

Julia Gleich

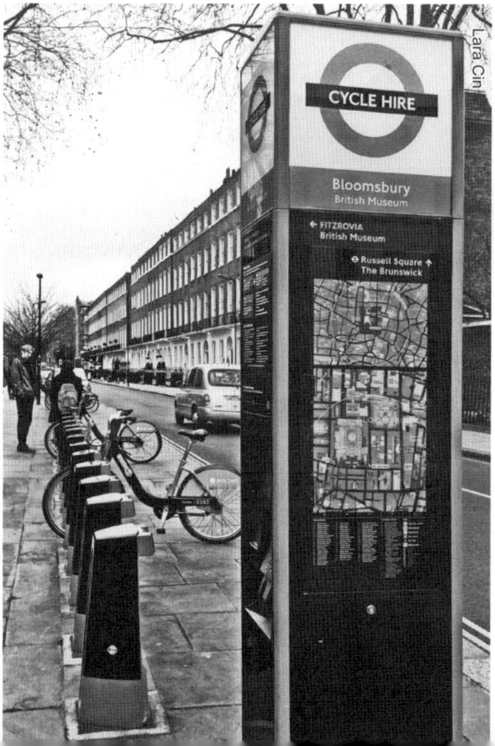

Lara Cin

Como tantas outras metrópoles, Londres tem sérios problemas de tráfego. Uma tentativa bem-sucedida para aliviar esses problemas foi a introdução, pelo prefeito Boris Johnson, das chamadas *Boris Bikes*, bicicletas para alugar em muitos pontos da cidade.

Conhecidas muito apropriadamente como *Boris Bikes*, não só por ter sido sua a iniciativa, mas também por ser ele próprio um ciclista apaixonado, essas bicicletas encontram-se espalhadas por grande parte da capital inglesa – liderando, assim, ao lado de Paris e outras cidades europeias, uma forma de transporte que vem ganhando popularidade em várias partes do mundo. Boris Johnson é visto frequentemente pedalando pela cidade com seu típico cabelo louro desgrenhado, muitas vezes não usando os recomendados capacete e cinto amarelo fosforescente, e sem que qualquer segurança o esteja acompanhando. A fim de encorajar o que ele chama de *cycling revolution* (revolução ciclista) e, ao mesmo tempo, combater a poluição e o congestionamento, as bicicletas podem ser usadas gratuitamente durante a primeira meia hora.

Escolas primárias e secundárias: estatais e independentes

As escolas do sistema educacional britânico são dirigidas ou pelas autoridades locais, sendo nesse caso gratuitas e conhecidas como *state schools*, ou são escolas independentes, também conhecidas como *public schools*, e, nesse caso, pagas. Um ponto comum aos dois sistemas é que, independentemente de onde o aluno estudar, o ensino é compulsório entre os 5 e os 16 anos de idade. Nesse período, os estudantes percorrem dois estágios: a escola primária, dos 4 ou 5 aos 11 anos, e a secundária, dos 11 aos 16 anos. Ao final dos estudos secundários, os alunos devem prestar exames nacionais em mais ou menos 10 disciplinas – incluindo necessariamente Inglês e Matemática –, os chamados GCSE, ou seja, exames para se obter o General Certificate of Secondary Education (Certificado Geral de Educação Secundária), organizados e corrigidos por bancas examinadoras independentes. Após os GCSE, os alunos podem prosseguir na chamada Further Education (Educação Adicional) por mais dois anos, quer seguindo cursos técnicos e vocacionais, quer fazendo um curso secundário mais elevado que culmina com os exames conhecidos como A Levels, abreviação de Advanced Level (Nível Avançado), geralmente feitos em 3 ou 4 disciplinas. Esses são os exames requeridos na Grã-Bretanha para se entrar nas universidades.

Comparado com o sistema brasileiro, ao final dos dois anos intensivos de ensino secundário de "nível avançado" em poucas disciplinas, o conhecimento adquirido pelo aluno britânico equivalerá ao nível de conhecimento que um aluno brasileiro terá atingido no segundo ano universitário de boa qualidade. Isso não significa que o ensino seja inferior, como se poderia imaginar. Considerando que os cursos universitários tendem a ser mais curtos na Grã-Bretanha – um curso de Engenharia, por exemplo, tem a duração de três anos, enquanto no Brasil é de cinco anos –, pode-se afirmar que ao final do curso universitário um engenheiro brasileiro e um britânico terão adquirido o mesmo nível de conhecimento.

ESCOLAS SECUNDÁRIAS NÃO SELETIVAS E SELETIVAS

O sistema estadual pós-guerra – tal como foi estabelecido pelo Education Act de 1944 – de agrupar as crianças de acordo com as suas habilidades, a partir dos 11 anos, sendo as "mais inteligentes" enviadas para as chamadas *grammar schools* e as demais para as escolas "modernas secundárias", foi gradualmente substituído pela sistema de *comprehensive schools*, aberta a todos, independentemente de suas habilidades acadêmicas. Esse sistema não seletivo – semelhante à *high school* norte-americana e à *Gesamtschule* alemã – foi expandido nos anos 1960 como uma espécie de NHS para a educação. A intenção era tornar a educação mais democrática e dar iguais oportunidades para as crianças, independentemente de suas origens e da renda dos pais, pois se acreditava que a seleção tal qual era feita antes dificilmente conseguia separar as questões socioeconômicas da capacidade puramente intelectual.

Hoje em dia, no entanto, esse sistema aberto tem sido criticado por "segurar" e prejudicar os alunos mais brilhantes ou talentosos. As alternativas são, contudo, limitadas para os pais que concordam com as críticas, mas que querem ou precisam que seus filhos permaneçam no sistema estatal. Dentre as escolas seletivas, há hoje em funcionamento 164 *grammar schools* e algumas poucas outras como as academias ou *free schools*, que são escolas pagas com dinheiro público, mas com autonomia em relação às autoridades locais, podendo criar os seus próprios critérios de seleção de alunos. O mesmo ocorre geralmente com as escolas religiosas católicas, muçulmanas e judaicas, por exemplo.

Uma alternativa é *home schooling*, ou seja, a educação das crianças em idade escolar feita em casa, pelos pais, mesmo que não sejam professores qualificados contando, no entanto, com a ajuda das autoridades competentes. Ou seja, se a educação é compulsória na Grã-Bretanha até os 16 anos de idade, a frequência à escola não é. Essa não é uma alternativa legal em muitos países. Na Alemanha e na Suíça, por exemplo, não é, nos Estados Unidos varia de estado para estado, mas no País de Gales, Inglaterra e Escócia existe essa possibilidade. Calcula-se que entre 7.000 e 35.000 crianças sejam educadas dessa forma. Nada muito extraordinária é essa alternativa de educação, se pensarmos que, na verdade, esse era o tipo que vigorava para a maioria das crianças de várias idades e origens até o século XIX.

De qualquer modo, de crianças e jovens britânicos em idade escolar, 93% são educados no sistema estatal e 88% frequentam escolas secundárias abertas a todos sem restrição, com uma pequena minoria sendo atendida por escolas seletivas, como as mencionadas.

AS *PUBLIC SCHOOLS*

Em contraste com as estatais, as escolas independentes, também chamadas de *public schools*, não são financiadas pelo dinheiro público e educam por volta de 7% das crianças em idade escolar. Objeto frequente de críticas pelo elitismo que representam, as *public schools* foram, por exemplo, atacadas por Alan Bennett numa palestra dada na Universidade de Cambridge que teve grande repercussão na mídia e provocou imediata reação do Independent Schools Council (Conselho das Escolas Independentes). "As *public schools* não são nem justas nem cristãs", disse ele em junho de 2014, repetindo o que já dissera muitas outras vezes. Para o autor da famosa peça *The History Boys*, essas escolas deveriam ser banidas, pois causam "uma fissura que divide em profundidade a sociedade britânica".

O que explica o uso curioso do termo "público" para denominar uma escola paga é ter sido esse o modo tradicionalmente usado para diferenciar as escolas que eram abertas ao público pagante tanto das escolas religiosas abertas somente aos seus fiéis, quanto da educação particular ministrada em casa.

Mais livres quanto ao currículo nacional, que podem ou não seguir estritamente, as escolas independentes também participam, no entanto, dos dois exames nacionais, o GCSE e o A Level. Há por volta de 2.500 escolas independentes no UK hoje, acolhendo crianças dos 11/13 aos 18 anos. Antes dessa idade, as crianças podem frequentar escolas preparatórias, também independentes, que as preparam para a entrada nas escolas independentes de nível mais elevado. Em todas elas, as classes são bem menores do que nas escolas estatais (por volta de 12 a 16 alunos em geral), e as chances de os alunos formados por elas serem aceitos em boas universidades são, em geral, maiores do que as dos que vêm das escolas secundárias não seletivas.

As taxas cobradas variam de escola para escola, indo de mais ou menos 12 mil libras anuais, para os alunos que não são internos, a 33/35 mil para os internos. Algumas dessas escolas, tais como Eton, Harrow, Charterhouse, Rugby, Winchester e Westminster – todas elas internatos – são particularmente prestigiosas e tendem a ser mais caras. Originalmente para meninos, algumas dessas escolas são agora mistas, aceitando também um número crescente de jovens afluentes vindos da China, Rússia,

Índia, Paquistão etc. Harrow abriu uma filial em Bangkok, enquanto os russos ricos podem buscar informações sobre as melhores *public schools* para seus filhos na revista *Tatler Russia*. Escolas independentes especificamente femininas também existem, mas em número bem menor do que as masculinas; St. Paul's School for Girls, Roedean e Cheltenham Ladies College são algumas das mais importantes.

Numa visita a Eton, a escola de onde vieram 19 primeiros-ministros britânicos ao longo da história, um dos autores deste livro, o estrangeiro, impressionou-se, em primeiro lugar, com a aparência e a postura dos alunos. Comparados com os jovens da mesma idade transitando nas ruas, metrôs e ônibus de Londres, os etonianos pareciam vindos de outro planeta. Obviamente, o uniforme que usam tem muito a ver com isso. Vestidos de fraque negro, alguns usando uma beca por cima do fraque, com colarinho branco, alto e engomado, que os impede de andar com a cabeça baixa, é como se a vestimenta já estivesse contribuindo para a formação da confiança e autoestima, que os alunos ali desenvolvem num grau excepcionalmente alto.

As capas que alguns dos alunos usam é a marca de que eles pertencem ao seleto grupo de bolsistas, os *King's Scholars*, *status* adquirido após terem passado por um exame rigoroso. Se Eton é uma escola de elite social, também é uma escola que se orgulha de seu nível intelectual, já que títulos ou riquezas não dispensam os candidatos, na maioria dos casos, de terem um resultado muito bom nos exames de admissão.

Em uma aula de Literatura Inglesa do último ano de estudo, a impressão que se tinha, na discussão em classe sobre o poeta William Blake, era de que muitos alunos sabiam mais do que o professor, considerando o altíssimo nível da argumentação das ideias que ali expunham e da confiança com que o faziam. Isso é um pequeno mas significativo exemplo de como os estudantes de Eton são treinados para serem líderes. Considerando também o número de grandes compositores e atores que dali saíram – por exemplo, Damian Lewis (o personagem Brody do seriado *Homeland*) e Eddie Redmayne (que representou o físico Stephen Hawking no filme *The Theory of Everything – A Teoria de Tudo*) – dá para entender o comentário que se ouve volta e meia na Inglaterra: "Não há nada de errado nas *public schools*; o que há de errado é que todas as demais escolas do país não ofereçam aos alunos o que elas oferecem."

ESCOLAS ALTERNATIVAS

Atendendo a uma porcentagem ainda menor de crianças em idade escolar do que as escolas independentes convencionais, há algumas poucas escolas independentes radicais que poderiam ser descritas como "escolas alternativas", por questionarem os valores e os métodos das escolas tradicionais e abordarem a educação de modo inovador. Há uma década, eram por volta de 70 as escolas alternativas existentes na Grã-Bretanha, número hoje bem reduzido, que inclui, dentre poucas outras, 34 escolas Steiner-Waldorf e Summerhill – esta última talvez a mais famosa, controversa e combativa de todas as escolas alternativas, cuja fama se espalhou pelo mundo a partir de 1960.

Embora seja uma escola alternativa quase centenária, Summerhill continua controversa. Fundada em 1921 na Alemanha pelo escocês A. S. Neill – apelidado de "Jean-Jacques Rousseau do século XX" –, Summerhill é dirigida hoje por sua filha Zoë e, após ter sido transferida para a Inglaterra em 1924, ocupa desde 1927 a mesma grande casa vitoriana em Leiston, perto da costa de Suffolk, no sudeste da Inglaterra. Dali se mudou só temporariamente, durante o período de guerra, quando foi deslocada para o País de Gales por questões de segurança.

Sua filosofia educacional permanece a mesma desde sua fundação e se inspira na crença absoluta de que as crianças são boas por natureza e de que liberdade e autogoverno são essenciais para que a educação não as violente e lhes dê condições para que desenvolvam seu potencial. Como Neill argumentou inúmeras vezes, sua escola não era experimental, mas uma "escola de demonstração", que "demonstra que liberdade funciona". Liberdade que, no entanto, como também insistia, não deveria ser confundida com anarquia ou licenciosidade.

As regras, que existem, não são ditadas pelos adultos, mas são o resultado de uma democracia absoluta, em que crianças e adultos têm o mesmo poder de voto. A não ser as regras impostas pela escola que dizem respeito à saúde e à segurança – não é permitido beber, fumar e brincar com fósforos, por exemplo –, todas as demais são votadas pela maioria presente em reuniões regulares. Em certa ocasião, a hora obrigatória de ir para a cama foi abolida por voto popular. Após algum tempo, os alunos reconheceram que tal medida não estava sendo boa e votaram em massa para reintroduzir um horário estipulado de se ir para a cama.

Em visita feita por um dos autores deste livro à escola criada por A. S. Neill, chamou a atenção o número de estudantes asiáticos. Naquela ocasião, 1997, a composição dos alunos era: 8 de Taiwan, 4 da Coreia, 17 do Japão, 16 da Alemanha, 1 da Suíça e 22 da Grã-Bretanha. Desde então, o número de japoneses aumentou de tal forma que Summerhill se viu obrigada a estabelecer uma cota, a fim de evitar que ficasse dominada por uma única cultura. É interessante saber que foi o Japão o primeiro país a interessar-se pelas ideias educacionais de Neill. Já nos idos dos anos 1930, o educador Seichi Shimoda encantou-se com as ideias de Neill, pôs-se a traduzir suas obras e escreveu um livro sobre ele, esforçando-se por provocar um debate sobre o sistema educacional japonês – sabidamente um dos mais autoritários e repressivos que se conhece.

Conversando com algumas dessas crianças japonesas, fica claro que seus pais, inconformados com o "inferno de exames" em que vivem os jovens de seu país desde muito cedo, e querendo proporcionar a seus filhos uma "infância mais feliz", optaram por enviá-las para uma escola alternativa de um país estrangeiro. Uma dessas crianças, Yoshiki, um jovem de 14 anos, filho de um pai farmacêutico e de uma mãe apaixonada por música, era aluno de Summerhill já há 6 anos e queria ser músico. Outro, um pouco mais jovem, cuja mãe conhecera as ideias de Neill quando era aluna da universidade, não sabia ainda o que gostaria de ser quando adulto, mas tinha certeza de que estava "livre para ser o que eu quiser", como disse.

A sobrevivência de Summerhill, a despeito das dificuldades econômicas de uma escola barata e pequena (com capacidade para 75 alunos internos) e das inúmeras tentativas das autoridades educacionais para fechá-la ao longo de seus mais de 90 anos de existência, é reveladora do espaço que ainda existe no sistema educacional britânico para aqueles que se dispuserem a teimosamente defender seus princípios.

Antes do ano 2000, periodicamente a imprensa noticiava ameaças de fechamento da escola e a batalha que se seguia aos relatórios dos inspetores escolares do Ofsted (*Office for Standards in Education, Children's Services and Skills*), órgão responsável pela regulamentação e inspeção das escolas britânicas, caracterizado por seus críticos mais incisivos como a "Inquisição espanhola". A mais acirrada dessas batalhas ocorreu em 1999, quando o relatório dos inspetores ameaçou, mais uma vez, fechar a escola, caso ela não mudasse de filosofia, tirando dos alunos, por exemplo, o direito de frequentar ou não as aulas, uma das marcas dos princípios libertários de Summerhill. Com a ajuda de um advogado conhecido como defensor dos direitos humanos – nesse caso, especialmente o direito das crianças de serem ouvidas – e o apoio de muitos educadores de renome, de estudantes, de pais de alunos e de ex-alunos, Summerhill entrou numa batalha legal contra o Departamento de Educação, que entraria para a História.

Ao ganhar o caso no Supremo Tribunal, em março de 2000, foi reconhecido oficialmente que Summerhill tinha o direito de ter sua filosofia e que qualquer inspeção deveria levar em conta seus objetivos como uma escola "livre" internacional. Tudo indica que a insistência com que os inspetores geralmente a julgavam por padrões que ela não pretendia atingir, mostrando-se cegos ou indiferentes aos objetivos da escola, é hoje coisa do passado. Como dizia Neill, diferentemente das realizações puramente acadêmicas mais visíveis e mensuráveis, "não se podem julgar felicidade, confiança e responsabilidade por um pedaço de papel". O relatório do Ofsted de 2011 avaliou como "bom" o desempenho acadêmico e como "extraordinário" o "desenvolvimento espiritual, moral, social e cultural" dos alunos de Summerhill.

Associações voluntárias

A Grã-Bretanha é a terra das associações voluntárias – instituições criadas com ou sem o subsídio e o incentivo do governo, mas que se mantêm em grande parte pelo trabalho de voluntários.

VOLUNTARIADO: NO DNA DOS INGLESES?

Existe uma ideia generalizada de que a disposição para o trabalho voluntário é de tal ordem na Inglaterra que é como se fizesse "parte do DNA dos ingleses". Para mencionar apenas um exemplo: durante as Olimpíadas de 2012, os *game makers*, ou seja, os responsáveis por fazer os jogos acontecerem, eram voluntários. A eles coube desempenhar durante dez dias, mil e uma atividades, desde trabalhar na bilheteria e massagear os esportistas até transportar os atletas e atender aos espectadores em tudo o que necessitassem. Os 70 mil *game makers*, que foram selecionados de um total de 250 mil candidatos de diferentes capacidades, vinham das mais variadas origens e regiões do país e se uniam pela disposição de trabalhar todos os dias dos jogos sem receber qualquer pagamento ou ajuda de custo para acomodação e despesas com alimentação e transporte – inclusive nos vários dias prévios de treinamento.

O show espetacular de abertura dos Jogos Olímpicos foi dedicado pelo seu idealizador, Danny Boyle, aos 15 mil voluntários que lhe possibilitaram produzi-lo – incluindo a rainha Elizabeth, que quis "fazer o papel de si mesma" na cena com o personagem James Bond (representado pelo ator David Craig), para a total surpresa do diretor, que presumira que a atriz Helen Mirren teria de representar a rainha no espetáculo de abertura. Como Boyle disse: "Este show realmente é um show dos voluntários. Seguramente é. Eles realmente são o melhor de nós."

Dentre as inúmeras associações voluntárias existentes, vamos tratar de algumas especialmente atuantes na vida nacional.

NATIONAL TRUST

Uma das maiores associações voluntárias é a National Trust, fundada em 1895 "sem fins lucrativos" para proteger "lugares de interesse histórico e de beleza natural". Na época, auge do poderio industrial da nação, o objetivo maior da National Trust era conservar as áreas pitorescas da zona rural – as áreas não utilizadas pelos proprietários para seus jogos de caça – e criar "salas de estar ao ar livre". Essa era, segundo seus idealizadores, uma forma de proporcionar à população mais pobre a possibilidade de fugir por algum tempo do ar poluído das cidades vitorianas.

A partir da Primeira Guerra Mundial, e mais ainda após a Segunda Guerra, a prioridade da associação passou a ser a compra de mansões dos aristocratas (*country houses*) que não tinham mais como sustentar sua propriedade, a fim de mantê-las como memória viva de uma época grandiosa da nação. Foi essa a época em que muitas propriedades desse tipo foram ou demolidas (perto de 2 mil na Grã-Bretanha, durante o século XX), ou vendidas, quer para não aristocratas ou para entidades como a National Trust.

Um dos melhores arranjos possíveis para os proprietários endividados era vender suas terras e sua casa para a National Trust, mas manter seu direito de continuar a nela habitar; o que explica que alguns deles sirvam, ainda hoje, de guias para os turistas que visitam suas *country houses*. Conta-se que certa vez um visitante perguntou a um guia que o acompanhava ao redor da mansão: "e a família aristocrática à qual essa casa pertencia, ainda vive por aqui?" Ao que o guia respondeu: "Sim, nós vivemos!"

Desde o início de sua existência, a National Trust foi beneficiária de muitas doações polpudas, em dinheiro e em propriedade – da família Rothschild e da escritora Beatrix Potter, por exemplo –, mas já há algum tempo a subscrição de seus quase 4 milhões de membros é parte significativa de seu orçamento. Proprietária de mais de 200 casas aristocráticas, de muitos monumentos históricos, incluindo grandes jardins – locais que recebem anualmente por volta de 12 a 15 milhões de visitantes –, essa associação conta com mais de 61 mil voluntários para seu funcionamento. Seu sucesso já foi descrito como "fenomenal" e "inigualável" ao de qualquer outra instituição do mesmo tipo no mundo.

CITIZENS ADVICE BUREAU (CENTRO DE AJUDA AO CIDADÃO)

Fundada em 1939, um dia após o início da Segunda Guerra Mundial, com o incentivo e ajuda do governo, mas independente dele, essa associação tem contado, desde a sua origem, com um grande número de voluntários para o seu funcionamento. Seu objetivo àquela época era dar auxílio gratuito, imparcial e confidencial ao cidadão (entendido este num sentido amplo de morador, independentemente de sua nacionalidade) em vários problemas, tais como a perda do cartão de racionamento de comida, a necessidade de evacuação, a localização de parentes perdidos durante a guerra e de prisioneiros de guerra etc.

Hoje, com 3.400 centros espalhados pela Inglaterra e País de Gales, e contando com a cooperação de uma rede de instituições de caridade, esses centros do Citizen's Advice Bureau (CAB) e seus mais de 20 mil voluntários auxiliam o cidadão a enfrentar problemas de inquilinato, de acomodação, de emprego, de dívida, de imigração, de asilo etc. – problemas esses, enfim, que não perderam sua atualidade ao longo da história.

Os voluntários não se limitam a dar auxílios aos necessitados; houve ocasiões em que organizaram campanhas para tentar solucionar situações recorrentes, tais como abusos cometidos por proprietários de imóveis de aluguel – um dos problemas que mais têm gerado "clientes" para o Citizens Advice Bureau ao longo de sua história. Foi, pois, em decorrência de uma longa campanha liderada pelo CAB, que a legislação do inquilinato sofreu uma mudança significativa em 2004.

Por experiência pessoal, um dos autores deste livro conheceu de perto a atuação dessa instituição, num caso de ação abusiva por parte de sua senhoria, na região sul de Londres. Ao longo de um ano, foi-lhe dada assistência legal por uma advogada, que não só passou a exigir que a proprietária respeitasse o contrato assinado, como também se dispôs a abrir um processo para abaixar o valor do aluguel, que considerava exorbitante. Ao aproximar-se o final do ano de contrato, aconselhou fortemente a inquilina a agir ilegalmente, não pagando os dois últimos aluguéis, pois, por experiência, "sabia" que a senhoria não iria devolver as muitas libras esterlinas que recebera como garantia. Ao vê-la assustada com tal proposta, disse-lhe com firmeza e convicção: *"One thing is what the law says; the other is what reality requires!"* (Uma coisa é o que a lei diz, e outra é o que a realidade exige). Um tanto receosa, a inquilina seguiu o seu conselho. Anos mais tarde, ao saber sobre a mudança na legislação do inquilinato pela qual o CAB lutara durante anos, se deu conta de que a nova lei atacava exatamente o problema que sua "conselheira" havia resolvido, anos antes, de forma ilegal, mas realista.

ASSOCIAÇÕES DE CARIDADE

"Os britânicos são tão generosos com seu tempo quanto com seu dinheiro", comenta-se frequentemente. Entre as associações voluntárias que proliferam na Inglaterra, e que justificam a fama do trabalho voluntário ser "parte do DNA dos ingleses", estão as instituições de caridade. Sustentadas, em geral, total ou parcialmente por doações e dependendo essencialmente de voluntários para o seu funcionamento, havia, em 2014, 180 mil instituições de caridade registradas na Charity Commission, o órgão regulador desse setor na Inglaterra e no País de Gales.

Em 2014, foi anunciado que a renda anual das instituições de caridade era maior do que o orçamento de defesa do país. Em geral, mais da metade da população adulta (58%-60%) faz doações. Esse número não diminuiu substancialmente nem com a crise de 2008, quando os doadores baixaram para 54% da população. A quantia total doada para instituições de caridade em 2010-2011 foi mais de 11 bilhões de libras, e os maiores beneficiários das doações foram a pesquisa médica, os hospitais, as crianças, e *"overseas"* (o estrangeiro).

A origem das organizações devotadas ao atendimento dos necessitados, as chamadas "boas causas", remonta ao século XVI. Foi após a turbulência que se seguiu à Reforma Inglesa (quando se cortaram os laços com a Igreja de Roma e Henrique VIII tornou-se chefe da nova Igreja Anglicana) que surgiu a primeira legislação, o Statute of Charitable Uses de 1601, buscando encorajar a filantropia e organizar o sistema de atendimento a pobres e "dependentes". Antes disso, não havia qualquer legislação que regulasse os trabalhos de caridade desempenhados, desde a Idade Média, pelas igrejas católicas, monastérios e confrarias, assim como por membros beneméritos da aristocracia e da classe mercantil.

O trabalho filantrópico adquiriu grande ímpeto com a Revolução Industrial, quando o acúmulo de riqueza por pequena parte da população contrastava com os grandes problemas sociais urbanos que essa época tinha de enfrentar. Só em Londres havia mais de 550 instituições de caridade a cuidar dos "desafortunados" durante o auge do poderio britânico no período vitoriano, tais como The Society for the Rescue of Young Women and Children (Sociedade para a Salvação das Jovens Mulheres e Crianças), The Female Aid Society (Sociedade para a Ajuda às Mulheres), Society for the Relief of Distress (Sociedade para o Alívio do Sofrimento), The Royal Society for the Protection of Birds (Sociedade Real para a Proteção dos Pássaros) etc. Em 1880, o jornal *The Times* referiu-se às associações de caridade de Londres como tendo uma renda orçamentária maior do que muitos países europeus: "ultrapassando a receita da Suécia, Dinamarca e Portugal, e sendo o dobro da receita da Confederação Suíça". Data dessa época a fundação de entidades ainda hoje em plena atividade, como The Salvation Army (Exército da Salvação) (1865), a Royal Society for the Prevention of Cruelty to Animals (Sociedade Real para a Prevenção da Crueldade contra os Animais) – que, fundada em 1824, tornou-se uma das maiores instituições de caridade, despendendo mais de 120 milhões de libras em 2012 – e The National Society for the Prevention of Cruelty to Children (Sociedade Nacional para a Prevenção da Crueldade contra as Crianças) (1889), que já há algum tempo criou uma linha direta, *childline*, em que as crianças podem, elas mesmas, pedir ajuda, e uma *helpline*, para qualquer membro do público manifestar suas preocupações e cooperar com a prevenção da violência contra crianças.

Dentre as milhares de instituições de caridade que existem hoje na Grã-Bretanha, podemos citar entre as mais importantes: Oxfam, Amnesty International, Samaritans e Crisis – todas elas fundadas em diferentes momentos do século XX. As duas primeiras se tornaram organizações internacionais.

A Oxfam, uma das maiores instituições de caridade do mundo, expandiu muito sua atuação desde que foi fundada em Oxford durante a guerra, em 1942, por quakers e acadêmicos, com um objetivo específico: prover alívio para a fome na Grécia, durante a ocupação do país por Hitler e Mussolini. Hoje, existem lojas das Oxfam por todo o Reino Unido, vendendo os objetos que recebem como doação em grande quantidade: livros, roupas, mobílias etc. Tendo se desenvolvido numa federação de 17 organizações, a Oxfam desempenha seu trabalho de luta contra a pobreza e suas causas em quase uma centena de países.

A Amnesty Internacional (Anistia Internacional), por sua vez, é uma instituição pioneira na luta pelos direitos humanos. Criada logo a seguir ao apelo feito pelo advogado britânico Peter Benenson num artigo do jornal *The Observer*, intitulado "The Forgotten Prisoners" (Os Prisioneiros Esquecidos) – em que apelava para uma *common action* (ação conjunta) contra os abusos dos direitos humanos –, o objetivo dessa associação é "conduzir pesquisas e provocar ações para prevenir e acabar com os graves abusos contra os direitos humanos, assim como exigir justiça para aqueles cujos direitos foram violados". Tendo dado origem a um movimento mundial que conta hoje com mais de 3 milhões de membros espalhados pelo globo, em 1978 a instituição recebeu o Prêmio Nobel de Paz por sua campanha contra a tortura.

Menos globais, mas igualmente importantes e inovadoras, são as associações Samaritans e a Crisis.

Fundada originalmente para atender a pessoas em desespero e contemplando suicídio, Samaritans (Samaritanos) é uma instituição totalmente dependente de particulares, que conta hoje com mais de 200 agências no Reino Unido e na Irlanda, e mais de 20 mil voluntários. Foi a primeira das instituições de caridade a oferecer ajuda por telefone durante 24 horas por dia, em 365 dias do ano (hoje em dia, tanto as chamadas por celular quanto por telefone fixo são gratuitas), e há 20 anos foi também pioneira no atendimento confidencial por e-mail, prometendo dar uma resposta ao remetente dentro de 24 horas. Em 2011, os samaritanos receberam mais de 5 milhões de pedidos de ajuda feitos por telefone, e-mail, teletexto, bem como pessoalmente em seus escritórios e em prisões visitadas pelos voluntários.

A Crisis dedica-se a ajudar os sem-teto por toda a Grã-Bretanha, buscando meios para mitigar e também prevenir os males do desemprego e da falta de moradia. Fundada em 1967, em resposta ao aclamado filme de Ken Loach, *Cathy Come Home* (*Cathy, volte para casa*), que, ao mostrar a situação dramática dos pobres e desabrigados, fazia um apelo, então inédito, a seu favor, a Crisis estabeleceu-se como uma instituição de ponta que, a partir de sua experiência, também encomenda pesquisas sobre questões relativas aos sem-teto, cruciais para a solução do problema, e procura influenciar as ações governamentais.

Além disso, há mais de 40 anos ela criou o Crisis at Christmas, quando acolhe pessoas sem-teto e lhes provê comida de qualidade, leito, aquecimento, calor humano, ceia de Natal e assistência durante mais de uma semana do período natalino.

Há alguns anos, um dos autores deste livro participou desse programa – que é apontado como o maior evento regular feito por voluntários na Grã-Bretanha – ao lado de 8 mil voluntários. Como sempre, essas 8 mil pessoas selecionadas faziam parte de um número muito maior de candidatos – 30 mil – que se apresentaram para o serviço natalino.

Trabalhando num dos centros de atendimento localizado na área bancária de Londres, foi possível então ver de perto toda a rede de doadores envolvida na criação da infraestrutura do Crisis at Christmas – desde o local cedido temporariamente para servir de "casa de Natal" dos sem-teto, até a doação do trabalho dos voluntários que, compostos de pessoas de idades, habilidades e origens variadas, forneciam serviços de todo o tipo aos *guests* (visitantes), tal como são chamados os sem-teto nessa ocasião. Foi também possível verificar a grande variedade existente entre os que são chamados genericamente de *homeless* e que dramas distintos, e não só pobreza ou drogas, estão por trás das histórias dos indivíduos que vivem ao relento ou em abrigos. Entre eles havia, por exemplo, um jovem casal educado, ele indiano e ela inglesa, grávida, que procurava ajuda para dar um novo rumo a suas vidas após terem sido renegados pelos pais ingleses, de um lado, e indianos, de outro.

Naquele ano, 2006, dos 5 centros de atendimento aos 3 mil "visitantes", o que um de nós conheceu estava instalado em 3 andares de um banco italiano da City londrina cedido para a Crisis durante o período natalino. Ironicamente, acomodados num prédio do centro financeiro de uma das regiões mais caras e ricas da Europa, os sem-teto ali foram atendidos por centenas de voluntários – muitos deles repetindo o que se tornara parte de sua "rotina natalina" – que tudo faziam: desde limpar banheiro, arrumar as camas e preparar e servir as refeições, até prover atendimento médico, psicológico, dentário, jurídico e muito mais, já que médicos, oculistas, podólogos, costureiras, massagistas, cabeleireiros e praticantes de medicina alternativa eram os profissionais que também estavam ali à disposição dos *guests* – os únicos que não trabalhavam nesses dias de festa natalina.

SEMI-INSTITUIÇÕES

Ao lado das instituições públicas, semipúblicas e voluntárias que vimos, um papel importante na vida inglesa é desempenhado por alguns hotéis, lojas, jornais, a City de Londres, rituais não oficiais e, até mesmo, a língua inglesa. Os hotéis, as lojas e os jornais, por exemplo, pertencem a particulares, mas alguns deles têm um importante papel público. A City, os rituais não oficiais e a língua inglesa não são, de modo algum, instituições (no sentido de organizações), mas também desempenham um papel central na vida inglesa. É para descrever essa miscelânea que estamos usando o termo "semi-instituições". O *pub* (abreviação de *public bar*), descrito por Orwell como "uma das instituições básicas da vida inglesa", poderia ser incluído também nessa categoria de "semi-instituições", mas dada a sua importância para o "modo inglês de viver" será tratado no capítulo "Modo de vida e valores".

The City

A City, já mencionada a propósito de sua administração, não é uma instituição, mas se compõe de uma rede de instituições que formam o centro financeiro britânico. Ela reúne 800 mil pessoas trabalhando em bancos, escritórios de advocacia, companhias de seguros, Bolsa de Valores, Banco Central e nas sedes de grandes corporações. Tradicionalmente, os homens que ali trabalhavam vestiam-se de modo diferenciado, com chapéu-coco, paletó preto e calça listrada, carregando um guarda-chuva preto – uma espécie de uniforme, usado rigorosamente até os anos 1960, mas que ainda hoje pode ser visto ocasionalmente pelo turista atento aos remanescentes daquela época.

As construções distintivas dessa região de Londres incluem a famosa Catedral de São Paulo; o Bank of England (Banco Central); Companhia de Seguros Lloyd's, uma construção emblemática da moderna arquitetura, de autoria do renomado arquiteto Richard Rogers, inaugurada em 1986; e St. Mary Axe,[4] obra de outro arquiteto famoso, Norman Foster, apelidada de The Gherkin por ter o formato de um picles.

A permanência de muitos dos nomes e rituais – por exemplo, os banquetes organizados pelas *livery companies* ao longo dos séculos e a pomposidade das reuniões lideradas pelo *lord Mayor* – das instituições da City não pode esconder as grandes mudanças dos últimos 40 anos, especialmente as relacionadas à internacionalização dos negócios que são estabelecidos nessa parte de Londres. A City costumava ser dominada por um pequeno grupo de ingleses, expoentes do que já foi descrito como *gentlemanly capitalism* (capitalismo bem-educado), tido pelos mais otimistas como aquele que dominava o comércio e as finanças no Império Britânico – incluindo o "império informal", que ia do Brasil à China. Os acordos que se faziam nesse meio eram informais, com base na confiança, porque, como se dizia, "todo mundo que importava conhecia quase todo o resto que importava".

Hoje, a cultura da City mudou. Confiança e deferência entre os homens de negócio declinaram e o grupo dominante é muito maior e mais diverso do que o da época do *gentlemanly capitalism*. Graças ao influxo de firmas estrangeiras, a City se expandiu para o leste, chegando à região pobre das Docklands, onde estavam localizadas, no século XIX, as docas mais importantes do mundo. Foi nessa região em plena decadência que foi construído, nos anos 1980, o Canary Wharf, que se impôs como o novo distrito que se juntou à City como um importante centro financeiro e de negócios. Nas Docklands, por exemplo, fica a sede da Corporação Bancária de Hong Kong e Xangai (HSBC), o que levou um jornalista inglês a descrever toda a área como a "Hong Kong do Oeste".

Hotéis, médicos e lojas

Hotéis famosos e tradicionais, como o Claridge's, Savoy e Ritz, fundados respectivamente em 1812, 1889 e 1906, também podem ser considerados semi-instituições inglesas. O Claridge's, por exemplo, há mais de 200 anos faz parte da paisagem social urbana, sendo mais do que um hotel de classe e qualidade. Dada sua conexão com a realeza, desde a rainha Vitória que ali esteve em várias ocasiões até o rei da Iugoslávia que ali viveu durante a Segunda Guerra Mundial, é frequentemente chamado de "anexo do Palácio de Buckingham". O Claridge's foi também palco de encontros memoráveis, como o do chanceler da Alemanha Konrad Adenauer com o presidente do Congresso Mundial Judeu; encontro que deu início às negociações secretas sobre indenizações a serem pagas aos sobreviventes do Holocausto.

Parte também da "paisagem urbana" de Londres são os médicos particulares de Harley Street, na região de Westminster que ali se instalaram com suas clínicas desde meados do século XIX. Documentos mostram que em 1860 havia 20 médicos, em 1914, 200 e no ano que o NHS foi criado, 1948, havia 1.500 médicos clinicando na região que hoje congrega por volta de 3 mil médicos e cirurgiões famosos, alguns deles atendendo também no NHS.

Alfaiates e camiseiros da Saville Row, rua de Mayfair no centro de Londres, também fazem parte da paisagem urbana londrina desde o início do século XIX. Modernizada hoje, com novos *designers* e avançada tecnologia (que inclui *design* interativo pela internet) continua, há mais de 200 anos, a atender a uma crescente clientela afluente. Entre seus clientes famosos, estão o príncipe Charles e figuras históricas como Winston Churchill, o herói de Trafalgar, *lord* Nelson, e o imperador francês exilado, Napoleão III.

Alguns dos melhores hotéis de Londres são centenários, tais como o Ritz, o Savoy e o Claridge's, que aparece na foto. Devido a sua conexão com a realeza, esse hotel é chamado de "anexo do Palácio de Buckingham".

Marco Bora Cin

A Burlington Arcade é um pequeno shopping center histórico ainda em plena atividade, construído no início do século XIX.

A Burlington Arcade em Piccadilly, que foi inaugurada em 1819, é um dos mais antigos exemplos de galeria de pequenas lojas requintadas, ainda em plena atividade. Construída por ordem de *lord* George Cavendish, que herdara a terra e a casa adjacente, Burlington House (hoje parte da Royal Academy), essa *arcade* serviu de inspiração para outras galerias europeias, como a famosa Galeria Umberto em Milão. Dadas sua classe e beleza, tem também sido utilizada para cenário de filmes e seriados para a televisão.

À Saville Row pode-se acrescentar uma lista de lojas tradicionais, algumas delas exibindo em suas portas e nos seus recibos o símbolo de qualidade ambicionado por muitos comerciantes e prestadores de serviços: o *Royal Warrant of Appointment* (Garantia Real de Nomeação), concedido quer pela rainha Elizabeth, quer pelo duque de Edimburgo, seu marido, ou seu filho, príncipe Charles. Na prática, isso significa que existe uma relação comercial confiável entre tal loja ou prestador de serviços e o nomeador da família real, o que confere uma garantia de qualidade ao produto ou serviço em questão. Tinturarias, carpintarias, lojas de comida, de roupa, prestadoras de serviço de limpeza de chaminés etc. são estabelecimentos que podem almejar a honra de exibir em suas fachadas os brasões da rainha, do duque ou as insígnias do príncipe, em que aparecem os seguintes dizeres: *By appointment to...*, seguido do nome do freguês real e do produto que o estabelecimento lhe fornece.

Por exemplo, Cadbury, a fábrica de chocolate fundada em 1824, recebeu o primeiro *Royal Warrant* em 1854 da rainha Vitória e teve esse privilégio renovado algumas vezes; a última foi em 1969, o que lhe permite apresentar em suas embalagens o seguinte atestado abaixo do brasão real: *By Appointment to H. M. The Queen/Cocoa and Chocolate Manufacturers/Cadbury* UK *Ltd./Bournville*. Pode também acontecer de um estabelecimento contar com 3 *Royal Warrants*, concedidos pelos três membros da família real que têm esse direito. Esse é, por exemplo, o caso da loja Ede & Ravenscroft, a alfaiataria da Burlington Gardens fundada em 1689.

Ede & Ravenscroft é uma tradicional loja de roupas masculinas que anuncia orgulhosamente ter entre seus fregueses regulares o duque de Edimburgo e o príncipe de Gales. Ao lado da entrada, é possível ver os três *Royal Warrant of Appointment* – símbolo de qualidade concedido pela rainha Elizabeth, pelo próprio duque de Edimburgo e por seu filho, príncipe Charles.

Entre as mais famosas lojas de departamento, todas localizadas em Londres – a Fortnum and Mason em Piccadilly, fundada em 1707, e especializada em comida *gourmet*; a Harrod's em Knightsbridge, fundada em 1834; a Liberty em Regent Street, fundada em 1875; e a Selfridge's, na conhecida Oxford Street, fundada em 1909 – só duas têm atualmente essa honra: a Fortnum & Mason e a Selfridge's. A Harrod's perdeu esse privilégio em 2000, após seu dono, naquela ocasião Mohamed Al-Fayed (pai do último namorado da princesa Diana), comportar-se de maneira inapropriada com a família real, chamando, por exemplo, o duque de Edimburgo de "nazista" e a rainha de "gângster numa tiara".

Fortnum and Mason, famosa loja de departamento em Piccadilly inaugurada em 1707, é mais conhecida por sua sofisticada seleção de bebidas e comidas.

A Selfridge's é a loja que introduziu, no início do século XX, uma série de inovações no mundo do varejo, como a localização da perfumaria na entrada da loja e a exposição de mercadorias para o exame dos fregueses. Como disse seu fundador, "eu quero que eles usufruam do calor e da luz, das cores e dos estilos, e do prazer de sentir a delicadeza e qualidade dos belos tecidos ao tato". A inauguração da loja coincidiu com o instante em que o movimento das *suffragettes* ganhava importância e manchetes nos jornais, e não é de admirar que o progressista Harry Gordon Selfridge tenha se mostrado sensível à causa pela qual lutavam. Não só abriu a elas sua loja, confeccionando "moda apropriada à mulher independente", criando vitrines com as cores do movimento e lhes dando apoio financeiro, como também não denunciou à polícia a quebra das janelas de sua loja por *suffragettes*, uma prática comum do movimento àquela época.

O sucesso da série de televisão *Mr. Selfridge* produzida a partir de 2013 sobre a vida do ousado norte-americano que fundou a Selfridge's tem tornado a loja ainda mais famosa. A reinauguração da *Silent Room* em 2013, infelizmente temporária, que fora criada em 1909 para que os fregueses "se retirassem do redemoinho das compras e recuperassem as energias", deu uma amostra das inovações que *mr*. Selfridge trouxe para os consumidores do início do século XX. Num estabelecimento que chegou a ser descrito como um misto de loja e feira, ele instalou, além da *Silent Room*, as seguintes novidades: uma biblioteca, um *bureau de change*, uma loja para venda de entradas de teatro, um *tea garden,* na cobertura do prédio, um restaurante, um andar subterrâneo para a venda de artigos em liquidação, uma sala de primeiros socorros etc. – inovações que foram criticadas por alguns por darem à loja a "aparência de uma feira".

A cadeia Marks and Spencer, que hoje conta com mais de 700 lojas no Reino Unido (e 300 espalhadas pelo mundo), também pode ser considerada uma semi-instituição nacional. Fundada em 1884 por um refugiado judeu da Bielo-Rússia e um inglês de York, tornou-se conhecida por oferecer bons serviços, mas principalmente por só vender "produtos britânicos de qualidade" – política que vigorou até 2002, quando passou a vender também produtos de outras procedências. Se a Selfridge's criou o *slogan* "O consumidor está sempre certo", Marks & Spencer o ampliou para "o consumidor está sempre e completamente certo".

Em dezembro de 2013, a M&S viveu um pequeno dilema, quando anunciou publicamente que os caixas muçulmanos estavam autorizados, em todas as suas lojas, a se recusar a servir os fregueses que estivessem comprando carne de porco ou álcool. A forte reação do público fez com que a diretoria recuasse na decisão e anunciasse que procuraria lidar com o problema de modo a respeitar os direitos dos atendentes sem desagradar os fregueses. Assim, os funcionários cujas crenças poderiam entrar em choque com seu trabalho passaram a ser realocados para outras áreas de atendimento.

Jornais

Os ingleses são conhecidos como ávidos leitores de jornais, e pelo grande número de jornais diários, da tarde e de domingo que compram. Nos metrôs londrinos tem-se uma ideia desse hábito tão marcante, pois se pode ali (ou podia-se até há pouco tempo, antes da disseminação dos telefones celulares mais sofisticados e dos Kindles) contar nos dedos os passageiros, sentados ou em pé, que não leem jornais durante o trajeto.

Desde o século XVIII, os estrangeiros em visita à Inglaterra se surpreendiam com a variedade de jornais existentes, a ausência de qualquer censura da imprensa (abolida em 1695) e com o número de leitores que se podia observar em todo o país, mas especialmente em Londres, que se tornou um grande centro de notícias – as quais eram reproduzidas nos jornais das províncias. "Todos os ingleses são grande novidadeiros, e os trabalhadores começam o seu dia indo aos cafés para lerem as últimas notícias", comentou um francês, corroborando o que tantos outros visitantes notavam.

Na verdade, a expansão dos cafés (3 mil em 1708, contando só os de Londres) ajudou na criação desse hábito de leitura, pois ali se podia ler todos os jornais então publicados, ou como registrou outro viajante: nas "*coffee-houses*, o freguês tem o direito de ler todos os jornais, a favor e contra o governo!". Ao que outro observador acrescentou (aludindo ao poder da imprensa, chamado às vezes de "o quarto poder"): "a matéria com a qual nossos jornais ingleses são preenchidos é recebida com reverência maior do que os Atos do Parlamento".

Os jornais diários – modalidade que surgiu pioneiramente na Inglaterra em 1702, décadas antes de muitos outros países – em circulação ainda hoje podem ser divididos em três grupos, com uma hierarquia de *status* paralela àquela do sistema de classe, apesar de não necessariamente coincidir com ela. No topo, estão os chamados *quality papers* (jornais de qualidade) como *Times, Guardian, Independent, Financial Times*, vendidos na ordem de 900 mil exemplares por dia em 2013, metade deles sendo exemplares do *Times*.

No outro extremo, estão os "tabloides", assim chamados porque são impressos num formato menor, tais como o *Daily Mirror* (que vende 1 milhão e 200 cópias por dia) e o *Sun* (que vende perto de 3 milhões de cópias, em parte graças à sua conhecida "Página 3", que contém fotografias de jovens de *topless*). O grupo intermediário inclui o *Daily Mail* (que vende mais de 2 milhões de cópias por dia) e o *Daily Telegraph* (que vende por volta de 600 mil cópias). Não é de admirar a preocupação dos ingleses com o fato de Rupert Murdoch, o homem da mídia australiano-americano, ser há anos o proprietário tanto do *Times* quanto do *Sun*, assim como da televisão *Sky*, para não mencionar o jornal popular de domingo, o *News of the World,* que durou de 1843 até ser fechado abruptamente por Murdoch em 2011, após a revelação de que seus repórteres faziam interceptações ilegais de chamadas telefônicas.

Como em tantos outros lugares do mundo, a vendagem dessas três classes de jornais impressos está em declínio gradativo à medida que mais e mais leitores leem as notícias on-line. O *Times*, por exemplo, vendeu 450 mil exemplares em papel por dia em 2011, comparado com 650 mil em 2003, enquanto o *Sun* vendeu 3 milhões em 2011, comparado com 3 milhões e meio 8 anos antes.

JORNALISMO INVESTIGATIVO

Obviamente, a importância de um órgão da imprensa não pode ser medida apenas pelo número de seus leitores. O *Guardian* (fundado em 1831 como *The Manchester Guardian*), um dos *quality papers* britânicos conhecido pelo seu excelente trabalho de jornalismo investigativo, foi o jornal responsável pela publicação dos documentos com que Edward Snowden denunciou para o mundo a política de espionagem da National Security Agency (NSA) norte-americana. Apesar de todas as ameaças feitas a Snowden e da reação negativa do governo do presidente norte-americano Obama, assim como a tentativa feita pelo governo inglês de impedir a divulgação de novas revelações pelo jornal, fazendo com que este destruísse os discos rígidos – que foram esmagados e furados por brocas por ordem direta do primeiro-ministro – contendo a documentação incriminatória, pode-se dizer que o *Guardian* resistiu e venceu. Primeiro, ele buscou a colaboração do jornal *The New York Times* na publicação dos documentos incriminadores e, segundo, fez com que Obama se rendesse às pressões das notícias e da opinião pública. Em março de 2014, o presidente dos Estados Unidos anunciou a necessidade de se reformar o sistema a fim de recuperar a confiança no serviço de inteligência norte-americano, profundamente abalada no mundo todo pelas revelações de Snowden. "Temos de ganhar de volta a confiança não somente dos governos, mas, mais importante ainda, dos cidadãos comuns", declarou Obama diante de uma plateia de líderes mundiais reunidos em Haia.

O prestigioso Prêmio Pulitzer de jornalismo (criado em 1917 pela Universidade de Columbia em Nova York), conferido ao *Guardian* em abril de 2014 pela sua denúncia da ampla espionagem eletrônica norte-americana, representa o reconhecimento do serviço público prestado pelo jornal. Como declarou o comitê que conferiu a honraria, o jornal londrino "através de uma reportagem agressiva, ajudou a provocar um debate sobre a relação entre o governo e o público sobre questões de segurança e privacidade".

O *DAILY TELEGRAPH* E A CORRUPÇÃO DOS MPs

Em maio de 2009 teve início o que foi chamado de o "período negro do Parlamento", quando o jornal *Daily Telegraph* passou a publicar uma série de listas contendo as despesas que vinham sendo cobradas do Parlamento, há anos, por um número surpreendente de MPs – 389 de um total de 752, dentre MPs antigos e em exercício àquela data. Foi assim que, ao longo de semanas, o público foi posto a par de flagrantes abusos do sistema de despesas existente praticados por MPs de todos os partidos políticos (incluindo o primeiro-ministro Gordon Brown, o ministro das Finanças e membros das duas câmaras, a Casa dos Lordes e a Câmara dos Comuns).

As despesas cobradas indevida ou exorbitantemente incluíam desde quantias pequenas ou mesmo irrisórias para o ressarcimento do que foi descrito pela imprensa como "coisas ridículas" ou "bizarras" – 39 centavos por um pote de iogurte, 89 centavos por uma tampa de banheira, 10,99 libras por um livro de discursos históricos, 89 libras por uma lata de lixo – até quantias mais substanciosas, como 1.500 libras por um sofá-cama, 1.050 libras por um aparelho de televisão, 16.000 libras por uma nova cozinha e 35.000 libras por um serviço de segurança residencial. Em decorrência dessas cobranças exageradas ou inapropriadas, mais da metade dos parlamentares foi intimada a devolver aos cofres públicos um total de 1 milhão e 100 mil libras (a quantia mais alta sendo de 42.000 libras), vários foram expulsos de seus partidos e seis foram encarcerados por fraude – dois lordes e quatro MPs. [5]

Não muito habituado a abusos desse tipo por parte da classe dirigente, o público reagiu horrorizado, não parecendo ter se sensibilizado pelas desculpas de muitos dos parlamentares que alegaram desconhecimento do que efetivamente contava, por exemplo, como ajuda de custo "razoável" para a "manutenção de uma segunda casa", culpando o sistema, considerado passível de abuso, de um lado, e de mal-entendidos e confusão, de outro – um sistema que teve origem na prática de aumentar os benefícios e ajudas de custo que os MPs podiam reivindicar, ao invés de lhes dar um aumento de salário real. É nessa linha que Paul Torday, o autor do romance inspirado nesse escândalo, *Breakfast at the Hotel Déjà Vue*, explica sua decisão de escrever sobre um MP que se sente injustamente exposto: "este era um tema dramático, simplesmente porque poucos de nós somos isentos de culpa em questões semelhantes, mas todos condenamos os outros quando se descobre que eles exageraram nas suas cobranças".

Em 2010, o *Daily Telegraph* foi premiado pelo British Press Awards como o "National Newspaper of the Year" pela sua cobertura do escândalo das despesas, o chamado *Scoop of the year* (Furo do Ano); e o jornalista investigativo, que teve um papel central nessas revelações, também foi premiado como "o jornalista do ano". Essa homenagem representava, de um lado, o reconhecimento da contribuição valiosa que o jornalismo pode dar para o bem público; de outro, corroborava a decisão do *Daily Telegraph* – para muitos, bastante questionável – de ter pagado 110 mil libras pelos "arquivos das despesas" que públicou em suas páginas: "um dinheiro bem gasto em prol do interesse público", no dizer do editor-chefe do *Daily Telegraph*.

Como disse um comentarista, a imprensa nacional colocou fim a um "abuso financeiro que, no grande esquema das coisas, era totalmente insignificante". No entanto, sua campanha por um parlamento mais transparente e consciencioso pode ter trazido "importantes benefícios morais e filosóficos" para a sociedade em geral.

Língua inglesa: uma língua mundial?

A língua inglesa também pode ser considerada uma quase instituição, e uma quase instituição com uma longa carreira. Na época de Shakespeare, o inglês era falado como primeira língua por cerca de 6 milhões de pessoas, praticamente todas vivendo na Grã-Bretanha. Com exceção de alguns comerciantes holandeses, poucos estrangeiros a conheciam. Já hoje é lugar-comum dizer que o inglês se tornou uma língua internacional – ou *a* língua internacional. Essa mudança ocorreu, primeiro, graças à ascensão do Império Britânico e, mais recentemente, em razão da hegemonia de uma antiga colônia britânica, os Estados Unidos da América. Quase 400 milhões de pessoas falam inglês como primeira língua, outras 500 milhões falam como segunda língua e um quarto da população mundial é mais ou menos fluente em inglês. Como disse o diretor do British Council em 2013, "o inglês é falado com algum nível de utilidade por cerca de 1,75 bilhão de pessoas do mundo – o que significa uma em cada quatro"; ou, como disse um comentarista, com humor, o inglês "é uma língua fácil de aprender, muito fácil de se falar mal, mas um pouco de aprendizagem é suficiente para ajudar muito; é exatamente por isso que se estima que um quarto da população do mundo fala essa língua até um certo ponto". Não é surpreendente, pois, que, dado o imenso número de usuários da língua e as variações que isso implica, alguns linguistas, hoje em dia, falem sobre o inglês no plural – "*Englishes*".

Palavras inglesas invadiram e continuam a invadir outras línguas – desde o português e francês até o japonês. A maioria dos artigos científicos é publicada em inglês. Inglês também é a principal língua estrangeira ensinada nas escolas de uns 100 países. E, na Grã-Bretanha, como foi apontado, o ensino de inglês para estrangeiros transformou-se, já há algum tempo, numa indústria altamente lucrativa, constituindo uma grande fonte do rendimento nacional – em 1990 contribuiu com 500 milhões de libras por ano, mas em 2013 a contribuição já havia subido para 2 bilhões.

Esse sucesso do que já foi chamado "*The English Effect*" deve-se em algum grau à abertura de uma cultura que aceita o fato de sua língua não ter como seu centro o Reino Unido e de estar sendo constantemente moldada e alterada pelos novos usuários dos seus múltiplos centros; ao fato, enfim, de não pertencer realmente a nenhum deles. A tradição inglesa de recusar a padronização da língua está na origem dessa abertura.

REGRAS INFORMAIS

Como se pode esperar de um país sem uma Constituição escrita, não há uma academia nacional de Letras a padronizar a língua, como no caso da França, Brasil e Portugal. É verdade que nos séculos XVII e XVIII houve tentativas de se criar uma *English Academy* para isso, seguindo o modelo da *Académie Française*, mas a oposição foi grande. Finalmente, em 1755, o lexicógrafo Samuel Johnson deu um fim ao debate, invocando o *spirit of the English liberty* (espírito da liberdade inglesa) contra as prescrições que qualquer regulamentação envolveria; e invocando também a futilidade de se querer evitar mudanças na língua e de "repelir intrusos", como as academias de então se propunham, pois reconhecia que a língua era algo vivo e flexível. A utilidade de seu famoso trabalho de 1755, *The Dictionary of the English Language*, sugeriu Johnson, era simplesmente catalogar as mudanças que estavam ocorrendo na língua. É a mesma tarefa a que se impõe o *Oxford English Dictionary*, que registra as 3 mil novas palavras que se incorporam anualmente à língua inglesa.

Isso não significa que não haja regras. O chamado "*standard english*" (inglês padrão) era e ainda é ensinado nas escolas. As variedades não *standard* de gramática e de pronúncia foram desde há tempos estigmatizadas por uma minoria dos falantes de uma variedade dominante – a maioria vinda da classe média e do sul da Inglaterra –, que pretende ter o monopólio da "língua correta". Por outro lado, a chamada "*received pronunciation*" (pronúncia recebida), falada por somente 3% da população em 1979, segundo uma estimativa, é descrita zombeteiramente por muitas pessoas como "inglês BBC", já que durante muito tempo a BBC insistia em só ter apresentadores que falassem de acordo com o padrão dessa variedade dominante de língua. Isso, no entanto, mudou em 2008, quando o diretor-geral da BBC, Mark Thompson, exigiu que uma maior variedade de sotaques regionais fossem usados nos programas de rádio e de televisão.

No caso do inglês escrito, debates sobre quais seriam as formas corretas costumavam ser resolvidos apelando para o *Fowler*, em outras palavras, o *Dictionary of Modern English Usage* de 1926 – na verdade mais uma série de ensaios sobre a língua inglesa do que um dicionário – escrito por um professor, Henry Fowler, autor cujas opiniões eram não oficiais, mas tinham grande autoridade.

A linguagem do Whitehall, ou seja, do serviço público, costumava ser uma variedade muito especial de inglês, "um costume muito solene e dignificado", bastante elaborado e obscuro, como um funcionário público aposentado a descreveu certa vez. Gradualmente, essa linguagem escrita solene e "obscura" foi se simplificando, seguindo as linhas propostas por Ernest Gowers em seu livro *Plain Words* (Palavras claras). Gowers fora convidado pelo Tesouro Nacional, onde ele havia antes trabalhado, para escrever tal livro. Muito apropriadamente, ele acabou sendo o revisor do livro de Fowler.

Rituais

A antiga linguagem do Whitehall poderia ser descrita como altamente ritualizada por ser muito formal e com frases que se repetem de modo estereotipado. Nos anos 1930, o historiador holandês Gustaaf Renier, já mencionado, descreveu os ingleses como ritualistas ao extremo.

Ele poderia ter acrescentado que alguns dos rituais, que ainda são seguidos pelos ingleses, são muito antigos e mantêm viva uma tradição milenar. Em Oxford, por exemplo, ao obterem o grau de mestre, os alunos recebem uma leve batida na cabeça com um livro, o equivalente acadêmico ao ritual medieval de bater com uma espada no ombro da pessoa que recebe o título de cavaleiro. Em Cambridge, o mesmo grau acadêmico tem um ritual diferente: o mestrando deve ajoelhar-se diante do reitor, colocando suas mãos entre as do reitor – seguindo outro ritual medieval, o de prestar homenagem a seu senhor feudal.

RITUAIS OFICIAIS

Diferentemente de muitos outros países, a Inglaterra não tem um dia nacional, e muito menos uma Semana da Pátria, como no Brasil. O dia de seu santo padroeiro, São Jorge, não é feriado nacional. Existem, no entanto, rituais nacionais que datam do século XVII, como a Abertura do Parlamento e o *Trooping the Colour* (desfile militar, com as bandeiras de cada regimento) para celebrar o aniversário do monarca. O jornalista Simon Jenkins observou que "os britânicos fazem um ritual nacional com estilo", o que o casamento real de 2011, por exemplo, parece confirmar plenamente.

Um ritual importante, por exemplo, é o da recordação nacional dos soldados mortos na Primeira Guerra Mundial que ocorre no Dia do Armistício, também chamado de Dia da Recordação ou *Poppy Day* (Dia da Papoula).

A cerimônia militar conhecida como *Trooping the Colour* em Whitehall, quando se celebra o aniversário oficial da rainha em junho, atrai uma multidão de espectadores, tanto britânicos quando turistas. Os soldados em parada militar usam seus tradicionais e vistosos paletós vermelhos.

A comemoração, que acontece no domingo mais próximo do dia 11 de novembro (conhecido como o "Remembrance Sunday"), inclui o uso de *poppies* (flores de papoula) na lapela, dois minutos de silêncio às onze da manhã e um desfile passando pelo monumento aos mortos construído em 1919 em Whitehall (o Cenotaph), onde a rainha deposita uma coroa de flores. A flor vermelha da papoula – que cresce em terras devastadas e revoltas, e por isso floresceu em quantidade nos campos de batalhas sangrentas da Bélgica e da França, onde grande parte delas ocorreu – tornou-se símbolo do sacrifício dos que morreram no conflito. Para a lembrar o início da Primeira Guerra, os artistas

Paul Cummins e Tom Piper criaram em 2014 uma instalação com 888.246 papoulas de cerâmica no fosso da Torre de Londres, o castelo e fortaleza milenar que desempenhou papel importante na história da Inglaterra. Representando cada um dos soldados britânicos e das colônias que morreram na Primeira Guerra Mundial, as papoulas compondo "mares de sangue" foram feitas à mão e instaladas por milhares de voluntários.

RITUAIS NÃO OFICIAIS

Entre os mais importantes rituais não oficiais estão um bem antigo e um relativamente novo. O mais antigo tem sua origem em 1605, quando um complô católico tentou, sem sucesso, explodir o Parlamento. Todo dia 5 de novembro, uma imagem de um dos líderes do complô, Guy Fawkes, é queimada numa fogueira nas ruas de Lewes (uma pequena cidade da região de Sussex, ao sul da Inglaterra), e em inúmeros parques e jardins por todo o país; queima sempre acompanhada de um espetáculo de fogos de artifício.

Cenas do carnaval de Notting Hill em Londres: um ritual inventado pela comunidade caribenha que tem se tornado, ao longo dos anos, um evento cada vez mais popular para os londrinos de todas as origens.

Se o ritual de 5 de novembro é especialmente atraente para crianças, o carnaval de Notting Hill é um evento que desperta a atenção dos adultos – embora hoje haja um carnaval organizado para crianças um dia antes do já tradicional carnaval para adultos. Iniciado, como vimos, nos anos 1960 pelos imigrantes do Caribe, que viviam nessa região londrina – mas atraindo desde então pessoas de várias origens –, esse festejo foi um meio de celebrar as tradições culturais caribenhas numa área que havia sido palco recente de muitos problemas raciais.

Os desfiles, as fantasias, as danças e as canções desse espetáculo lembram o carnaval brasileiro e o do Trinidade – exceto que o carnaval de Notting Hill não acontece pouco antes da Quaresma, mas durante três dias ao final do mês de agosto, quando, como foi dito, é mais provável que o sol brilhe em Londres. Estabelecido como uma das maiores festas públicas, de rua, da Europa e como símbolo de multiculturalismo, calcula-se que perto de dois milhões de pessoas têm participado do carnaval de Notting Hill desde o início do século XXI.

O *ESTABLISHMENT*

Para finalizarmos este capítulo sobre as instituições e semi-instituições que fazem o país ser o que é, esse novo conceito, introduzido no vocabulário inglês nos anos 1950, pode ser esclarecedor. O jornalista Henry Fairlie, que cunhou a palavra, assim a definiu: "Por '*establishment*' eu não quero me referir aos centros oficiais de poder – apesar de, certamente, fazerem parte dele – mas a toda uma matriz de relações oficiais e sociais dentro da qual o poder é exercido. O exercício do poder na Grã-Bretanha (mais especificamente na Inglaterra) não pode ser compreendido a não ser que se reconheça que ele é exercido socialmente".

Sem dúvida, este é um conceito vago. Não é claro, por exemplo, quão grande é esse grupo social que detém o poder. Algumas vezes se diz que o grupo é composto por indivíduos listados nos muitos volumes de capa vermelha do *Whos's Who* (Quem é quem), que se descreve como catálogo dos "notáveis e influentes em todos os aspectos da vida". Entretanto, as edições de hoje contêm breves biografias de mais de 30 mil pessoas. Ora, tal grupo de pessoas pode ser pequeno em relação aos mais de 60 milhões de habitantes do Reino Unido, mas é grande demais para exercer poder efetivamente. Um grupo menor, conhecido como "*the great and the good*" (literalmente, *os grandes e os bons*, mas que se refere a um grupo seleto da elite), talvez componha o verdadeiro *establishment*. São as pessoas desse grupo seleto – aparentemente elas constam de uma lista arquivada na chefia de gabinete do governo – que são consultadas sobre várias questões e comporiam, portanto, o *establishment*. Eram 5 mil os *the great and the good* em 1986, mas o número deles hoje é considerado um segredo oficial. Reduzindo ainda mais os membros do *establishment*, o primeiro-ministro John Major costumava falar nos "mil mais importantes e influentes na política".

O conceito de *establishment* poderia ser descrito como sendo um pouco paranoico, pois supõe uma rede não oficial e secreta de pessoas que realmente mandam no país por trás de uma fachada oficial. E, de fato, a ideia de *establishment* foi formulada no que pode ser chamado um momento paranoico da história britânica, quando uma rede de espiões, conhecida mais tarde como *Cambridge Five*, foi descoberta.

O escândalo dos *Cambridge Five*

O início do escândalo se deu em 1951, quando os diplomatas ingleses Guy Burgess e Donald Maclean, que vinham espionando os britânicos para os russos durante a Guerra Fria, fugiram para a União Soviética. Anos mais tarde, em 1963, a eles se juntou Kim Philby, que trabalhava em contraespionagem e havia dado uma ajuda fundamental aos dois espiões Burgess e Maclean, tendo lhes comunicado, em 1951, que eles haviam sido descobertos e estavam prestes a ser presos. O quarto espião, o historiador de arte Anthony Blunt, só foi denunciado publicamente em 1979 por um jornalista investigativo, mas o quinto dos *Cambridge Five* jamais foi efetivamente identificado, apesar de haver vários suspeitos.

Logo após a primeira fuga, ficara mais ou menos claro para muitos observadores que as atividades desses espiões eram conhecidas há tempos por seus colegas e que haviam sido acobertadas quer para evitar um escândalo público, quer para proteger amigos pessoais que com eles compartilhavam uma educação esmerada em escolas e universidades de prestígio. Todos os quatro, por exemplo, haviam sido educados em *public schools* de renome e na Universidade de Cambridge, além de serem membros de clubes londrinos de prestígio. Todos os cinco dos *Cambridge Five* haviam sido recrutados enquanto frequentavam a universidade, nos anos 1930. De qualquer modo, a fuga de Maclean e Burgess (que continuou, do exílio em Moscou, a encomendar seus ternos e camisas nos alfaiates da Saville Row), primeiro, seguida da de Philby, revelou um lado sinistro da lealdade de seus colegas do serviço diplomático britânico. Como E. M. Forster, um escritor do mesmo meio elitista, certa vez comentou, "se eu tivesse de escolher entre trair o meu país ou trair meu amigo, eu sempre escolheria trair o meu país".

A força do *old school tie*

Pode-se argumentar que o grupo dos *the great and the good*, quer se componha de cinco mil ou mesmo mil pessoas, é ainda grande demais para efetivamente mandar no país. No entanto, se deixarmos a ideia de conspiração de lado, o conceito de *establishment* mantém sua utilidade por chamar a atenção para as redes de contatos. "*Network*" pode ser um conceito da moda, mas já há muito tempo os ingleses têm consciência do poder do que eles chamam de *old school ties* (gravatas da antiga escola) – ou seja, o poder da solidariedade e até da cumplicidade que permanece entre ex-alunos de uma *public school* e a assistência mútua que eles se dão ao longo da vida, arranjando empregos, tirando os amigos de dificuldades, e assim por diante. Símbolos dessa permanência de velhos laços são as gravatas (*ties*) distintivas das *public schools*, que os ex-alunos costumam usar pelo resto de suas vidas.

Laços desse tipo entre ministros, juízes, funcionários públicos de alto escalão, banqueiros e assim por diante ajudaram e ainda ajudam a integrar as instituições britânicas, ao preço de excluir indivíduos capazes que não frequentaram a "escola certa" e talvez não compartilhem dos mesmos valores, hábitos e atitudes que, ao lado da origem social semelhante, criam profundas relações de solidariedade.

Quando, há vários anos, um dos autores deste livro visitou Eton, o diretor organizou um encontro dos professores visitantes com alguns alunos selecionados. Diante da pergunta feita por um dos visitantes, "Por que vocês acham que seus pais os colocaram nesta escola?", a resposta de um dos alunos foi clara e imediata: "*Above all, to meet the right people*" ("Acima de tudo, para encontrar as pessoas certas").

Mesmo hoje em dia, muitas figuras importantes da vida pública do país foram educadas num pequeno número de *public schools*. David Cameron, por exemplo, estudou em Eton, assim como Boris Johnson, enquanto Nick Clegg esteve na Westminster School. Por outro lado, os irmãos Miliband – Ed, ex-líder do Partido Trabalhista, e David, antigo MP –, cujo pai foi um eminente professor e intelectual marxista, foram educados, coerentemente, numa escola estatal no norte de Londres, seguida pela Universidade de Oxford.

Os laços criados na universidade também são muito importantes, especialmente se elas forem Oxford e Cambridge. Por exemplo, somente 2% dos alunos britânicos vão para Oxbridge, mas no ano 2000, 83% dos embaixadores, 81% dos funcionários públicos ocupando os mais altos cargos e 77% dos juízes do Supremo Tribunal tinham sido educados em uma dessas duas universidades. Em 2010, 102 dos 649 MPs haviam se formado em Oxford.

OS CLUBES

Os clubes londrinos – instituições sociais de prestígio que só acolhem como sócios pessoas indicadas e aceitas por votos de seus membros – ajudam a criar e a manter essas importantes redes sociais, especialmente os de maior reputação, como o Athenaeum, Travellers Club e Reform Club, fundados respectivamente em 1824, 1819 e 1836. Ocupando instalações magníficas nos números 107, 106 e 104 da Pall Mall, rua elegante e imponente do centro de Londres, os membros podem aí fazer suas refeições, passar a noite e usar o bar e a biblioteca, assim como

O Athenaeum, sediado numa casa magnífica em estilo neoclássico do início do século XIX, exibe uma estátua de Palas Atena (em destaque à esquerda), a deusa grega da civilização e da sabedoria. Favorito dos intelectuais, ele é um dos mais famosos clubes londrinos.

se encontrar com seus pares e impressionar os seus convidados. O escritor tcheco Karel Capek, visitando o Athenaeum nos anos 1920, impressionou-se com as "velhas poltronas de couro, o ritual do silêncio, os garçons impecáveis e a restrição às mulheres". Desde então, essa restrição foi abolida, ao menos em parte, mas o resto da descrição permanece válida.

O que pode ser descrito como o "estilo clube" ou "*éthos* de clube" contagiou outras instituições também. Graças a toda essa rede de influências, a City de Londres e o Eton College têm sido descritos como verdadeiros clubes, e a Casa dos Lordes como "o melhor clube de Londres". Enfim, não é sem razão que as *public schools*, as Universidades de Cambridge e Oxford e os clubes londrinos tenham sido descritos pelo filósofo conservador Roger Scruton como instituições que tinham "a reprodução da 'anglicidade' como seu tácito alvo social" – como que ilustrando as famosas ideias de Pierre Bourdieu sobre a educação como reprodução cultural.

MUDANÇA E CONTINUIDADE

As instituições britânicas revelam uma mistura de capitalismo e socialismo, quer este seja chamado de "terceira via", como Tony Blair gostava de dizer, ou não. Dois sistemas, público e privado, coexistem nos setores da educação, saúde e economia. Poderíamos entender essa coexistência como fruto do tradicional espírito de compromisso ou conciliação inglês, um traço que muitos ingleses acreditam ser especificamente deles, mas que também existe nos países da Escandinávia – onde se observa a mesma mistura de capitalismo e socialismo.

Muitas das instituições descritas neste capítulo vêm perdendo poder nos últimos tempos, às vezes para Bruxelas, em outras palavras, para as instituições da Comunidade Europeia; às vezes para as forças da globalização, que assumem formas institucionais tais como o Hong Kong and Shanghai Bank – que incorporou o grande banco tradicionalmente inglês Midland Bank. Famosas instituições e semi-instituições britânicas também mudaram de mão e são agora propriedade de estrangeiros: o Chelsea Football Club pertence ao magnata russo Roman Abramovich; o *Times*, ao australiano Rupert Murdoch; a Selfridge's, ao canadense Galen Weston; o Savoy Hotel, ao príncipe saudita Al-Waleed bin Talal; e a Harrods ao emir do Qatar, que a comprou do egípcio Mohamed Al-Fayed.

A maioria das instituições tem também passado, recentemente, por mudanças. Uma das mais visíveis é a utilização de modelos de negócios empresariais em setores antes considerados muito afastados da mentalidade que vigora nas empresas.

Assim, no governo, nas universidades e em muitos outros setores enfatiza-se, hoje, a busca por um tipo de eficiência e por resultados que podem ser claramente medidos. Mesmo a família real refere-se a si própria, meio jocosamente, como "uma empresa familiar" e ao primeiro-ministro como o "gerente de negócios". No entanto, essas mudanças de mentalidade são disfarçadas por continuidades aparentes – outra tradição inglesa. O apego ao compromisso e à continuidade, ao menos no nível superficial, estão entre os valores e as tradições inglesas a serem discutidos no capítulo "Modo de vida e valores".

NOTAS

[1] *Lettre de cachet* era uma carta assinada pelo rei francês, fechada com o selo real, e contendo, em geral, ordens arbitrárias, contras as quais não havia possibilidade de apelação.

[2] Na *common law* faz sentido falar em *examination*, porque as testemunhas, em princípio, devem ser questionadas somente pelas partes que as chamaram (logo, o promotor escolhe testemunhas que quer ouvir e faz pergunta para elas, o advogado faz a mesma coisa com as testemunhas que escolher). Como regra geral, não é permitido fazer pergunta para as testemunhas do adversário. Para isso existe o *cross examination* (exame cruzado), que só ocorre em uma ocasião especial. No Brasil, os dois lados podem sempre examinar a testemunha, não importa quem a tenha chamado. (Agradecemos ao promotor público Luiz Costa por nos ter esclarecido sobre essa questão.)

[3] Esse nome germânico foi introduzido na família real pelo casamento da rainha Vitória com Albert, filho do duque Saxe-Coburg-Gotha, em 1840. O primeiro rei britânico com esse sobrenome foi o rei Eduardo VII, filho de Vitória e Albert.

[4] Este prédio ocupa o local destruído em 1992 por uma bomba do IRA (Exército Republicano Irlandês).

[5] 1.100.000 libras é o equivalente a 4.140.000 reais na cotação do final de abril de 2014 (1 libra = 3,75 reais); e 42.000 libras é o equivalente 158.000 reais.

MODO DE VIDA E VALORES

Enquanto o capítulo "Como o país funciona" descreveu as instituições formais e semiformais da Inglaterra, este trata de um assunto mais vago e impreciso: "*the English way of life*", para empregar uma expressão bastante usada entre os próprios ingleses. Seguindo Raymond Williams, podemos chamar esse modo de vida de "cultura inglesa", dividindo-a entre cultural material – que inclui comida, roupa, moradia, transporte etc. – e cultura imaterial, que abarca atitudes e valores implícitos no comportamento do dia a dia.

A CULTURA MATERIAL

Comidas

Muitos visitantes estrangeiros têm tradicionalmente manifestado o seu desagrado, ou mesmo aversão, quando confrontados com a comida e a bebida inglesas. "*Roast beef* e carneiro é tudo o que eles têm de bom", mas, "por Deus, mantenha todos os cristãos longe de seus molhos... e Deus nos livre de seus insípidos legumes cozidos na água, que vêm para a mesa como Deus os fez!", queixou-se um poeta alemão no início do século XIX. Gilberto Freyre também, apesar de toda sua anglofilia, referiu-se ao "horrível da culinária inglesa" e cunhou a frase "puritanismo culinário" para descrevê-la. A reclamação, obviamente, não vem só de estrangeiros. Houve mesmo um jornalista e historiador inglês que, desacorçoado com a comida nacional, chegou a propor, em 1949, a criação de uma *Society for the Prevention of Cruelty to Food* (Sociedade para a Prevenção da Crueldade à Comida).

Seria, no entanto, importante qualificar um pouco esse quadro lúgubre. É normal se julgar a culinária de uma nação pelo que ela oferece para o almoço e jantar, mas no caso inglês tal padrão seria, como dizem os nativos, *quite unfair* (muito injusto). Pois, na verdade, pode-se dizer que as refeições tipicamente inglesas são o café da manhã e o chá da tarde.

Breakfast (literalmente, "quebra do jejum") é o que os hotéis descrevem como *full English breakfast*: bacon e ovos (*poché*, frito ou mexido), *baked beans* (feijão cozido adocicado), linguiça típica, tomate grelhado, cogumelo e, no norte da Inglaterra e Escócia, *black pudding* (chouriço de sangue). Tudo isso, acompanhado de torrada, manteiga e *marmalade* (geleia de laranja). A maioria das pessoas, na verdade, não toma esse café da manhã todos os dias, e algumas provavelmente nunca. Esse era um *breakfast* da classe alta que passou a ser o café da manhã ideal, ou seja, parte da Inglaterra imaginária, a ser consumido, quando muito, aos domingos e quando se tem visitas, ou em hotéis e nos típicos B&B (Bed and Breakfast). No dia a dia, a maioria das pessoas tende a comer cereais de vários tipos e fatias de torrada com manteiga, além de café ou chá com leite.

O chá é também uma espécie de instituição, a ser servido às quatro horas da tarde, ao invés das cinco, como pensam muitos estrangeiros. Como no caso do *breakfast*, o chá tradicional é mais um ideal ou uma refeição para ocasiões especiais do que uma realidade cotidiana. Deve incluir *scones* (um tipo de broa) com creme e geleia, sanduíches (os de pepino e os de ovos estando entre os favoritos), bolos (incluindo o tradicional bolo de frutas inglês), assim como o próprio chá preparado no bule com folhas, em geral, da Índia (e jamais com saquinhos individuais) e servido misturado com leite. Deve ser acompanhado de água quente para "*refresh the tea pot*", ou seja, para ir acrescentando ao bule. No inverno, antes que o aquecimento central existisse, o bule vinha à mesa vestido com uma coberta de lã, como se fosse um capote para mantê-lo aquecido. No oeste da Inglaterra, durante o verão, a especialidade é o chamado *cream tea*, isto é, chá acompanhado de creme, morango e *scones*. Na prática, o chá da tarde diário é muito mais simples, com o chá acompanhado simplesmente de biscoito ou uma fatia de bolo, exceto no norte da Inglaterra, onde é servido mais tarde, substituindo o jantar e incluindo ovos com *baked beans* sobre torradas.

Quanto ao almoço e ao jantar, seria um erro desconsiderá-los sem experimentar. É verdade que na infância de um dos autores deste livro, a comida inglesa servida nos restaurantes e nas escolas era em geral enfadonha e insossa, quando não mesmo simplesmente horrível. Era sem muito sabor; as batatas cozidas e as carnes eram servidas sem qualquer molho (a não ser que se considerasse o *watery gravy* – molho aguado – como um verdadeiro molho). As sobremesas eram também sem graça: arroz doce e pudim de pão, as mais comuns. Contudo, houve uma revolução culinária, ou uma verdadeira liberação, quando os restaurantes italianos, chineses e indianos começaram a se espalhar pelo país após a Segunda Guerra Mundial, seguidos, bem mais tarde, pelos tailandeses e japoneses. Não somente eles ampliaram as opções dos ingleses, como também inevitavelmente deixaram suas marcas na própria culinária inglesa, que passou a usar mais ervas, pimenta, cebola e alho nos temperos. Pratos híbridos passaram, daí em diante, a fazer parte da culinária in-

O *full English breakfast*, que a maioria dos ingleses consome somente em ocasiões especiais, consiste em bacon e ovos, junto com vários *trimmings*, tais como linguiça, tomates, cogumelos e *baked beans*.

glesa, a tal ponto de hoje se dizer que o "frango anglo-indiano *tikka masala*" é o verdadeiro prato nacional britânico. Cozinheiros profissionais e amadores, muitos deles inspirando-se na cozinha mediterrânea ou de outros lugares, são testemunhas dessa revolução culinária. Hoje, o sucesso de programas de televisão com *chefs* como Nigella Lawson e Jamie Oliver sugere que os ingleses prestam mais atenção aos prazeres da mesa do que os seus antepassados. Oliver, por exemplo, que se especializou em cozinha italiana e inovou a culinária britânica, abriu uma cadeia de restaurantes, o Jamie's Italian, e públicou uma coleção de receitas em 2011 com o título de *Jamie's Great Britain*.

Uma mudança importante na culinária da Inglaterra dos últimos anos, como demonstra um estudo de 2014, diz respeito à presença da *haute cuisine*. Tendo se estabelecido como um centro internacionalmente respeitável de gastronomia, a Inglaterra conta com muitos restaurantes de alta qualidade espalhados pelo país. Em 2014 havia 158 restaurantes na Grã-Bretanha com estrelas *Michelin*, sendo que 140 deles eram situados na Inglaterra e 65 especificamente em Londres. Na Irlanda do Norte não havia nenhum, enquanto na Escócia havia 15 e no País de Gales, 3. Desses, somente alguns servem a comida tradicional inglesa, mas a comida francesa que é servida na maioria deles não é, por assim dizer, "pura". Especiarias, ingredientes e mesmo técnicas de outras tradições culinárias são incorporadas na chamada "culinária franco-britânica".

Ainda assim, há algo a ser dito a favor da comida tradicional inglesa, se for devidamente preparada. Pode-se dizer que ela atinge o seu ápice em ocasiões especiais, como o Natal. Um almoço de Natal tradicional (chamado de *Christmas dinner*, apesar de ser almoço) deve incluir peru assado (com recheio de castanha), batatas assadas e couve-de-bruxelas (um legume tipicamente inglês que não agrada a muitos estrangeiros), seguido de *Christmas pudding*, um pudim-bolo repleto de uvas-passas e outras frutas secas, e encharcado de *brandy*. Para os que ainda puderem comer mais, mesmo sem fome, há as famosas *mince pies* (tortinhas de frutas secas moídas) e *Stilton* (um queijo com personalidade e cheiro forte) acompanhado de vinho do Porto e biscoitos feitos para comer com queijo.

Na verdade, o peru de Natal é uma tradição inglesa relativamente recente. O *roast beef* pode ser considerado o prato tradicional inglês, um símbolo da identidade inglesa como anunciam os restaurantes: *The Roast Beef of Old England*. Ele é servido com batata assada e *Yorkshire pudding* – um acompanhamento de *roast beef* que não é um pudim, mas uma espécie de brioche grande ou de pastel assado, oco por dentro, sobre o qual se coloca o molho da carne. Como o nome diz, essa é uma especialidade original de Yorkshire, norte da Inglaterra, mas que se tornou nacional.

O prato alternativo nacional é o *fish and chips*, uma "comida de rua" tradicionalmente comprada em pequenas lojas especializadas, chamadas também de *chippies*, que em geral utilizam bacalhau fresco ou haddock. Acondicionados em uma espécie de papel-manteiga e recobertos com folhas de jornal – que servem para manter o calor e, se necessário, como prato – são, em geral, povilhados com sal e borrifados com vinagre.

FISH AND CHIPS EM ASCENSÃO

Pensou-se, há algum tempo, que essa era uma comida inglesa em extinção, pois enquanto no passado encontrava-se peixe empanado com batata frita à venda em todo lugar – chegou a haver 35 mil *fish and chip shops*, ou *chippies*, espalhadas pelo país nos anos 1930 –, o número caíra para menos de 7 mil no final dos anos 1990. No entanto, contra todas as expectativas, essa tendência se reverteu, e o número de *chippies* vem crescendo

Modo de vida e valores | 187

Fish and chips é uma refeição popular inglesa, encontrada em lojas especializadas e frequentemente embrulhada em papel para os fregueses comerem na rua ou levarem para a casa.

em ritmo acelerado nos últimos anos. Em janeiro de 2014, eram mais de 10.500 as lojas existentes, servindo um total de 255 milhões de *fish and chips* por ano, ao custo de 4 e 7 libras por porção – com exceção de Londres, onde se pode pagar um pouco mais caro pela porção. Enfim, essa é uma indústria florescente que está passando por uma "revolução".

De fato, uma nova geração de proprietários – muitos deles mudando de ramo de negócio após terem perdido empregos em outras áreas – tem colocado mais e mais ênfase na qualidade do produto, no uso de peixes sustentáveis, e feito inovações, como, por exemplo, a introdução do peixe grelhado. Empenhados também em combater a conotação negativa que a *fast food* normalmente tem, apresentam o *fish and chips* como uma comida saudável, cuja quantidade de gordura e calorias é muito menor do que a de outras *fast foods* populares. Enquanto uma porção de *fish and chips* tem 595 calorias e 9,42 gramas de gordura por 100 gramas de alimento, uma pizza individual contém em média 871 calorias e 11 gramas de gordura, e um sanduíche *Big Mac* com fritas contém 888 calorias e 12 gramas de gordura por cada 100 gramas.

Evidência dessa renovação em processo é também a crescente importância que tem adquirido a NFFF (*National Federation of Fish Friers*), uma associação criada em 1913 para "promover os interesses dos negócios de *fish and chips* em todo o Reino Unido e no resto do mundo". Após algum tempo em declínio, a NFFF tem aumentado sua atividade, dando, por exemplo, cursos de treinamento para os novos praticantes do ofício e de atualização aos já estabelecidos, bem como atraído um maior número de *chippies* para se inscreverem no prêmio anual, instituído em 1988, o *National Fish and Chip Awards*. Em 2014, foi uma *chippie* situada em Whitby, ao norte de Yorkshire, que venceu a competição acirrada entre um grande número de concorrentes de alta qualidade – 2.000 *chippies* se inscreveram no concurso.

QUEIJOS, TORTAS, EMPADÕES, SANDUÍCHES ETC.

Além dessa renovada "comida de rua" e daquelas feitas para ocasiões festivas, há outros tipos de comida inglesa que merecem o esforço de serem descobertas.

Hotéis tradicionais – as antigas *coaching inns*, em que as carruagens, os transportes públicos de então, faziam sua parada no século XIX – ainda servem *game*, ou seja, faisão, perdiz ou veado, especialmente no outono, época da caça.

> *Cornish pasties*, originalmente uma especialidade da região da Cornuália, tornou-se recentemente um prato nacional. Ele é vendido, por exemplo, na West Cornwall Pasty Co., que tem unidades tanto nas ruas, como também em estações de trem.

Foto da autora

Pubs tradicionais também servem o mais modesto *ploughman's lunch*, literalmente "almoço do agricultor", que é uma tradição inventada nos anos 1950. À combinação básica e genuína de pão com queijo e cerveja – que compunha a dieta básica dos trabalhadores desde a Idade Média – foram acrescentados acompanhamentos, como cebolas em conserva, picles de pepino, alface, *chutney* etc.

Pensando nas contribuições da culinária inglesa para o mundo, não deixa de ser interessante saber que foi um aristocrata do século XVIII que inventou o sanduíche. O *earl of Sandwich* (conde Sanduíche) costumava pedir aos seus serviçais para lhe trazer um pedaço de carne entre duas fatias de pão, a fim de poder comer sem sujar as mãos enquanto jogava cartas. Os queijos ingleses que, mesmo não sendo tão numerosos quanto os franceses, são muitos e variados, tornaram-se também um ingrediente popular dos sanduíches. *Cheddar, stilton* e *caerphilly* são somente alguns deles. O condado de Cheshire tem seu tradicional queijo farelento, Yorkshire tem seus *wensleydale*, Lancashire tem seu *bomb*, assim chamado porque tem um formato de bola, Leicestershire tem seu queijo vermelho, enquanto Gloucestershire produz seu *stinking bishop* (bispo fedido).

Pubs são também lugares excelentes para se experimentar tortas quentes e frias de carnes de vários tipos, as mais conhecidas e tradicionais sendo torta de carne e rim (*steak and kidney pie*), de carne de vaca e de veado (*beef and venison pie*), e de carne com cerveja (*steak and guinness pie* ou *steak and ale pie*).

Também típico é o empadão da Cornuália (*Cornish pasty*), cuja história recua ao século XIV, mas que adquiriu sua identidade atual no século XVIII, quando passou a ser parte da dieta básica das famílias pobres da região. Facilmente transportáveis pelos trabalhadores do campo e pelos mineiros, esses empadões em forma da letra D, recheados originalmente com batatas, cebola e nabo-da-suécia (*swede*), eram suficientemente substanciosos para sustentá-los durante o dia de trabalho. Só mais tarde, a carne foi acrescentada aos ingredientes. Encontrado hoje para além do seu berço de origem, em *Cornish Pasty Shops* espalhadas por todo o país, esse empadão também se adaptou a um mundo culinário multicultural e acrescentou ao seu repertório recheios que incluem cogumelo *porcini* italiano, chouriço espanhol, bacon dinamarquês e até mesmo miúdos de carneiro, o famoso *haggis*, escocês.

Os ingleses são também bons em acompanhamentos (*sides*), sem dúvida porque seus pratos tendem a ser muito simples e com pouco tempero. Para incrementar o almoço ou o jantar, eles acrescentam a mostarda inglesa (mais forte do que a francesa), rábano-silvestre (*horse-radish*), picles e *chutney* de manga (*mango chutney*), que é uma relíquia do Império Britânico. Quando serviam na Índia, os soldados e oficiais britânicos adquiriram o gosto por comidas exóticas que transportaram de volta para

Marmite, uma pasta que normalmente se espalha sobre uma torrada com manteiga, é um condimento tradicional que se tornou símbolo de "inglesidade", ao lado de "cerveja quente".

casa. O *Worcestershire sauce* (abreviado comumente como *Worcester sauce*), conhecido no Brasil como "molho inglês", foi uma especialidade local desse condado do meio-oeste da Inglaterra, que se tornou tão onipresente quanto o pudim de Yorkshire. Sua origem remonta ao século XVII e a marca Lea & Perrins, criada em 1837, continua a ser a líder mundial desse mercado.

Marmite, uma pasta marrom bem salgada, feita de levedura de cerveja e servida normalmente sobre torrada com manteiga, é outro item das refeições inglesas que se impôs como essencial tão logo começou a ser comercializado nos primeiros anos do século XX. O *slogan* brincalhão *"love it or hate it"*, usado pelo próprio fabricante, pode ser visto como testemunho da popularidade do produto e da autoconfiança do fabricante. É sabido que, dado o seu valor nutritivo, Marmite fez parte da ração diária dos soldados britânicos na Primeira Guerra Mundial e foi um alimento muito consumido, tanto por civis quanto por militares, durante a Segunda Guerra.

O que o foragido Ronald Biggs afirma ter sentido mais falta durante os seus longos anos de exílio no Rio de Janeiro foi do Marmite, ao lado de cerveja quente e *curry*, um prato adotado pelos ingleses com entusiasmo nos últimos 50 anos. Pode-se mesmo dizer que o povo inglês sente-se em casa em restaurantes indianos e no mundo do *pappadum, dal*, picles de limão e frango preparado de vários modos: *biryani, dupiaza, korma, vindaloo* ou *balti*, este último, um estilo de comida inventado pelos paquistaneses britânicos nos anos 1980. Havia em 2012 por volta de 9 mil restaurantes indianos na Grã-Bretanha. Não é, pois, surpreendente, que o antigo ministro de Negócios Estrangeiros, Robin Cook, querendo "celebrar a britanicidade" e defender o multiculturalismo, tenha feito a seguinte declaração em 2001: "a *chicken Tikka Massala* é agora o verdadeiro prato nacional britânico, não somente porque é o mais popular, mas também porque é a perfeita ilustração do modo como os britânicos absorvem e se adaptam às influências externas. *Chicken Tikka* é um prato indiano, mas o molho massala foi acrescentado para satisfazer o gosto do povo britânico por carne servida com molho."

Bebidas

As bebidas tradicionais inglesas são chá e cerveja.

CHÁ

O gosto inglês por chá surgiu no século XVIII, quando o Império Britânico se expandiu para a Índia. Antes disso, quando era importado da Ásia pelos comerciantes holandeses e portugueses, o chá já havia aparecido em *coffee houses* inglesas, que o vendiam a preço altíssimo, em forma líquida ou seca, insistindo nas suas grandes qualidades. Como dizia um anúncio da época, o chá fazia "o corpo ativo e vigoroso" e preservava a "perfeita saúde até uma velhice extrema". Originalmente confinado às classes altas – a variedade de chá earl grey, por exemplo, é assim chamada em homenagem ao conde (Earl) Grey, que foi primeiro-ministro em 1830-34 –, só se tornou uma bebida popular quando o primeiro-ministro William Gladstone reduziu o imposto sobre importação de chá, na segunda metade do século XIX. Esse foi considerado um meio de encorajar as classes trabalhadoras a beberem menos álcool. Por volta do início do século XX, já não havia dúvida sobre a importância do chá para os britânicos, e em seu ensaio *A Nice Cup of Tea* de 1946, George Orwell dizia que o chá era "um dos mais importantes esteios da civilização neste país". Àquela época, os britânicos ainda sofriam o racionamento imposto pelo governo em 1940 para impedir que essa bebida importada, considerada física e moralmente energizante, se esgotasse durante a guerra: 2 onças (56,69 gramas) por pessoa era o que cabia a cada britânico a partir dos 5 anos de idade, o que equivalia a 2 ou 3 xícaras de chá fraco por dia. Rações extras eram concedidas aos que serviam nas Forças Armadas e em outros serviços essenciais, como o corpo de bombeiros.

Solidário com os britânicos que sofriam com esse racionamento, que só seria suspenso em 1952, Orwell os aconselhava sobre o melhor meio de obter um chá forte com um mínimo de folhas. Hoje, *a nice cup of tea*, com bastante leite e com ou sem açúcar, não se restringe à "hora do chá", mas é bebida que se toma nas várias pausas do dia, como o "cafezinho" brasileiro.

CAFÉ

O café nunca chegou a adquirir a mesma importância do chá nos costumes britânicos, apesar de ter sido introduzido na Inglaterra pouco antes do chá, no século XVII, e de ter tido um período áureo. Ao ser trazido do Oriente Médio por comerciantes venezianos, essa bebida negra gerou controvérsia e foi recebida com suspeita por toda a Europa. Seus críticos chegaram originalmente a considerá-la uma "invenção de Satanás". Essa controvérsia repetia a que acontecera no mundo islâmico um século antes, quando alguns teólogos achavam que a proibição do álcool no Alcorão incluía necessariamente o café por ser uma bebida estimulante.

Na controvérsia europeia, até mesmo o papa foi chamado a intervir. Foi assim que, após ter provado o café, Clemente VIII deu a benção papal à nova bebida. Afirmando que uma bebida tão saborosa não poderia ser obra de Satanás, ele declarou que o café deveria ser considerado uma bebida cristã.

Na Inglaterra, a discussão não se abrandou com a intervenção papal e uma batalha ferrenha se estendeu por várias décadas, no século XVII, entre os admiradores e os críticos da nova bebida. Para uns, o café era um excelente tônico que clarificava e energizava a mente e tanto prevenia quanto curava várias doenças, enquanto para outros, esse "xarope de fuligem" causava males que iam desde obsessões mentais até a perda da virilidade. No mundo político, os políticos conservadores (*tories*) criticavam os liberais (*whigs*), dizendo que o café em excesso que bebiam os fazia muito críticos ao governo, ao que os *whigs* retrucavam que os *tories* bebiam cerveja em excesso, o que os tornava estúpidos e acríticos ao governo.

Se havia um grupo que se via frontalmente ameaçado com o sucesso do café era o dos proprietários de tavernas, e não é por acaso que eles lideravam o combate contra esse rival da cerveja. O novo hábito de tomar café afastava seus fregueses, que se dirigiam mais e mais para as *coffee houses*, que se multiplicaram rapidamente por toda a Inglaterra e logo se estabeleceram como importantes centros de sociabilidade, de comunicação e de debate. À campanha contra o café, que era visto por alguns como responsável por instigar conversas incautas, animar debates e gerar ideias independentes, foi acrescentada então a campanha contra as *coffee houses*, consideradas excessivamente livres e imunes à vigilância. A existência de mais de 3 mil *coffee houses* só em Londres em 1708 testemunha o fracasso de tal tentativa.

Enfim, apesar de ter tido esse verdadeiro *boom* entre o fim do século XVII e meados do XVIII, a popularidade das *coffee houses* e do café foi aos poucos cedendo lugar para as casas de chá e para o chá, que acabou por se estabelecer como a bebida não alcoólica por excelência dos ingleses. A primeira casa de chá (*tearoom*) de que se tem notícia foi fundada em 1706 pelo comerciante e importador de chá Thomas Twinings na rua Strand, 216 (no centro de Londres), onde ainda hoje se vende o chá que leva o nome do seu famoso fundador.

Twinings é uma empresa tradicional de comerciantes de chá, que começou a importar ervas da China no século XVIII, e mais tarde também da Índia.

Só bem recentemente surgiram sinais visíveis de alguma mudança de hábitos, com o aumento dos "discípulos" da Nespresso, de frequentadores de rede de cafés e também dos compradores de café solúvel. Pesquisa do ano de 2013 mostra que em 12 meses houve uma queda de 6% na compra de chá em supermercados, enquanto a venda de Nescafé subiu 6,3%. É por isso que hoje se ouve dizer que o país está correndo o risco de se transformar numa "nação de bebedores de café".

Os *expresso bars* surgiram primeiramente em Londres nos anos 1950, com a imigração italiana, mas só recentemente cresceram substancialmente em número. As principais redes de café – Costa, Starbucks e Nero –, que podem ser encontradas quase a cada esquina, transformaram a paisagem urbana da Grã-Bretanha nos últimos anos. Em 2014, a Starbucks, a maior companhia de *coffee houses* no mundo, contava com 927 filiais, e a Costa Coffee, a segunda no mundo, possuía 1.375 filiais no Reino Unido.

CERVEJA: O "PÃO LÍQUIDO" DOS INGLESES

Embora cerca de metade da população britânica beba vinho, a cerveja continua sendo a bebida nacional por excelência, seguindo uma longa tradição que recua até antes da invasão romana, no ano 43 da nossa era. Nos anos 1970, a descoberta de centenas de placas de madeira, do tamanho de cartões-postais, no impressionante forte romano de Vindolanda – ao sul das Muralhas de Adriano localizadas ao norte da Inglaterra – revelou detalhes preciosos da vida romana nessas distantes fronteiras do Império Romano. Cartas e listas de compras mencionam a "cerveja céltica" – *ceruesa* – como bebida essencial dos soldados e da comunidade em geral.

Pode-se, pois, dizer que por séculos e séculos, a *ale* (cerveja maltada), que podia ter teores alcoólicos variados, fez parte da dieta básica de ricos e pobres, crianças e adultos, inclusive no café da manhã. Calcula-se que a média do consumo diário de *ale* durante a Idade Média era um galão por pessoa. A chamada *small ale* ou *small beer* não só era bebida habitual das crianças, como também era utilizada como veículo de medicamentos contra febre, dor de dente etc. Duas virtudes dessa bebida estão por trás desse hábito secular: o álcool tem o poder de matar bactérias e beber *ale* era, portanto, um modo de evitar infecções e doenças como a cólera, causadas pela água contaminada; ao mesmo tempo, por seu valor nutritivo, provia a população com vitamina B e uma boa quantidade de calorias. Produzida originalmente no âmbito doméstico, essa cerveja maltada era uma bebida muito diferente da que se conhece hoje como "cerveja", pois não continha lúpulo (*hop*), ingrediente essencial para dar o gosto amargo característico da bebida que conhecemos e garantir uma melhor conservação.

Mais tarde, a produção em larga escala do lúpulo (desde o século XVI) permitiu que uma cerveja mais parecida com a que hoje conhecemos substituísse a antiga *ale*. No entanto, o nome *ale* foi mantido e é usado muitas vezes como sinônimo de cerveja. Na verdade, *ale* assim como *lager* denominam simplesmente tipos diferentes de cerveja, que utilizam leveduras distintas, que fermentam em temperaturas variadas – a *ale*, utilizando uma levedura que gera uma bebida mais forte e encorpada, e a *lager*, outra levedura, que gera uma bebida mais leve.

Os maiores entusiastas dessa bebida nacional, a cerveja, afirmam que são capazes de distinguir entre as muitas cervejas locais e se dispõem a viajar muitas milhas para degustá-las. No início dos anos 1970, esses *beer lovers* (amantes da cerveja) fundaram a Campaign for Real Ale (CAMRA), valorizando os produtos das pequenas cervejarias em detrimento das cervejas de grandes marcas industriais.

Outras distinções são ainda mais importantes e necessárias do que as feitas pelos *beer lovers*. Não se pode ir a um *pub* e simplesmente pedir "um copo de cerveja" ou de *ale* – já que há uma grande variedade de opções, mesmo nos *pubs* mais modestos. É preciso especificar que tipo de cerveja se quer e a quantidade: por exemplo, *a pint* (medida equivalente a 568,26 ml), *of bitter, of mild ale, brown ale, old ale*, e assim por diante. Pode-se também escolher cerveja por marca – Guinness, Carlsberg ou London Pride, por exemplo –, especificando, além da quantidade que se deseja, se a quer "*on draught*", ou seja, diretamente do barril.

A tradicional cerveja inglesa, comumente descrita por estrangeiros acostumados a consumir cerveja gelada como "cerveja quente", é, na verdade, servida na temperatura ambiente ou idealmente na temperatura das adegas (entre 10 e 14 graus), que nos *pubs* mais modernos é bastante controlada.

Quando se vai ao bar com amigos, é costume típico britânico fazer uma espécie de rodízio: uma pessoa compra bebida para todo o grupo (um *round*), seguida, pouco tempo depois, por outra pessoa, e assim por diante. O problema desse sistema de *rounds* é, obviamente, que ele encoraja a se beber mais do que se quer. Nas sextas-feiras e sábados à noite, é comum se ver nos *pubs* (e nas suas calçadas, se o tempo estiver ameno) um grande número de jovens, supostamente de no mínimo 18 anos, consumindo álcool em exagero, como se estivessem bebendo simplesmente para ficarem bêbados.

Uma pesquisa realizada em 2008 revelou que 32% dos entrevistados identificavam a bebedeira como um traço britânico, enquanto 66% acreditavam que os estrangeiros viam os britânicos desse modo graças à divulgação de imagens de torcedores agressivos e bêbados de times britânicos jogando no exterior. De qualquer forma, é um consenso que os bebedores britânicos, quer ingleses ou escoceses, não chegam ao nível de consumo de russos ou escandinavos. A crer em estatísticas recentes do Serviço Nacional de Saúde (NHS), o abuso e o consumo do álcool vêm diminuindo e a juventude britânica está, de maneira geral, tornando-se mais comedida. Essa tendência para a temperança é de

Não são bares, cafés, nem restaurantes: os tradicionais *pubs* são... *pubs*, como vemos ao lado. Duas fachadas de *pubs* londrinos do final do século XIX: Mason's Arms, em pseudoestilo do século XVI, e The Crown, no estilo clássico do século XVIII. Já o interior de um estabelecimento mostra uma impressionante variedade de garrafas atrás do balcão, assim como torneiras para tirar as cervejas dos barris, que ficam no porão. Sentar em mesas na rua é costume recente, especialmente para os fumantes, já que agora é proibido fumar em recinto fechado.

Modo de vida e valores | 197

Marco Bora Cin

Marco Bora Cin

Julia Gleich

Julia Gleich

tal monta que novos negócios surgiram para atender a uma clientela mais sóbria. Em Manchester e Bradford, por exemplo, há setores da cidade com cafés e sorveterias abertas até tarde da noite, no que antes era horário exclusivo dos bares. E em Londres, a moda de *dry bars*, que somente servem bebidas não alcoólicas – desde suco de beterraba e de tomate até coquetéis de frutas com vegetais –, está pegando, após ter sido inaugurada pelo Redemption Bar em Portobello.

Vestuário

Antigamente, costumava haver roupas identificadas como tipicamente inglesas, como o paletó de *tweed*, mas sua singularidade está desaparecendo com o surgimento e crescente popularidade da moda mais despojada das camisetas e jeans, vendida também para uma clientela afluente em lojas modernas e atraentes, como a cadeia norte-americana Abercrombie and Fitch.

Saville Row, no centro de Londres (perto da Regent Street) continua, entretanto, a ser o centro dos alfaiates caros e sofisticados que confeccionam ternos e camisas sob medida para clientes ricos, famosos e nobres, desde o duque de Wellington e *lord* Nelson no século XIX, até Churchill, príncipe Charles e príncipe William. Contudo, hoje somente duas alfaiatarias tradicionais sobrevivem nessa rua, ambas pertencentes às mesmas famílias há mais de um século: a Dege & Skinner e a Henry Poole & Co. Uma camisa na Dege & Skinner custa entre 234 e 450 libras, mas é necessário encomendar um mínimo de quatro. Não muito distante, no bairro de Mayfair, a Jermyn Street (onde, no século XVIII, viveu Isaac Newton nos números 87 e 88) é outro lugar onde se pode encomendar *gentlemen's shirts* (camisas de *gentlemen*) e ternos.

No entanto, já há algum tempo essas alfaiatarias representam uma arte em extinção, que insiste teimosamente em permanecer viva, mesmo com a perda de clientela para as muitas outras alfaiatarias localizadas nas mesmas ruas, compradas nos últimos dez anos por chineses. Para a defesa, promoção e proteção da prática, arte e tradições ligadas à Saville Row, foi criada em 2004 a Saville Row Bespoke Association (Associação para a Defesa da Saville Row sob Medida), entidade que promete levar à justiça os infratores que se utilizam indevidamente da qualidade associada tradicionalmente a essa rua. "Nós podíamos terceirizar a confecção de roupas para a China, mas deixaríamos de ser um alfaiate da Saville Row. Eu acredito em fazer o que dizemos que fazemos", declarou o dono da Dege & Skinner, William Skinner. Além dos chineses e de outros fabricantes que terceirizam as roupas mais formais para fabricantes com mão de obra barata, como a Turquia, por exemplo, as alfaiatarias tradicionais têm também de enfrentar outros rivais

Modo de vida e valores | 199

Formas tradicionais de chapéus, como a cartola e o chapéu-coco, ainda sobrevivem. A cartola, por exemplo, é usada por bedéis em solenidades de formatura (foto superior à esquerda); e o chapéu-coco é usado por porteiros de alguns *colleges* das universidades de Cambridge e Oxford (foto à direita).

As sentinelas de plantão na entrada do Palácio de Buckingham são parte da Brigada dos Guardas e usam os tradicionais capacetes de pele de urso, marca registrada da Inglaterra.

mais ousados e potencialmente mais atraentes para a clientela afluente e jovem, como os *sloanes* descritos no capítulo "Como o país funciona". As lojas de estilistas famosos como Armani, a maioria delas situada nas proximidades da Saville Row em Bond Street, representam uma ameaça mais concreta. Um terno na Dege & Skinner custa a partir de 3.800 libras e leva umas 10 semanas para ficar pronto. Em contrapartida, um cliente pode entrar numa loja Prada ou Armani e sair em 10 minutos com um terno pronto, para o qual pagou metade do preço. Essa constatação, no entanto, não desencoraja os alfaiates dos ricos e famosos: algumas pessoas "sentem-se em casa" com essa compra rápida e não há como negar que "Bond Street é um sucesso", Skinner confessa. "Mas se você pode ter alguma coisa feita especialmente para você – isso sim é o máximo do luxo!"

A tradição no vestuário se mantém em ocasiões formais, já que não são raros convites para jantares que especificam *black tie* para homens, ou mesmo *white tie* com *tailcoats* (fraque) para ocasiões ainda mais especiais, enquanto as mulheres usam vestido longo.

Nos metrôs de Londres, não é incomum encontrar passageiros vestidos formalmente, todos garbosos em seus *black ties* e vestidos longos, mesmo nos vagões abarrotados, nas horas de maior *rush*. Em casamentos formais, os homens usam o que se chama de *morning dress* equivalente ao fraque, com calça de casimira listrada e o tradicional colete cinza-claro – agora substituído, pelos mais ousados, por colete colorido.

Enfim, pode-se dizer que a formalidade em ocasiões especiais, que fazia parte do modo de vida comum das classes altas até o início do século XX, continua um hábito inglês, ainda que em menor grau. Tendo observado os ingleses nos anos 1920, Gilberto Freyre encantou-se com o que chamou de "liturgia do vestiário", que "adoça ou dignifica a vida", na qual, observou, os ingleses se esmeravam: "O inglês que veste o *dinner jacket* – ou *'smoking'*, como aqui se diz – para jantar, mesmo em família, dignifica e eleva o jantar em família". Infelizmente, segundo ele, os brasileiros não percebem o valor dessa liturgia como elemento dignificador, tanto da vida pública quanto privada. E, escrevendo para os seus leitores do *Diário de Pernambuco*, lamentou a "morte do fraque" nas ocasiões solenes, como o encerramento dos trabalhos do Congresso, em que a ocasião é "principalmente do Estado" e não tanto dos políticos: "A vida é decerto muito mais interessante dentro do ritmo da liturgia social do que fora dele; e um deputado ou senador que em ocasião solene se apresenta de paletó-saco, tão absurdo me parece como um pedreiro que trabalhasse de fraque".

"More uniforms please – we're British" foi a recente manchete de um jornal referindo-se ao amor dos britânicos por uniformes. Na maioria das instituições de ensino britânicas, crianças e jovens dos dois sexos usam uniformes especiais, que incluem um *blazer* e uma gravata com as cores da escola.

Modo de vida e valores | 201

Para os ingleses, as ocasiões formais incluem as corridas, especialmente a de Ascot, em Berkshire, onde até recentemente os espectadores com entradas para o exclusivo *royal enclosure* (já tratado no capítulo "Inglesidades") eram instruídos claramente sobre o que usar: "os *gentlemen* devem usar *morning dress* preto ou cinza, incluindo o colete e o *top hat* [cartola], enquanto as *ladies* devem usar roupas formais e chapéu". Essas regras só foram relaxadas em 2013-2014 e desde então as instruções são bem menos impositivas: "Os *gentlemen* devem usar paletó e gravata, calças sociais ou um jeans de qualidade (*smart jeans*) e não devem usar tênis. Haverá um aviso no dia anunciando quando se pode tirar os paletós, caso o tempo esteja quente. As *ladies* devem se vestir [apropriadamente] para uma ocasião elegante; o uso de chapéu é encorajado, mas não é compulsório. As crianças devem estar bem vestidas". Em 2012, os funcionários de Ascot chegaram a colocar um distintivo laranja nos espectadores que não estavam seguindo o código em vigor, o que, obviamente, provocou protestos. Houve um pedido público de desculpas, mas o código de vestimenta, ainda que menos formal agora, continua em vigor.

Uniformes oficiais também se mantêm em alta. Na verdade, já se disse que o mundo dos ingleses é um mundo de uniformes: uniformes escolares (por exemplo, *blazers* listrados para os meninos de muitas escolas particulares); becas para professores em algumas escolas e universidades; perucas e becas para juízes e *barristers,* os advogados do tribunal; *black tie* e *white tie* para os homens em jantares formais; fraques para o noivo e convidados nos casamentos, e assim por diante.

O capacete tradicional dos policiais também sobrevive em muitos lugares do Reino Unido como uma marca britânica, assim como o *bowler hat* (chapéu-coco), que ocasionalmente ainda se vê nas cabeças de alguns financistas excêntricos na City de Londres; e, obviamente, os uniformes militares, incluindo os sofisticados e glamorosos uniformes vermelhos dos Queen's Foot Guards, que guardam os palácios de Buckingham e St. James's em Londres.

Graças ao tempo instável, os ingleses são mais ou menos condenados a usar roupas impróprias ou "apropriadas para o dia anterior", como eles mesmos ironizam. O clima inglês encorajou Thomas Burberry a inventar o *raincoat* (capa de chuva) em 1879, que acabaria se tornando um sucesso internacional e duradouro.

Quanto às roupas do dia a dia, como nos demais lugares, gerações diferentes têm estilos variados. Um inglês de uma geração mais velha gosta de usar um paletó de *tweed* (se possível, o tradicional *Harris Tweed,* feito com lã tecida à mão na ilha escocesa Lewis and Harris, uma das que compõem o arquipélago das Outer Hebrides) com calça de casimira cinza; ou no verão, um *blazer* azul-marinho. As gravatas frequentemente revelam, nos seus desenhos, a lealdade do usuário à sua escola, *college*, regimento ou clube, que só outros colegas irão reconhecer.

O clima também favorece o uso, tanto pelos homens como pelas mulheres, de *pullovers* com ou sem manga e também de cardigãs de lã com botões, que é uma mistura de suéter (*sweater*) e paletó. Do mesmo modo como o sanduíche, o cardigã deve o seu nome a um aristocrata do século XIX, o 7º *earl of Cardigan* (conde de Cardigan), herói da Guerra da Crimeia que popularizou esse tipo de agasalho. Não deixa de ser curioso pensar que se os dois condes tivessem interesses diferentes, os ingleses poderiam agora estar usando sanduíches e comendo cardigãs!

Como os funcionários de hotéis e restaurantes requintados e caros sabem melhor do que ninguém, a qualidade das roupas inglesas se revela nos pequenos detalhes, que deixam óbvio para o bom observador que certas camisas, ternos e sapatos, por exemplo, foram feitos sob encomenda em lojas exclusivas da Savile Row, Jermyn Street etc. No entanto, muito tem mudado nas últimas décadas. No passado, o uso de suéter de *cashmere* com colar de pérola pelas mulheres revelava uma origem de classe alta, enquanto o uso de joias chamativas (*bling*) era mostra de vulgaridade. Hoje em dia, dada a maior variedade de estilos de roupas – fruto, em parte, das ousadas inovações dos rebeldes anos 1960 e da crescente presença cultural dos imigrantes a partir dos anos 1950 –, distinções como essas ficaram um tanto borradas e tornou-se muito mais difícil classificar uma pessoa pelo tipo de roupa que usa. A imigração teve, sem dúvida, um importante papel nessa mudança, pois acrescentou mais cor e variedade ao cenário cotidiano, desde as trancinhas afro e turbantes até os saris indianos e *shalwar kameez* (uma camisa usada sobre calças folgadas, usadas por homens e mulheres de origem asiática).

O gosto das mulheres inglesas ainda tende para vestidos românticos e floridos, de cor pastel, no estilo Laura Ashley – a *designer* galesa que abriu sua primeira loja no País de Gales nos anos 1950 –, ainda bastante populares, especialmente entre as mulheres maduras.

Entretanto, as novas gerações têm sido mais ousadas e extravagantes desde os anos 1960, graças à Carnaby Street e King's Road, ruas londrinas de Soho e Chelsea, que passaram a ser o símbolo do *Swinging London*. Essa expressão foi cunhada, na época, para caracterizar a moda e a cultura de uma era otimista que, após a austeridade do pós-guerra, enfatizava o novo, o moderno e a alegria de viver. Mary Quant (associada à minissaia), a famosa modelo Twiggy e os sócios e companheiros Vivienne Westwood (hoje *dame* Vivienne) e Malcolm McLaren, estilistas que trabalharam juntos até os anos 1980, foram parte importante dessa cena cultural.

Criadores do estilo *punk*, destinado a chocar e a desafiar as convenções, Vivienne e Malcolm se inspiraram no submundo dos fetichistas, das prostitutas e das gangues de motociclistas, utilizando alfinetes, correntes de bicicletas e até lâminas de barbear como acessórios de moda. Desde então, Westwood tem combinado inovações com elementos tradicionais ingleses. Uniformes militares e vestidos da era vitoriana ecoam em suas roupas, não tanto como imitação, mas como um diálogo com o passado que inclui uma paródia mais ou menos afetuosa e gentil dos estilos de roupa oficiais e de classe alta. Nos anos 1990, por exemplo, ela lançou uma coleção com o título de "Anglomania", que era mais propriamente uma Britomania, já que a coleção fazia bastante uso dos tradicionais xadrezes escoceses (*Scottish tartans*). Um dos desenhos da coleção inspirada nas roupas inglesas do século XVI chamava-se Five Centuries Ago (Cinco Séculos Atrás). Na mesma época, sua coleção de 1992-1993 incluía a blusa Gainsborough, inspirada no belo retrato de Mary Robinson, artista, poeta, romancista e amante do príncipe de Gales (futuro rei George IV), pintado por um dos maiores artistas do século XVIII, Thomas Gainsborough. O retrato, que foi encomendado ao pintor pelo próprio príncipe, pode ser visto em Londres, na Wallace Collection, esse pequeno e exemplar museu localizado perto de Oxford Street, na antiga casa de Richard Wallace, filho ilegítimo do quarto marquês de Hertford.

A primeira loja de Vivienne, quando ainda era sócia e companheira de McLaren, foi aberta na King's Road 430, no bairro londrino de Chelsea, com o sugestivo nome de Let it Rock. No entanto, para atender às mudanças de estilos, a loja, que permanece no mesmo endereço, mudou de nome cinco vezes ao longo de sua história: Sex; Too Fast to Live Too Young to Die; Seditionaries; e World's End, seu nome atual. Nessa sua loja matriz e em outras quatro em Londres – além de várias ao redor da Grã-Bretanha e no exterior – a septuagenária Westwood, que hoje é considerada "um pilar da moda britânica", "uma rainha da excentricidade" e "a mais inventiva e influente *designer* inglesa do século XX", continua a expor seu estilo sempre provocativo e original. As roupas ousadas da *dame* Vivienne, por serem extravagantes e caras, são usadas não no dia a dia, mas em ocasiões especiais, e pelas mulheres mais intrépidas.

Não tão conhecida internacionalmente como Westwood, mas igualmente inovadora, ousada e ainda atuante é a *designer* de moda Katharine Hamnett, mais conhecida como a introdutora das *protest T-shirts*, camisetas com mensagens – ideia que se espalhou pelo mundo todo, mesmo que o nome da autora não a tenha acompanhado. "*Worldwide Nuclear Ban Now*" ("Não para a Energia Nuclear Já!"), "*Preserve the Rainforest*" (Preserve a Floresta Tropical), "*Save the Whales*" (Salve as Baleias), "*Education not Missiles*" (Educação, não Mísseis) são algumas das inscrições que aparecem em suas camisetas "de protesto", cujos *slogans* se disseminaram tornando-se bastante populares. Escolhida pelo British Fashion Council, em 1983, como a Fashion of the Year, Hamnett foi convidada pela primeira-ministra Thatcher para uma recepção em Downing Street, ocasião em que atraiu grande publicidade para a causa do desarmamento nuclear. Provocadora, Hamnett compareceu à recepção coberta com um casaco que escondia, num primeiro momento, seu protesto na forma de uma camiseta excessivamente folgada e longa com enorme *slogan* que dizia: "*58% don't Want Pershing*" (58% não Querem o Pershing), referindo-se ao Pershing II, o míssil balístico que fazia parte do mais poderoso sistema de defesa desenvolvido pelos norte-americanos durante a Guerra Fria. Em 1983, mais de uma centena desses mísseis estavam para ser posicionados na Alemanha, Itália e Inglaterra, prontos para entrar em combate, em caso de ataque soviético – iniciativa que contava com pleno apoio de Thatcher, não obstante a maior parte da população britânica se manifestar contra isso. Os protestos retardaram um pouco o projeto, mas logo depois, entre 1984-1985, 108 mísseis foram efetivamente instalados nesses países. Foi só em decorrência de um acordo entre os Estados Unidos e a União Soviética realizado em 1987, prenunciando o fim da Guerra Fria, que os mísseis foram reenviados aos Estados Unidos para serem destruídos. Em 2003, as modelos de Hamnett novamente mostraram a pacifista em ação, quando promoveram nas passarelas seu *slogan* contra a Guerra do Iraque, com camisetas que "gritavam" corajosamente *No War, Blair Out* (Não à Guerra, fora Blair) – palavras repetidas depois por milhares de pessoas que participaram de manifestações contra a guerra. Hoje, apesar de continuar a promover campanhas políticas através da moda, Hamnett admite que há sempre o risco de que o uso de "roupas de protesto" dê às pessoas "a sensação de que elas fizeram alguma coisa, quando, na verdade, não fizeram".

Moradias e moradores

No seu livro *The English House* (1904), Herman Muthesius, um arquiteto e diplomata alemão que conhecia muito bem a Inglaterra, argumentou que a casa dos ingleses expressava muito bem o modo de vida nacional, especialmente o individualismo que fazia até mesmo habitantes de cidades grandes, como os londrinos, não gostarem de apartamentos e preferirem uma casa, ainda que pequena, com seu próprio jardim. Nisso, os ingleses eram muito diferentes dos europeus continentais, como os parisienses, por exemplo. Em 1904, somente 3% das moradias na Inglaterra e no País de Gales eram apartamentos; e em 1900, o periódico *Building News* dizia: "Os apartamentos têm vantagens, entre elas o gregarismo de seus ocupantes. Pensamos, no entanto, ser muito duvidoso que os ingleses um dia abandonem seus pequenos castelos". Nessa época, muitas cidades europeias já haviam optado por construir blocos de apartamentos para acomodar grande densidade de moradores – opção que a Inglaterra não fez então nem mais tarde, ao menos na mesma proporção.

Hoje em dia, muito mais gente vive em apartamento, mas a moradia ideal continua sendo uma "casa com jardim", assim como o *breakfast* ideal continua sendo "ovos com bacon". Quando se sobrevoa a Inglaterra, pode-se observar a notória predominância de construções baixas e a raridade de altos prédios de apartamento, mesmo nas cidades grandes. Essa típica linha do horizonte está, no entanto, sendo ameaçada, ao menos em Londres. Para solucionar o problema habitacional, um aumento substancial de prédios tem sido proposto como alternativa. De acordo com uma pesquisa realizada em 2014 pelo *New London Architecture Centre*, há planos para a construção de umas 250 "torres" residenciais, de mais de 20 andares, em Londres – o que tem gerado muita controvérsia e comparações desfavoráveis com os complexos residenciais desumanos e extravagantes de Dubai e Xangai.

A importância da casa no imaginário nacional se revela em frases como "*Home sweet home*" (Lar doce lar) ou "*There is no place like home*" (Não existe outro lugar como o lar), ou ainda "*The Englishman's home is his castle*" (A casa do inglês é seu castelo), que sempre surgem no meio das conversas ou aparecem inscritas em placas colocadas dentro ou fora das casas. No século XIX, era comum encontrar em poemas, romances, livros sobre a organização da vida doméstica e em sermões religiosos referências às casas como lugares sagrados, santuários sem altar. Nesse quadro, ganhou relevância no calendário social do país a exposição, em Londres, *Ideal Home Show* (antes *Ideal Home Exhibition*), que acontece anualmente há mais de um século. Ao ser inaugurada em 1908, seu objetivo era apresentar novidades para a nova classe média em ascensão.

Quando Gilberto Freyre viveu na Inglaterra, no início dos anos 1920, no que chamou de o "período paradisíaco" de sua vida, ele se encantou, entre outras coisas, com a "nobre *privacy* das residências inglesas" e "a vida à meia-luz e velada do inglês *at home*". De fato, as casas inglesas primam por ser espaços privados, abertos somente aos parentes e aos amigos íntimos, e o relacionamento entre os vizinhos tende a não passar de uma "cordialidade distante". Essa descrição, feita por um antropólogo inglês, Geoffrey Gorer, no início dos anos 1950, permanece verdadeira hoje.

LODGERS INGLESES

Quando esteve em Oxford, Gilberto Freyre viveu na pequena pensão de mrs. Coxhill. Poderia, no entanto, ter sido um *lodger*, se tivesse alugado um quarto numa casa particular. Esse costume já era bastante consagrado então, e é ainda muito praticado, não obstante contradizer, de certo modo, o tão alardeado gosto por privacidade dos ingleses.

No século XIX, eram muitos os *lodgers*, algumas vezes descritos com o eufemismo de "*paying guests*" (visitas pagantes). A maioria deles era composta de pobres desalojados de suas moradias quando a construção de estradas de ferro e de ruas mais largas impôs uma maciça demolição de casas. Impossibilitados, devido ao aumento dos aluguéis, de habitar uma casa decente, mesmo que pequena, até os artesãos mais prósperos foram, muitas vezes, obrigados a viver apertados num único quarto alugado. Há evidências, no entanto, de que pessoas de mais posses também optavam por ser *lodgers* – dentre eles, os solteirões e solteironas –, alugando quartos nas melhores regiões da cidade. O pintor William Turner, reconhecidamente o maior pintor britânico de todos os tempos, é um dos exemplos de *lodgers* famosos. Por volta de 1820, ele alugava periodicamente um quarto na residência do casal Booth em Margate, no condado de Kent, atraído pelo mar, pela luminosidade e pelo céu da região, que serviram de inspiração para algumas de suas mais belas paisagens marítimas. Após a morte de mr. Booth, Sophia Booth tornou-se amante de seu *lodger*, passando a viver com o pintor pelo resto de seus dias, primeiro em Margate, e depois em Chelsea, bairro de Londres. A ligação de Turner com a cidade litorânea de Margate foi celebrada com a inauguração da galeria de arte *Turner Contemporary* em 2011.

O espaço que os *lodgers* tiveram na literatura, cinema e programas de televisão é revelador da presença dessa espécie de intruso na vida familiar. O filme *The Lodger,* de Alfred Hitchcock, a peça de teatro *The Birthday Party*, de Harold Pinter, e a história de detetive *The Veiled Lodger*, de Arthur Conan Doyle, na qual Sherlock Holmes é chamado a resolver "o mistério" de um *lodger*, são alguns dos exemplos mais famosos do papel desse personagem.

Apesar de a melhoria das condições econômicas ter feito com que o número de *lodgers* decrescesse no século XX, esse costume nunca desapareceu totalmente. Em Cambridge, por exemplo, foi e ainda é comum famílias de classe média e até média alta "*to have paying guests*" (ter hóspedes pagantes). Muitas vezes, eles são estudantes estrangeiros que frequentam as muitas escolas de inglês da cidade, outras vezes, são alunos de nível superior, ou mesmo profissionais em início de carreira. São vários os motivos que levam os proprietários a abrir suas casas a estranhos: desejo de companhia, vontade de que os filhos conheçam um pouco de outra cultura e pratiquem outra língua, necessidade de aumentar o orçamento etc.

A recessão de 2008 provocou uma mudança no quadro, fazendo florescer o que parecia ser um costume em decadência: hospedar um *lodger* passou a ser, como se disse, "uma tática de sobrevivência da classe média". Com um grande aumento do número de pessoas alugando quartos em suas casas e de *lodgers* em busca de quartos, a conversa nas reuniões e nos jantares entre amigos mudou. Como mencionou um artigo de jornal na época, "há não muito tempo, os jantares por todo o país eram dominados por discussões animadas sobre crescimento geométrico do preço das propriedades. Agora, as conversas mudaram para as idiossincrasias dos hóspedes pagantes".

O fato de o *rent a room scheme* (sistema de alugar quarto) do governo permitir que o "anfitrião" receba 4.250 libras por ano livres de imposto representou, sem dúvida, um incentivo para isso.

Os dados de 2014 revelam que o número de *lodgers* praticamente dobrou nos últimos 5 anos e que 2,7% dos proprietários de casa no Reino Unido abrigam um *lodger*, comparado com 1,4% em 2009. O website *SpareRoom* estima que, de 2011 a 2014, houve 70% de aumento no número de senhorios buscando *lodgers*. E em Londres, onde a escassez de moradia é mais aguda, houve um aumento de 108% de oferta de quartos nesse mesmo período.

Esse maior número de *lodgers* foi acompanhado de uma mudança no seu perfil e pelo que já foi chamado de uma "nova cultura do *lodger*". O que antes era um mercado dominado por estudantes ou jovens profissionais em início de carreira é, agora, ocupado por pessoas de idade média de 31 anos, sendo que um quinto dos *lodgers* tem entre 36 e 50 anos de idade.

Seria um engano, entretanto, pensar que o principal móvel desse costume seja a necessidade econômica. Parte dessa "nova cultura do *lodger*" é a valorização da solidariedade e da parcimônia que a recessão ajudou as pessoas a redescobrir, dando nova vida, por assim dizer, a um costume antigo.

Do lado dos proprietários, há pessoas e famílias que têm aberto suas casas a estranhos por décadas, mas que seguem esse costume por outros motivos que não o financeiro. Uma dessas pessoas é professora universitária de Psicologia que, desde 1989, *takes lodgers* e considera isso um "arranjo excelente". Ao longo desse tempo, ela teve 15 *lodgers,* um deles um polonês a quem ajudou a fazer cursos na Open University. Como declarou: "A maioria dos meus *lodgers* era adorável, e me mantenho em contato com vários deles."

Outra proprietária, mãe de cinco crianças, confessa que teve problemas com alguns *lodgers* inoportunos e de hábitos estranhos, mas que, num balanço final, "ter um *lodger* não é sinônimo de sofrimento calado e tolerância. É uma alegria. Mesmo se eu pudesse viver sem essa renda extra, eu não deixaria de ter *lodgers*. Muitas das melhores amizades que fiz foram com *lodgers* que chegaram em casa como absolutos estranhos... Tivemos em casa um refugiado da África Central e italianos que me fizeram ver Londres como um paraíso multicultural. Com vários deles aprendi muito sobre culinária, sobre a Revolução Cultural Chinesa, sobre música de órgão, sobre transtorno bipolar e sobre o sistema legal alemão... Eles são também um antídoto para o estreito círculo social a que a maioria de nós fica presa após os vinte e poucos anos de idade".

Alguns anúncios que podem ser encontrados nos muitos periódicos e sites – gumtree.com, spareroom.co.uk, rightmove.co.uk etc. –, que buscam conectar proprietários com *lodgers*, dão uma ideia da dimensão dessa "cultura do *lodger*".

Um anúncio de um quarto por 100 libras por semana, vago a partir de 1º de janeiro de 2015, dizia o seguinte:

> *Procura-se Lodger, Southbourne, Dorset*
> *Procura-se lodger para uma casa grande e encantadora em Southbourne. Casa criativa, cheia de livros e quadros. Jardim monumental com gazebo. Ambiente inspirador. Realmente recluso e sossegado. Grande negócio, pois as contas e internet estão inclusas. Faxineira também. Estamos procurando alguém criativo e interessante. Um cat lover (amante de gatos) que tome conta deles e lhes dê comida quando necessário.*
> *Atmosfera adorável.*
> *Por favor, envie um e-mail com informação sobre você e sua situação.*
> *Obrigada.*

E de *lodgers* buscando acomodação, eis um de milhares de exemplos:

> *Oi, estou procurando um quarto de casal, de preferência na área de Clapham. Sou um irlandês descontraído, que gosta de rúgbi, de andar a cavalo, de tênis, assim como de ir de vez em quando ao pub. Atualmente, trabalho numa Corporate Finance with* EY. *Esperando um retorno, Cheers.*[1]

NOMES DE CASAS

Dar nome às moradias – o que se vê muito nos vilarejos, mas não exclusivamente neles –, revela o apego dos proprietários às suas casas. Um apego emocional que um mero número não poderia expressar. Costume muito inglês – que originalmente era restrito às classes altas e aos nobres acostumados a nomear suas casas em geral pelos seus ancestrais e pela localização (por exemplo, Castle Howard, pela família desse nome, Belvoir Castle, pela vista que tem do Belvoir Valley) – espalhou-se pelo país todo e por todas as classes sociais, em mais uma prova de que "para os ingleses, não importa quão humilde seja sua casa, ela é o seu castelo". Por ser tão popular, esse hábito foi incluído pelo Department of Culture, Media and Sport (Departamento de Cultura, Mídia e Esporte) na lista de "ícones da Inglaterra". Enfim, como um estudioso desse traço cultural bem lembrou, os nomes das casas não são só divertidos, mas também instrutivos, pois são reveladores da história, do gosto e das origens das residências e dos proprietários.

São várias as fontes de inspiração para os nomes escolhidos, porém as mais comuns são animais (Nightingale Cottage, Cuckoo Cottage), árvores (Orchard House, The Laurels), flores (Rose Cottage, Primrose Cottage) e a história da casa (The Old Rectory, The Old Post Office, The Granary, The Old School House). Mas há também nomes extravagantes e bem-humorados. Durante a crise econômica de 2008, por exemplo, um proprietário da cidade de Leeds chamou sua casa de Kantafordyt (forma brincalhona de *Can't afford it*, ou seja "Não posso pagá-la"). Outro, diante da dificuldade de pagar o empréstimo, deu o nome de Millstone ("Carga") à sua casa. Quando superou a dificuldade, a renomeou Milestone ("Marco").

Outro sinal de quanto os ingleses cultuam suas casas é a popularidade das benfeitorias, frequentemente feitas pelos próprios proprietários. O *"do it yourself"*, o "faça você mesmo", conhecido pela sigla DIY, já foi descrito como uma "obsessão nacional", incrementada por programas de televisão tal como o DIY SOS, que diz aos espectadores o que fazer quando as coisas não dão certo. Acredita-se que, enquanto os franceses gastam as suas economias comendo bem, os ingleses as investem no aprimoramento de suas moradias. Essa devoção às casas só se equipara com o amor que eles têm pela jardinagem, como veremos logo adiante.

Os ingleses valorizam muito o fato de serem proprietários de suas casas e a maioria das famílias (67% em 2011) vive em casa própria em vez de alugada. Nisso, diferem de outros europeus, como os suíços e alemães, que têm o hábito de alugar. No passado, para um cidadão inglês poder exercer plenamente sua cidadania e votar, ele precisava ter propriedade de um determinado valor. Foi só aos poucos que o direito de voto foi se democratizando, mas a relação de propriedade com cidadania deixou, sem dúvida, marcas na psique dos ingleses. Foi no século XIX, época em que os direitos dos cidadãos só existiam para os proprietários de bens imóveis, que surgiram bancos, como o Abbey National Bank (hoje Santander), que era originalmente uma *building society* com um claro objetivo: ajudar os jovens a comprar suas casas para que pudessem se tornar eleitores.

Margaret Thatcher, reconhecendo a importância da posse da moradia para os ingleses, ganhou grande popularidade quando permitiu que os inquilinos comprassem os apartamentos que as câmaras municipais haviam construído para serem alugados a um preço acessível, os chamados *council flats*.

O PROPRIETÁRIO INGLÊS: DONO OU INQUILINO?

A Inglaterra possui um sistema de propriedade muito singular e intrigante. Nesse sistema, há moradores de casas, mas especialmente de apartamentos, que são uma mistura de donos e inquilinos. Se um visitante observar atentamente os anúncios de venda, verificará que na descrição do imóvel há uma informação do que exatamente está à venda, o que pode passar despercebido pelo estrangeiro: o *freehold* ou o *leasehold*, ou seja, a propriedade plena ou o seu arrendamento. Isso pode ser observado tanto nas vitrines de agentes imobiliários em regiões caras como Knightsbridge, em Londres, como em localidades mais modestas do país todo.

Modo de vida e valores | 211

ONSLOW GARDENS SW7
PRICE £1,980,000
LEASEHOLD

A stunning newly modernised TWO BEDROOM apartment on the RAISED GROUND & LOWER GROUND FLOORS of this attractive stucco fronted period conversion. The apartment benefits from its own front door, a private patio and access to communal gardens. EPC Rating E.

Entrance Hall | Reception Room | Kitchen | Bedroom with Ensuite Shower Room | Second Bedroom | Bathroom | Patio | Access to Communal Gardens (STC)

Leasehold - 123 years approx

FARLEYS
PROPERTY SPECIALISTS IN THE ROYAL BOROUGH OF KENSINGTON AND CHELSEA SINCE 1900

T 020 7589 1234   E info@farleysres.com   W farleysres.com

Marco Bora Cin

Muitos moradores da Inglaterra não se encaixam nem na categoria de proprietários, nem na de inquilinos. São os *leaseholders*, ou seja, proprietários de um imóvel por período determinado de tempo, que vai desde poucos anos até 999 anos. Na foto, anúncio de *leasehold* com duração de 123 anos.

Se o que está à venda de um imóvel for o *leasehold* já iniciado, haverá a indicação de quantos anos resta da locação original (que pode ser 15, 20, 40 anos, e assim por diante), e se for de um imóvel novo no mercado, estará indicada a duração total do *leasehold*. Durante muito tempo, o *leasehold* mais comum era de 99 anos, e só raramente de 125 anos. Em qualquer dos casos, o certo é que, após esse período, que pode ser um século após a compra, o arrendamento expira, ou seja, o inquilino ou seus descendentes não serão mais os "proprietários" do imóvel, que volta às mãos do seu *freeholder*, ou seja, seu proprietário absoluto.

Em Londres, a maioria das casas elegantes das regiões nobres, como Mayfair, Belgravia, Chelsea e Marylebone, pertence ao patrimônio de quatro famílias aristocratas: Grosvenor, Portman, Howard de Walden e Cadogan. Gerald Cavendish Grosvenor, o sexto duque de Westminster, e sua família (cujas origens podem ser rastreadas até Guilherme, o Conquistador) são os mais ricos proprietários do país, possuindo, só na capital, cerca 300 acres (1.214 km²) de área na sua parte mais nobre. Grande parte das casas dessas regiões foi construída como *townhouses* (geminadas) no século XVIII, que ainda se impõem como as residências mais majestosas e requintadas da capital inglesa.

Os estudiosos consideram que a imensa fortuna que essas e poucas outras famílias aristocratas mantiveram e ampliaram ao longo dos séculos é uma demonstração da incrível destreza que tiveram para se adaptar às dramáticas mudanças sociais e políticas e à sua determinação de manter tudo "em família". Enquanto um grande número de aristocratas se endividou e caiu em bancarrota, mesmo tendo tido, muitas vezes, a ajuda das *dollar princesses*, esses poucos continuaram no controle de seus bens em meio a guerras, crises financeiras, mudanças de políticas governamentais, de legislações relativas ao inquilinato e aos proprietários, de impostos etc. Para dar só um exemplo do crescente enriquecimento de certas famílias aristocratas, em 2000 o Ministério de Defesa vendeu a Duke of York Headquarters – uma bela mansão construída em estilo neoclássico em 1801, no bairro de Chelsea, em Londres – aos antigos donos da terra, a família Cadogan. O preço pago pelo *freehold* da casa e da área ao redor foi 94 milhões de libras! Hoje, pode-se visitar gratuitamente o que era antes de acesso exclusivo, já que desde 2008 o milionário e colecionador de arte Charles Saatchi alugou essa imponente casa e ali instalou sua bela galeria de arte moderna, a Saatchi Gallery.

No caso das propriedades de altíssimo valor que essas famílias possuem, quando são postas à venda por milhões de libras, o que está sendo vendido não é jamais o imóvel e seu terreno, mas o direito de neles viver por um determinado período – ou seja, os imóveis nunca deixam de fazer parte do patrimônio da família.

Qual a origem de um sistema tão intrigante e o que ele implica? Há muito de nebuloso na sua história, mas sabe-se que é um legado da Idade Média e das leis que regiam as propriedades inglesas. O termo *freehold*, significando posse total da terra, já constava do mais antigo censo de terras e propriedades existente, feito em 1086 por ordem do invasor normando, Guilherme, o Conquistador – levantamento que ficou conhecido como *Doomsday Book* (Livro do Dia do Julgamento). As primeiras referências a terras arrendadas, ou seja, a *leasehold estates*, aparecem pouco depois.

Hoje em dia, a maioria dos prédios de apartamento é *leasehold*, pois as leis que regem a propriedade absoluta exigem uma clara divisão do terreno que pertence a cada propriedade, o que é muito difícil em um prédio em que muitos apartamentos compartilham um mesmo pedaço de terra. Transformar esse *leasehold* em *share of freehold*, o que é legalmente possível, exigiria um acordo entre os vários *leaseholders*, muito difícil de se conseguir sem grandes disputas e recorrentes problemas ligados à manutenção do prédio.

Totalmente estranha a esse sistema, ao qual os britânicos estão acostumados, a autora brasileira deste livro não conseguia aceitar a ideia de ser "dona" de um apartamento só por um período de 99 anos, ou mesmo pelo período mais longo de 125 anos. Foi somente quando o *leasehold* de 999 anos – que já existia na Idade Média e foi até mesmo mencionado por Shakespeare – passou a ser mais utilizado no mercado imobiliário, que concordou com a compra de um pequeno apartamento em Londres. Ser proprietário de um imóvel por quase um milênio dá, a muitos, a sensação de ser um "proprietário absoluto", um *freeholder*. É assim que, por conta desse arrendamento milenar, é possível ver anúncios descrevendo imóveis que estão sendo vendidos pelos 980 ou 975 anos que restam. O que não muda, no entanto, é a situação de dependência do *leaseholder*, quer ele tenha comprado seu direito de moradia por quase um milênio ou por 30 anos: os *leaseholders* devem pagar para a manutenção do imóvel, mas é o *freeholder* ou seu representante quem decide que benfeitorias precisam ser feitas, quem as fará e quanto custarão. Já a possibilidade de o *leaseholder* ser posto na rua ao final do período do *leasehold* foi praticamente excluída com as leis introduzidas entre 1967 e 2002 que diminuíram o poder do *freeholder* e permitiram ao morador estender seu "aluguel" por mais 90 anos, desde que pague a quantia exigida para essa extensão.

CASAS GEMINADAS INGLESAS

Um aspecto surpreendente na paisagem urbana da Inglaterra é a presença generalizada das casas geminadas (*terraced houses*), que incluem tanto sobrados pequenos e modestos, quanto mansões de até cinco ou seis andares, como as que se encontram em South Kensington, região afluente de Londres. Por que existe tal uniformidade numa terra conhecida por seu individualismo? Por que tanto os construtores quantos os moradores foram atraídos por esse estilo de casa? Seria o resultado de uma vontade de fazer da cidade uma espécie de obra de arte, em que as casas individuais fariam parte de um todo harmonioso? Ou seria simplesmente uma boa amostra da aversão dos ingleses a qualquer exibição – um traço que Muthesius admirava acima de todos os outros entre os ingleses? A crer nesse diplomata e arquiteto alemão, a ausência de exibicionismo e de luxo ostensivo nas casas inglesas era uma demonstração cabal de que a Inglaterra tinha uma civilização superior.

Qualquer que seja a explicação para essa questão, que arquitetos e historiadores ainda discutem, o fato é que de norte a sul e de leste a oeste da Grã-Bretanha encontram-se casas geminadas que foram e são habitadas por pobres, medianos e ricos. Até mesmo nas Ilhas Malvinas, com todo o espaço existente, as casas foram construídas nesse estilo pelos ingleses que ali se instalaram no século XIX.

As primeiras casas geminadas inglesas, de vários andares, foram construídas ainda no século XVIII, por volta de 1760, para os comerciantes e a aristocracia em cidades como Edimburgo, Bath e Londres – daí serem também conhecidas como *town houses*, semelhantes às casas construídas, como vimos, nos bairros londrinos de Chelsea, Mayfair, Belgravia etc. Deixando temporariamente suas grandes *country houses*, os grandes proprietários e a aristocracia se mudavam para as suas *town houses* na chamada *social season* (temporada social), quando vários bailes e acontecimentos sociais os chamavam à cidade. Os nobres do Highclere Castle, mansão localizada na região de Hampshire (onde foi filmado o seriado *Downton Abbey*), são alguns dentre muitos exemplos de pessoas que levavam esse tipo de vida entre o campo e a cidade.

Contudo, a época áurea do estilo geminado de construção foi o século XIX, quando não só a Revolução Industrial exigiu um maior número de casas para os operários, como também novas regulamentações impostas garantiram um melhor padrão de construção. Assim, a maioria das ruas dominadas por casas geminadas que hoje se vê data do século XIX.

Stefan Muthesius (sobrinho-neto do primeiro Muthesius), autor de um estudo pioneiro sobre as *terraced houses*, considera que os melhores exemplares de casas geminadas encontram-se não em Londres, mas em cidades menores como, por exemplo, Portsmouth, Bath, Brighton, Hastings, Reading, Norwich e Cardiff, a capital do País de Gales. Segundo ele, é nesses locais que se pode admirar a excelência artesanal das fachadas e o jogo de cores conseguido com os tijolos de várias tonalidades produzidos nas várias regiões.

Durante grande parte do século XX, o estilo de casas geminadas perdeu sua popularidade, muitas delas foram ameaçadas de demolição e algumas foram mesmo demolidas. Desde os anos 1980, no entanto, elas recuperaram sua fama, e o estilo voltou à moda. Dados da indústria de construção revelam que 20% das casas construídas em 2010 eram geminadas. Ao mesmo tempo, um fenômeno corrente é o *gentrification* ("enobrecimento") de ruas dominadas por casas geminadas antigas que, mantendo sua aparência exterior, são reformadas e expandidas internamente pelos novos proprietários, que participam de um mercado em ascensão.

Há, na verdade, toda uma hierarquia de casas geminadas, que pode ser lida como uma imagem do tradicional sistema de três classes. No topo, estão as mais antigas e elegantes casas geminadas georgianas e vitorianas, construídas para as classes altas em torno de praças ou em *crescents* (estilo de arquitetura em que as casas geminadas são dispostas em formato de meia-lua), que ainda hoje embelezam a paisagem urbana das cidades. Royal Crescent, em Bath, e Park Crescent, em Londres, são belos exemplos desses *crescents* de moradias requintadas.

> As casas geminadas que se disseminaram pela Grã-Bretanha a partir do século XVIII são muito atraentes, especialmente quando construídas em ruas curvas, quando recebem o nome de *crescents*. A Park Crescent, na foto superior à esquerda, é uma das mais belas obras londrinas do famoso arquiteto John Nash. Já as elegantes casas na foto superior à direita podem ser encontradas em muitas crescentes espalhadas, como essa, por Londres, assim como por várias cidades inglesas. Na foto abaixo, casas geminadas do centro de Cambridge, do início do século XIX.

Foto da autora

Foto da autora

Lara Cin

Em seguida, estão as sólidas casas vitorianas do século XIX para a classe média, como nos bairros residenciais de Highgate, South Kensington e Chelsea em Londres, por exemplo.

E, finalmente, estão os pequeninos *back to back*, sobrados com quatro cômodos, dois em cima e dois embaixo (chamados de *two up two down*) construídos em grande número para uma crescente clientela no século XIX: os trabalhadores das fábricas em Manchester e de outras cidades industriais na época da Revolução Industrial. Moradias semelhantes também surgiram em regiões não industriais, como Cambridge, por exemplo, que tem muitas ruas centrais com fileiras de casas *two up two down* com fachadas idênticas e portas dando diretamente na rua. Originalmente, elas eram ocupadas pelos *servants* (empregados) dos vários *colleges* da universidade e também por artesãos, pequenos lojistas e pessoas da classe trabalhadora em geral – contudo, encontram-se já há bastante tempo valorizadas demais para serem compradas por pessoas de baixa renda.

As casas geminadas menores, mas sempre com seu jardim nos fundos, eram originalmente alugadas por semana; o cobrador vinha de porta em porta nas sextas-feiras à noite buscar o aluguel, antes que o pai de família tivesse tempo de gastar o seu *pay packet* (ordenado semanal) no *pub*. Hoje em dia, no entanto, são as casas maiores – antes habitadas por famílias abastadas – que tendem a ser alugadas, porém não mais como uma só casa. Uma modificação comum feita nessas grandes propriedades é dividi-las em apartamentos de aluguel – cujo pagamento não é feito pelo locatário por semana, mas mensalmente.

Apesar de todo o investimento atual em casas novas, necessário para acomodar uma população em crescimento, o estoque de casas na Inglaterra é, na sua maioria, bastante velho, tanto na cidade como no campo; extremamente velho para os padrões brasileiros. Não é nada incomum, por exemplo, se encontrar nas vilas inglesas casas do século XVII pequenas, lindas e originalmente modestas, com o pitoresco telhado de palha (*thatched cottages*), em plena atividade, como se 400 anos não tivessem passado.

Os *pubs* e até mesmo cadeias de café e restaurantes, como o Café Rouge ou Café Nero, comumente ocupam *listed buildings* (prédios tombados), que, por razões históricas e arquitetônicas, são protegidos e colocados na List of Buildings of Special Architectural or Historic Interest (Lista de Edifícios de Interesse Arquitetônico ou Histórico Especial) e administrados pelo English Heritage, o órgão que cuida do patrimônio histórico da nação. Há por volta de meio milhão de construções tombadas pelo patrimônio no Reino Unido.

Para parecerem mais antigas e satisfazerem o gosto do passado e da tradição, tão próprio dos ingleses, algumas casas novas são construídas em estilos históricos, tais

Uma *thatched cottage*, típica casa do campo coberta de sapê, no vilarejo de Grantchester, nas proximidades de Cambridge.

como neogeorgiano (o estilo favorito do príncipe Charles) ou o estilo chamado sarcasticamente de Stockbroker's Tudor (Tudor dos Corretores da Bolsa de Valores), que é uma imitação do estilo Tudor do século XVI. Dentro das casas novas, há normalmente uma mistura de épocas. As cozinhas são cada vez mais modernas, mas, nos demais cômodos, os estilos tradicionais de mobília e de decoração permanecem populares. O uso de papel de parede florido, por exemplo, é, ou era até há pouco tempo, uma presença marcante nas casas inglesas, a ponto de haver o ditado que diz: "as rosas, na Inglaterra, crescem não somente no jardim, mas também em xícaras de chá e papéis de parede". Pode-se dizer que esse é mais um modo de os ingleses demonstrarem seu apego ao campo, como veremos mais adiante.

CASTELOS MEDIEVAIS

O castelo medieval é uma forma antiga de casa inglesa construída especialmente para abrigar as famílias nobres. Essa construção tinha, no entanto, uma função pública ao lado de sua função privada e desempenhou um papel essencial na história britânica. No passado, esses castelos se erguiam ou como centros de defesa – no norte da Inglaterra, contra os escoceses, e no sul, contra os franceses – ou como quartéis-generais dos invasores para manter o território conquistado e evitar rebeliões dos invadidos – como no caso dos castelos ingleses no País de Gales e dos castelos dos normandos, que invadiram a Inglaterra em 1066.

Muitos desses castelos desapareceram totalmente, mas calcula-se que ainda existam na Grã-Bretanha por volta de 800 castelos medievais, alguns no seu tamanho e forma original. Hoje, eles se impõem como pontos turísticos, algumas vezes enfeitados com belas ninfeias plantadas nos fossos que os rodeiam (originalmente construídos para protegê-los). Castle Hedingham, em Essex, mais sinistro que pitoresco, é um exemplar bem conservado de fortaleza normanda do século XII. Já o Alnwick Castle (que serviu de cenário para o dois primeiros filmes do personagem Harry Potter) oferece um bom exemplo de um castelo típico do Norte da Inglaterra, construído para defender a região dos eventuais invasores vindos da Escócia.

Com o desenvolvimento da artilharia no século XVI, os castelos perderam sua função militar. Como consequência, muitos deles foram aos poucos se transformando em *country houses*, outro tipo importante de moradia inglesa.

COUNTRY HOUSES

O termo *country house* refere-se a uma mansão antiga no campo (no estilo da que aparece na série *Downton Abbey*). A tradução para "casa de campo" não dá conta de todo o estilo de vida que *country house* implica. O equivalente em inglês de "casa de campo" em português seria *house in the countryside* ou *cottage*.

Visitar construções antigas, como catedrais, castelos e *country houses* é um *hobby* nacional. O historiador de arte alemão Nikolaus Pevsner, que escapando do regime nazista exilou-se na Inglaterra nos anos 1930, tornou-se, como se diz, uma instituição inglesa e recebeu o título de cavaleiro, não tanto por sua importante obra *The Englishness of English Art* (A anglicidade da arte inglesa), mas por satisfazer brilhantemente esse interesse peculiar dos ingleses pelo seu passado arquitetônico. Em sua coleção de guias sobre a arquitetura dos vários condados ingleses, *The Buildings of England* (Os edifícios da Inglaterra), publicado entre 1952 e 1974, Pevsner tentou incluir todas as construções inglesas que tinham algum interesse arquitetônico. O fato de ter levado quase um quarto de século e 46 volumes para completar o seu trabalho dá uma ideia do quanto há para se visitar nesse país relativamente pequeno.

Muitas *country houses* são consideradas uns dos maiores tesouros do país. Edificadas no meio de parques magníficos e contendo, muitas vezes, coleções de arte fabulosas, elas se impõem como depositárias da história e do patrimônio cultural nacional. No passado, eram de uso exclusivo de seus ricos proprietários aristocratas e de seus seletos visitantes, mas hoje a maioria das que restaram – por volta de 1.500 – está aberta à visitação pública, quer pertençam ao National Trust, quer estejam na mão de particulares.

As *country houses* de maior porte e valor, tais como a Chatsworth, no condado de Derbyshire; Knole, em Kent; Longleat, em Wiltshire; Blenheim Palace, em Oxfordshire; ou Hatfield, em Hertfordshire, atraem milhões de visitantes todo ano. Elas são o que se chama de *stately homes of England* (casas majestosas da Inglaterra), expressão usada em um poema do século XIX que acabou entrando na linguagem comum. O poema inicia-se assim:

> *The stately homes of England,*
> *How beautiful they stand!*
> *Amidst their tall ancestral trees,*
> *O'er all the pleasant land.*[2]

A Hatfield House, por exemplo, construída em 1611 pela família Cecil, que ainda a possui e a ocupa, é famosa por seus belos jardins e também pelos seus *state rooms* (salões suntuosos), sua grandiosa escadaria e seu mobiliário, além da rica decoração que inclui retratos, tapeçarias e uma coleção de armaduras medievais. Essa casa já serviu de cenário para muitos filmes, como, aliás, acontece com muitas das *stately homes*.

Uma das mais belas *country houses* do país, Chatsworth, propriedade da família Cavendish desde 1549, foi a escolhida para a filmagem de *Pride and Prejudice* (*Orgulho e preconceito*), o romance de Jane Austen adaptado para o cinema em 2005 pelo diretor Joe Wright.

Na verdade, filmes, seriados de televisão e romances de sucesso, cujas histórias se passam em *country houses*, revelam que essas mansões, e o modo de vida que certa vez elas propiciaram, exercem uma forte atração sobre um público bastante vasto, que vive numa realidade muito distante da do pequeno mundo aristocrático das *stately homes*. Um exemplo é *Brideshead Revisited* (*Memórias de Brideshead*), um famoso romance de 1945 que serviu de base para uma série de televisão em 1981 e um filme em 2008, rodado em Castle Howard, uma famosa *country house* de Yorkshire. Outro exemplo é *The Go-Between* (*O mensageiro*), um romance de 1953 que inspirou o roteiro de um filme em 1970, em que o modo de vida da *country house* é retratado, incluindo até um jogo de críquete entre os aristocratas e os homens comuns do vilarejo. Os filmes *Gosford Park* (*Assassinato em Gosford Park* – de 2007, baseado em um romance de 2001) e *Atonement* (*Desejo e reparação* – também de 2007, inspirado em um outro romance de 2001) são alguns dos muitos exemplos de obras que não só têm *country houses* no seu enredo, como também usam *country houses* históricas como cenário.

Desde 2010, o mais popular de todos esses filmes é o seriado *Downton Abbey* e a mais "visitada" de todas as *country houses* inglesas é Highclere Castle, pois é nela que se desenrola a história da família do conde e da condessa de Grantham, narrada a partir de 1912. O impacto de eventos históricos – como a Primeira Guerra Mundial e a introdução de novos impostos – na vida da família e de seus serviçais, assim como na hierarquia social britânica, constitui o cerne da narrativa.

Sucesso internacional desde seu lançamento, com uma audiência estimada, em 2015, em 160 milhões de pessoas, *Downton Abbey* já foi vista, dublada ou com legendas, em mais de 200 países, incluindo China, Coreia, Cingapura e Brasil. Em muitos deles – como foi o caso de Estados Unidos, Dinamarca, Holanda, Cingapura, Austrália, Noruega, Bélgica, Israel e Islândia – esse seriado alcançou a maior ou uma das maiores audiências da história da televisão. Uma ideia da fama adquirida pela série pode ser dada pelo episódio vivido no Camboja pelo ator Jim Carter, que faz o papel de mr. Carson, o mordomo. Num passeio de bicicleta por esse país, Jim Carter, vestido evidentemente como um ciclista e não como um mordomo, ao parar diante dos templos de Angkor Wat, viu-se rodeado por um multidão de turistas asiáticos que dirigiam-se a ele gritando: "mr. Carson! mr. Carson!"

A genial atriz Maggie Smith, que diverte os espectadores no papel de *lady* Violet Crawley, a mãe do conde, queixou-se de, pela primeira vez em sua longa carreira, ter perdido a liberdade de visitar galerias sem ser incomodada pelo assédio dos fãs. E, o pior, "se antes eles pediam só autógrafo, agora querem *selfies*! Não se está mais seguro depois de *Downton*" – confessou ela em 2015, ao iniciar a filmagem da sexta temporada da série.

O sucesso de uma história tão britânica em países culturalmente mais ou menos distantes – desde a Dinamarca e a Holanda até a Coreia e o Camboja – é algo intrigante e inesperado. Uma explicação possível seria entender esse sucesso como expressão da nostalgia por um mundo estável e por uma sociedade na qual grupos sociais diferentes teriam vivido em relativa harmonia e em lugares idílicos, rodeados de beleza natural e material. *Downton Abbey* estaria satisfazendo, pois, o que poderíamos descrever como fome de harmonia, estabilidade e beleza por parte de um público bastante variado. Tanto o autor, Julian Fellowes, quanto os diretores e produtores se surpreenderam com um êxito sem precedentes, o que os estimulou a continuar a história por várias temporadas. Porém, a obra não agrada a todos. Acusada de "exportar" nostalgia, uma obsessão doentia pelos esplendores do passado e um conservadorismo decadente "como símbolos de britanicidade", *Downton Abbey* é vista por seus críticos como "a proclamação desavergonhada de que preconceito de classe é algo respeitável".

No que diz respeito a *country houses,* é interessante saber que a sede verdadeira da fictícia *Downton Abbey,* o *Highclere Castle* – de propriedade do conde e da condessa de Carnavon – passou por uma verdadeira transformação com o início do seriado. Decadente e inabitável há décadas, essa imensa propriedade construída no século XIX por Charles Barry, o mesmo arquiteto do Parlamento inglês, necessitava de 12 milhões de libras em 2009 para sua manutenção básica: consertar vazamentos, recolocar tetos desmoronados, amadeiramentos apodrecidos, portões enferrujados etc. Em entrevista de 2009, o conde, que vivia num modesto *cottage* nas proximidades do *castle* arruinado, disse que a responsabilidade de ter em mãos esse patrimônio histórico e a preocupação sobre o que fazer para mantê-lo lhe davam "noites de insônia". Alugar os poucos salões habitáveis para festas de casamento, o que já vinha sendo feito, não era suficiente para garantir a sobrevivência do patrimônio e da família.

Nessa época, as opções pareciam ser duas: ou vender a propriedade para um *nouveau riche* ou para uma rede de hotéis, como outros proprietários haviam feito, ou construir um conjunto de casas em parte das terras, investindo o lucro da venda na reforma necessária da mansão. Para esta última opção, havia necessidade de permissão legal da municipalidade e do órgão oficial que cuida do patrimônio histórico, o que não era nada fácil de ser conseguido.

A salvação ocorreu quando o *Highclere Castle* foi escolhido por Julian Fellowes, amigo dos proprietários, para ser a *Downton Abbey* de seu *script*. Assim, da noite para o dia, essa *country house* condenada e o belo parque que a rodeia transformaram-se em importante atração turística da Inglaterra e fonte de uma polpuda renda para seus donos. Com entradas esgotadas rapidamente, há necessidade de comprá-las meses ou mesmo um ano antes da visita para garantir o acesso à casa e ao jardim que os espectadores já conhecem tanto pela tela de televisão. Essa procura inusitada não se explica tanto pelo valor arquitetônico dessa *country house,* mas pela curiosidade de milhares de espectadores do mundo todo em conhecer a casa dos condes de Grantham.

Uma questão bastante intrigante e de certo modo irrespondível de modo definitivo é a seguinte: qual seria a razão de casas da aristocracia (com seus *playgrounds,* zoológicos, museus de carros antigos, lojas de *souvenir,* parques imensos e assim por diante) tornarem-se parte da cultura democrática do lazer nos últimos 50 anos? Será que esse fenômeno demonstra a sobrevivência da deferência inglesa aos chamados "superiores"? Ou, ao contrário, revelaria um sentimento de que as hierarquias sociais foram invertidas, e de que agora as pessoas comuns, antes excluídas, podem e devem visitar essas casas aos milhões? Será que essas casas são, em geral, percebidas como parte do patrimônio cultural inglês, ou são agora vistas como exóticas pelos próprios ingleses?

Enfim, será que a *country house* simboliza realmente a era da grandiosidade inglesa? Paradoxalmente, a classe proprietária de terras, a quem as *country houses* pertenciam, teve o seu período áureo entre o século XVIII e os anos 1870, quando entrou em declínio; e o início desse declínio coincidiu com a época em que a Grã-Bretanha estava se impondo como uma potência mundial, graças ao desenvolvimento industrial e à expansão do seu império.

Jardinagem e vida no campo: duas devoções inglesas

Assim como o DIY, a jardinagem é uma obsessão nacional. Os ingleses não só admiram os jardins como também fazem de seu cuidado um de seus passatempos favoritos. Praças pavimentadas, comuns nas cidades italianas, não seriam vistas com bons olhos na Inglaterra. Em Londres e outras cidades inglesas, o centro das praças é normalmente ajardinado. Exceções incluem a Trafalgar Square no centro de Londres. Diferentemente das *garden squares* (praças ajardinadas que originalmente faziam parte de um complexo residencial requintado), essa praça monumental foi construída como um emblema da vitória inglesa liderada pelo almirante Nelson sobre Napoleão na Batalha de Trafalgar em 1805, e não como um espaço verde comunitário para relaxamento e diversão.

As *garden squares*, essas pequenas praças ajardinadas que se encontram espalhadas pelas cidades – só em Londres, há mais de 600, algumas delas construídas no século XVII, mas a maioria nos dois séculos seguintes –, são normalmente apontadas como índice da qualidade de vida da região. No século XIX, o autor John Ruskin já dizia que "a medida da grandeza de uma cidade se acha na qualidade de seus espaços públicos, seus parques ou praças (*squares*)". Em Londres, esses pequenos jardins urbanos são protegidos pelo London Squares Preservation Act de 1931, que estabelece o seu uso como "jardins ornamentais ou lugares reservados para brincadeiras, descanso e recreação".

Alguns desses jardins ainda são de acesso exclusivo dos moradores ao seu redor, desde que, por questão de segurança ou preconceito, foram cercados com grades de ferro há mais de 200 anos. Ao construir praças na cidade de Bath no século XVIII, o arquiteto John Wood deixou claro que sua opção por praças fechadas se devia ao seu desejo de garantir "decência e boa ordem", o que significava excluir as classes baixas do acesso a esses espaços. Tal opção chocou um visitante italiano em 1791, que deixou registrada sua surpresa com o costume inglês de só os residentes terem a chave desses jardins.

Em Londres, ainda hoje, bairros requintados como Chelsea e Kensington têm centenas de *garden squares* para uso exclusivo dos residentes da praça, que possuem as chaves dos seus portões.

Outros jardins urbanos, no entanto, foram abertos ao público, especialmente quando a Segunda Guerra Mundial provocou grandes modificações em muitos dos

Modo de vida e valores | 223

Moradores de casas ou apartamentos em Londres têm acesso a jardins privados no centro da cidade, normalmente cercados para impedir a entrada de intrusos. Alguns desses jardins, como o de Russell Square, na foto ao lado, foram abertos ao público.

garden squares existentes. Durante o conflito, eles não só foram usados como estacionamento para tanques de guerra, para hortas e para a construção de abrigos de ataques aéreos, como também tiveram suas grades de ferro removidas para serem derretidas e usadas para a fabricação de armas.

Vários espaços comunitários originalmente de acesso restrito – como Russell Square, Lincoln's Inn Fields e Soho Square em Londres – são hoje abertos ao público, que pode usufruir da paisagem, da tranquilidade e do descanso que eles proveem, mesmo no meio da balbúrdia de uma cidade grande, barulhenta e poluída. Normalmente, no verão, cadeiras espreguiçadeiras são espalhadas pela grama para o conforto dos visitantes.

JARDINS DOMÉSTICOS

Se a manutenção de muitos dos pequenos jardins comunitários não é feita pelas próprias mãos dos seus admiradores e usuários, mas pela municipalidade, o mesmo não ocorre com os jardins domésticos. Nos anos 1940, o poeta John Betjeman incluiu o som dos cortadores de grama aos sábados à tarde entre os sinais de "inglesidade" – o que ainda é válido, mesmo que os modernos cortadores movidos a gasolina ou eletricidade façam um barulho diferente. Em 1970, estimava-se que 29 milhões de britânicos – ou seja, mais da metade da população – eram assíduos praticantes de jardinagem.

Vários programas de televisão e de rádio são dedicados a aconselhar os jardineiros amadores; os mais conhecidos são o da BBC2, *Gardener's World* (Mundo do jardineiro) e o da Rádio 4, *Gardener's Question Time* (A hora das perguntas do jardineiro), que reúne um painel de especialistas em horticultura e, desde 1947, já respondeu a mais de 30 mil perguntas de jardineiros e horticultores amadores.

ALLOTMENTS

Para as pessoas desafortunadas, que não possuem jardins, ou insatisfeitas, porque querem um maior, há os chamados *allotments*, ou seja, pequenos pedaços de terra que elas alugam da prefeitura local, por um preço bastante acessível, para plantar suas flores, frutas e verduras. Do trem ou do carro, esses pequenos lotes de terra, de mais ou menos 250 metros quadrados, claramente divididos, são bem visíveis nas proximidades das vilas e das cidades. Criados no século XIX como um auxílio aos pobres para que pudessem cultivar frutas e verduras para o seu consumo, há muito passou a interessar bastante gente, não necessariamente pessoas carentes de recursos. Listas de espera nas várias prefeituras revelam que a demanda por um *allotment* tem crescido nos últimos tempos. O desejo de ser autossustentável e de experimentar os prazeres simples da vida rural parece estar na base desse crescente interesse do público.

Outro tipo de jardim particular são os *allotments*, frequentemente localizados na periferia das cidades. São pedaços de terra que o público pode alugar da prefeitura a fim de plantar verduras, frutas e flores.

Quando os ingleses se reúnem, quer com amigos ou simplesmente conhecidos, jardinagem é um tópico comum de conversa que une muitos deles, e é sempre surpreendente o conhecimento que revelam das plantas em geral e o prazer que sentem com o manuseio da terra. Jardineiros profissionais tendem a ser contratados, quando o são, só para serviços esporádicos ou para ajudar na manutenção de jardins grandes demais para as mãos de seus proprietários.

FLORES

Jardins sem flores são raros, já que os ingleses as adoram e as cultivam em quantidade. As palavras do famoso dramaturgo, poeta e escritor Oscar Wilde ilustram bem a importância que elas têm na cultura nacional. Comparando a importância do amor na vida com um jardim, ele escreveu: "uma vida sem amor é como um jardim sem sol, quando as flores estão mortas" (*"A life without it [love] is like a sunless garden when the flowers are dead"*).

As flores predominam, pois, nos jardins ingleses, que se eximam em conter espécimes que irão colorir a paisagem a maior parte do ano: flores de outono, tais como dálias, camélias, hibiscos, crisântemos; flores de primavera, tais como *snowdrops* (campânulas brancas), *bluebells* (jacintos), *crocuses* e *daffodil* (narcisos); flores de verão como *hollyhocks* (malvas-rosa), *lupins* (tremoceiros), *foxgloves* e *snapdragons* (bocas-de-lobo); e, é claro, as rosas, que se impõem como uma espécie de flor nacional (não é por acaso que as meninas e jovens bonitas de pele rosada são conhecidas como *English roses*). Todas essas flores são muito próprias de clima temperado e há um crescente receio de que desapareçam com o aquecimento global.

O entusiasmo por cultivar flores é, por assim dizer, institucionalizado nas exposições regulares ou *flower shows*, com prêmios para o melhor exemplar de cada variedade. O mais famoso é o Chelsea Flower Show, realizado anualmente em maio e organizado pela Royal Horticultural Society. O fato de os jardineiros amadores terem formado uma sociedade em 1804, com o patrocínio real, é revelador de quão inglês é esse *hobby*.

Outra prática comum é o chamado *Open Garden Days* (Dias de Jardim Livres) em cidades e vilas, que ocorrem, em geral, no verão e atraem milhares de visitantes aos vários jardins particulares que se preparam durante o ano todo para essa exposição. Em muitos desses eventos, parte ou a totalidade do lucro é doada para associações de caridade ou para a manutenção e restauração de monumentos e igrejas, como é o caso do festival da bela vila de Hemingford Abbots, perto de Cambridge.

A arrecadação do fim de semana festivo denominado Hemingford Abbots Flower Festival, que inclui música e o tradicional chá inglês, é destinada à manutenção da antiga igreja (século XIV) no centro do pitoresco vilarejo. Outra importante associação, a National Gardens Scheme (NGS), fundada em 1927 para organizar a abertura de jardins particulares ao público, já doou, ao longo de sua existência, a polpuda quantia de 42 milhões e meio de libras para associações de caridade, tais como a Marie Curie Cancer Care.

Mas nem tudo é beleza, cor e alegria nos jardins e campos ingleses. Para espanto de muitos, a sina de um jardineiro que faleceu após o colapso total dos seus órgãos, em setembro de 2014, trouxe a público o que pode estar escondido atrás de uma flor belíssima e com ar de inocente: veneno letal. Conhecida popularmente como *monkhood* (por seu formato se assemelhar a um "capuz de frade") ou *wolfsbane* (porque era usada no passado para matar *wolves*, ou seja, lobos), essa linda flor azul-cobalto, que não deve nem ser tocada, a não ser com a proteção de luvas, foi a causa dessa morte. Como um jardineiro experiente se deixou envenenar por essa planta ainda é um mistério, mas esse incidente fez com que as plantas – normalmente só lembradas pela sua beleza e pelo seu poder medicinal – fossem também recordadas pelo poder letal que podem ter. Foi com a intenção de trazer à tona esse aspecto mais lúgubre da natureza que a duquesa de Northumberland fundou em 2005 o Poison Garden (Jardim de Veneno), nas terras do belo castelo de Alnwick, propriedade da família desde aos anos 1200; foi esse o castelo que serviu de cenário da Hogwarts, a escola de magia e bruxaria nos dois primeiros filmes da série Harry Potter. Nesse jardim *sui generis*, os visitantes podem apreciar – desde que não toquem ou cheirem – mais de 100 plantas e flores venenosas.

Entre os ingleses, os jardins são também valorizados por atrair pássaros. Os mais assíduos "visitantes" dos jardins urbanos são os *robin, thrush, blackbird* e *bluetit*. Mas a *bird-watching*, ou seja, a busca por pássaros raros, outro conhecido *hobby* dos ingleses, é mais frequente no campo. Revistas, cursos, competições e viagens especializadas para os aficionados desse esporte dão apoio a essa devoção dos ingleses, também ligada ao apreço pela paisagem rural e a vida do campo.

FLORESTAS

Grande parte da Inglaterra rural é composta por áreas cultivadas, mas ainda há muitos locais não cultivados, em estado natural, como a floresta de Epping, bem perto de Londres e acessível por metrô, que conta com 55.000 árvores centenárias e 80% das árvores faia (*beech trees*) do país; New Forest em Hampshire, que era "nova" no século XI, quando o rei Guilherme II, filho do conquistador normando, foi ali assassinado; ou a Sherwood em Nottinghamshire, onde teria nascido o herói fora da lei Robin Hood. Muitas dessas florestas, em que animais perigosos são raros e as cobras venenosas praticamente desapareceram, são propriedade pública e atraem grande número de *ramblers* (caminhantes sem objetivo definido). A colheita de cogumelos selvagens é uma dentre as muitas atrações dessas áreas. Epping Forest e New Forest são os locais mais ricos de *funghi* do país. Epping conta com mais de 1.600 espécies e New Forest, com mais 2.700. Essas duas florestas, cada vez mais, têm sido vítimas da coleta ilegal e predatória (para fins comerciais) de cogumelos.

Árvores inglesas típicas são o carvalho, que é a árvore nacional, a *ash,* a *elm,* a *willow* (com cuja madeira se faz o bastão do críquete) e a *horse-chestnut*. Todas elas perdem suas folhas no inverno. As árvores sempre verdes, coníferas, encontradas no país são imigrantes vindas da Escócia ou Escandinávia, em geral, plantadas pela Forest Commission, um órgão do governo dedicado aos cuidados e à expansão da área florestal; o público ainda não as aceitou inteiramente como inglesas, mesmo com a associação que elas têm com os festejos de Natal.

O CAMPO (COUNTRYSIDE)

O amor dos ingleses pelo *countryside* (que se pode traduzir por *zona rural* ou *campo*) faz com que o lazer que mais se aprecie seja o que se pode desfrutar ao ar livre. Caminhar por suas belas paisagens é, por exemplo, um passatempo dos mais apreciados.

Apesar de a Inglaterra ser um país relativamente pequeno, sua paisagem é bastante diversificada, incluindo os lindos campos ondulados de Cotswolds, no oeste; os campos planos de Essex, a leste; as colinas e lagos do Lake District, ao norte; a costa sul acidentada desde Sussex até Cornuália, e muito mais. A South Downs (uma cadeia de morros de calcário em Sussex e nos condados vizinhos), as Norfolk Broads (uma rede de rios) e as East Anglian Fens (antigo mangue – *marshland* – drenado no século XVII) são mais algumas das formas variadas de *countryside* que se encontram pelo país.

Algumas atividades de lazer no campo estão sendo ameaçadas pela vida moderna, e associações para a defesa da zona rural foram criadas ao longo do tempo. A Campaign to Protect Rural England, por exemplo, opõe-se à construção de novas estradas e linhas férreas. A Countryside Alliance defende a caça à raposa, um esporte tradicionalmente aristocrata e condenado pelos defensores dos animais, mas ainda praticado legalmente, desde que se sigam as novas regulamentações. *Ramblers* é uma sociedade dividida em grupos locais, que apoia a prática de caminhadas (*rambling*), defende um campo aberto ao público e opõe-se às limitações do espaço impostas pelos proprietários particulares.

Andar como parte do lazer e por prazer – e não simplesmente como um meio de ir de A a B – não é um *hobby* restrito às florestas, mas se estende para as charnecas (*heaths* e *moors*, como Hampstead Heath, em Londres, e *Dartmoor*, o parque nacional do condado de Devon), para as *dales* (o nome de Yorkshire para o campo ondulado local) e para as alamedas campestres com suas cercas-vivas e flores selvagens.

O hábito de "tomar ar" e praticar atividades ao ar livre já era apontado, há séculos, por alguns visitantes estrangeiros como sendo peculiarmente inglês. Charles Bristed, por exemplo, um norte-americano que viveu em Cambridge em meados do século XIX, surpreendeu-se ao ver os estudantes dedicarem duas horas do dia à equitação, ao remo ou à esgrima. "Em contraste, nossos meninos da Universidade de Colúmbia jogam sinuca", comentou. Muitos outros observadores também ficaram perplexos com o gosto inglês por atividades ao ar livre praticadas em condições adversas, pois lhes parecia que a umidade, o vento, a chuva e o céu cinzento, ao invés de desencorajá-los, os estimulavam.

Bem ilustrativo do entusiasmo inglês pelo ar livre é o hábito crescente de nadar em *fresh water* (água doce), em qualquer que seja a estação, para fugir, como dizem, do *chlorinated captivity* (cativeiro clorado) das piscinas. Quando, em 2006, foi fundada a Outside Swimming Society, ela tinha 300 membros. Hoje são 20.000 os sócios que se dispõem a organizar eventos e a nadar em lagos e rios, atividade que recebeu um grande impulso com o tratamento das águas antes poluídas feito nos últimos anos. Segundo dados da Environment Agency (Agência Ambiental), as companhias de água investiram 1,4 bilhão de libras na melhoria dos rios desde 2010.

Devido ao entusiasmo inglês por passeios ao ar livre, não é por acaso que a *Wellington Boot* (conhecida também como *wellies, wellingtons* ou *rubber boots*) tenha sido uma criação inglesa. Seguindo a moda popularizada pelo herói de guerra britânico, o primeiro duque de Wellington, essa bota tornou-se item obrigatório da indumentária dos aristocratas no início do século XIX, que a usavam durante as caçadas e os passeios pelo campo. Segundo consta, o famoso general e estadista – responsável, ao lado do prussiano

Blücher, pela derrota de Napoleão na Batalha de Waterloo – teria encomendado ao seu sapateiro uma bota que se adaptasse melhor ao contorno da perna, a ser usada no campo de batalha e fora dele. Originalmente confeccionada em couro de bezerro, passou a ser feita de borracha em meados do século XIX e teve um *boom* de produção na época da Primeira Guerra Mundial, quando se tornou um item imprescindível para os soldados enfrentarem as trincheiras frequentemente enlameadas e encharcadas.

O CAMPO IMAGINADO

O campo inglês é também um território da imaginação, um símbolo da inglesidade representado na poesia, pintura, música etc. Na Era Vitoriana, na época em que as cidades industriais, como Manchester, estavam crescendo, o poeta socialista William Morris conclamou: "Esqueça o alastramento das cidades horrendas. Pense, ao contrário, no cavalo de carga nas colinas." No início da Segunda Guerra Mundial, quando os ingleses refletiam sobre as razões pelas quais lutavam, uma das canções mais populares era "There'll Always Be an England" (composta e escrita por Ross Parker e Hughie Charles em 1939), que falava sobre a preservação do campo ser essencial para sobrevivência do país. A primeira estrofe diz o seguinte:

There'll always be an England
While there's a country lane
Wherever there's a cottage small
Beside a field of grain[3]

Entre os muitos pintores de paisagens campestres, o mais famoso é seguramente John Constable, pintor do século XIX, cuja bela obra pode ser vista na National Gallery e na Tate Britain, ambas em Londres. Entre os romancistas que cultuavam o campo, Thomas Hardy é proeminente. Egdon Heath, um território campestre imaginário, que ele localizou no oeste do país, já foi descrito como um dos principais personagens de sua obra.

Pode-se mesmo dizer que até hoje alguns ingleses veem o campo com os olhos de escritores e pintores como esses.

Apesar de Constable e Hardy, entre muitos outros, terem tratado em suas obras também dos trabalhadores das terras, dos camponeses, o campo tem sido associado crescentemente à classe alta tradicional, conhecida como *county people*, vivendo em *country houses* – assim como a "casa-grande" no Brasil é associada aos antigos senhores dos engenhos de açúcar e dos cafezais.

Country Life, uma revista semanal inglesa fundada em 1897, mas que circula até hoje, aborda essencialmente os temas da caça e das *country houses* e seus proprietários, apesar de também tratar de questões de jardinagem e atividades agrícolas, estendendo, dessa forma, seu alcance para uma maior gama de leitores. Assim, o que explica a grande atração dos ingleses pelo campo não é só a beleza da paisagem, por mais importante que isso seja, mas também suas associações com a aristocracia e com nostalgia de um passado áureo, cheio de esplendor e elegância, em vigor antes da Primeira Guerra Mundial.

A paisagem natural, por sua vez, é frequentemente vista como parte do patrimônio nacional e descrita não como uma área subdesenvolvida, mas como *unspoiled*, ou seja, com uma natureza mais ou menos intocada.

É interessante saber que na segunda metade do século XVIII surgiu o estilo *rus in urbe*, que consistia em se criar ilusão de campo (*rus*) dentro da cidade (*urbs*). Numa época em que o poder maior do país estava com os grandes proprietários de terra e a *country house* ainda simbolizava autoridade, essa era uma forma de reforçar o *glamour* do campo e seu domínio sobre a cidade. Foi nesse período que muitos *garden squares* de Londres foram remodelados para parecerem "naturais" e adquirirem um ar de "paisagem campestre". Uma das mais conhecidas (e criticadas) tentativas nesse sentido foi a introdução de carneiros na Cavendish Square em meados do século XVIII. Importados da zona rural e colocados no pequeno jardim rodeado de *town houses* aristocráticas, os pobres carneiros pastavam atrás das grades, como se estivessem num palco de teatro. Difícil acreditar hoje em dia que o jardim atrás da loja de departamento John Lewis, na Oxford Street, pudesse ter sido parte de uma paisagem tão bucólica. O palco que, por assim dizer, ali existe hoje, é diferente. Cavendish Square é um dos muitos lugares da capital – entre parques, jardins comunitários, estações de trem etc. – que participaram ou ainda participam do programa idealizado em 2008 pelo artista britânico Luke Jerram, *Play Me, I'm Yours*, que consiste em se colocar pianos em espaços públicos para que as pessoas possam tocá-los e tenham oportunidade de se relacionar e se "apossar do espaço urbano".

De acordo com o geógrafo David Lowenthal, um norte-americano que passou a maior parte de sua vida observando os ingleses de perto, a paisagem do campo ainda exerce grande atração e está se tornando *Englandland*, uma espécie de *theme park* (parque temático de atrações ou diversões), do tipo descrito por Julian Barnes em *England, England* (*Inglaterra, Inglaterra*), já mencionado.

Vilas

Parte da atração do campo são também as vilas, que ocupam um lugar importante no imaginário coletivo dos ingleses. Eles gostam de evocar a imagem do jogo de críquete no campo (como John Major costumava fazer quando era primeiro-ministro), de casas com telhados de palha, de estalagens centenárias, de paróquias medievais e de uma comunidade rural idealizada, onde o correio é também um armazém geral e o funcionário conhece e cumprimenta amavelmente todo mundo. Esse é o tipo de vilarejo representado diariamente pela radionovela *The Archers* ou em clássicos da literatura como *Lark Rise to Candleford* (De Lark Rise para Candleford), escrito por Flora Thompson, que foi uma administradora de agência de correio. Publicado pouco antes da Segunda Guerra Mundial, o romance foi trazido novamente à luz em uma série para televisão da BBC. O mesmo é o caso do romance *The Darling Buds of May* (Os adoráveis botões de maio), de H. E. Bates, cuja história se passa na zona rural de Kent; publicado em 1958, foi adaptado para a televisão em 1990.

Na prática, o centro histórico da vila inglesa hoje permanece inalterado, mas o que se pode chamar de "subúrbio da vila" é normalmente composto de casas novas, e seus habitantes, na sua maioria, não são mais trabalhadores do campo, mas profissionais de classe média, cujo local de trabalho é a cidade, para onde se deslocam diariamente. As lojas locais, incluindo as agências do correio, estão desaparecendo e sendo substituídas por lojas de antiguidade e restaurantes para turistas. Os ônibus locais estão também desaparecendo, o que torna o uso de carro essencial, fazendo com que, ironicamente, as vilas acabem sendo menos ecológicas do que o centro das cidades.

Sobrevive, contudo, nessas pequenas comunidades do campo a mentalidade conhecida como *rural racism* (racismo rural); em outras palavras, a maior resistência nesses vilarejos do que nas cidades em aceitar os recém-chegados, que agora incluem os imigrantes.

No início do século XX, como parte do movimento de "trazer o campo para a cidade" para torná-la mais saudável e agradável, surgiu a Garden City Association, responsável pela fundação das novas cidades de Letchworth Garden City e Welwyn Garden City. Um de seus idealizadores deixou bem claro o que se pretendia com a inovação: "O sucesso de se fundar uma nova cidade somente será obtido se for acompanhado de uma aceitação franca das condições naturais do local; e humildemente nos curvarmos a elas, criando um desenho que respeite essas condições [...] tais características naturais devem ser a tônica central da composição [...]". Uma das maiores inspirações para essa iniciativa se encontra nas ideias do socialista, poeta, arquiteto e artista William Morris, que no final do século XIX argumentava que as cidades deveriam ser "impregnadas com a beleza do campo, e o campo, com a inteligência e a vivacidade da cidade". No Brasil, o arquiteto Barry Parker, um dos idealizadores da primeira cidade-jardim inglesa, Letchworth, foi contratado, pela Companhia City, para planejar o Jardim América, o primeiro dos bairros-jardins de São Paulo.

Parques

Para os ingleses habitantes das cidades, os inúmeros parques representam pedaços do campo dentro da vida urbana, o que é especialmente importante para os que não possuem jardins ou *allotment*s. A maioria desses "pedaços de campo" foi criada como espaço público no século XIX, para servir de antídoto ao crescimento das cidades, ou seja, como um modo de neutralizar os seus males. Em Londres, por exemplo, os Royal Parks, criados originalmente nos séculos XVI e XVII para entretenimento da família real, em especial para a caça, foram abertos ao público em meados do século XIX. Cobrindo quase 2 mil hectares da "grande Londres", os antigos Royal Parks são 8: no centro da capital, estão o Hyde Park, os Kensington Gardens, o Green Park, o Regent's Park e o St. James's Park; nos subúrbios, encontram-se o Bushy Park, o Greenwich Park e o Richmond.

Parques públicos fazem parte da paisagem inglesa, e Londres os tem em abundância. Hyde Park, por exemplo, é um local atraente para piqueniques, passeios de barco, hipismo e outras atividades de lazer.

Graças a esses parques (sem mencionar inúmeros outros, como Finsbury Park, Clissold Park, Hampstead Heath e muito mais), Londres, cidade de 1.500 km², é excepcionalmente verde, como se pode verificar claramente do ar, quando se está pousando num dos aeroportos da capital. Contando com 8 milhões de árvores, o que a faz a maior "floresta urbana" do mundo, 47% de sua área é ocupada pelo "verde" de 3 mil parques, 30 mil *allotments*, 3 milhões de jardins e 2 reservas naturais, o Richmond Park e o Ruislip Wood. É por essa razão que está em curso uma campanha – *Greater London National Park Campaign* – para transformar a capital num parque nacional e mudar a percepção das pessoas, estimulando-as a reimaginar o ambiente onde vivem. Daniel Raven-Ellison, um dos chamados "geógrafos guerrilheiros" que idealizaram a campanha, comentou que, num feriado, ele andara do sul ao norte da cidade – de Croydon a High Barnet – praticamente passando só por florestas e matas naturais. "Vi raposas, veados, cobras e pica-paus... uma árvore de mais de 2 mil anos, mas nenhuma criança", apesar de ser uma tarde ensolarada.

Dada a importância que se dá aos espaços verdes e ao orgulho que muitos londrinos sentem de viver numa cidade tão excepcional nesse aspecto, não é muito surpreendente a notícia de que em 2018 será inaugurada em Londres uma ponte totalmente ajardinada e arborizada. A *garden bridge*, que ligará a região de Temple, o centro jurídico da cidade, à margem sul do Tâmisa gerou muita controvérsia, os críticos argumentando que o alto custo da construção (175 milhões de libras) e da manutenção não se justificava numa cidade já tão verde. No entanto, os defensores da ponte verde acabaram ganhando, e o prefeito Boris Johnson, um dos mais entusiastas de todos, foi, como sempre, enfático ao comentar a vitória do "mais criativo espaço verde" do mundo: "A *garden bridge* será um marco fantástico para Londres, ao mesmo tempo que promoverá regeneração e o crescimento econômico dos dois lados do Tâmisa. Criará um espantoso oásis de tranquilidade no coração de nossa cidade e estimulará nossos planos de encorajar as pessoas a caminharem".

Quanto ao resto do país, um estudo abrangente feito pelo UK National Ecosystem Assessment revelou que a percepção da maioria dos habitantes (os 80% que vivem na zona urbana) sobre a situação ecológica está equivocada. Longe de ser um país urbanizado, como muitos pensam, somente 6,8% da área do Reino Unido é urbana, e – o que é mais impressionante – grande parte da área urbana é *green space*, ou seja, não coberta por concreto, asfalto ou qualquer tipo de pavimentação, já que está ocupada por parques, praças ajardinadas, *allotments*, jardins domésticos, jardins botânicos, rios, canais, lagos, reservatórios de água etc. A conclusão a que chegou esse estudo detalhado foi de que se há uma coisa que o Reino Unido tem em abundância é natureza, já que quase 98% de sua área é o que o estudo chamou de "natural".

Locomoção

Como muitas pessoas vivem em vilas da zona rural, ou nos subúrbios, mesmo quando trabalham em cidades grandes, como Londres, é comum elas viajarem para trabalhar – são os chamados *commuters,* no vocabulário usual dos ingleses.

Casas mais baratas e espaçosas, proximidade do campo e um padrão de vida melhor são normalmente as razões alegadas pelos que optam por morar longe de seu local de trabalho nas cidades. Em consequência dessa opção, os britânicos passam em média 54 minutos por dia viajando. No entanto, o número de *super-commuters* no Reino Unido – os que passam 3 horas ou mais viajando diariamente para ir e voltar do trabalho – aumentou 50% entre 2008 e 2013. O princípio essencial do *commuter* é que ele se distancia do trabalho até chegar a uma área em que possa comprar uma casa que satisfaça seus padrões de qualidade. Ou, como disse um observador, o *"commuter* está essencialmente trocando milhas por metros quadrados".

Contrariamente ao que se poderia supor, levando em conta as estações cheias e os trens abarrotados no início e fim do dia de trabalho, são relativamente poucas as pessoas que se utilizam desse meio de transporte para se locomover diariamente: somente 1 a cada 10 pessoas, ou seja, 10% dos *commuters.* O preço alto das passagens de trem, desde que o serviço foi privatizado por Margaret Thatcher nos anos 1990, é uma das razões apontadas pela não opção por um serviço cujo preço cresce mais do que a inflação. A seu favor, e motivo de orgulho da estrada de ferro britânica, é o que ela oferece em segurança e pontualidade. Pelo sétimo ano consecutivo, os dados de 2014 revelaram que não houve nenhuma morte causada por acidentes de trem no Reino Unido, o que torna esse o transporte mais seguro de todos. De qualquer modo, ainda que o trem seja menos usado do que o carro, as viagens de trem têm aumentado em número desde meados dos anos 1990, tendo duplicado desde 1994-1995 a 2014. Com uma rede de 15.753 km, e realizando 1,59 bilhão de viagens anuais, a rede britânica ocupa, no mundo, o décimo oitavo lugar em extensão e o quinto em utilização pelo público.

O carro particular é o meio de transporte que supera todos os demais na preferência das pessoas. Na verdade, na maciça utilização de carro para transporte, os britânicos não diferem muito dos outros países europeus, com exceção do fato de que seus carros transportam mais passageiros por viagem do que os demais, segundo estatística de 2001, a última disponível sobre isso. O que pode explicar o número crescente de carros na Europa em geral é o fato de desde 1996 estar havendo aumento considerável no preço de todos os modos de transportes públicos de passageiros, enquanto o preço dos carros caiu 14% de 2005 até 2013. No Reino Unido, particularmente, a indústria automobilística está em plena expansão, superando as outras áreas industriais que ainda sofrem os efeitos

Modo de vida e valores | 235

A rede de metrô londrina é uma das mais antigas e amplas do mundo, com 270 estações e 402 kms de trilho. Sua primeira linha, hoje Central Line, foi inaugurada em 1863. Turistas brasileiros brincam que esse sistema lhes permite conhecer Londres "em profundidade".

da recessão de 2008. Tendo crescido 3,1% no ano de 2013 e produzido 1,5 milhão de veículos, a linha de produção britânica fabrica, portanto, um carro a cada 20 segundos.

Segundo o censo de 2011, 54% dos trabalhadores da Inglaterra e do País de Gales utilizam o carro para chegar ao seu trabalho, enquanto 7,2% utilizam ônibus e 3,8%, o metrô. Mais ou menos a mesma proporção se mantém em viagens de lazer. Apesar de estar crescendo em popularidade, a bicicleta é um meio de transporte relativamente pouco utilizado no cotidiano: somente 1 em 40 pessoas usa esse meio de transporte na sua vida diária.

A situação da capital é diferente da do resto do país. Com sua extensa rede de metrô, que começou a funcionar em 1863, Londres é uma cidade que pode ser percorrida de norte a sul e leste a oeste por esse meio de transporte popularmente conhecido como *the tube*. A rede, que conta hoje com 270 estações, faz por volta de 1 bilhão de viagens por ano e serve 3 milhões e meio de pessoas. Como o famoso mapa multicolorido do sistema (originalmente desenhado em 1931) deixa claro, 12 linhas diferentes estão em operação, cada uma delas distinguida com sua própria cor no mapa – vermelho para a Central Line, azul-escuro para a Piccadilly Line e assim por diante.

Quanto aos famosos ônibus vermelhos de dois andares, cuja origem recua ao século XIX, quando eram puxados por cavalos, eles agora transportam 6 milhões de passageiros por dia em mais de 700 rotas diferentes (e 100 rotas durante a noite). Ao lado do famoso táxi preto Austin (*Black Cab*), agora em processo de extinção para ser substituído por veículos mais modernos e ecológicos, esses ônibus tornaram-se emblemáticos da capital inglesa.

Para os que preferem andar a pé, o país é relativamente amigável com o pedestre, com sua extensa rede de *public footpaths* (trilha pública) e *bridleways* (trilha da rédea) no campo, e as muitas *zebra crossings* (faixas de pedestres) nas cidades. As *footways* são trilhas, muitas delas centenárias, nas quais os pedestres têm direito garantido de passar a pé por propriedades privadas, enquanto as *bridleways* lhes garantem o direito de andar a pé e a cavalo. Ocasionalmente pode haver permissão para se passar também de bicicleta. Na Inglaterra em geral, as vias para ciclistas nas cidades ainda são insuficientes, mas estão em processo de melhoria.

Em Londres, calcula-se que mais de 6 milhões de jornadas são feitas a pé diariamente, já que milhões de pessoas andam pelas ruas como parte de trajetos mais longos que também incluem ônibus, *tube* (metrô) ou trem. No entanto, o crescente número de acidentes com pedestres e ciclistas tem provocado alarme. Os últimos dados existentes, de 2012, revelam um significativo aumento em relação ao ano anterior, com 3 pedestres em média por dia sendo acidentados na capital. Desses, 69 morreram em 2012, enquanto 19 foram os ciclistas mortos no mesmo período.

Os pedestres estrangeiros são os que correm mais risco na Grã-Bretanha, por desconhecerem as regras e olharem para o "lado errado" da rua ao atravessar. Como é notório, os britânicos dirigem do lado esquerdo da rua, o que provoca confusão entre os transeuntes que não vêm dos mais de 50 países que também seguem esse costume; um costume cujas origens são complexas, historicamente remotas e nebulosas. Por ordem de tamanho de população, os maiores países que nisso se assemelham ao Reino Unido são: Índia, Indonésia, Paquistão, Bangladesh, Japão, Tailândia, África do Sul, Tanzânia, Quênia e Nepal. Na Europa, só três países – Chipre, Irlanda e Malta – seguem o mesmo costume. Na América do Sul, o único país que utiliza essa forma de dirigir é a Guiana, antiga colônia britânica. Na Europa, a Suécia organizou sua transformação do trânsito de modo espetacular. Desde 1734, por motivos obscuros, o tráfico na mão esquerda fora introduzido, mas no dia 3 de setembro de 1967, por decreto governamental e à revelia da maioria da população consultada em *referendum*, o tráfico foi mudado para a direita. Foi assim que, às cinco horas da manhã, caminhoneiros, motoristas de ônibus, de carros particulares e ciclistas, passaram a dirigir à direita da rua. Nenhum acidente foi atribuído a essa drástica mudança.

CARROS "ESTRANGEIROS", MAS AINDA INGLESES

Os britânicos, grandes usuários de carros, hoje guiam veículos importados ou fabricados no Reino Unido, mas produzidos por firmas estrangeiras, como Honda, Nissan e Toyota. Dentre os 20 carros novos mais vendidos em 2013, somente um era originalmente britânico, o Mini.

No entanto, o Reino Unido já foi um dos líderes da indústria automobilística. No topo da hierarquia de carros, estavam o Rolls-Royce, lançado em 1904, que agora faz parte do grupo BMW; o Bentley, lançado em 1919 por W. O. Bentley, vendido para a Rolls-Royce em 1931, mas pertencente desde 1998 ao grupo Volkswagen; o Jaguar, lançado em 1922, e agora propriedade da companhia indiana Indian Tata Group, que também comprou o Land Rover; e os carros esportivos MG, que começaram a ser produzidos nos anos 1920, e são hoje propriedade do Nanjing Automobile Group. Todos esses veículos, no entanto, continuam a ser produzidos no Reino Unido e a ser considerados símbolos de "britanicidade" por seus compradores no exterior, sejam da China, Rússia ou Estados Unidos, os maiores importadores dessa indústria de carros de luxo em franco crescimento.

Austin e Morris eram os nomes famosos no escalão mais baixo da hierarquia dos carros britânicos. Austin, que começou a fabricar carros em 1905 e sobreviveu até os anos 1980, criou um dos modelos mais populares, que ficou conhecido afetuosamente como Baby Austin. Seu maior rival na fabricação de carros populares era o Morris Motor, fundado em 1912 em Oxford. Foi esse o fabricante que lançou o famoso Morris Minor em 1928 e o Mini em 1959, logo seguido pelo Mini Cooper em 1961– agora pertencentes ao grupo BMW.

Ainda produzido em grande parte na fábrica de Oxford, o Mini é um dos carros britânicos mais populares hoje em dia no mercado nacional e internacional. Desde 2001, mais de 2 milhões de carros foram exportados e em 2013, 80% dos carros produzidos foram para o exterior, tornando o Mini Plant Oxford (o nome atual do fabricante) o terceiro exportador de veículos no Reino Unido. Os mercados principais de exportação são os Estados Unidos, Alemanha, China, França e Itália; o próprio Reino Unido é o segundo mercado do Mini, após os EUA.

William Morris, o fundador da Morris Motor (sem parentesco com o famoso poeta, artista e socialista vitoriano do mesmo nome), começou sua carreira produzindo bicicletas. Isso era muito apropriado para Oxford, onde milhares de estudantes, na época e ainda hoje, utilizam a *bike* como principal meio de transporte. Mas Morris não foi o único fabricante de carro que começou como "bicicleteiro". A Rover Company, que mais tarde se tornou famosa com o seu Land Rover, foi fundada em 1878 para fabricar bicicletas. O empreendimento foi tão bem-sucedido que em polonês a palavra *bicicleta* é ainda *rower*.

CARROS DE LUXO: UM MUSEU ABERTO E VIVO

Para os aficionados de carros de luxo, é interessante saber que durante os meses do verão londrino, eles têm uma oportunidade única de admirar uma exposição *sui generis*, sem necessidade de comprar entrada ou de enfrentar fila. Trata-se do evento anual que se inicia por volta de julho com a chegada de jovens árabes milionários à capital inglesa: os *golfie*s, tal como eles são chamados pelos moradores da região afetada por essa "invasão", que se irritam com todo o transtorno que eles causam.

Essa mudança temporária tem para esses jovens um duplo objetivo: fugir do calor escaldante do verão de suas terras – Catar, Arábia Saudita, Kuwait etc. - e usufruir dos privilégios que o ambiente inglês lhes oferece e que sua riqueza facilita. Além disso, Londres é muito atraente para esses jovens, dada a familiaridade que os árabes têm, há gerações, com a cidade e ao grande número de cidadãos do Golfo que a visitam ou a escolhem como residência. Referindo-se a isso, Boris Johnson, jocosamente, se disse prefeito do oitavo Emirado durante sua visita aos Emirados Árabes Unidos em 2013.

Por mais ou menos três meses, os veículos mais caros e sofisticados do mundo enchem as ruas de Knightsbridge e Kensington, bairros elegantes da capital, onde o preço médio das casas é de 4 milhões de libras. Estacionando em lugares nobres e, por vezes, proibidos (como à frente da loja Harrods), e transformando algumas ruas em pista de corrida, esses jovens visitantes parecem tudo fazer para atrair a atenção para seus Lamborghinis, Bugattis, Ferraris, Koenigseggs, Maseratti, Pagani Hyayra, Rolls-Royce e outros carros dessa categoria. Entrevistado, um desses "corredores de verão" afirmou: "Sinto-me como se estivesse guiando um carro da Fórmula 1... todo mundo me olhando!" E não há dúvida de que atraem a atenção que almejam; um bom número de espectadores os acompanha pela região, incluindo os chamados *carparazzi*, que, de câmara em punho, registram cenas desse evento singular. É como se durante algumas semanas por ano, Londres se transformasse em um parque de diversões para os jovens árabes milionários, que trazem seus carros de luxo, se divertem, saciam sua sede de compras e fazem o que for necessário para verem e serem vistos. Vários deles, inclusive, competem para chamar atenção com modificações mirabolantes em seus carros. No verão de 2013, por exemplo, uma Ferrari recoberta de veludo era talvez o veículo mais chamativo. Já em 2014, atraíam a atenção um exclusivo Bugatti Veyron dourado e preto, um Range Rover dourado, um Rolls-Royce cor-de-rosa, além de outros pintados com várias cores berrantes. Não é de admirar que esses rapazes deixem a cidade com pesar. Como disse um deles às vésperas de sua viagem de volta: "Todos os meus amigos estão tristes de terem de retornar ao Kuwait. Nós nos divertimos durante três meses e ficamos chateados por ter de deixar esta cidade para voltar para o deserto."

Quanto aos espectadores desse evento anual, o consolo está em saber que ele vai ocorrer novamente. Como disse um deles: "É um espetáculo incrível, que não dá para ser descrito. Em poucas ruas se pode ver os melhores e mais extravagantes carros do mundo!"

Estátuas, *talking statues* e nomes de ruas

Ao andar pelas ruas de muitas cidades da Grã-Bretanha, vale a pena parar de quando em quando para admirar algumas das centenas e centenas de estátuas que foram erigidas ao longo dos séculos: de políticos, de homens de letra, de animais, de reis e rainhas, de cientistas, de personagens de ficção, de mulheres notáveis, além das que servem como memoriais de guerra, e muito mais. Nem todas, no entanto, representam personagens considerados especialmente valorosos. Um exemplo disso é a estátua monumental, que já foi descrita como "ridiculamente alta", de Frederick, duque de York, instalada no alto dos "degraus duque de York", uma imponente escadaria em Waterloo Place, em Londres. York foi o comandante malsucedido das guerras contra a França de Napoleão, lembrado por uma antiga cantiga de roda zombeteira, que diz:

Esta monumental coluna no centro de Londres, que se equipara à Coluna de Nelson em Trafalgar Square, nos faz supor que carrega uma estátua de um grande herói nacional. No entanto, a estátua no topo representa um membro sem muita importância da família real, Frederick, duque de York.

Oh, The Grand Old Duke of York
He had ten thousand men;
He marched them up to the top of the hill,
And he marched them down again.

And when they were up, they were up,
and when they were down, they were down,
And when they were only half-way up,
They were neither up nor down.[4]

A quantidade de estátuas de Londres e de muitas outras cidades inglesas é impressionante. O Public Monuments & Sculpture Association (Associação de Monumentos Públicos e Esculturas) iniciou, em 1997, um levantamento exaustivo (National Recording Project) de monumentos e esculturas existentes em todo o Reino Unido, ainda não concluído e em pleno andamento, depois de quase 20 anos. Em Londres, uma área de grande densidade estatuária é a Trafalgar Square, que inclui não somente a do conhecido almirante Nelson, mas também a do rei George IV e a de Henry Havelock, o general que ajudou a sufocar o que os ingleses chamam de Indian Mutiny (Motim Indiano) e que os indianos chamam de Guerra da Independência.

Outra área densamente "habitada" por estátuas é Westminster, no centro do *establishment*, junto ao Parlamento, onde se pode ver, entre muitas, as de líderes políticos britânicos, como Winston Churchill e Benjamin Disraeli, mas também de estrangeiros como Nelson Mandela, Abraham Lincoln e Mahatma Gandhi. Esta última estátua, inaugurada em 2015, coloca quase lado a lado o líder da independência da Índia e seu inimigo Churchill, que chegou a descrevê-lo, em 1931, como um "faquir seminu". Há inclusive duas estátuas que provocaram, e ainda provocam, polêmica: uma delas, para o pesar dos muçulmanos, é a estátua do rei medieval Ricardo I, um líder importante das Cruzadas; a outra é a de Oliver Cromwell, o antimonarquista responsável pela única vez em que uma república foi brevemente implantada na Inglaterra, logo após o rei Carlos I ter sido julgado, condenado à morte e decapitado em 1649 (ver capítulo "A presença do passado").

Quem estiver interessado em encontrar uma estátua de Shakespeare deve procurar no interior da Abadia de Westminster, no Poet's Corner, mas também ao relento, no

Nos jardins do Parlamento encontra-se uma estátua de Oliver Cromwell, líder das forças parlamentares na guerra contra o rei Carlos I, nos anos 1640. Já no Parliament Square, pode-se ver a estátua de Mahatma Gandhi, que lutou para que a Índia se libertasse do jugo britânico.

centro de Leicester Square; homenagens que são singelas demais, segundo os críticos, para um escritor da sua envergadura. Quanto a mulheres, podem-se ver duas ousadas heroínas da história, não muito longe uma da outra: Boudica, a rainha celta que resistiu aos romanos no início da era cristã, perto do Westminster Pier (Cais de Westminster); e Emmeline Pankhurst, a heroína da luta pelo voto feminino, no Victoria Tower Gardens, ao lado do Palácio de Westminster.

Recentemente, estátuas em Londres e Manchester começaram a falar! Como parte de um projeto ambicioso e inovador da Sing London – uma empresa sem fins lucrativos fundada e dirigida pelo ex-banqueiro Michael Norton – que se dedica a transformar as cidades em "lugares em que as pessoas se sentem felizes de ali estar", as estátuas agora "falam" com os transeuntes. Excelentes atores e escritores foram contratados para criar as *talking statues* (estátuas falantes) e dar vida à Sherlock Holmes, Abraham Lincoln, um soldado da Primeira Guerra Mundial, dois gatos, uma cabra, e assim por diante. A ideia é aproximar o público física e emocionalmente do que, em condições normais, seria uma pedra de mármore ou de granito sem vida. Um simples toque do celular numa etiqueta é seguido de uma chamada telefônica e do outro lado da linha podem estar Peter Pan, a rainha Vitória, Sherlock Holmes etc. A rainha Vitória, por exemplo, encoraja os ouvintes a visitarem uma exposição no Palácio de Kensington. A gigantesca estátua de Isaac Newton, no pátio da British Library, diz: "Olhe para cima! Sou o gigante elevando-se acima de você. Isaac Newton. Você pode achar que eu não me interesso por você porque me vê debruçado com um compasso na minha mão; de fato, tudo o que você faz me interessa, e a maioria das coisas que está fazendo agora, como me ouvindo no seu celular, só pode ser feita por causa de minhas descobertas. Chegue mais perto. Agora, fique parado. O que mantém os seus pés no chão? Gravidade! Antes de mim, lhe foram dadas muitas explicações falsas. Eu calculei a força da gravidade. Você pode ver a Lua? Você se pergunta por qual razão a Lua não cai?..."

Os nomes das ruas, praças e estações inglesas são muitas vezes intrigantes. Em Londres, a origem de muitos deles pode ser encontrada na história das várias regiões da cidade, que cobre mais de 2.000 anos.

Por que Knightsbridge, por exemplo? Não há cavaleiros (*knights*) por trás desse nome, como se poderia pensar, mas uma ponte (*bridge*) no rio Westbourne (hoje invisível e transformado em esgoto), e *knights,* que no passado distante significava simplesmente "jovens empregados". Provavelmente esse era o local em que os jovens se reuniam, séculos antes de lojas famosas existirem no lugar e servirem de ponto de encontro e ostentação de jovens árabes milionários.

Mayfair, uma das regiões mais caras do mundo, situada perto do Hyde Park, foi assim chamada devido a uma feira (*fair*) anual que ocorria durante a primavera; daí

May Fair. Entre os anos de 1686 a 1764, essa feira realizava-se no *Shepherd's Market,* um pequeno e encantador recanto (ainda muito atraente) antes de ser transferida para Bow, no leste da cidade, por causa das reclamações dos que viviam nas imediações da feira.

E *Regent Street*? Foi assim nomeada em homenagem ao príncipe regente, o futuro George IV, que encorajou o arquiteto John Nash a planejar essa rua, cuja construção foi completada em 1825.

Por que Leicester Square (pronunciado "*lester*" pelos londrinos)? Porque o conde de Leicester, um favorito da rainha Elizabeth I, era o dono original das terras. Como mencionamos, muitos aristocratas ingleses eram os proprietários (e ainda são, como é o caso do duque de Westminster) de uma grande área no centro da capital, dando os nomes à Russell Square, Berkeley Square, e assim por diante. Russell Square, por exemplo, nas proximidades do British Museum (Museu Britânico), foi uma praça construída por ordem de Francis Russell, o duque de Bedford, que contratou um famoso arquiteto-paisagista para planejar o seu jardim central.

A estátua de Isaac Newton, uma das estátuas falantes, encontra-se no pátio da British Library e é de autoria do escultor Edward Paolozzi, que se inspirou em obra de William Blake, artista do século XIX.

Eventos históricos também são comemorados com nomes de locais públicos. Trafalgar Square, como vimos, comemora a vitória de Nelson sobre Napoleão. Waterloo Station, uma importante estação de trem em Londres, comemora a derrota dos franceses na Batalha de Waterloo, na Bélgica, em 1815. Curiosamente, o trem Eurostar, que une Londres a Paris, durante anos costumava chegar a Waterloo, e muitas pessoas suspeitam de que essa estação foi escolhida pelos ingleses a fim de aborrecer os franceses, lembrando-os da derrota de 1815, tão logo chegassem à capital inglesa.

A CULTURA IMATERIAL

Sociabilidade

Os ingleses são sociáveis, mas a seu modo. Eles visitam amigos, mas normalmente esperam ser convidados, ou ao menos telefonam antecipadamente para dizer quando vão. Visitar vizinhos é algo raro após o ritual inicial de cumprimentos na época da mudança.

Mesmo entre conhecidos, existem algumas regras não escritas que regem as conversas. Nos *colleges* de Oxbridge, pode-se observar em pequena escala algumas delas. Por exemplo, no *college* de Oxford, onde um dos autores deste livro estudou nos anos 1950 (quando ainda era uma instituição puramente masculina), havia umas tantas regras a serem seguidas nos rituais das conversas ao redor da mesa de jantar. Falar sobre política ou religião era proibido, e os infratores eram penalizados com o pagamento de uma multa. Do mesmo modo, eram multados os que mencionassem o nome de uma mulher e os que proferissem mais de três palavras estrangeiras consecutivas numa conversa. Assim, os alunos podiam evitar a multa usando expressões como *noblesse oblige* ou *coûte que coûte*, mas não *questa ragazza è molto bella*. Apelar para a absolvição da multa era possível, desde que isso fosse feito num latim perfeito; caso contrário, o aluno incorria em outra multa. É interessante ressaltar nesse ritual que religião e política eram consideradas fatores de divisão, sugerindo que esses eram tópicos a serem abordados somente com pessoas íntimas o suficiente para se saber de antemão que haveria acordo, consenso entre elas – e que a conversa não geraria mal-estar, desarmonia ou divisões profundas entre elas.

Muitos ingleses se mostram relutantes em falar com estranhos, com exceção de alguns comentários sobre o tempo ou num recinto considerado especialmente apropriado para se iniciar uma conversa com alguém desconhecido: o *pub*.

PUB

Visto como símbolo da identidade nacional por britânicos e estrangeiros, o *pub* é também considerado, e talvez idealizado, como um símbolo da comunidade.

George Orwell, como mencionamos, o considerava "uma das instituições básicas da vida inglesa". Segundo ele, as dez qualidades que definiriam seu "*pub* ideal" – ao qual deu o nome de *The Moon Under Water* – incluíam alguns itens favoráveis ao estabelecimento de relações sociais informais: um bom fogo na lareira criaria um ambiente aconchegante; o lugar deveria ser quieto para se poder conversar; havendo jogos, deveriam somente ocupar cantos específicos; e o *barman* deveria chamar seus clientes pelo nome.

Ouve-se dizer, com um pouco de exagero, que, enquanto nos Estados Unidos as pessoas procuram um terapeuta quando têm algum problema, no Reino Unido elas se aproximam dos *barmen* ou *barmaids* do seu *local* (tal como os ingleses chamam seu *pub* favorito). Isso porque, via de regra, os *barmen* acabam se tornando confidentes dos seus clientes. Muitas pessoas nos *pubs* são *habituée*s, ou seja, leais ao seu *local*, e ali participam do ritual de *rounds* (já descrito), que é um modo de promover a sociabilidade através da troca de gentilezas. Outro ritual tradicional, que agora está se tornando obsoleto devido à campanha contra o *drink driving* (beber e dirigir), é o *pub crawl*, quando um pequeno grupo de amigos vai para um *pub* beber e, depois, dali "rasteja" (*crawls*) para outro, e para outro e mais outro etc., continuando a beber em todos eles.

Os *pubs* adquiriram sua forma atual no século XIX, quando o balcão foi criado por I. Brunel, um engenheiro especializado em pontes. Essa inovação facilitou o atendimento e a supervisão do local por poucos atendentes, e é marca característica dos *pubs* até hoje. A história dos *pubs*, no entanto, recua a séculos e séculos antes, pois pode-se dizer que são herdeiros de estabelecimentos criados pelos antigos romanos, especialmente destinados a se beber a favorita *ceruesa*. Graças aos monastérios – e às suas hospedarias que ofereciam cerveja e pão a peregrinos e viajantes –, esses estabelecimentos sobreviveram na Idade Média, mas não ficaram por muito tempo confinados às mãos dos monges, os grandes produtores de cerveja nessa época.

Na hierarquia tradicional dos estabelecimentos que deram origem aos *pubs* de hoje, encontravam-se, no ponto mais baixo e barato, as *alehouses*, seguidas pelas tavernas, que também vendiam vinho, e no topo, as *inns*, ou estalagens, que eram maiores e ofereciam, além de bebida, comida e acomodação. Estas foram especialmente importantes no século XVIII, graças ao surgimento das diligências, e muitos exemplares ainda sobrevivem em pequenas cidades, normalmente com o nome de The George, em honra a um dos três reis Georges do século XVIII. No século XIX, devido ao desenvolvimento das estradas de ferro e à construção de hotéis nas proximidades das estações de trem, as *inns* viram seu negócio perder importância.

Todos esses três tipos de estabelecimentos passaram, em algum momento difícil de se determinar com certeza, a ser conhecidos coletivamente como *public houses*. Por volta de 1577, calcula-se que havia na Inglaterra e no País de Gales 17 mil *alehouses*, 400 tavernas e 2 mil *inns*, o que equivaleria a um *pub* para cada 200 habitantes.

Mas foi com o Beer Act de 1830, que praticamente extinguiu impostos à produção e à venda de cerveja, que os *pubs* cresceram meteoricamente. Essa foi a forma encontrada pelo Parlamento para lutar contra o alcoolismo ligado às bebidas mais fortes, como o gim, e à proliferação das *gin houses*, vistas como um centro de devassidão e de proliferação de doenças entre as classes trabalhadoras.

No século XIX, a maioria dos clientes dos bares públicos (*public bars* ou *pubs*) eram homens da classe trabalhadora, que ali gastavam a maior parte do seu tempo, e dinheiro, fazendo dos *pubs* uma espécie de refúgio de suas casas abarrotadas. A presença de mulheres era praticamente restrita às que serviam no bar, as *barmaids*, muitas delas sendo esposas e filhas do homem responsável pelo *pub* – que podia ser tanto o proprietário do estabelecimento ou empregado de cervejarias. Há raríssimas referências nos documentos do passado a clientes mulheres, o que leva a crer que sua presença não era usual.

Do ponto de vista da arquitetura, a época áurea dos *pubs* foi entre meados e final do século XIX (muitos deles ainda mantém boa parte de sua decoração original) quando espelhos, papéis de parede, carpetes e ornamentos passaram a fazer parte de uma decoração mais ostentosa. Foi também nesse período que surgiram os *pubs* com pequenos compartimentos ou cubículos (*snugs*) que garantiam privacidade aos fregueses que quisessem beber sem serem vistos. Havia também uma espécie de segregação informal nos *pubs*, feita pela divisão do estabelecimento entre a parte chamada *saloon* ou *lounge bar* e o *tap room* ou *public bar*. O primeiro espaço, com cadeiras almofadadas, carpetes e mais requinte, atraía a classe média, que também podia assistir a pequenos espetáculos de música ou teatro que ali se realizavam ocasionalmente. O segundo, com soalho de tábuas e bancos desconfortáveis, vendia bebida mais barata e atraía os trabalhadores. Essa distinção foi aos poucos desaparecendo, e hoje o *pub* é um lugar onde pessoas de várias origens compartilham um mesmo espaço. Pode-se, no entanto, ver vestígios dessa era nos muitos *pubs* que ainda retêm a antiga divisão com portas diferentes de acesso.

Uma das heranças do passado ainda viva em alguns locais é o *performance pub*, em que teatro ou música de ponta apresentam-se num pequeno espaço, usualmente no segundo andar do estabelecimento, e para não mais de poucas dezenas de espectadores. O Hen & Chickens, em Islington (em Londres), e o The King's Arms, na Grande Manchester, são alguns bons exemplos de *performance pubs*.

HISTORY
of The Old Ferry Boat

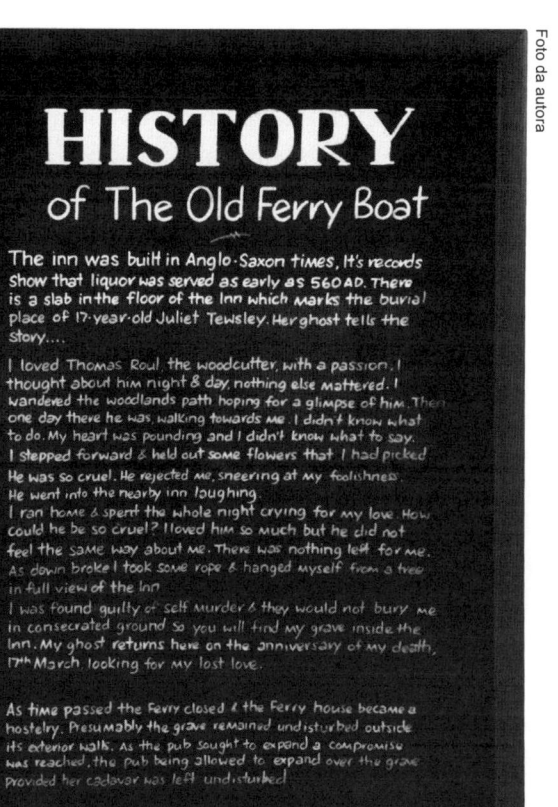

The inn was built in Anglo-Saxon times. It's records show that liquor was served as early as 560 AD. There is a slab in the floor of the Inn which marks the burial place of 17-year-old Juliet Tewsley. Her ghost tells the story...

I loved Thomas Roul, the woodcutter, with a passion. I thought about him night & day, nothing else mattered. I wandered the woodlands path hoping for a glimpse of him. Then one day there he was, walking towards me. I didn't know what to do. My heart was pounding and I didn't know what to say. I stepped forward & held out some flowers that I had picked. He was so cruel. He rejected me, sneering at my foolishness. He went into the nearby inn laughing.
I ran home & spent the whole night crying for my love. How could he be so cruel? I loved him so much but he did not feel the same way about me. There was nothing left for me. As dawn broke I took some rope & hanged myself from a tree in full view of the Inn.
I was found guilty of self murder & they would not bury me in consecrated ground so you will find my grave inside the Inn. My ghost returns here on the anniversary of my death, 17th March, looking for my lost love.

As time passed the Ferry closed & the Ferry house became a hostelry. Presumably the grave remained undisturbed outside its exterior walls. As the pub sought to expand a compromise was reached, the pub being allowed to expand over the grave provided her cadaver was left undisturbed.

Alguns *pubs* ingleses têm séculos de história, como indica esta inscrição na parede do Old Ferry Boat.

No século XX, os *pubs* sofreram uma grande transformação. Durante as duas guerras mundiais, as mulheres passaram a frequentar os *pubs* mais do que nunca antes, desafiando, assim, a identidade masculina associada a esses estabelecimentos. Esses foram períodos de grandes mudanças na hierarquia de gêneros que deixaram marcas para além das circunstâncias históricas que as causaram. O tipo de trabalho, por exemplo, que as mulheres de várias classes sociais foram chamadas a desempenhar durante as guerras provocou entre elas um aumento de autoconfiança, que inevitavelmente repercutiu também nas suas atividades de lazer. Foi assim que o que antes era inaceitável ou embaraçoso – a presença de mulheres em *pubs* – passou paulatinamente a ser visto como normal e legítimo.

Ao mesmo tempo, os homens, que antes se refugiavam nos bares, passaram a despender ali menos tempo à medida que suas moradias se aprimoravam e, a partir dos anos 1950, a televisão tornava a permanência nas casas mais atraente.

No final do século XX, mais e mais *pubs* passaram a oferecer vinho e café, além de cerveja (incluindo as cervejas locais produzidas por pequenas cervejarias e apoiadas pela Camra – a Campaign for Real Ale, fundada em 1971), tornando-se, assim, atraentes para uma maior variedade de clientes. A comida tradicional ali servida – como os *sandwiches* de queijo e *chutney*, o *ploughman's lunch* (almoço do agricultor, já mencionado), linguiça com purê de batata ou tortas de presunto e vitela – foi acrescida de uma grande variedade de opções. *Gastropubs* – *pubs* que são restaurantes, além de bares – surgiram nos anos 1990, enquanto outros *pubs* passaram a oferecer comida tailandesa ou a *steak nights* para os apreciadores de carne. O entretenimento tradicional do *pub*, especialmente as mesas de *billiard* (bilhar) e o arremesso de dardos, agora pode vir acompanhado por noites de jazz, *quiz nights* (noites de perguntas e respostas, em que os frequentadores dos *pubs* fazem um concurso de conhecimentos gerais), máquinas de jogo eletrônico e grandes telas de televisão para que os frequentadores possam acompanhar os eventos esportivos.

Há, enfim, muitos tipos de *pub*, que podem ter ou não os seguintes itens: *real ale*, vinho, café, comida, quartos de B&B, permissão para a presença de crianças, mesas de *billiard*, música ensurdecedora ou suave e máquinas de jogo. Alguns poucos são modernos e claros, mas a maioria segue, com adaptações, o estilo das *inns* ou tavernas do passado, sendo que muitos evocam o século XIX, algumas vezes com acessórios genuinamente antigos.

Há uma questão sobre quais seriam os *pubs* mais antigos, que, no limite, é impossível de ser resolvida, pois o que deve contar como o mais velho? A antiguidade da construção? A data em que aparece a primeira referência a ele ou a uma cervejaria no local? De qualquer modo, entre os eternos finalistas estão o Ye Old Trip to Jerusalem, na cidade de Nottingham, que se diz fundado em 1189 como uma *inn*, e o Old

Modo de vida e valores | 249

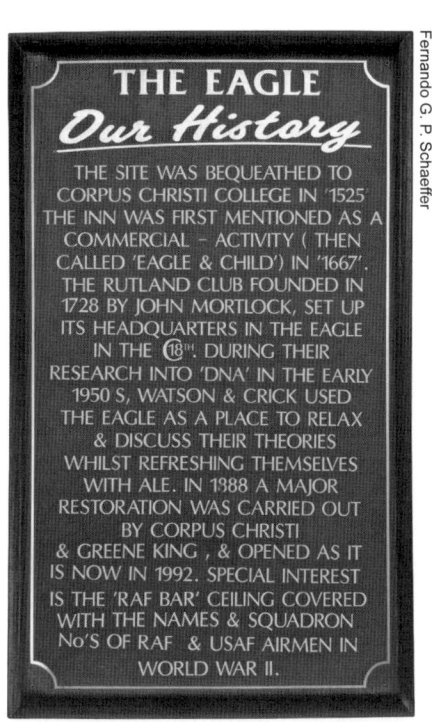

A descoberta da estrutura do DNA foi anunciada no The Eagle – *pub* localizado no centro de Cambridge – pelos cientistas Francis Crick e James Watson, que seguramente devem ter celebrado o feito com algumas cervejas.

Ferry Boat, em Holywell, Cambridgeshire, às margens do rio Great Ouse, que teria existido desde o ano 560 como uma *inn*. *Pubs* históricos como esses, além de outros especialmente pitorescos, fazem parte de passeios turísticos muito populares em toda a Grã-Bretanha, seguindo as "trilhas de *pubs*".

Duas grandes mudanças em todos os *pubs* aconteceram há alguns anos. Uma delas diz respeito ao fumo. Durante grande parte de sua história, era impensável um *pub* sem cheiro de fumo e sem fumaça de fazer os olhos lacrimejarem, mas como em tantos outros lugares, eles são hoje *smoke free*, já que a proibição de fumar foi instituída em 2007, condenando os fumantes a irem para fora e fumarem ao relento. A outra mudança foi a introdução do Licensing Act de 2003, que entrou em vigor em 2005, tornando flexíveis o horários de abertura dos *pubs* e permitindo, em princípio, que fiquem abertos durante 24 horas por dia, uma possibilidade que bem poucos aproveitam. Esse foi um modo encontrado de se combater a chamada *drinking urgency*, que fazia com que os frequentadores dos bares bebessem em excesso antes do fechamento dos *pubs* às onze horas da noite e fizessem as ruas se abarrotarem de bêbados num mesmo momento da noite. Até então, uma legislação emergencial datada de 1914, no início da Primeira Guerra Mundial, o Defense of the Realm Act, regulamentava o horário dos *pubs* com a intenção de fazer os trabalhadores voltarem aos seus trabalhos nas fábricas de munição.

No início dos anos 1990, havia 70 mil *pubs* no Reino Unido, mas o aumento de imposto sobre bebidas alcoólicas e a proibição do fumo provocaram uma queda de lucro e um declínio no número deles. Esse declínio é, na verdade, o principal tema relacionado aos *pubs* no século XXI. Sabe-se, por exemplo, que todos os dias alguns *pubs* são fechados de forma permanente, especialmente em Londres, para serem convertidos em apartamentos e ajudar a resolver o problema de escassez de moradia. Não obstante todos esses senões, eles ainda permanecem centrais para as comunidades locais e não parecem correr o risco de desaparecer completamente. É esse o local onde as pessoas se inteiram das últimas notícias e boatos, assistem a jogos esportivos, interagem com estranhos, flertam, comem e bebem; é onde ouvem os sons da tradição do sino anunciando as "últimas ordens" de bebidas às 22h50, 10 minutos antes das onze horas da noite, como foi por tanto tempo, ou 10 minutos antes de outra hora escolhida para o fechamento pelo *pub landlord* (proprietário ou gerente do *pub*). E, continuando sua história – que inclui terem servido como abrigo de bombardeios durante a guerra –, os *pubs* provavelmente seguirão servindo de abrigo e aconchego ao transeunte fugindo do vento, da chuva ou da nevasca. A conclusão de um livro sobre *pubs*, *The Local* (2007), é que "o *pub* hoje tem uma papel menor do que no passado", mas, mesmo assim, continua indispensável. A história da descoberta do DNA por dois cientistas de Cambridge ilustra bem a importância dos muitos encontros e conversas que acontecem num *pub*. No The Eagle, *pub* fundado em 1667 no centro de Cambridge, Francis Crick e James Watson anunciaram, em 1953, que haviam "descoberto o segredo da vida". Como esse era um *pub* localizado em frente ao Cavendish Laboratory, onde pesquisavam, o Eagle era o local onde almoçavam e onde debatiam o que estavam desenvolvendo no laboratório.

FÉRIAS

Viagens de férias criam suas próprias formas de sociabilidade, quando estranhos se encontram nos cruzeiros marítimos, em "pacotes turísticos" para a Grécia ou a Espanha, ou mesmo nos tradicionais locais de veraneio ingleses à beira-mar, de Blackpool, no norte, a Brighton, no sul, onde as atrações das praias – frequentemente de cascalho e não de areia – são suplementadas por cais amplos e repletos de entretenimento, parques de diversão, teatros, salões de baile, tudo, enfim, que possa evitar que as férias fiquem arruinadas pelas eventuais chuvas.

Segundo os dados de 2012, os britânicos ou residentes no UK fizeram nesse ano por volta de 50,3 milhões de viagens para o exterior, grande parte delas sendo de lazer. O número de pessoas optando por pacotes turísticos também cresceu muito, com quase metade das pessoas (48%) tendo escolhido viajar desse modo, o que significa um aumento em relação aos anos anteriores: 42% em 2011 e 37% em 2010. Considera-se que essa opção é a preferida por muitos viajantes não só dada a maior segurança que ela oferece no clima econômico ainda traumatizado pela crise de 2008, mas também devido à maior flexibilidade que esses pacotes modernizados passaram a oferecer.

Se após os anos 1970 eles haviam caído em popularidade, já que muitos viajantes preferiam fugir da multidão e dos roteiros convencionais oferecidos então pelos pacotes turísticos baratos e de qualidade duvidosa – como os destinados a Benidorm, na Costa Blanca –, eles agora se sofisticaram e atraem turistas que, além do sol, estão interessados nas culturas locais. Enfim, como disse um especialista no assunto, os pacotes turísticos evoluíram para atender a uma clientela mais diversificada – disposta a pagar por volta de 2.000 libras por uma semana de férias – e por isso estão "em voga". Em 2012, os destinos mais populares para os turistas "de pacote" eram Espanha, Grécia, França, Chipre, Itália, Turquia e os Estados Unidos.

O que os britânicos fazem de diferente quando estão de férias? Uma pesquisa encomendada por uma das maiores agências de turismo internacional, a Kuoni Global Holiday, revelou que, enquanto os franceses procuram restaurantes baratos, os espanhóis gastam dinheiro como se fosse água e os suecos, obcecados com a ecologia, se preocupam muito em saber se tudo o que estão fazendo segue práticas sustentáveis, os britânicos aproveitam a oportunidade para abandonar suas inibições e se comportar de modo não usual. Isso equivale a gastar mais dinheiro, beber mais álcool, usar tipos de roupa diferentes e falar com estranhos!

Há ocasiões, no entanto, que, mesmo não sendo "de lazer", facilitam uma quebra de hábito. Durante os Jogos Olímpicos de 2012, por exemplo, comentava-se que o grande número de visitantes e esportistas estrangeiros em Londres havia criado um clima de férias na cidade. O carismático prefeito Boris Johnson chegou a agradecer publicamente, com seu humor e eloquência peculiares, essa contribuição que os turistas haviam dado à cidade: "vocês afugentaram os céticos e dispersaram os melancólicos; e, pela primeira vez na memória dessa cidade, vocês fizeram os passageiros do metrô iniciarem uma conversação espontânea com seus companheiros de viagem sobre assuntos que não fossem as pisadas nos seus calos!"

ASSOCIAÇÕES

Filiar-se a associações, sociedades e clubes é a forma favorita de sociabilidade dos ingleses. De fato, um observador astuto e irônico já comentou que os ingleses, ao menos no passado, "relacionavam-se mais facilmente com os clubes, regimentos, escolas e times do que com seres humanos".

Muitas associações estão ligadas a determinados *hobbies*. Uma famosa descrição feita por George Orwell caracterizava os ingleses como "uma nação de colecionadores de selo, columbófilos, carpinteiros amadores... jogadores de dardos, fãs de palavras cruzadas".

Ramblers, indivíduos que gostam de caminhar no campo, se filiam ao National Footpaths Preservation Society (Sociedade para a Preservação dos Atalhos Nacionais). Admiradores de trens formaram sociedades como a Inter City Railway Society, que organiza visitas a locais de interesse, oferece informações e mantém vivo o interesse pela rede ferroviária. Os amantes de pássaros, chamados de *bird lovers* ou *bird watchers,* se filiam a sociedades locais, geralmente localizadas em certos condados ingleses particularmente ricos em espécimes de pássaros. Essa prática de observar pássaros por razões estéticas data do século XVIII, expandiu-se muito no século seguinte e hoje atrai por volta de 3 milhões de adultos que praticam esse *hobby* regularmente. Os jardineiros também se reúnem em sociedades, havendo as especializadas, como o clube do cactos, o clube dos crisântemos e das dálias, entre outros. Do mesmo modo, os colecionadores se filiam a uma variedade de clubes, de acordo com seus interesses específicos: moedas, casas de boneca, selos, cerâmica, e assim por diante. Todas essas sociedades organizam suas próprias feiras e competições.

ESPORTE

Outro momento em que é aceitável e esperado se falar com estranhos é em jogos esportivos, o que está relacionado ao espírito de equipe que o esporte conhecidamente promove.

O esporte ocupa um papel central na cultura britânica. T. S. Eliot, como vimos, ao listar o que caracterizava a cultura inglesa, incluiu oito itens relacionados a esporte: a Regata Henley (que acontece anualmente no rio Tâmisa desde 1839), o Derby Day (uma importante corrida de cavalo), uma final de campeonato de futebol, corrida de cachorro, jogo de dardos, jogo de *pinball*, Cowes (um clube de iatismo fundado em 1881) e 12 de agosto (também conhecido como "o 12 glorioso", data que marca o início da temporada de caça ao galo silvestre).

Muitos esportes hoje espalhados pelo mundo foram inventados pelos britânicos: futebol, rúgbi, golfe, críquete, tênis, boxe e corrida de cavalo. Inventados, ao menos em alguns casos, no sentido de terem criado suas regras para um *fair play* (jogo justo), tal como as Laws of Cricket, em 1744; Laws of Football em 1863; ou as Queensberry Rules para boxe, introduzidas em 1867, regras que devem o nome ao marquês de Queensberry. Foram os ingleses também que estabeleceram as regras para as competições de natação, corrida e remo, assim como as do hóquei, cujas normas foram codificadas pela Hockey Association em 1886. É curioso que um país que se orgulha tanto de ter uma Constituição não escrita tenha criado o que se poderia chamar de "constituições escritas" para o críquete, futebol, boxe e tantos outros esportes. Foram os britânicos também que introduziram esses esportes em diferentes locais do seu império, desde a Índia até a Jamaica, e também no Brasil, Argentina e outras partes do mundo. Polo, no entanto, fez o caminho inverso, da Índia para a Inglaterra.

A própria língua inglesa, inevitavelmente, foi marcada pelo esporte. É um grande elogio chamar alguém de *a good sport* (bom esportista) por sua capacidade de aceitar, nos jogos da vida, o resultado, qualquer que ele seja: sem exagerada exultação na vitória ou amargor e mau humor na derrota.

CRÍQUETE

O críquete pode ser descrito como o esporte inglês mais típico, não por ser o favorito dos ingleses – que é inquestionavelmente o futebol –, mas porque simboliza a Inglaterra. Mesmo assim, o críquete tem muitos entusiastas entre eles, como o famoso dramaturgo Harold Pinter, que afirmou certa vez: "eu tendo a acreditar que críquete é a melhor coisa que Deus criou sobre a terra, certamente melhor do que sexo, apesar de sexo não ser nada mau também".

Fora da Inglaterra, o críquete é um esporte popular somente em locais que fizeram parte do Império Britânico, tais como Austrália, Paquistão e Caribe. Foi um historiador de Trinidade, Cyril James, que criticou seu colega inglês George Trevelyan por omitir o famoso jogador de críquete W. G. Grace da sua *História social da Inglaterra*. Segundo James, um jogador do calibre de Grace, cuja carreira brilhante, de 1864 a 1914, engrandecera o críquete e o transformara numa "instituição nacional", deveria necessariamente ser um capítulo importante da História social do país. É por isso que em seu livro *Beyond a Boundary* (Além da fronteira), James dedicou toda uma seção à Grace, a quem chamou de "preeminente vitoriano", equiparando-o em importância a renomados contemporâneos: o educador e historiador Thomas Arnold e o escritor Thomas Hughes.

Com o passar do tempo, os "professores" ingleses do jogo tiveram de se acostumar a serem derrotados por seus "alunos", desde que o time West Indies ganhou o *test match* – um campeonato internacional de críquete – em 1950. Para os jogadores das antigas Índias Ocidentais Britânicas,[5] do Paquistão e da Austrália, derrotar os velhos mestres imperiais ou coloniais é especialmente prazeroso, ainda mais por conta das associações do críquete com a política.

A analogia entre os jogos de críquete, especialmente a alternação dos times no ataque e na defesa, e o sistema parlamentar é notória. O governo *go in to bat* (vai para a luta), enquanto a oposição no Parlamento tenta *bowl them out* (colocá-lo à margem). Após quatro ou cinco anos de governo de determinado partido, é comum ouvir as pessoas dizerem que o outro lado merece um *innings* (turno), em outras palavras, a sua vez de lutar. Winston Churchill referiu-se certa vez aos seus *last innings*, ou seja, seus últimos turnos ou suas últimas jogadas. Outras expressões que se transferiram do críquete para a linguagem do dia a dia incluem *to play with a straight bat*, significando comportar-se honestamente, e *to knock someone for six*, ou seja, surpreendê-lo. Um famoso comentarista de críquete, Neville Cardus, chegou a ponto de dizer que se tudo o mais nessa nação se perdesse, com exceção do críquete, os valores ingleses e mesmo a Constituição poderiam ser reconstruídos a partir das regras desse jogo.

FUTEBOL

O futebol também tem um papel central na vida inglesa. Como um técnico desse esporte argumentou: "algumas pessoas pensam que o futebol é questão de vida ou morte, mas é ainda mais importante do que isso". Foi um inglês, Charles Miller, quem apresentou o futebol aos brasileiros em 1894. Isso aconteceu décadas após as regras do jogo terem sido criadas no Parker's Piece, em Cambridge, um gramado aberto de 100 mil metros quadrados, a poucos minutos do centro da cidade. Originalmente,

Jogar bola é uma longa tradição popular, mas foi no Parker's Piece, uma área verde no centro de Cambridge, que as regras do futebol foram formuladas em 1848. Anos depois, em 1863, elas foram adotadas pela Football Association.

esse espaço pertencia ao Trinity College, até passar para as mãos da municipalidade em 1613. O nome se deve a Edward Parker, um cozinheiro do Trinity, que obtivera o direito de plantar verduras e frutas no local.

Após as regras terem sido elaboradas pelo Cambridge University Football Club em 1848 e seguidas pelos estudantes-jogadores no Parker's Piece durante anos, elas foram adotadas pela Football Association em 1863. Assim, no que hoje ainda é o mesmo espaço – em que se veem pessoas fazendo piquenique, jogando futebol ou críquete, crianças correndo e onde periodicamente ocorrem feiras variadas e uma pista de gelo é instalada durante o período natalino –, podia-se ler até há pouco tempo a seguinte placa celebratória, presa modestamente a uma árvore num canto do parque:

> Aqui no Parker's Piece, nos anos 1800, os estudantes estabeleceram um conjunto de regras simples de futebol, enfatizando a destreza acima da força e proibindo, assim, de se agarrar a bola e dar entrada dura. Essas "Cambridge Rules" influenciaram significativamente as regras da Football Association de 1863.[6]

Como no caso das derrotas nos jogos de críquete infligidas a eles pelas ex-colônias, os ingleses tiveram de se acostumar com o fato de que muitos dos maiores jogadores nos seus times de futebol mais importantes, de Chelsea a Manchester, são agora estrangeiros, incluindo brasileiros como Ramires, Oscar e William, do Chelsea; Paulinho do Tottenham; Fernandinho do Manchester City etc.

Originalmente, o que passou a ser conhecido como *mob football* (futebol da plebe) ou *folk football* (futebol do povo) era jogado nos dias santos em vilas e pequenas cidades, praticamente sem regras; um jogo violento, em que praticamente tudo valia. O primeiro registro desses jogos na Inglaterra data do século XII.

Mais estruturado, passou a ser um dos esportes favoritos dos estudantes das *public schools* no século XIX. No entanto, à medida que as condições de trabalho foram abrindo maior espaço para o lazer da população na segunda metade do século, esse jogo começou a atrair homens das classes trabalhadoras e afastar os antigos fãs das classes mais altas.

Foi aos poucos, especialmente nas últimas décadas do século XX, que o futebol se tornou atraente para uma maior diversidade de pessoas: jovens e velhos, classe média e baixa, homens e mulheres etc. Segundo estatística dos jogos da Premier League de 2012, 23% dos espectadores eram constituídos por mulheres, 11% por negros e grupos étnicos minoritários e 13% por menores de 16 anos.

Nas primeiras décadas após a Segunda Guerra Mundial, os espectadores formavam comunidades ao redor dos locais de trabalho. Os homens que trabalhavam nas mesmas fábricas, por exemplo, iam aos jogos juntos e ficavam em pé na mesma área do estádio. A comunidade de torcedores de um time particular era uma espécie de substituto para os sindicatos, igrejas e outras associações, e o orgulho pelo time encorajava a solidariedade entre as pessoas. Havia também uma espécie de segregação espacial, as mulheres e crianças ficando mais à frente nas arquibancadas, os jovens rapazes no meio e os homens mais velhos atrás. Nessa época, havia pouca briga tanto no estádio como fora dele, apesar de o hooliganismo, ou seja, a violência e agressividade dos torcedores, já ser registrado nos anos 1880 e fazer parte do que se chama de "violência masculina ritualizada" também em vários outros países desde o século XIX.

De qualquer modo, ao assistirem ao jogo, os ingleses, normalmente inibidos, perdem um pouco sua reserva, não somente torcendo para o seu time aos gritos até ficarem roucos, mas também ocasionalmente insultando abertamente os oponentes. Nos anos 1970 e 1980, a violência praticada pelos torcedores ingleses tornou-se notória. Chamada de "doença britânica", explodia não só dentro do estádio de futebol como também fora dele. Uma das maiores vergonhas nacionais aconteceu em 1983 em Luxemburgo, quando 150 fãs britânicos foram presos por vandalismo, briga e roubo, que causaram um prejuízo de 100 mil libras. O ápice do hooliganismo britânico aconteceu em 1985 na Bélgica, quando, em consequência da violência de torcedores do Liverpool Football Club contra os do Juventus, da Itália – que causou a morte de 15 torcedores e ferimento em 500 – os times britânicos foram suspensos de jogar nas competições europeias até 1990. Várias medidas tomadas, desde então, provocaram uma mudança significativa desse quadro e hoje se fala que a antiga "doença britânica" transformou-se numa mera "afta ocasional". Segundo os dados de 2012-2013, 100 mil torcedores viajaram para o continente europeu para assistir a 44 jogos e somente 20 deles foram presos.

Um aspecto revelador do sentido de comunidade associado ao futebol é a resposta de grupos de torcedores à crescente comercialização desse esporte. Diante da ameaça ao que é considerado um de seus aspectos centrais – ameaça representada pela venda de clubes de futebol a milionários estrangeiros –, alguns fãs têm se juntado para fundar novos clubes, com o objetivo de manter vivo o espírito comunitário tradicionalmente associado a esse esporte. Tais iniciativas são apoiadas pelo governo, que vê o futebol como uma instituição de valor social e procura estimular o relacionamento dos torcedores com as autoridades locais, os residentes e as empresas da região. Uma pesquisa sobre os torcedores mostrou que eles valorizam os seus clubes não tanto pelo sucesso no campo, pelo valor das ações do clube, ou mesmo pelo lucro que este obtém, mas especialmente por sua "importância dentro de suas famílias e na vida social e comunitária".

O futebol é também associado a apostas, cujo desafio é prever os resultados dos próximos jogos. Preencher as *football pools*, como são chamadas essas apostas, tornou-se um passatempo nacional, mesmo com a competição de outra forma popular de aposta, a National Lottery, que, criada em 1994, retomou uma tradição interrompida que remonta a séculos antes.

Outros passatempos favoritos

FAZER APOSTAS

A prática de apostar – outro caso de amor dos ingleses, muito relacionado ao seu amor pelo esporte – tem uma longa história. Durante séculos, o gosto pelo jogo não só era aceito como era também estimulado pelo Estado, que organizava loterias e aplicava a renda em aprimoramentos de projetos públicos variados. A primeira loteria de que se tem notícia foi instituída no reinado de Elizabeth I, em 1547, quando os fundos levantados foram investidos na expansão e melhoria dos portos, tendo em vista a ampliação do comércio internacional inglês. Os vencedores recebiam parte do prêmio em dinheiro e parte em tapeçarias e lençóis de linho. Esse procedimento para levantar fundos, aproveitando o gosto já disseminado do povo por jogo e aposta, continuou até o início do século XIX, quando ele foi utilizado, entre outras coisas, para financiar a guerra contra Napoleão e construir o British Museum. A extinção das loterias em 1826 canalizou o gosto pelo jogo para outras formas de aposta, como, por exemplo, arriscar palpites na corrida a pé, nas brigas de galo e de cachorro, na luta livre e na corrida de cavalo. Nessa época, havia até mesmo apostas para corridas de pessoas com pernas de pau! Tão disseminadas se tornaram as apostas, que a atividade passou a ser conhecida em certas regiões como "*the poor man's Stock Exchange*" (a bolsa de valores do pobre).

O público britânico tem hoje possibilidades de apostar em praticamente tudo, inclusive a data em que a princesa Charlotte, filha de Kate e do herdeiro do trono William, iria nascer, ou quais serão os próximos ganhadores do Oscar. Nisso, o Reino Unido difere muito de outro conhecido centro de jogo, o estado norte-americano de Nevada, onde, comparativamente, as possibilidades de aposta são mais limitadas.

Enfim, a indústria da aposta está hoje em plena atividade no Reino Unido. Segundo os dados de 2012-2013, a nação contava com 9.128 lojas de aposta, empregava 100 mil pessoas e pagava ao governo 1,7 bilhão de libras em impostos sobre jogos e apostas, o equivalente a 0,4% do HMRC (Her Majesty's Revenue and Customs – ou seja, do Serviço de Administração Fiscal e Aduaneira).

CORRIDAS

O maior mercado de apostas é o de esportes competitivos, especialmente as corridas. Os ingleses demonstram interesse em vários tipos de corrida, incluindo a Boat Race, a corrida anual de barcos entre Oxford e Cambridge, que acontece desde 1839; a Greyhound Race (corrida de galgos), conhecida como *the dogs*; e Fórmula 1, desde o grande corredor morto aos 32 anos, Jim Clark, até Nigel Mansell, o conhecido rival de Ayrton Senna. No entanto, quando as pessoas se referem simplesmente a "*the races*", elas querem dizer "corridas de cavalo", especialmente as duas anuais, que atraem celebridades e atenção internacional: a Derby, uma corrida sem obstáculos realizada todo ano no início de junho em Epsom, e a Grand National, realizada perto de Liverpool em abril, quando os cavalos saltam mais de 30 cercas.

Corrida de cavalo, em geral, e a Derby, em particular, podem ser consideradas instituições nacionais. No final do século XVII, o rei Carlos II já costumava ir às corridas de *Newmarket*, e um dos mais famosos quadros de corrida – e são vários – é o *Derby Day* de William Frith, pintado em 1856. Cavalos são, na verdade, um dos animais favoritos dos ingleses, inclusive da família real, e a equitação é um passatempo popular entre jovens de classe média e alta.

Chamado frequentemente de "esporte dos reis", a equitação tem sido objeto de sistemática promoção da BETA (British Equestrian Trade Association) e BEF (British Equestrian Federation), que querem mudar essa imagem visando atrair mais pessoas para esse "esporte saudável". O esforço para fazer a nação andar a cavalo faz parte da luta pelo chamado "legado das Olimpíadas de 2012", ou seja, o esforço para tornar a prática de esportes algo mais central na cultura britânica. "Há um verdadeiro mito de que andar a cavalo é somente para os ricos e privilegiados, mas isso simplesmente não é verdade" – disse o diretor da BETA – "É uma excelente diversão, saudável, algo que se pode aproveitar com a família e amigos, e não se é nunca velho demais para praticá-lo".

CAÇA

A tradição da caça à raposa, com o caçador montado a cavalo, continua a evocar bastante entusiasmo, assim como uma crescente oposição devido à crueldade que esse esporte inflige aos animais. Em 1963 foi criada a Hunt Saboteurs Association (Associação dos Sabotadores da Caça), que continua bastante ativa. Uma das grandes vitórias de sua campanha anticaça foi a lei de 2005 que proibiu a atividade acompanhada de cães de caça, que costumavam dilacerar as raposas, mas mesmo essa proibição gera controvérsia. A caça às raposas, como argumentam seus defensores, é uma demonstração legítima dos valores da sociedade rural tradicional, que incluem a equitação habilidosa, um conhecimento do território, coragem (pois o esporte é perigoso para os cavaleiros e não só para as raposas), hierarquia social (pois os organizadores vêm da classe alta), harmonia social (porque os trabalhadores do campo se juntam aos membros da classe alta na perseguição ao animal) e inglesidade (porque os ingleses desenvolveram suas próprias regras para esse jogo). No século XIX, o auge desse esporte, a caça tinha seus próprios jornalistas, seus próprios humoristas e seus próprios artistas – que produziam o que um observador norte-americano descreveu como "as quase obrigatórias gravuras [penduradas] nas paredes de lambris de carvalho ou de pseudocarvalho num sem-número de restaurantes, clubes e hotéis", sem mencionar as estalagens inglesas.

CUIDAR DE ANIMAIS

A Inglaterra é uma nação de *animal lovers* (amantes de animais) e, de fato, cuidar de animais de estimação é outro *hobby* dos ingleses. Foi na Inglaterra que surgiu a primeira sociedade para a defesa da saúde e da dignidade dos animais, a já mencionada Royal Society for the Prevention of Cruelty to Animals (RSPCA), fundada em 1824. Em plena atividade até hoje, e patrocinada pelo público, essa associação continua a recolher animais feridos ou abandonados, para tentar recuperá-los. O London Zoo (Zoológico de Londres), instalado no Regent's Park quatro anos mais tarde, pela recém-fundada Zoological Society of London, tinha um objetivo estritamente científico antes de ser aberto ao público em 1847.

Em 2011, a população de animais de estimação do Reino Unido era de 27 milhões, em outras palavras, quase metade da população humana, com gatos e cachorros dominando: 7,7 milhões de gatos e 6,6 milhões de cachorros. Os brasileiros possuem por volta de 38 milhões de gatos e cachorros, mas sua população humana é mais de três vezes a britânica. Sob esse aspecto, assim como em muitos outros, a rainha Elisabeth, com seus famosos cachorros corgis, é tipicamente inglesa. Pesquisas apontam que os ingleses compram animais de estimação mais para companhia do que para segurança, com viúvas liderando a lista dos aficionados. Em outras palavras, os animais de estimação podem ser considerados, dependendo da perspectiva que se toma, ou uma ocasião para a sociabilidade inglesa – que se estende aos animais – ou um substituto para a sua ausência. Pesquisas de outros lugares talvez possam provar que, longe de ser algo tipicamente inglês, ter animais como companheiros é uma prática bem disseminada entre pessoas de origens variadas, que são carentes de convívio com outros seres humanos.

O mercado de comida para a população animal é imenso, o que pode ser percebido pela quantidade de anúncios desse produto na televisão. Por volta de 1,5 bilhão de libras são gastos anualmente só em comida para gatos e cachorros.

Há agências especializadas em adoção de animais, asilos para animais e muitos hotéis, vários luxuosos, criados especialmente para gatos e cachorros. Em Cambridge, por exemplo, o Westlodge Dog Hotel oferece acomodações luxuosas, *spa* para "revitalizar a beleza do pelo de seu cachorro" e hidroterapia para o "benefício de sua saúde e bem-estar". Há também agências de viagem especializadas em animais, e a British Airways faz propaganda dos cuidados que os animais de estimação terão quando transportados em seus aviões. Até mesmo um *National Pet Month* (Mês Nacional de Animal de Estimação) foi criado, com o objetivo de conscientizar o público sobre "os benefícios dos animais para as pessoas e das pessoas para os animais".

Nem tudo, no entanto, é cor-de-rosa para os animais britânicos, como se poderia imaginar. Para responder aos abusos que as legislações de proteção aos animais não atendiam bem, foi promulgado em 2006 o Animal Welfare Act, que considera os proprietários ou guardiões dos animais responsáveis pelo seu bem-estar, aumenta para 16 anos a idade a partir da qual se pode comprar animais e penaliza com prisão e multa de até 20 mil libras quem for cruel ou não prover as necessidades dos seus bichos.

Estudos dos últimos anos sobre o bem-estar dos animais, realizados por um instituto de pesquisa renomado, o YouGov, revelaram que dez milhões de animais sofrem de "estresse mental ou físico": em 2013, por exemplo, ao menos 3 milhões de gatos não haviam sido vacinados, 2 milhões de cachorros eram deixados sozinhos por uma período maior do que o recomendado (mais de quatro horas por dia) e perto de um milhão de coelhos não eram alimentados devidamente. Obesidade ou excesso de peso foi também detectado como um problema generalizado em um grande número de cachorros e em metade dos gatos. Assumindo que essas falhas se devem mais à ignorância do que à crueldade dos donos, campanhas de conscientização foram organizadas por instituições de caridade dedicadas aos animais.

Animais domésticos não são os únicos a serem "amados" e cuidados ou protegidos pelos britânicos, a levar em conta o número de associações voluntárias para a defesa de animais como morcegos, sapos, ouriços, aves de rapina, corujas, gaviões etc.

Dois exemplos ilustram muito bem essa característica inglesa. Duas sociedades foram fundadas para cuidar de uma única espécie de animal selvagem, o *hedgehog* (ouriço): a Hedgehog Welfare Society e a British Hedgehog Preservation Society, que são também dois vívidos exemplos do entusiasmo nacional tanto pelos clubes como pelos animais.

Nas proximidades de Cambridge, onde se encontra um *habitat* natural de sapos, há operações de salvamento que reúnem voluntários empenhados em minimizar as mortes dos anfíbios causadas pelo tráfico de carros nas suas rotas habituais. A inauguração de uma linha de ônibus entre Cambridge e Huntington – o *Cambridgeshire Guided Busway*, que utilizou uma linha de trem abandonada desde os anos 1970 para construir uma pista (*busway*) em parte de seu trajeto – foi atrasada quando se descobriu que a passagem dos ônibus atrapalhava a rota habitual dos anfíbios e que a pista de concreto se transformara num "corredor da morte" para esses animais. O problema foi qualificado pelos defensores dos animais como uma "desgraça absoluta". Num só dia, as patrulhas de salvamento encontraram 81 sapos mortos e 16 machucados, a maioria sendo fêmeas grávidas. Enquanto não se achou uma solução para esse problema – que consistiu na construção de túneis a cada 50 metros, por onde os sapos podem atravessar a pista por baixo, sem serem esmagados pelos ônibus – o projeto foi interrompido.

Atitudes e valores

Normalmente, o aspecto mais esquivo e fugidio do modo de vida inglês diz respeito às suas atitudes e valores. No entanto, quando são desafiados, em momentos de crise, eles se tornam mais explícitos.

Foi o que aconteceu, por exemplo, nos anos 1960, quando houve uma liberalização sem precedentes, a maioria delas liderada por Roy Jenkins, o político e ministro do Interior do Partido Trabalhista que é considerado, tanto por seus ferrenhos críticos como por seus admiradores, "a figura mais influente dessa década". De um lado, ele se empenhou em colocar a legislação em sintonia com os padrões morais em mudança, como no caso da rejeição generalizada da castidade antes do casamento; e, de outro, ele se impôs uma missão civilizadora, considerando inaceitáveis práticas que ainda tinham grande apoio do público e dos políticos, como a pena de morte (em agosto de 1964, três homens foram enforcados no mesmo dia), o açoitamento, a proibição indiscriminada do aborto, a censura da literatura e do teatro, a criminalização do homossexualismo etc.

Enfim, para empregar um termo da época, Jenkins lutou para o desenvolvimento de uma "*permissive society*" (sociedade permissiva). Foi assim que uma série de leis surgiram dando fim à pena de morte em 1965, ao açoitamento em 1967, à censura do teatro em 1968, relaxando a censura na literatura e o controle de bebida alcoólica e da aposta, assim como facilitando a descriminalização do homossexualismo e a realização do divórcio e do aborto.

O SURGIMENTO DE UMA "SOCIEDADE PERMISSIVA"

O julgamento do século

O chamado Jenkin's Act de 1959 – que reformou substancialmente as leis relativas à obscenidade na Inglaterra e no País de Gales – estava por trás de "de um grande circo nacional", tal como foi chamado o julgamento histórico, em 1960, do livro *O amante de lady Chatterley*, de D. H. Lawrence. Esse livro estivera completamente banido da Inglaterra, assim como de muitos outros países, como Austrália, Canadá, Índia e Estados Unidos, desde quando mil exemplares foram publicados em 1928 e distribuídos clandestinamente a livreiros e subscritores que haviam ajudado a tornar a publicação possível.

Esse julgamento, que culminou com a legalização da obra, é considerado um marco na liberalização da moralidade e das *Obscenity Laws* inglesas nos anos 1960. Nem todos, obviamente, viram com bons olhos essa legalização e a profunda repercussão que isso prometia ter na cultura inglesa. Para alguns, o veredicto representava o início de uma séria deterioração da "moralidade, das maneiras e da vida familiar britânica".

Em linhas gerais, a obra narra a história do profundo relacionamento emocional e físico entre uma mulher de classe alta, *lady* Chatterley, e Oliver Mellors, o guarda-caça da propriedade de seu marido aristocrata, que além de paralítico era frio e distante. No romance, as relações sexuais são descritas em linguagem clara e sem rodeios, o que causou na época de sua publicação e ao longo de muitos anos tanto ou mais horror do que a ligação indevida entre pessoas de classes sociais tão desiguais.

O processo teve início quando a Penguin Books decidiu publicar na Grã-Bretanha a versão original do livro, sem cortes, e colocar nas bancas, ao preço de "alguns cigarros", milhares de cópias da obra proibida. Instituído o processo público *Regina versus Penguin Books Ltd.* em agosto de 1960, o julgamento ocorreria durante cinco dias no outubro seguinte. Foi então que as 35 testemunhas de defesa – que incluíam profissionais de várias áreas, alguns de grande renome, incluindo um bispo – se esmeraram em defender o mérito sociológico e educacional de *O amante de lady Chatterley* e do bem público que adviria de sua publicação e livre circulação.

O promotor, contudo, havia sido categórico na acusação, dizendo que um livro em que são descritas "em grande detalhe" 13 relações sexuais, em que a "palavra *'fuck'* ou *'fucking'* aparece em não menos de 30 vezes", é uma obra necessariamente destinada a "depravar ou corromper os seus leitores".

A defesa, no entanto, conseguiu a façanha de convencer o júri de que *O amante de lady Chatterley*, apesar de seus trechos picantes, e até eventualmente obscenos, era uma leitura essencial para o mundo moderno. O próprio Lawrence insistira em suas várias obras que "os males da ganância moderna e do intelectualismo estéril" tinham de ser confrontados com "o amor". "Minha religião" – dissera ele – "é a crença no sangue e na carne como sendo mais sábios do que o intelecto". É em seu último romance, *O amante de lady Chatterley* – no seu entender, um "romance fálico, terno e delicado", que até pensou em intitular *Ternura* – que o papel redentor do amor e do sexo é mais claramente explorado. "É estritamente um romance da consciência fálica contra a consciência mental de hoje", confessou Lawrence a uma amiga.

O julgamento de *O amante de lady Chatterley* causou tumulto e sensação em várias frentes. Um famoso cartunista comentou que o julgamento se revelara mais excitante do que o livro.

Na imprensa, leitores comuns e intelectuais se envolveram em debates sobre a santidade ou diabolismo de Lawrence, sobre a importância do sexo no casamento, sobre os rumos da moralidade britânica, sobre a influência das leituras no comportamento das pessoas e até sobre a arte de guarda-caça e a História social dos palavrões.

Na Casa dos Lordes, onde se concentravam os patrões de guarda-caças e simpatizantes de *sir* Clifford (o marido traído no romance), os lordes se inquietavam com a desagregação social que poderia advir da leitura de tal obra por membros da classe trabalhadora. "Não me oporia a que minha filha lesse tal livro" – teria dito um dos lordes –, "mas seria totalmente contra tal leitura por meu guarda-caça". A Igreja Anglicana, por sua vez, se viu em dificuldades com a inesperada declaração do bispo de Woolwich de que *O amante de lady Chatterley*, apesar de relatar um adultério, era um livro que todo cristão deveria ler.

Se houve uma "estrela" incontestе do julgamento, esta foi Richard Hoggart, um intelectual renomado cujo desempenho como testemunha de defesa foi considerado decisivo para o resultado final. Pelo brilho e concisão de sua argumentação, foi descrito como o "Lawrence reencarnado a defender sua obra". O promotor, por exemplo, só tinha lido "passagens sujas" no tribunal, querendo mostrar, com isso, que o livro era obsceno. Hoggart, enfrentando o desafio, descreveu o livro de Lawrence como "altamente virtuoso e até mesmo puritano", por mostrar, com maestria e brilho, o poder redentor do amor; e puritano ele era, "não no sentido desvirtuado usual, mas na tradição do puritanismo não conformista britânico". Nessa linha, insistiu que "uma leitura séria e decente do livro" era necessária para que fosse percebida toda a grandeza da mensagem ali contida, assim como o lugar que nele ocupava o relacionamento sexual.

Em entrevista concedida a um dos autores deste livro, Hoggart salientou que, embora a questão principal em jogo no julgamento fosse o moralismo, que se via chocado com o uso frequente de *fuck* no livro, a diferença de classe era também relevante. "Para um segmento da sociedade britânica" – afirmou – "o medo da anarquia era crônico." "Realmente a acusação parecia preocupada com a brochura barata caindo nas mãos das classes baixas e com a desagregação social que a liberação sexual poderia provocar." Por outro lado, para outro segmento, *lady* Chatterley atraía grande simpatia devido às "implicações *antiestablishment* de sua relação com Mellors, um simples guarda-caça. Os ingleses, na sua maioria, gostam de cuspir nos olhos da autoridade".

O veredicto do júri, legalizando a publicação da obra sem qualquer corte, foi saudado como "inesperado", "surpreendente", "um grande milagre", pois se supunha que os jurados iriam ser intimidados pelo *establishment*, o que não aconteceu. Assim foi que a vida ilegal de um livro controverso chegou ao fim em 1960. Algum tempo depois, *O amante de lady Chatterley*, que fora condenado como corruptor e depravador durante 32 anos, teve sua maior aclamação quando passou a fazer parte do currículo escolar britânico nos anos 1980.

A legalização do homossexualismo

Outro desafio dos anos 1960 às convenções vigentes é vividamente ilustrado pela luta em prol da legalização do homossexualismo. Como vimos no capítulo "Inglesidades", o homossexualismo era até então um vício punido com prisão, pena que não poupava ninguém. O famoso autor Oscar Wilde e Allan Turing, o matemático e inventor do computador, foram dois dentre milhares de homossexuais que tiveram essa sina. Preso em 1895 e condenado a dois anos de trabalho forçado, Wilde iria morrer pouco depois, aos 46 anos de idade. Preso em 1952, Turing teve a opção de submeter-se a doses maciças de hormônio para lhe inibir a libido, como uma alternativa ao cárcere, o que ele aceitou. Em 1954, com apenas 42 anos de idade, ele cometeria suicídio ingerindo cianeto.

Foi em decorrência do Wolfenden Report de 1957 – nome pelo qual ficou conhecido o *Report of the Departmental Committee on Homosexual Offences and Prostitution* (Relatório do Comitê Departamental sobre Ofensas Homossexuais e Prostituição), que tinha *lord* Wolfenden como presidente – que uma discussão mais aberta sobre a questão foi possível, culminando, dez anos mais tarde, com os avanços instituídos pelo Sexual Offences Act de 1967. Essa lei seguia a recomendação do relatório de 1957 de que "o comportamento homossexual entre adultos, desde que consensual e privado, não deve ser mais considerado um crime". Em 1954, quando ocorreu a primeira reunião do comitê, de onde três anos mais tarde essa recomendação seria feita no relatório final, havia 1.069 homens nas prisões da Inglaterra e País de Gales por atos homossexuais.

Nos anos 1980, houve uma reação contra a chamada "sociedade permissiva" dos anos 1960, uma reação associada ao governo de Thatcher, pessoa descrita por um entrevistador da época como adepta dos chamados "valores vitorianos". Valores estes entendidos como ênfase no espírito empreendedor, no trabalho duro, na parcimônia e, acima de tudo, na autoajuda – que dispensava qualquer assistência do Estado. Afinal de contas, *Autoajuda* era o título de um *best-seller* vitoriano, de autoria de Samuel Smiles. Em 1987, Thatcher criticou o que ela chamou "o direito de ser gay" em nome da manutenção dos "valores morais tradicionais".

Como em outras políticas de Thatcher igualmente controversas, essa "cruzada oficial" de seu governo dividiu o país em dois: entre os que a apoiavam e os que a ela se opunham. A esse respeito, o romancista Salmon Rushdie estava certamente correto ao apontar, como fez nos anos 1980, para o choque de valores entre o que ele chamou de "britânicos céticos, questionadores, radicais, reformistas, libertários e não conformistas" de um lado, e, de outro, a Grã-Bretanha ultranacionalista, "dos valores vitorianos puritanos".

Como vimos no capítulo "Inglesidades", os valores da "sociedade permissiva" foram vencedores nessa questão. O casamento entre homossexuais foi legalizado em 2014 e uma pesquisa sobre os direitos de pessoas lésbicas, gays, bissexuais e transgêneros na Europa, realizada em 2015, revelou ser a Inglaterra o país que mais progrediu em direção ao "respeito dos direitos humanos e igualdade total" para os indivíduos de todas as orientações sexuais.

VALORES EM CHOQUE

Conflitos entre valores tradicionais ingleses e os de grupos de imigrantes, especialmente os muçulmanos, são os mais visíveis desde os anos 1980. Um exemplo mais antigo desse conflito, já mencionado, foi a queima, em 1989, do romance de Rushdie, *The Satanic Verses* (*Versos satânicos*), em Bradford, cidade habitada por uma grande comunidade muçulmana, sob a alegação de que insultava Maomé. Em contrapartida, um candidato do British Nacional Party – um partido de extrema-direita, abertamente anti-imigrantes – ao Parlamento foi filmado em 2011 queimando um exemplar do Alcorão.

O crescente e veemente apoio ao Islã e, às vezes, à *jihad* (guerra santa, para os muçulmanos) por parte de pequenos grupos muçulmanos forma o pano de fundo das exigências que vêm sendo feitas tanto pelo governo conservador como pelo trabalhista, para que se dê mais ênfase à História Britânica nos currículos escolares. Isso seria, segundo pensam, um modo de encorajar e reforçar os valores britânicos entre todos os habitantes da Grã-Bretanha.

Em 2006, Gordon Brown, o primeiro-ministro trabalhista, enfatizou o que chamou de "valores centrais" britânicos; em 2007, o ministro da Justiça propôs uma "declaração dos valores britânicos"; e em 2009, preparando-se para as eleições gerais, o secretário dos Negócios, Peter Mandelson, tentou associar o Partido Trabalhista ao que ele chamou "os valores nucleares da Grã-Bretanha média". Do mesmo modo, no governo conservador Cameron, o ministro da Educação criticou o currículo escolar por dar maior ênfase ao nazismo e ao meio-oeste norte-americano do que à História Britânica, e mudanças curriculares nesse sentido estão sendo ainda estudadas.

Os que se opõem a grandes mudanças no estudo da história acreditam, ao contrário, que os valores de tolerância e conciliação, tidos como emblemáticos da cultura britânica, seriam mais bem servidos por uma ênfase em outros tipos de História: História Europeia, por exemplo, ou mesmo História Mundial, em vez de Britânica ou Inglesa.

Como os exemplos da queima do livro de Rushdie e do Alcorão sugerem, a questão da religião na Grã-Bretanha revela a coexistência (e, por vezes, a disputa) de uma variedade de valores. Oficialmente, a Igreja Anglicana é a religião da maioria, com 26 milhões de membros, apesar de menos de 1 milhão deles ir às missas aos domingos. Há por volta de 5 milhões de católicos, dos quais 1 milhão vai à missa todas as semanas. Outros grupos cristãos incluem meio milhão de pentecostais, especialmente imigrantes mais antigos do Caribe ou imigrantes mais recentes da África. A Celestial Church of Christ (Igreja Celestial de Cristo), de origem africana, por exemplo, é muito forte nos bairros londrinos de Battersea, Clapham, Peckham e Walthamstow.

Entre as demais religiões, o islamismo é agora dominante. O censo de 2001 apurou a existência de 1.600.000 muçulmanos na Grã-Bretanha, mas calcula-se que hoje o número chegue a 2.500.000. Só em Londres, há mais de 1.500 mesquitas. O número de hindus chega a 800.000, de sikhs a mais de 300.000 e de judeus, a um pouco menos de 300.000. A paisagem religiosa certamente mudou nos últimos 50 anos, sendo que a alteração mais óbvia foi o crescimento da quantidade de mesquitas, templos hindus e *gurdwaras,* os templos dos sikhs.

Quase tão igualmente visível é a mudança nos domingos ingleses, e ainda mais nos domingos escoceses e galeses. No passado, em parte por respeito à religião, as lojas permaneciam fechadas e os *pubs* ficavam abertos por um período bem curto. As lojas dos muçulmanos, vendendo jornal, cigarros, doces, pão e uma pequena seleção de comestíveis, foram as primeiras a abrir aos domingos, seguidas, no ano de 1994, por supermercados e lojas de departamento. Uma tentativa do governo Thatcher de abrir o comércio oito anos antes havia sido derrotada no Parlamento; na época, a oposição a essa proposta era liderada por MPs que consideravam essa abertura uma ameaça à vida familiar, ao comparecimento às igrejas e uma violação dos direitos dos trabalhadores. Contudo, apesar da campanha *Keep Sunday Special* ("Mantenha o Domingo Especial"), apoiada por grupos religiosos e por sindicatos, a pressão das lojas foi maior e o Sunday Trading Act de 1994 finalmente permitiu que as lojas maiores ficassem abertas durante 6 horas no domingo, enquanto as menores ficaram livres para escolher o seu horário de funcionamento.

OS VALORES POLÍTICOS: CONSENSO, *FAIR PLAY* E TOLERÂNCIA

Os valores políticos ingleses podem ser resumidos em apoio à Constituição (ou seja, ao Estado de Direito, à monarquia e à democracia parlamentar) e à política de moderação, consenso, conciliação ou pragmatismo; em outras palavras, à política de centro.

Em 1938, por exemplo, o político conservador Harold Macmillan públicou um livro chamado *The Middle Way* (O caminho do meio-termo); 20 anos mais tarde, quando ocupava o cargo de primeiro-ministro, reiterou sua crença na "política do meio-termo". Nos anos 1950, quando o ministro das Finanças do governo trabalhista, Hugh Gaitskell, foi substituído pelo conservador R. A. Butler, ficou evidente que as políticas econômicas dos dois ministros eram praticamente indistinguíveis. Foi assim que o termo "*butskellism*" foi cunhado para expressar o consenso político da época.

Desde então, a política de consenso tem sido a política normal britânica, com a dramática exceção da Era Thatcher, que a desprezava considerando-a uma postura "*wet*" (covarde). Depois de sua queda em 1990, o consenso voltou a predominar sob o governo do conservador John Major, sob o governo do trabalhista Tony Blair (que usava o *slogan* "Novo Trabalhista" ou "Terceira Via", cujo sentido não diferia do da expressão "meio-termo", de Macmillan) e, se bem que em menor grau, sob o governo de coalizão liderado por David Cameron até 2015.

É verdade que os valores da política tornaram-se recentemente tema de debate, mas a discussão se refere aos valores *dos políticos* envolvidos em escândalos de corrupção, e não tanto aos valores políticos em geral. No entanto, em comparação com outros países, a corrupção política no Reino Unido é considerada relativamente pequena. No índice internacional de transparência (*Transparency International*) de 2010, a Dinamarca ocupava o primeiro lugar com o menor índice de corrupção e o UK a 20ª colocação (enquanto o Brasil ocupava o 69º lugar).

Apesar disso, após as revelações de que alguns MPs tinham sido pagos por particulares, como o então dono da loja Harrods, Mohamed Al-Fayed, para cuidarem de seus interesses no Parlamento – o chamado *"cash for questions scandal"* (escândado do dinheiro para perguntas) –, um juiz renomado, *lord* Nolan, foi incumbido de presidir uma comissão de inquérito sobre os padrões da vida pública. Seu relatório, publicado em 1995, apontou sete princípios políticos como sendo centrais à cultura britânica: altruísmo, integridade, objetividade, responsabilidade, abertura, honestidade e liderança – princípios que têm sido lembrados, desde então, como essenciais para uma figura pública ser respeitada e desempenhar sua tarefa.

Outro escândalo, que chegou às manchetes em 2009, mostrou que nem todos esses princípios eram seguidos. O caso, já tratado no capítulo "Como o país funciona", diz respeito aos MPs e aos membros da Casa dos Lordes que cobravam o Estado por despesas que não tinham tido ou que eram inapropriadas.

Não é de admirar que, nos últimos tempos, entre os ingleses, tenha havido um declínio do respeito pelos políticos, percebidos cada vez mais como ocupados em *put a spin*, ou seja, adaptar os fatos aos seus próprios propósitos. Como exemplo, muitos lembram a notória alegação inverídica de Tony Blair de que o Iraque devia ser invadido porque ele tinha "armas de destruição em massa". Um exemplo claro dessa falta de confiança nos políticos é o comentário do famoso jornalista inglês Jeremy Paxman, feito há alguns anos. Quando entrevista um político, ele admitiu que sempre se pergunta: "Por que esse bastardo mentiroso está mentindo para mim?"

A diminuição do respeito aos políticos está ligada também ao declínio geral da atitude de deferência, que antes era uma característica importante da cultura inglesa: deferência à família real, aos indivíduos com títulos, às pessoas com o sotaque "correto", com as roupas apropriadas, e assim por diante. Essa mudança de atitude não deve ser, no entanto, exagerada. Uma resenha do filme *The King's Speech* (*O discurso do rei*), de 2011, por exemplo, se referiu, muito apropriadamente, à sobrevivência da "noção de deferência" como sendo "bastante justa, desde que seja merecida".

OS VALORES COMUNS E A IDEIA DE *GENTLEMAN*

Entre os valores dos ingleses comuns, um lugar central é ocupado pela tolerância, justiça, liberdade, privacidade e a ausência do que eles chamam de *"fuss"*, ou seja, espalhafato ou estardalhaço (como vimos no capítulo "Inglesidades").

O ideal esportista de "jogo justo", o *fair play*, é também um grande valor, amplamente adotado em uma variedade de contextos. Por exemplo, a ideia de "julgamento justo" – relacionado ao *habeas corpus* e a todo o mecanismo judicial descrito no capítulo "Como o país funciona" – é um deles. Outro exemplo é o *slogan* de campanha "Quinhões justos para todos" com o qual o Partido Trabalhista ganhou a eleição em 1945. Sessenta e cinco anos mais tarde, em 2010, David Cameron empregou a retórica do compromisso com "a equidade" a fim de persuadir o público a aceitar cortes maciços na despesa pública.

No dia a dia, quando as pessoas fazem fila para tomar o ônibus ou para comprar entradas de cinema, os que *jump the queues* (furam a fila) podem esperar ouvir resmungos críticos, dos mais comedidos, e comentários em alto e bom som sobre seu comportamento antissocial ou injusto, dos mais eloquentes. Estudos sobre o desastre do Titanic sugerem que muitos britânicos ali morreram porque eles aguardaram polidamente na fila por lugares nos barcos salva-vidas, mesmo prevendo que seriam deixados no navio, já que, seguindo a prática da época, os barcos eram insuficientes para todos os passageiros. Do mesmo modo, o público mostra grande intolerância para com as empresas que encontram meios (mesmo legais) de não pagar sua parte justa de imposto. As empresas multinacionais Amazon e Starbucks têm ocupado manchetes de jornais por esse motivo.

O ideal de justiça ou o *fair play* está por trás de frases comuns sobre a necessidade de *to do one's bit* (fazer a sua parte) ou *to pull one's weight* (uma metáfora da corrida de remo, que se refere à necessidade de cada um remar o melhor que pode); ou seja, dar sua contribuição à sociedade equivalente ao que se recebe dela.

Ligada à ideia de justiça está também a simpatia inglesa pelos *underdogs* (azarados ou perdedores), pelo menino que tem de enfrentar um grande *bully* (intimidador) ou pelo grupo pequeno em conflito com um grupo maior e mais poderoso. Como veremos no capítulo "A presença do passado", durante os períodos de guerra, os ingleses fizeram em várias ocasiões o papel de Davi: frente ao rei Felipe da Espanha, a Napoleão e a Hitler, cada um deles ocupando, por sua vez, o papel de Golias.

À *fairness* está relacionada também a ideia de "decência". Como o primeiro-ministro Macmillan declarou numa entrevista: "se você não acredita em Deus, tudo o que tem de acreditar é em decência". Esta é, no entanto, uma qualidade que é não fácil de definir, mas que está, por sua vez, ligada à ideia de *gentleman* (cavalheiro), esse tipo humano também indefinível, mas reconhecido por tantos observadores nacionais e estrangeiros como sendo especificamente inglês. Para o escritor francês André Malraux, o *gentleman* era o grande feito da Inglaterra, sua *grande création de l'homme* (grande criação humana). Para o escritor grego Nikos Kazantzakis, a Inglaterra erigira três monumentos ao longo dos séculos: "a Magna Carta, o *gentleman* e Shakespeare". Esses são os "três grandes triunfos do *man made in England*" afirmou ele nos anos 1960. Para V. Naipaul, ganhador do Prêmio Nobel de literatura, nascido em Trinidad e Tobago, "você não pode dizer que conheceu a Inglaterra enquanto não conhecer um *gentleman* inglês". Já McNeile W. Dixon, um escritor nascido na Índia e que viveu entre a Irlanda, a Inglaterra e a Escócia, descreveu a ideia do *gentleman* como "característica e reconhecidamente inglesa", acrescentando que "todo mundo na Inglaterra, se não em riqueza ou posição, deseja ser considerado um *gentleman*, ao menos pelas suas ações".

Sobre a dificuldade de se definir um *gentleman* muito tem sido dito, sendo frequentemente salientado que é mais fácil sentir do que descrever o que o constitui. "Todos nós o reconhecemos quando o vemos, mas não sabemos como explicar isso" – disse um dos muitos pensadores que se interessaram por esse chamado fenômeno inglês.

Atos parecem falar muito mais alto do que palavras, e o comportamento de alguns passageiros na tragédia do Titanic, em 1912, é frequentemente lembrado como exemplar das ações de verdadeiros *gentlemen*. Recusando-se a entrar nos barcos salva-vidas, após ajudarem mulheres e crianças embarcar, alguns desses passageiros – não somente ingleses – enfrentaram a morte inevitável como verdadeiros *gentlemen,* ou seja, com uma incrível dignidade e, às vezes, até com certo orgulho. Segundo relatos de sobreviventes, W. Stead, um editor e autor inglês, recolheu-se à sala de fumantes da primeira classe com um livro nas mãos à espera da morte. Outro passageiro da primeira classe, resumindo numa única sentença seus valores, teria dito à esposa, que lhe implorava para acompanhá-la no barco salva-vidas: "Não... eu devo ser um *gentleman*".

De qualquer modo, por mais que seja difícil de ser definida com precisão, a ideia de *gentleman* é uma das que mudaram de significado ao longo dos séculos, passando de uma descrição normalmente associada ao homem requintado e de *status* social elevado para se referir a qualquer homem que, por seu próprio esforço, se sobressaia por um comportamento cortês e generoso – salientando-se, portanto, que muito mais do que suas circunstâncias, o que define um *gentleman* é seu comportamento, seu caráter e seu sentido de dever pairando acima dos seus próprios interesses. Como disse o anglófilo Kazantzakis, "não é necessário grande educação, fortuna ou ancestrais nobres para se ser um *gentleman*; uma certa elevação de caráter é o único requisito".

A democratização do ideal de *gentleman* pode ser exemplificada por Stanley Matthews, um herói do futebol dos anos 1940, que foi considerado um *working class gentleman* (um *gentleman* da classe trabalhadora). Matthews, que primava pela decência, jamais recebeu um cartão amarelo em toda sua longa carreira. Ele também nunca bebia – nisso contrastando dramaticamente com os astros futebol que o sucederam, como George Best, que era alcoólatra, e Paul Gascoigne, bem conhecido tanto por seu talento como por seus hábitos de bebida e suas infrações no campo.

Tolerância em relação a pessoas com valores diferentes é outro ideal inglês de comportamento que, segundo algumas interpretações, faria também parte das virtudes de um *gentleman*. *Live and let live* (viva e deixe os outros viverem a seu modo) é uma frase do dia a dia que se ouve frequentemente. No século XIX, os refugiados políticos de tendências políticas variadas vindos de muitas partes da Europa convergiram para

Londres (como vimos no capítulo "Inglesidades"), porque eles se sentiam mais seguros e tolerados ali do que em seus próprios países. Karl Marx, por exemplo, o anarquista russo Peter Kropotkin e os líderes nacionalistas Giuseppe Mazzini, da Itália, e Lajos Kossuth, da Hungria, estão entre os refugiados mais conhecidos.

Símbolo dessa tolerância tradicional é o lugar conhecido como Speaker's Corner, localizado no canto nordeste do Hyde Park, um dos maiores espaços públicos da capital inglesa, tal como mencionamos anteriormente. Esse "canto dos oradores" tem sido há tempos o cenário de discursos feitos por indivíduos – do alto de caixas para serem vistos e ouvidos melhor – apoiando causas como a extensão do voto, primeiro para a classe trabalhadora e depois para as mulheres; apoiando o catolicismo; o comunismo; um governo só para o mundo todo etc. Em 1999, um juiz importante afirmou que o Speaker's Corner era a demonstração da "tolerância que a lei estende às opiniões de todos os tipos e também exige daqueles que não concordam, mesmo que profundamente, com as opiniões que ouvem".

Hoje, algumas pessoas, especialmente os imigrantes mais recentes, sentem que essa proverbial tolerância à inglesa não está sendo muito praticada. Na verdade, há os que dizem que o compromisso com a tolerância não passa de mais um exemplo da hipocrisia inglesa.

Sem dúvida, a tolerância entra muitas vezes em conflito com outro traço inglês: um forte sentimento de ser diferente de outros povos, ou seja, a mentalidade insular que foi demonstrada na oposição de alguns ao Channel Tunnel (Túnel do Canal da Mancha); e hoje é demonstrada abertamente na oposição, de alguns ingleses, à moeda euro e à presença de imigrantes estrangeiros.

De qualquer modo, o que pode ser chamado por alguns de "mito da tolerância inglesa" continua a ter uma consequência real na vida do dia a dia. Os partidos políticos extremistas, tanto da esquerda como da direita, têm sido percebidos como "intolerantes"; e, como consequência, não tem sido fácil para eles obterem apoio contínuo do público. Nos anos 1930, o Partido Fascista britânico era minúsculo. Nos anos 1950, o Partido Comunista britânico também era pequeno, apesar de dois comunistas terem sido eleitos para o Parlamento em 1945. No Reino Unido, não houve a caça aos comunistas nos anos 1950, como ocorreu nos Estados Unidos, onde o partido comunista era igualmente pequeno.

Hoje em dia, o partido de extrema-direita inglês, o National Front, também é pequeno. Em 1979, o seu ano de apogeu, ele recebeu menos de 200 mil votos, enquanto, em 2010, nenhum de seus candidatos foi eleito sequer como MP ou como vereador. Outro partido de extrema-direita, o British National Party (BNP), fundado em 1982, vem crescendo em importância à medida que o National Front declina. O ódio ao Islã, expresso por outro partido de extrema-direita, o English Defense League, fundado em 2009, é certamente um motivo de inquietação, mas o número de seus simpatizantes permanece ainda limitado.

O mais bem-sucedido e alarmante dos partidos de direita é o UKIP (United Kingdom Independence Party). Fundado em 1997, esse partido pode ser descrito como o mais moderado dos partidos extremistas. Seu programa inclui a saída do Reino Unido da Comunidade Europeia e uma forte restrição da imigração. Esse programa, ao lado da personalidade carismática do líder do partido, Nigel Farage, que se apresenta habilidosamente como um *"ordinary bloke"* ("cara comum"), produziu dois sucessos políticos em 2014: a eleição de dois primeiros MPs do partido e a eleição de mais 11 MEPs (membros do Parlamento Europeu), o que não deixa de ser irônico, dados os planos anunciados de o partido lutar para tirar o Reino Unido da Comunidade Europeia. Esses sucessos alarmaram profundamente os dois partidos principais, que perderam votos para o UKIP. Os conservadores, em especial, estão se sentindo pressionados a impor maiores restrições à imigração para recuperar os votos perdidos. Na eleição geral de 2015, o UKIP recebeu sete milhões de votos, mas somente elegeu um membro do partido como MP – para alívio dos liberais dos outros partidos – devido ao sistema *first past the post*, já mencionado no capítulo "Como o país funciona".

Até que ponto a tolerância inglesa vai confrontar as opiniões extremas do UKIP permanece uma questão em aberto.

A tolerância dos ingleses se estende também aos excêntricos e individualistas extremados que gostam de viver a seu modo e mesmo chocar os outros com suas extravagâncias. A simpatia com que Vivienne Westwood – a designer que, como vimos, é considerada o epítome da excentricidade britânica – é vista pelo público ilustra quanto os ingleses não só toleram, como também podem admirar muito os excêntricos. Durante as décadas de 1960 e 1970, um dos frequentadores diários da British Library (quando era ainda no British Museum, antes de ser transferida para seu novo prédio em St. Pancras) era uma senhora de certa idade que estudava os segredos das pirâmides egípcias e usava, em qualquer que fosse o tempo, uma capa de chuva surrada e nada limpa sobre um shorts branco, visível através da capa entreaberta. Ao que se saiba, ela jamais sofreu nenhum constrangimento por parte dos funcionários ou frequentadores da biblioteca por seu vestuário um tanto inapropriado e, por assim dizer, "indecente" segundo os padrões convencionais.

Os livros sobre ingleses excêntricos encheriam várias prateleiras. Um dos primeiros, publicado em dois volumes em 1866 por John Timbs, era intitulado *English Eccentrics and Eccentricities* (Ingleses excêntricos e singularidades). Outro estudo famoso é *English Eccentrics* (Ingleses excêntricos), publicado em 1933 por Edith Sitwell, ela mesma uma excêntrica conhecida, que adorava usar roupas e turbantes extravagantes. Edith era filha de outro excêntrico, *sir* George Sitwell, que, entre outras coisas, foi o inventor de uma escova de dente musical e um revólver para matar vespas.

Em 2003, foi publicada uma aclamada antologia de malandros, vilões e excêntricos ingleses, intitulada *Brewer's Rogues, Villains, Eccentrics: an A-Z of Roguish Britons Through the Ages* (Malandros, vilões e excêntricos segundo Brewer: britânicos malandros através da história, de A a Z), por William Donaldson.

Liberdade e privacidade

A tolerância para com os diferentes está associada a dois outros valores centrais dos ingleses: liberdade e privacidade. A tradição do que costumava ser chamado *the free-born Englishman* (o inglês nascido livre) pode ser rastreada à Idade Média e, mais especificamente, à Magna Carta, esse documento datado de 1215 considerado o maior legado inglês para o mundo (ver capítulo "A presença do passado"). Um exemplo dessa liberdade quase milenar é o *habeas corpus*, o recurso legal que salvaguarda a liberdade sacrossanta dos indivíduos (ver capítulo "Como o país funciona"). No século XVIII, era comum os estrangeiros em visita à Inglaterra chocarem-se com o "fanatismo" com que os ingleses defendiam as liberdades conquistadas. Um jornalista holandês, por exemplo, referiu-se em 1718 a "uma extravagância excessiva que vem do amor desmedido que eles têm pela liberdade. Tudo que incomoda, tudo que constrange, lhes é insuportável". E em 1750, ouvimos de uma viajante francesa, a literata Mme. du Bocage, em visita à Inglaterra: "aqui, o amor da liberdade parece tornar seus defensores escravos". Não é, portanto, de admirar que o National Council for Civil Liberties (Conselho Nacional para as Liberdades Civis, conhecido agora como Liberty) tenha sido fundado em 1934, na Inglaterra, durante a depressão econômica. Essa é uma das primeiras instituições dedicadas à defesa das liberdades civis e à promoção dos direitos humanos, e seu idealizador foi Ronald Kidd, um jornalista inglês que observara a ação violenta da polícia metropolitana na manifestação dos *hunger marchers* (marcha de protesto dos desempregados) em 1932, a fim de impedir que eles chegassem ao Parlamento e ali entregassem sua petição.

Não é também nada surpreendente a crescente preocupação, no Reino Unido, com o que o dramaturgo Tom Stoppard descreveu como "o recuo da liberdade" diante da "vigilância maciça" do serviço de segurança britânico, ampliada nos últimos tempos em decorrência dos ataques terroristas.

CARTEIRA DE IDENTIDADE: INACEITÁVEL PARA OS INGLESES

Um sinal da aversão inglesa pelo que compromete o seu profundo sentido de liberdade pessoal é a antipatia generalizada por carteiras de identidade, que foram compulsórias na Grã-Bretanha somente durante as duas guerras mundiais. Nessas ocasiões, o público aceitou, ainda que relutantemente, a "invasão à sua privacidade e liberdade" em nome da crise nacional. Na verdade, a esse respeito a Inglaterra não estava sozinha, pois até a Primeira Guerra Mundial a maioria das pessoas não tinha e não precisava de um documento de identidade, nem mesmo para viajar. De fato, o que hoje é impensável – a possibilidade de viajar sem um passaporte – era a norma desde meados do século XIX até a Primeira Guerra Mundial, período em que esses documentos de identidade caíram em desuso ou foram descartados. A Noruega, por exemplo, aboliu sua exigência em 1859, a Suécia em 1860, a Itália em 1861 e a Prússia em 1867. Nas Américas, havia países como a Venezuela, o Uruguai, o Equador e o México em cujas constituições constava o direito de viajar livremente sem passaporte, um direito que se estendia aos estrangeiros. E os Estados Unidos, que haviam temporariamente introduzido a exigência de passaporte durante a Guerra Civil, em 1861, já a haviam abolido no final do século, proclamando que não existia "nem lei nem regulamentação" requerendo àqueles que chegam aos seus territórios de apresentar passaporte.

Muito mudou depois dessa época, e a carteira de identidade é um documento compulsório em cem países, o Reino Unido fazendo parte de um pequeno grupo que não emite carteiras de identidade junto com Austrália, Dinamarca, Irlanda e Nova Zelândia. No Brasil, o primeiro RG (registro geral, também conhecido como "cédula" ou "carteira de identidade") foi emitido em 1907.

Na Inglaterra, a tentativa feita pelo ministro do Interior do governo trabalhista, David Blunkett, de reintroduzir carteiras de identidade – logo após o ataque terrorista de setembro de 2001 em Nova York – encontrou uma ampla oposição popular e foi abandonada, apesar de a polícia e o serviço de segurança serem a favor dessa forma de identificação. Ativistas, especialistas em direitos humanos, profissionais da tecnologia da informação e políticos uniram-se ao público em geral para demonstrar seu não convencimento de que esse esquema era uma forma eficiente de combater o terrorismo – além de a violação da liberdade ser um preço alto demais a ser pago por um resultado incerto. Foi assim que o Identity Cards Act de 2006, que estava sendo implantado aos poucos de modo não compulsório, foi derrubado em janeiro de 2011. Todas as carteiras de identidade feitas até então foram consideradas inválidas e todos os dados pessoais contidos no National Identity Registry foram oficialmente destruídos, ocasião em que 500 discos rígidos foram despedaçados no RDC (IT Disposal and IT Recycling Company) em Essex.

Celebrando o final de um projeto controverso, o ministro da Imigração, Damian Green, afirmou: "Isso marca o final derradeiro do esquema de cartões de identidade: morto, enterrado e esmagado". Assim, para surpresa dos estrangeiros, os britânicos não têm nem precisam carregar consigo qualquer documento de identidade – e disso muito se orgulham. Quando há necessidade de se identificarem – por exemplo, quando vão buscar pacotes no Correio –, o documento que normalmente utilizam é a carteira de motorista ou o passaporte, que, obviamente, não são documentos compulsórios. Se não tiverem um desses, outras formas de prova de identidade poderão ser utilizadas, como cartão de banco ou cartões de biblioteca.

A "liberdade" é associada à "diversidade" e algumas vezes entra em conflito com o valor da "igualdade". De fato, pode se dizer que cada um dos principais partidos políticos identifica-se com um desses dois ideais inconsistentes: o Conservador, com a liberdade, e o Trabalhista, com a igualdade. No campo da educação, por exemplo, o Partido Trabalhista tem apoiado o ideal de um sistema uniforme de escolas *comprehensive*, ou seja, uma única escola "abrangente" que atenda a todos os tipos de aluno, enquanto o Conservador prefere a diversidade, com escolas diferentes atendendo a tipos diferentes de alunos – ou, alguns diriam, tipos diferentes de pais.

CULTO DA PRIVACIDADE

O culto da privacidade aparece em várias formas. Há, como vimos, a ideia de que "a casa de um inglês é seu castelo", onde se entra somente quando convidado. Os que se opõem à imigração usam normalmente a metáfora de "estranhos entrando na sua própria casa". Mesmo em público, os ingleses mostram relutância em sentar-se numa mesa parcialmente ocupada num restaurante informal ou num café, ou ao lado de um estranho no trem ou no ônibus, por considerar essa prática uma invasão do espaço pessoal do outro. Para alguns ingleses, a expansão de câmaras de televisão em circuito fechado para efeito de segurança constitui uma verdadeira *war on privacy* (guerra contra a privacidade), mesmo que essa medida ajude a polícia a identificar criminosos. Um assassinato já foi descrito como "a invasão definitiva e suprema da privacidade", e é interessante saber que a Inglaterra tem um índice de homicídio bem baixo – por volta de 640 em 2010-2011 e 550 em 2012-2013 – numa população de quase 64 milhões.

Essa atitude, que talvez pudéssemos também descrever como "civilidade básica" dos ingleses, parece fazer parte da imagem que muitos estrangeiros já têm antecipadamente da Inglaterra. Uma notícia de jornal de 1940 dá dessa civilidade antevista um exemplo bem-humorado, quando um piloto alemão foi abatido em solo inglês. Caído ao lado de seu avião, foi logo encontrado por duas senhoras inglesas. Sua pergunta imediata foi: "Vocês vão atirar em mim agora?" A resposta que ouviu foi a seguinte: "Não, nós não fazemos isso na Inglaterra. Gostaria de uma xícara de chá?"

A relutância comum, mas não universal, de tratar de assuntos pessoais em conversas com estranhos, acrescida de uma relutância semelhante em tocar em outras pessoas, a não ser que seja parente ou amigo próximo, pode ser vista também, ao menos em parte, como um sinal de respeito à privacidade. "Você pensa que ser tocado é invasivo" – disse um personagem a outro, no romance de Julian Barnes, *England, England (Inglaterra, Inglaterra)*. Para alguns observadores, essa ausência de contato físico é revelador de quão frios são os ingleses, ou mesmo de que eles são "emocionalmente retardados", como disse um crítico. O romancista escocês Compton Mackenzie descreveu um inglês comum como *"a glass of whisky below par"* (um copo de whisky abaixo do normal); em outras palavras, alguém que só é capaz de se comportar normalmente após tomar vários *drinks*.

A essas críticas, os próprios ingleses poderiam retorquir dizendo que a distância é para eles um valor positivo, associado ao respeito ao indivíduo, ou, alternativamente, que eles são simplesmente retraídos e pouco expansivos.

O silêncio entre os ingleses

Os ingleses sentem-se relativamente confortáveis com o silêncio. Referências ao "longo momento de silêncio inglês", à Inglaterra como "uma nação incrivelmente quieta" e ao fato de os ingleses serem "naturalmente inclinados ao silêncio" são, de fato, frequentemente encontradas ao longo dos séculos. Numa viagem de trem de York a Leeds, num vagão com mais cinco passageiros, um viajante alemão em 1833 disse ter ouvido não mais do que cem palavras – algo quase impossível de acontecer na Alemanha e inconcebível na França, como comentou. No entanto, como tudo é relativo, os próprios ingleses consideram que os suecos são silenciosos, enquanto os suecos consideram que os finlandeses é que são.

Desde o século XVIII, inúmeros viajantes estrangeiros deixaram descrições vívidas e engraçadas desse hábito inglês, que os surpreendia, mas que muitos também admiravam, considerando que o silêncio podia ser também muito expressivo e até ser capaz de "falar mais alto" do que umas palavras eloquentes. Um suíço, por exemplo, descreveu os jantares nas *country houses* inglesas, referindo-se ao momento em que os *gentlemen* retiravam-se para a sala de fumo, não para conversar, mas para fumar os seus cachimbos e ocasionalmente interromper o silêncio com frases como *"How d'ye do?"* (*How do you do?*). Do mesmo modo, um francês, E. Jouy, referiu-se às conversas dos ingleses como "um silêncio lânguido quebrado por monossílabos ocasionais e pelo chá sendo vertido da chaleira para a xícara a cada quarto de hora".

Já outro suíço, o famoso Jean-Jacques Rousseau, era admirador do silêncio inglês, assim como de outras características da cultura britânica. Em seu *best-seller A nova Heloísa*, ele colocou essas palavras na boca de um dos personagens: "Após seis dias perdidos em conversa [...] passamos hoje uma manhã à inglesa, reunidos em silêncio, saboreando ao mesmo tempo o prazer de estarmos juntos e a suavidade do recolhimento. Como são poucas as pessoas que conhecem as delícias deste estado!"

A verdade é que nem todo silêncio é igual. Ele pode representar tanto falha de comunicação quanto ser uma forma dela. Essa ambiguidade gera, inevitavelmente, incompreensões. Para alguém natural de Bengala, como o autor de *A Passage to England* (Uma passagem para a Inglaterra), a vida inglesa, mesmo na capital, parecia horrivelmente silenciosa. Como disse em 1959, "a vida em Londres, mesmo nas ruas mais lotadas", mais parecia "um filme da época do cinema mudo". Os italianos, também, tendem a considerar o silêncio uma forma de defeito de fala, enquanto outros o consideram uma arte – haja vista o grande uso que o dramaturgo inglês, Harold Pinter, fez dos silêncios em suas peças.

Muitos são os que acreditam que os ingleses exprimem afeto e amor de modo minimalista, por meio de poucas palavras e gestos. Jane Austen – tida como a mais inglesa dentre as maiores romancistas inglesas – escreveu certa vez que faz parte do "estilo inglês" esconder a emoção "sob uma calma que quase parece indiferença".

Em contrapartida, os ingleses parecem temer, como dizem, *wasting words* (desperdiçar palavras) e têm vários modos, a maioria pejorativos, de descrever as pessoas que falam demasiado: *chatterboxes* (tagarelas), *garrulous* (falantes), *talkative* (falador), *loquacious* (loquaz), *wordy* (palavroso), e assim por diante. Enfim, os ingleses parecem muito menos críticos em relação às pessoas que falam pouco, como se o silêncio fosse o companheiro de uma mente sábia e modesta. Na verdade, algumas inglesas dizem apreciar *a strong silent man* (um homem forte e calado) acima de qualquer outro.

O tempo: assunto quebra-gelo?

Na abertura dos Jogos Olímpicos de 2012, o excêntrico e irreverente prefeito de Londres, Boris Johnson, não deixou de incluir uma referência ao tempo em seu bem-humorado discurso: "Vocês vão descobrir uma cidade que tem duas vezes mais livrarias do que Nova York, e também um quarto de assassinatos... Mais restaurantes com estrelas Michelin do que Paris; [...] e chove mais em Roma do que em Londres. Isso é estatística... eu posso lhes dar as estatísticas metereológicas oficiais!"

Menção como essa no discurso de boas-vindas aos visitantes faz sentido, pois a obsessão com o tempo entre os ingleses é bem conhecida e tem uma longa tradição. Há mais de 200 anos, Samuel Johnson já comentava: "quando dois ingleses se encontram, seu primeiro assunto é o tempo". Isso pode ser facilmente comprovado ainda hoje, quando se leva em conta as inúmeras vezes que se ouvem expressões como as seguintes: *"what a lovely day!"* (Que dia adorável!), *"looks like rain, doesn't it?"* (Parece que vai chover, não é?), *"fine summer we're having"* (Que ótimo verão estamos tendo, não?); ao que o outro muito provavelmente responderá *"we will pay for it later on"* (Vamos pagar por ele mais tarde!).

Como explicar tal costume de se falar sobre o tempo numa região de clima relativamente ameno, que não é especialmente marcada por inundações, secas, nevascas, tempestades, furacões, chuvas de granizo, tornados, extremos de temperatura etc.? Até mesmo a chuva comumente associada ao país está longe de ser tão excessiva quanto a sua fama sugere. Muitos dados oficiais comprovam isso. Para dar somente um exemplo, segundo os dados do Canadian Metereological Center cobrindo os anos 1971-2000, a média anual de chuva em Londres durante esse período foi 594 mm e o número de dias chuvosos foi 107. No mesmo período, os dados de Pequim foram 623 mm e 66 dias; da Cidade do México 726 mm e 133 dias; de Paris 585 mm e 164 dias; do Rio de Janeiro, 1.093 mm e 131 dias; de Roma, 749 mm e 76 dias; Sidney, 1205 mm e 152 dias.

Enfim, mais do que a chuva ou o frio, o que marca o tempo britânico é a instabilidade, que, como Samuel Johnson também notou há mais de dois séculos, afeta o humor dos britânicos, tornando-os alegres ou taciturnos, dependendo da cor do céu. E a linguagem também é afetada! Já foi lembrado que *good day* (bom dia) instituiu-se como uma forma de cumprimento usual entre os povos de língua inglesa em climas mais ensolarados, mas na Inglaterra *good morning* (e *good afternoon*) acabou se impondo, por ser quase impossível prever de manhã qual será o tempo no resto do dia.

De qualquer modo, a obsessão britânica pelo tempo é um fato. Um estudo de 2010 mostrou que "para mais da metade de nós", uma conversa sobre o clima acontece a cada seis horas e que 70% dos britânicos verificam a previsão do tempo ao menos uma vez ao dia. Segundo o Met Office, o serviço de meteorologia nacional do Reino Unido fundado em 1854, os boletins metereológicos são o terceiro programa de televisão mais assistido no país.

PREVISÃO DO TEMPO PARA OS MARINHEIROS: UM RITUAL NACIONAL

Outro dado que ilustra essa obsessão é o interesse do público em geral pelo Shipping Forecast, uma previsão de tempo originalmente endereçada aos marinheiros e pescadores, que vai ao ar pela Rádio 4 da BBC desde 1924. Antes disso, desde 1861, era feita por comunicações telegráficas.

Esse boletim sobre as condições meteorológicas ao longo de todos os mares das Ilhas Britânicas, produzido pela Met Office em nome da Maritime and Coastguard Agency (Agência Marítima e de Guarda Costeira), é apresentado quatro vezes ao dia: às 0h48, 5h20, 12h01 e 17h54. Apesar de os navios de hoje poderem obter as informações meteorológicas por si mesmos, devido ao desenvolvimento tecnológico, eles ainda usam o Shipping Forecast para conferir os dados.

No entanto, o interesse pelas previsões transmitidas por esses boletins extravasa amplamente esse círculo específico. A popularidade surpreendente que eles têm entre milhões de pessoas que os ouvem religiosamente, apesar de nada terem a ver com o mar – e que não seriam capazes de distinguir um navio cargueiro de um petroleiro – mostra que esses boletins passaram a fazer parte do modo de vida britânico. A levar em conta o que os ouvintes dizem, muitos deles dormem e acordam ao som desses boletins transmitidos em voz calma e soporífera, cujo sentido não captam, mas que se tornaram parte do ritual britânico, a ponto de inspirarem poesias, livros e canções ao longo dos anos. "Eu conheço sua voz. Você tem me feito dormir durante anos", escreveu um ouvinte a Peter Jefferson, que durante mais de 40 anos leu o boletim da meia-noite e 48 minutos da manhã. Essa espécie de "cantiga de ninar", como foi dito, talvez tenha o poder de "reforçar entre os britânicos o senso de viverem numa ilha com um passado navegador digno de orgulho".

Em 30 de maio de 2014, quando um erro técnico fez com que o Shipping Forecast das 5h20 da manhã não fosse ao ar, imediatamente os *twitters* registraram o fato totalmente inédito que perturbou a rotina diária de milhares de ouvintes. Alguns deles até cogitaram se um cataclisma nuclear era iminente, dado o mito de a não transmissão do Shipping Forecast ser um sinal para os submarinos nucleares lançarem seus mísseis.

Quando, há algum tempo, a Rádio 4 anunciou que iria alterar o horário do primeiro *forecast* do dia, pouco antes da 1 hora da manhã, por menos de 15 minutos, o protesto público foi tão grande que chegou até o Parlamento. A proposta foi abandonada e tudo permaneceu como era desde 1924, com as previsões sendo apresentadas sempre nos mesmos horários e da mesma maneira, de modo rítmico e até mesmo poético. Como comentou Peter Jefferson em seu livro *And Now the Shipping Forecast*, "há algo em muitos de nós que gosta das certezas da vida e é avesso a mudanças. O Shipping Forecast é um conforto, um dado, um sinal de que talvez, somente talvez, tudo esteja certo, afinal de contas, com o mundo – ao menos até que o próximo dia amanheça –, mas isso significa algumas horas de um delicioso sono reconfortante! Um tempo para a mente inquieta se recuperar, descansar, relaxar...".

Os mares britânicos, que foram divididos em 31 áreas e receberam nomes poéticos e misteriosos (Viking, North Utsire, Forties, Cromarty, Forth, Tyne, Dogger, Fisher etc.), são mencionados individualmente ou em grupo, e a previsão do tempo e os alertas de vendaval seguem uma ordem rígida, sem que as palavras *wind* (vento), *weather* (tempo) ou *visibility* (visibilidade) sejam mencionadas. Após o nome do mar ou mares, segue a direção do vento, a força do vento na escala Beaufort, a precipitação de chuva, se houver, terminando com a visibilidade. Em caso de mudança de direção do vento, isso é indicado por *veering* (sentido horário) ou *backing* (sentido anti-horário). O vento com a força 8 ou maior é indicado por nomes para dar mais ênfase, como *gale, severe gale, storm, violent storm* e *hurricane* (ventania, ventania severa, tempestade, tempestade violenta e furacão, respectivamente). A visibilidade é dada no formato de *good, moderate, poor* e *fog* (boa, moderada, pobre e nebulosa).

Soando como espécie de mantras, as previsões são transmitidas dessa forma: "*Viking, North Utsire, South Utsire, Fisher, Dogger, German Bight. Westerly or southwesterly three or four, increasing in five North later. Rain Later. Good becoming moderate, occasionally poor*"; "*Rockall, Malin, Hebrides, Southwest gale 8 to storm 10, veering west, severe gale 9 to violent storm 11. Rain, then squally showers. Poor, becoming moderate*"; "*Humber, Thames. Southeast veering southwest 4 or 5, occasionally 6 later. Thundery showers. Moderate or good, occasionally poor.*" E assim por diante, até que todos os 31 mares sejam cobertos. E tudo isso ouvido por uma enorme audiência que, em grande parte, não sabe o que os números e os nomes significam nem onde ficam todos esses misteriosos lugares.

Enfim, se falar sobre o tempo é uma característica britânica, e se a razão não pode ser encontrada no tempo propriamente dito, que é instável, mas não especialmente dramático e tempestuoso, algumas hipóteses interligadas são bastante plausíveis. Em primeiro lugar, conversar sobre a chuva que vai cair, ou sobre o sol que está brilhando, permite às pessoas de origens variadas se comunicarem, por terem encontrado um elemento comum que facilita a comunicação. Em segundo lugar, sendo a instabilidade e a incerteza marcas do tempo britânico, há sempre algo novo a se dizer, diferentemente dos lugares constantemente ensolarados, como a Califórnia, por exemplo, onde um comentário como "*what a nice sunny day!*" (que belo dia de sol!), por exemplo, soaria sem sentido. E, finalmente, falar sobre o tempo acaba sendo uma forma fácil de "quebrar o gelo" e iniciar uma conversa, como se "*what a lovely day*" (que dia adorável) ou "*what an awful day*" (que dia terrível) fosse uma espécie de saudação; um *how do you do* que pode iniciar uma conversa mais prolongada.

Keep cool and carry on

Cool no sentido inglês de "calmo", distinto do sentido norte-americano de "provocativo e desafiante", é altamente valorizado entre os ingleses (apesar de os adolescentes poderem preferir a versão americana). Durante crises, *keeping cool* (manter-se tranquilo) é considerado normalmente uma virtude, assim como aguentar a dor sem reclamar. Os ingleses frequentemente dizem "*don't lose your head*" (não perca a cabeça) ou "*don't get carried away*" (não exagere), em outras palavras, não seja *emotional* (emotivo) e não aja levado pela emoção. Para citar Kipling, o poeta do Império e do Exército Britânico, a coisa certa a se fazer é "*keep your head when all about you... are losing theirs*" (manter a cabeça fria quando todos ao seu redor a estão perdendo). Outro adjetivo positivo usado para descrever essa qualidade é *imperturbable* (impertubável) ou *unflappable* (inabalável), um termo muito usado para descrever o famoso primeiro-ministro Harold Macmillan.

Modo de vida e valores | 281

newton64 (CC BY-SA 2.0)

Os britânicos gostam de caçoar de si mesmos, incluindo suas tentativas de não entrar em pânico durante uma crise. "Keep calm and carry on", palavras usadas num pôster criado na II Guerra Mundial, foram transformadas num lema, que se vê inscrito em inúmeros objetos: canecas, cadernos, camisetas etc.

Kristina D.C. Hoeppner (CC BY-SA 2.0)

Um mote inglês da Segunda Guerra Mundial, que tem uma história curiosa, é *Keep calm and carry on* (mantenha-se calmo e siga em frente). Esse mote cresceu muito em popularidade nos últimos anos e é aplicado agora em vários contextos do cotidiano, inclusive com pôsteres à venda contendo a inscrição. A frase foi criada em 1939 para um cartaz a ser exibido horas após a guerra ser declarada, quando se esperava que os alemães fizessem um bombardeio maciço e jogassem gás venenoso nas principais cidades inglesas. Com o objetivo de fortalecer o moral da população, quase 2 milhões e meio de cartazes foram impressos, mas jamais foram utilizados. Na verdade, a campanha foi cancelada ainda em 1939 – devido à crítica do custo e à incerteza do impacto que teria na população – e em 1940 os pôsteres foram reciclados como parte do Paper Salvage, uma campanha para ajudar o esforço de guerra economizando papel. Foi só após a descoberta de alguns pôsteres no ano 2000 que a frase adquiriu nova vida, como se personificasse o próprio comportamento caracteristicamente inglês. Desde então, cartazes, camisetas e canecas passaram a ser produzidos com o antigo mote. E, tendo sido transformado em estratégia de venda certa, ele foi adaptado para vários fins, trivializando-se. Hoje em dia, é até usado em folhetos de agências de serviços domésticos anunciando faxineiras: "*Keep calm and get a cleaner!*" (mantenha a calma e arranje uma faxineira!).

"*Calm down, dear*" (acalme-se, querida) é um dos *slogans* de uma comédia de televisão, que até foi citada pelo primeiro-ministro no Parlamento em 2011.

Em resumo, os ingleses ainda apreciam o sangue-frio, representado memoravelmente pelo personagem James Bond, assim como apreciam a indiferença à dor, não deixando transparecer suas fraquezas.

STIFF UPPER LIP: UM LEMA INGLÊS?

Uma expressão emblemática, e muito repetida, que ilustra muito bem essa atitude, é "*keep a stiff upper lip*" – uma exortação dos ingleses para que se mantenha o sangue-frio e o autocontrole em face das adversidades, quaisquer que sejam elas.

Citando Noel Coward, outro escritor muito inglês (ver capítulo "As artes"):

> *We British are a peculiar breed*
> *Undemonstrative on the whole*
> *It takes a very big shock, indeed*
> *To dent our maddening self-control*[7]

Esse conselho para *keep a stiff upper lip* – literalmente, manter "o lábio superior imóvel", porque quando ele treme isso revela fraqueza e emoção – não é, obviamente, um traço unicamente inglês. Basta pensar no Japão e na Finlândia, por exemplo, como outras culturas que também demonstram esse tipo de estoicismo. Em finlandês, por exemplo, *sisu* é a palavra utilizada para descrever a aceitação da realidade, sem reclamação, e a capacidade de navegar em meio às dificuldades. E no Japão, a frase "*shikata ga nai*" (nada se pode fazer sobre isso) ilustra a aceitação generalizada de desastres de todo tipo com autocontrole e abnegação.

De qualquer modo, os lábios dos ingleses parecem estar se tornando menos inabaláveis do que costumavam ser, como a explosão pública de sofrimento por ocasião da morte da princesa Diana demonstrou – seguindo, na verdade, uma equivalente demonstração aberta, dessa vez de alegria, ao final da Segunda Guerra Mundial. No dia a dia, o beijo nas bochechas tornou-se uma ocorrência comum entre amigos. Enfim, o inglês "*buttoned-up*" (abotado, ou seja, formal) está aparentemente desabotoando ao menos um ou dois botões de seu *manteau* de controle e austeridade.

NADA DE *FUSS*, NADA DE EXIBIÇÃO: UMA CULTURA DO *UNDERSTATEMENT*

A reserva inglesa é acompanhada pela desaprovação do *fuss* (estardalhaço), do *making a song and a dance* (fazer um cavalo de batalha) sobre alguma coisa, ou, como ilustra o título de uma das comédias de Shakespeare já lembrada, *Much Ado about Nothing* (Muito barulho por nada).

A autodepreciação também faz parte do estilo inglês: uma espécie de modéstia (ou de falsa modéstia, como dizem alguns), que envolve a desvalorização de suas próprias realizações quando se referindo a elas em público. Na Segunda Guerra Mundial, por exemplo, os pilotos referiam-se às suas perigosas missões como a *piece of cake* (um pedaço de bolo, significando "uma moleza"). Do mesmo modo, muitos ingleses são avessos a se exibir, pois eles associam exibição com a vulgaridade dos novos-ricos. Ilustra bem esse aspecto o fato de 10 Downing Street ter a aparência de uma casa normal, mesmo sendo a residência oficial do primeiro-ministro. Clement Attlee costumava ir trabalhar de ônibus quando era primeiro-ministro, e não era raro se encontrar no metrô londrino a ex-primeira-dama Cherie Blair e o antigo prefeito de Londres Ken Livingstone; é também possível ver o prefeito Boris Johnson no metrô – isso quando ele, um grande ciclista, não está se locomovendo de bicicleta. Cameron, o primeiro-ministro, também anda de bicicleta, o que, contudo, não acontece com a família real inglesa, diferentemente da dinamarquesa e holandesa.

Mais geralmente, a cultura inglesa pode ser descrita como uma cultura do implícito e do *understated*, ou seja, uma cultura que minimiza as coisas, como apontamos brevemente no capítulo "Quem são os ingleses?". As frases favoritas dos ingleses incluem *it goes without saying* (não precisa dizer) e *it can be taken from granted* (pode ser dado como certo). É por isso que construções famosas, como os *colleges* de Oxford e Cambridge, não colocam seus nomes em placas nas entradas, pois se considera que o público sabe o que são, mesmo se na prática, muitos, tanto nativos como estrangeiros, não saibam.

O que torna a vida para os estrangeiros mais complicada é que muitos nomes de pessoas e lugares ingleses são pronunciados de modo muito diferente do que se supõe, a levar em conta a escrita. Esse é, por exemplo, o caso de Leicester Square (pronunciado Lester) e Grosvenor Square (pronunciado Grovenor) em Londres; de Blenheim, o grandioso palácio onde nasceu Churchill (pronunciado Blenen); e de Edinburgh (Edinbra), a capital da Escócia. Um dos autores deste livro viu-se em dificuldades quando, hospedada nas imediações da Leicester Square, perdeu o seu rumo e não conseguia pedir ajuda aos transeuntes porque eles não reconheciam no seu "Laissester" Square o *"Lester"* Square da capital londrina. Interessante que essa mesma dificuldade foi notada pelo famoso exilado russo Alexander Herzen na primeira metade do século XIX. Comentando a dificuldade que os refugiados franceses tinham para se estabelecer na Inglaterra, ele afirmou: "o francês não pode perdoar os ingleses: em primeiro lugar, por não falarem francês; em segundo, por não entendê-lo quando ele chama Charing-Cross [junção de três ruas ao sul de Trafalgar Square] Sharon-Kro, ou Leicester Square Lessestair-Skooar".

Os visitantes podem supor que isso é uma estratégia deliberada para excluí-los, mas, em geral, trata-se de um acidente. Muito provavelmente, a pronúncia de alguns nomes tornou-se mais simples com a passagem do tempo, enquanto a ortografia permaneceu a mesma. De qualquer modo, essas características da cultura parecem bem apropriadas para um país que se vangloria de ter uma Constituição não escrita. As regras não são escritas porque se supõe que todo mundo deve conhecê-las.

A retórica do dia a dia dá um lugar especial para a hesitação e *understatement* – a prática da atenuação. Como o visitante tcheco Karel Capek notou, quando ouvia os ingleses nos anos 1920, "eu descobri que eles não dizem usualmente 'está chovendo' ou 'dois e dois igual a quatro', mas 'eu penso que está chovendo' ou 'eu mais ou menos acho que dois e dois são quatro', como se 'deixassem as outras pessoas livres para terem outra opinião'" sobre essas questões. *"I tend to think"* (Sou inclinado a achar) é outra forma recorrente de hesitação inglesa; uma hesitação que pode ser real, mas que é, normalmente, expressão de uma atitude cortês, uma espécie de teatro de gentileza. Essa prática de minimizar pode facilmente iludir os estrangeiros, como sugerimos no primeiro capítulo deste livro. Quando os ingleses dizem *is not bad*, a maioria das vezes (mas nem sempre!) eles querem dizer que "é certamente muito bom". Se eles dizem que *are not very keen* (não estão muito entusiasmados) sobre alguma coisa, isso frequentemente (mas nem sempre!) significa que essa coisa lhes desagrada intensamente. Um professor israelense que estudou em Oxford lembra que levou algum tempo para perceber que quando seu tutor lhe dizia: "*I don't think I completely agree with what you've written here*" ("Eu não acho que eu concordo completamente com o que você escreveu aqui"), ele queria, na verdade, dizer: "*This is a load of rubbish*" ("Isto é um monte de besteira").

Um caso lendário de *understatement* dramático é o do capitão Oates, um membro da trágica expedição ao Polo Sul em 1911, liderada por Robert Scott (conhecido como o "Scott da Antártica"). Sofrendo de gangrena e congelamento e decidido a se deixar morrer para que seus três companheiros tivessem melhores chances de se salvar, Oates abandonou sua tenda e adentrou a nevasca anunciando: "*I am just going outside and may be some time*" ("Eu só vou lá fora e pode levar algum tempo"). Esse foi o seu modo *understated* de dizer que estava saindo para se deixar morrer. O líder Robert Scott deixou no seu diário a seguinte descrição dessa morte heroica: "Nós sabíamos que Oates estava andando para a sua morte... era o ato de um homem corajoso e de um *gentleman* inglês." O sacrifício acabou sendo inútil, pois alguns dias mais tarde os seus três companheiros, fracos e desnutridos, também faleceram presos por uma nevasca.

Understatement estende-se a ações diárias, tais como chamar a atenção dos garçons, dos atendentes de bar e dos taxistas com o mínimo de gestos, buscando simplesmente um cruzamento de olhar. Os nova-iorquinos, em contraste, chamam os táxis com gestos dramáticos. Os ingleses, quando em Nova York, não conseguem pegar um táxi a não ser que repitam os gestos exagerados dos americanos, que desaprovam.

Mesmo nos leilões da Sothebys, quando milhares de libras estão em jogo na compra de uma obra de arte, por exemplo, uma simples piscada ou um pequeno movimento com o catálogo são suficientes para registrar o lance com o leiloeiro. É lendário o silêncio de um nobre, *lord* Burley: ele nunca usava a língua quando um movimento da cabeça era suficiente.

Understatement também se estende a piadas, pois um traço marcante do senso de humor inglês é fazer piadas mantendo uma expressão séria – uma *straight face* (cara séria) ou com a *tongue in cheek* (com a língua escondida na bochecha), como se diz.

A autozombaria, ligada à tradição de autodepreciação fica evidente tanto na literatura como no dia a dia. *1066 and All That* (1066 e tudo aquilo) é o título de um livro escrito por dois colegas, um deles professor de História de uma *public school*, zombando levemente dos principais episódios da história da nação e parodiando os relatos oferecidos nos textos escolares e as respostas dos alunos às perguntas feitas nos exames. Publicado originalmente em 1930, o livro ainda continua sendo bem vendido.

Do mesmo modo, *No Sex Please, We're British* (Nada de sexo, por favor, nós somos britânicos) é o título de uma comédia inglesa de 1971 tão bem-sucedida que ficou em cartaz por 16 anos, além de ter também dado origem a uma versão cinematográfica. Outro exemplo de autozombaria pôde ser visto na Estação de Polícia de Cambridge.

Durante um bom tempo, ficou em exibição na janela do edifício um porco de pelúcia bem grande, que usava na cabeça um capacete policial. Na Inglaterra, um modo pejorativo de se referir aos policiais na linguagem coloquial é *pig* (porco).

Há uma tradição cultural de figuras cômicas, tais como o fanfarrão e boêmio Falstaff, personagem de Shakespeare, o bem-humorado, guloso e inocente Pickwick, de Dickens, e o idiota charmoso da classe alta Bertie Wooster, uma criação de P. G. Wodehouse, que, não obstante ter falecido há mais de 30 anos, ainda permanece o mais famoso e querido dos humoristas ingleses.

Grandes satiristas

Apesar de os ingleses gostarem de se ver como gentis, eles também são um povo satírico. A longa tradição de sátira inglesa pode ser rastreada ao inimitável Jonathan Swift no século XVIII, passando por *Punch,* uma revista que durou de 1841 a 2002, até a atual *Private Eye*. O longo título do ensaio de Swift já é revelador do que se impôs como um paradigma da sátira social, desde que foi publicado em 1729: *A Modest Proposal: for Preventing the Children of Poor People in Ireland from Being a Burden to Their Parents or Country, and for Making Them Beneficial to the Publick* (Uma proposta modesta: para impedir que os filhos das pessoas pobres da Irlanda sejam um fardo para os seus progenitores ou para o país, e para torná-los proveitosos ao interesse público). Nesse panfleto, Swift propôs canibalismo e infanticídio como soluções para o problema da fome e da pobreza na Irlanda. A ideia da venda de crianças como comida para ricos irlandeses atacava ao mesmo tempo a desumanidade dos irlandeses poderosos e a política governamental da época.

Private Eye, um pasquim fundado em 1961, é uma revista quinzenal de assuntos atuais, que prima por ser ao mesmo tempo sofisticada e simples. Desde os seus primeiros números, ela se empenha em satirizar figuras, entidades e políticas públicas, impondo-se como um verdadeiro deboche do *establishment* britânico. A partir de meados dos anos 1960, ela incluiu em seu repertório figuras internacionais – que, como se diz, são todas "queimadas vivas em bem poucas palavras", ao lado das figuras britânicas.

Suas piadas, que não poupam nem mesmo a rainha Elizabeth, já foram descritas como merecedoras da aprovação de Swift. Em 1964, por exemplo, a capa mostrava a rainha fazendo um discurso na abertura do Parlamento e dizendo: "E eu espero que vocês percebam que não fui eu quem escreveu essa porcaria (*crap*)". Como disse um crítico: "quase dava para se sentir séculos de deferência começando a ceder lugar para algo novo".

A importância dessa publicação na cultura britânica pode ser atestada pela comemoração de seus 50 anos, em 2011, quando uma exposição sobre sua atuação foi organizada pelo Victoria & Albert Museum, o que sugere que esse pasquim é agora uma instituição britânica. Um anúncio desse evento lembrava que durante 50 anos, "a realeza, os políticos, os juízes, os presidentes, os líderes religiosos, os potentados do leste, os criminosos, os esquerdistas, os direitistas e os potentados da mídia aproximavam-se das bancas de jornal, a cada 15 dias, rezando para que suas transgressões e hipocrisias não aparecessem na folha de escândalo satírica, nem que (por favor, Deus me livre!) seus semblantes sorridentes aparecessem na capa ligados, de modo irremediável, a uma legenda assassina dentro de um boxe".

Nessa mesma linha, os *cartoons* (cartuns), pelos quais os ingleses são famosos, têm atacado a reputação de monarcas, de líderes políticos e de hábitos britânicos desde o século XVIII, sem interrupções. Em 2014, um cartum no jornal *The Guardian* zombou do Met Office (o serviço nacional de meteorologia) e da obsessão dos ingleses pelo tempo. Um imenso supercomputador e dois cientistas vestidos de branco estão num laboratório. O computador diz: "Eu sou o supercomputador. O que vocês querem saber?" Os dois cientistas confabulam e fazem a pergunta: "Vai chover?" O supercomputador, um tanto surpreso, pergunta: "O quê?". Os cientistas repetem a pergunta e o supercomputador responde: "Sim; algo mais?" Ao que os cientistas perguntam: "*Will it be very rainy or quite rainy?*" ("Vai ser chuva forte ou fraca?"). Agora, visivelmente irritado, o computador responde: "Forte, mas escutem... Por que estamos sempre falando do tempo?". Ao que os dois cientistas retrucam: "Hum, trabalhamos no Met Office na Inglaterra e construímos você para que pudéssemos papear sobre o tempo." O supercomputador, então, lhes diz: "Certo, mas olhem, eu não quero parecer metido, mas eu sei TUDO, ok? Na verdade, realmente tudo. O que significa que sei tudo sobre Deus, sobre a existência da alma, sobre outras dimensões... Vocês podem me perguntar qualquer coisa. Vão em frente. Realmente qualquer coisa!" Os dois cientistas de branco se entreolham, discutem e fazem a pergunta: "Nós vamos ter um Natal coberto de neve?" E o supercomputador reage com um solene: *"Oh, shit off!"* ("Ah, vão à merda!").

A televisão passou a oferecer um novo meio para a sátira, especialmente a política, com shows como *That Was the Week that Was* (Essa foi a semana que foi) nos anos 1960, ou *Yes, Minister* e *Yes, Prime Minister* nos anos 1980, este último ressuscitado numa peça de teatro em 2010.

A série de comédia televisiva *Monty Python,* que foi ao ar entre 1969 e 1974 na BBC – e que se expandiu ao longo dos anos para o cinema, shows de turnê, livros e musicais – é também representativa do humor britânico de *straight face* (cara séria) e de autozombaria. Criada por seis amigos que se conheceram na Universidade de Cambridge, *Monty*

Python é considerada tão influente na comédia quanto foram os Beatles na música. Sua popularidade se deveu ao fato de ridicularizarem o *establishment* britânico, mas de um modo jovial, infantil, meio sem sentido e absurdo. Criando esquetes engraçadíssimos com figuras de autoridade – oficiais militares, juízes, policiais, políticos, locutores da BBC, e até mesmo Deus – emitindo disparates, eles atingiam dois objetivos: zombavam da autoridade e, sem apelar para a grosseria ou maledicência, destacavam o absurdo da vida "séria" do mundo adulto. Durante a ditadura militar brasileira, quando Gilberto Gil e Caetano Veloso se exilaram na Inglaterra, eles descobriram *Monty Python* e encantaram-se com a inovação que trazia. Caetano Veloso chegou a confessar que o surrealismo do *Monty Python Flying Circus* influenciou muito sua música mais experimental.

Por ocasião dos 25 anos da criação desses "Beatles da Comédia" foi dito, com um misto de ironia e desapontamento, que os *pythons* passaram a ocupar uma "posição institucional no edifício da cultura social britânica", um "edifício" que eles tinham se divertido muito ao tentar demoli-lo. Significativamente, a palavra *pythonesque*, no sentido de humor absurdo e surreal, foi incorporada ao vocabulário da língua inglesa.

A cultura do *common sense*

A cultura inglesa inclui também a tradição do *common sense* (bom senso) e a do empiricismo, que são interligadas. O bom senso é tido como "atributo verdadeiramente inglês", associado à sua praticidade. Característica da cultura inglesa louvada por estrangeiros de renome, como Goethe, um deles chegou descrever a Inglaterra como um "teatro de sabedoria prática". Esse traço foi também glorificado em um dos romances ingleses mais famosos, *Sense and Sensibility* (*Razão e sensibilidade*, de 1811) de Jane Austen. As protagonistas do romance são duas irmãs enfrentando a sina de muitas mulheres de sua época: encontrar um marido com dinheiro, pois o pai morrera, deixando-as sem bens. A mais velha delas, Elinor, é prática e irradia "bom senso" em todo seu comportamento. Em contraste, a mais jovem, Marianne, é essencialmente emocional e personifica a "sensibilidade". A autora não deixa os leitores na dúvida de que sua simpatia está com a primeira.

Pode-se dizer que o apelo ao *common sense* é constante na vida inglesa do dia a dia, e que os ingleses consideram-se um povo que se pauta pelo bom senso mais do que outros. Verdade ou não, o fato é que isso é parte importante de sua autoimagem, assim como seu apego à moderação, à conciliação e sua opção por mudanças graduais e pacíficas, em detrimento de transformações revolucionárias e sangrentas. Lembremos que a última revolução e a última guerra civil inglesas ocorreram no século XVII.

Quanto ao empiricismo, no nível filosófico essa tradição recua ao menos até o século XVII, ao filósofo John Locke, que definia sua posição em oposição a Descartes, ou seja, um inglês contra um francês. Ou pode mesmo ser recuada até o século XIV, quando William of Ockham declarou guerra às abstrações desnecessárias. Essa atitude é associada à desconfiança inglesa de regras gerais, uma desconfiança que está incorporada ao sistema legal, que se baseia em julgamentos que já foram feitos em casos particulares.

Simplificando uma questão mais complexa, o que está em pauta nessa forma de pensar é a distinção entre "indução" e "dedução", ou entre duas tradições filosóficas diferentes: a tradição do filósofo inglês Bacon e do filósofo francês Descartes. No primeiro caso, porque se parte do princípio de que todo o conhecimento provém da experiência, começa-se por um caso individual e gradualmente se atinge o geral; enquanto no segundo caso, porque se parte da crença nas verdades apriorísticas ou inatas, inicia-se com o geral e se aplica ao particular. Daí a recomendação tão inglesa de "tratar cada caso em seu próprio mérito", prestando atenção particular às suas características individuais – uma recomendação que junta o empiricismo inglês (com seu respeito por um caso individual) com o individualismo (com o seu respeito pela pessoa individual).

Essa postura ajuda a explicar o conservadorismo inglês como uma atitude pragmática que pode ser descrita como um orgulho pelas instituições antigas simplesmente porque elas "funcionam", ou seja, sobreviveram através de séculos.

Como bom empiricistas, os ingleses mostram uma resistência à teoria, que eles associam à Alemanha ou à França e tendem a vê-la como *philosophising* – um termo pejorativo para referir-se a uma atividade desprezada como *hot air*, ou seja, desperdício e palavras vazias. Diferentemente da França, Alemanha e Itália, por exemplo, Filosofia não faz parte do currículo escolar na Inglaterra, o que ajuda a dar a impressão de ser algo exótico. Nas universidades britânicas, a Filosofia ensinada é geralmente a que se chama de "analítica", "linguística" ou "Filosofia de Oxford". Essa forma de pensamento distingue-se da chamada "filosofia continental", por uma desconfiança de abstrações e por se concentrar na análise da *"ordinary language"* (linguagem comum). Mesmo o historiador Edward Thompson, que se dizia um "marxista empiricista" – o que para muitos é uma total contradição – públicou um ataque ao que ele chamou de *A miséria da teoria*, referindo-se à teoria francesa em especial.

O individualismo inglês inclui o que é conhecido como "individualismo metodológico", ou em outras palavras, a ideia de que afirmações sobre as ações dos Estados ou de grupos sociais são, na verdade, declarações sobre indivíduos porque, como dizia

Margaret Thatcher, "não há tal coisa como 'Sociedade'". Sociedade nada mais seria do que um conceito abstrato. Enfim, como foi dito (ironicamente pelo filósofo inglês Cyril Joad), os ingleses "não se importam com ideias".

No nível mais elementar do dia a dia, os ingleses são tanto criticados como elogiados pelo seu culto ao *common sense* (usualmente se supondo que é consensual o que conta como *common sense*) e por seu *matter-of-factness* (apego a questões de fato); em outras palavras, pelo seu amor pelo concreto e pelo particular, oferecendo ao interlocutor "somente os fatos" não contaminados por teorias abstratas ou mesmo ideias gerais. Como eles dizem de si mesmos: os ingleses são *down to earth* (têm o pé no chão). Na mesma linha, o cientista Thomas Huxley (avô do famoso escritor Aldous Huxley) dizia, com ironia: "ciência é bom senso organizado, em que muita teoria linda foi morta por um fato feio"; ou que a "ciência é simplesmente bom senso no seu melhor, isto é, rigidamente acurada na observação e impiedosa com qualquer falácia na lógica".

ANTI-INTELECTUAIS?

Seriam os ingleses, então, além de antiteoréticos, também anti-intelectuais?

A alegação de que não há intelectuais públicos ingleses – ou seja, pessoas ilustradas que fazem críticas culturais e políticas para um público amplo – é fácil de refutar. São muitos os exemplos de intelectuais que saíram de suas especialidades para se envolver ativamente nos debates públicos de sua época. Para mencionar só um deles, o filósofo e matemático Bertrand Russell distinguiu-se como crítico social e ativista político, opondo-se, dentre outras coisas, à Primeira Guerra Mundial, o que o levou à prisão; e, meio século mais tarde, lutando pela Campanha para o Desarmamento Nuclear.

Por outro lado, é intrigante notar que cerca de metade dos intelectuais mais atuantes e notáveis do século XX são imigrantes. O herói local Bertrand Russell pode ser colocado ao lado do austríaco Ludwig Wittgenstein; o historiador Edward Thompson ao lado do austríaco-inglês Eric Hobsbawm; o antropólogo Jack Goody ao lado do checo-inglês Ernest Gellner; o economista John Maynard Keynes ao lado do húngaro Nicholas Kaldor; o filósofo Michael Oakeshott ao lado do russo Isaiah Berlin; enquanto a História da Arte foi dominada por muito tempo por imigrantes de língua alemã, como o alemão Nikolaus Pevsner e o austríaco Ernst Gombrich.

O papel público dos intelectuais é também mais limitado no Reino Unido do que em outros lugares. Estudiosos e escritores raramente são procurados pela mídia para dar suas opiniões sobre o estado do mundo, tal como ocorre na França, por exemplo, ou na Itália, e mesmo no Brasil.

Mudanças

Os sistemas de valores alteram-se vagarosamente, mas ao longo dos últimos 50 e poucos anos, algumas grandes mudanças de valores ingleses tornaram-se visíveis, especialmente a extensão gradual da ideia de justiça para incluir as mulheres, os homossexuais e os imigrantes, assim como a melhoria gradual da posição social de, ao menos, alguns membros desses grupos.

Relembrando algumas conquistas já tratadas no capítulo "Inglesidades", a Primeira Onda de feminismo do início do século XX, o movimento das *suffragettes*, levou à conquista do voto das mulheres em 1928. Na segunda metade do século, o movimento feminista conhecido como Women's Liberation foi adiante e obteve um Equal Pay Act, garantindo às mulheres um salário equivalente ao dos homens; contudo, mesmo tendo sido promulgado em 1975, ele ainda não está devidamente implementado.

A Câmara dos Comuns do Parlamento tem sido frequentemente denunciada como um clube masculino, mas essa situação também está mudando. A primeira mulher a ocupar o cargo de primeiro-ministro foi Margaret Thatcher (1979-1990). A primeira presidente da Câmara dos Comuns (*Speaker*) foi Betty Boothroy (1992-2000). Em 1997, 120 mulheres foram eleitas membros do Parlamento, um número recorde até então – suplantado em 2015, como vimos, quando 191 mulheres foram eleitas MP. Duas mulheres já comandaram o serviço secreto: Stella Rimington (1992-1996) e Eliza Manningham-Buller (2002-2006). A editora de dois jornais diários muito populares, *The News of the World* e *The Sun* era uma mulher, Rebekah Brooks, que se demitiu como diretora-presidente de um terceiro jornal, o *News International*, na época do escândalo da escuta telefônica de 2011 (ver p. 169).

No mundo dos negócios, gradualmente as mulheres também estão se tornando proeminentes e empreendedoras. Elas representam um terço das pessoas que trabalham por conta própria, mas entre os anos de recessão de 2008 a 2011, as mulheres representaram 80% das pessoas que abriram um negócio próprio. Em 2013, havia 1 milhão e meio de mulheres em *self-employment*, ou seja, autônomas, e 10% das mulheres em geral estavam pensando em abrir uma empresa.

Algumas poucas "britânicas novas" estão gradualmente se tornando visíveis na vida pública. A baronesa Amos, por exemplo, que veio da Guiana, tornou-se líder da Casa dos Lordes em 2003. A baronesa Scotland, que veio da pequena ilha Dominica, no Caribe, tornou-se procuradora-geral, uma das posições jurídicas mais elevadas do país, em 2007. A baronesa Sayeeda Warsi, que nasceu em Yorkshire mas é de família paquistanesa, tornou-se copresidente do Partido Conservador em 2010.

A Grã-Bretanha multicultural que essas baronesas simbolizam revela-se também nas artes, especialmente na literatura, tema a ser tratado no capítulo "As artes".

NOTAS

1. Expressão coloquial usada como um modo alegre de dizer "*good bye*".
2. As casas majestosas da Inglaterra,/quão lindamente elas se erguem!/no meio de suas altas árvores ancestrais,/sobre toda essa terra aprazível.
3. Haverá sempre uma Inglaterra/enquanto houver uma alameda no campo/onde quer que haja uma pequena casinha de campo/ao lado de um campo de trigo.
4. Oh, o velho duque de York/Ele tinha dez mil homens;/ele os fez marchar para o topo do morro,/e os fez marchar para baixo novamente./ E quando eles estavam lá no topo, eles estavam no topo,/e quando eles estavam embaixo, eles estavam embaixo,/e quando eles estavam somente na metade do caminho,/eles não estavam nem no topo nem embaixo.
5. As Índias Ocidentais Britânicas incluíam todas as possessões inglesas no Caribe e Atlântico Norte, como Barbado, Bahamas, Jamaica etc. Dessa região, somente Anguilla, Bermudas, Ilhas Virgens Britânicas, Ilhas Cayman, Montserrat e as Ilhas Turcas e Caicos permaneceram sob a jurisdição e soberania do Reino Unido após os movimentos de independência dos anos 1960-1980. Essas ilhas fazem agora parte de um grupo de 14 outros territórios espalhados pelo mundo que compõem o que se chama de British Overseas Territory (Território Britânico Ultramarino).
6. "Entrada dura" é uma expressão futebolística que significa atingir o adversário nas pernas para derrubá-lo, "técnica" esta herdada do rúgbi, quando os dois esportes já tomavam rumos diferentes lá no século XIX. (Agradecemos a Christian Schwartz por essa informação.)
7. Nós britânicos somos uma raça peculiar/retraídos no geral como um todo/é preciso um choque realmente muito grande/para abalar nosso enlouquecedor autocontrole.

AS ARTES

Neste capítulo, apresentamos um breve panorama da arte inglesa, incluindo literatura, música e cinema. Selecionamos não somente alguns artistas, escritores ou compositores que consideramos mais significativos, mas também aqueles que melhor representam essa qualidade elusiva e arisca – "inglesidade".

As artes abordadas serão tanto da chamada "cultura de elite", como da "cultura popular". Há meio século, tanto no Reino Unido como em outros lugares, havia uma grande separação entre as duas culturas, mas desde então houve a emergência e o crescente interesse pelo que poderia se chamar de "cultura comum", compartilhada por todos. De um lado, os intelectuais não mais se envergonham de admitir seus interesses por futebol, musicais, filmes de suspense feitos para a televisão e telenovelas. Por outro, em parte graças à crescente cobertura televisiva e da mídia, eventos como exposições de arte e prêmios literários, por exemplo, deixaram de ter um público muito seleto e limitado e passaram a receber um público cada vez mais amplo. Nos anos 1980, por exemplo, a Tate Gallery em Londres costumava receber por volta de 1 milhão de visitantes por ano. Vinte anos mais tarde, depois de essa galeria de arte ter sido dividida em duas, a Tate Britain e Tate Modern, a primeira recebia 1 milhão e meio de visitantes enquanto a segunda, por volta de 5 milhões!

Um estrangeiro em visita à Inglaterra pode surpreender-se com o que percebe inicialmente como uma ausência relativa de interesse público pelas artes. Muitos países, incluindo o Brasil, têm um ministro da Cultura, enquanto o Reino Unido tem um secretário do Estado para a Cultura, Mídia e Esportes, o que parece diluir a importância da "cultura". É também comum, em vários países, haver a tradição de homenagear publicamente os grandes escritores, artistas e compositores, com estátuas de Dante, por exemplo, ou Goethe ou Victor Hugo nas praças das grandes cidades. Em Londres, em contrapartida, para homenagear Shakespeare, talvez o maior escritor do mundo, há uma estátua relativamente pequena instalada no centro de Leicester Square, como parte de uma fonte. A inscrição no pedestal, em vez de celebrar o escritor, celebra o indivíduo que reformou a praça. Fora isso, há uma homenagem relativamente modesta a poetas, escritores e dramaturgos no Poet's Corner, na Abadia de Westminster, que iniciou essa tradição com o translado do corpo de Chaucer em 1556 para lá. Shakespeare foi homenageado com um pequeno monumento no Poet's Corner somente em 1740, 134 anos após sua morte.

A estátua de William Shakespeare em Leicester Square, no distrito teatral de Londres, é modesta, considerando que representa o escritor inglês mais famoso da história. Comparem com o monumento grandioso erigido pelos escoceses a Walter Scott, em Edimburgo na p. 41.

Victor Hugo, quando foi a Londres prestar homenagem ao seu ídolo, procurou em vão por um monumento à altura de sua grandeza. Deixou então registrado seu desapontamento: "Para se achar o tributo da nação ao maior gênio da Inglaterra, você tem de penetrar bem no fundo da Abadia de Westminster e lá, obscurecido por quatro ou cinco monumentos enormes onde, em mármore ou bronze, desconhecidas figuras da realeza se erguem em esplendor, é exposto, sobre um minúsculo pedestal, uma pequena estatueta: abaixo dessa estatueta, você lê: William Shakespeare".

O contraste entre a Inglaterra e a Escócia é dramático, se compararmos a modesta estátua de Shakespeare em Leicester Square e o imenso monumento a Walter Scott em Edimburgo, perto da Waverley Station, ela própria tendo sido assim chamada como uma homenagem a *Waverley*, um dos romances famosos do grande escritor escocês. Do mesmo modo, os italianos denominaram um de seus aeroportos internacionais *Leonardo da Vinci*, enquanto os brasileiros deram a um de seus aeroportos o nome de *Gilberto Freyre*, mas os ingleses parecem estar plenamente satisfeitos com os seus *Heathrow* e *Gatwick*; o primeiro, assim chamado por ter sido construído próximo a um lugarejo com esse nome, e o segundo, por ocupar a área da antiga propriedade *Gatwick Manor*.

O que haveria por trás desse contraste? Seriam os ingleses desinteressados em literatura em geral? Será que eles não associam a identidade nacional à literatura? Ou, ao contrário, por trás desse aparente desinteresse estaria, como já sugerimos, o fato de uma nação antiga e bem-sucedida ser suficientemente segura para não ter de se importar com sua identidade?

MUSEUS E EXPOSIÇÕES

De qualquer modo, existem na Inglaterra instituições nacionais interessadas nas artes. O Arts Council England (Conselho de Artes da Inglaterra), cuja função é promover as artes visuais, literárias e cênicas, trabalha nos bastidores, distribuindo fundos do governo e dinheiro levantado pela National Lottery (Loteria Nacional) para várias instituições ao redor de todo o país. Muito mais visíveis para os visitantes, no entanto, são seus diversos museus e galerias e suas exposições (a que já aludimos brevemente no capítulo "Como o país funciona" como uma das instituições nacionais, ao lado da BBC e do NHS).

Há por volta de 2.500 museus no Reino Unido. Dentre os mais famosos, todos localizados em Londres, está o British Museum (Museu Britânico), o segundo mais visitado do mundo, perdendo só para o Museu do Louvre, segundo dados de 2014. Construído no estilo de um templo grego, ele aloja vários espólios, como os da Assíria, Egito, Tibete e Benin, os mais controversos deles sendo os do Parthenon, o famoso templo grego dedicado à deusa Athena, periodicamente requisitados pelo governo grego.

Outros museus também famosos de Londres são o Victoria and Albert Museum em Kensington, voltado para a arte decorativa e construído no estilo neorrenascentista; a National Gallery, que domina a Trafalgar Square, é outra construção neoclássica e o

A Tate Modern não somente exibe arte moderna, mas também é, ela própria, um prédio moderno notável, que originalmente era uma central elétrica. Seus espaços vastos são especialmente apropriados para exibir instalações de arte espetaculares.

quarto museu mais visitado do mundo; a Tate Britain e sua gêmea Tate Modern, esta última ocupando uma antiga central elétrica junto ao rio Tâmisa desde de 2000; o Science Museum (Museu da Ciência) e o Natural History Museum (Museu de História Natural), localizados um ao lado do outro, e este último ocupando o que pode ser descrito como o prédio mais espetacular de todos: a parte principal do museu, em estilo gótico veneziano, ladeado pelo novo Darwin Centre, feito de vidro.

Os visitantes de Londres também têm à sua disposição alguns museus pequenos e muito especiais, entre eles a Wallace Collection e o Sir John Soane Museum, que são ofuscados pelos seus rivais maiores, mas possuem grandes atrativos exclusivamente seus. Entre as inúmeras atrações museológicas da cidade, estão também as instituições dedicadas a assuntos tão variados como máquina de costura, crime, rúgbi, Sherlock Holmes, cartuns e tantos outros.

O BFI Southbank, tal como é conhecido o British Film Institute (Instituto Britânico de Cinema, cujo nome anterior era National Film Theatre), é outra instituição quase nacional, assim como a Royal Academy (Academia Real) em Piccadilly, o Institute for Contemporary Arts (Instituto de Arte Contemporânea – ICA) no Mall (a imponente avenida que liga o Palácio de Buckingham à Trafalgar Square) e o RIBA – Royal Institute of British Architects (Instituto Real dos Arquitetos Britânicos), todos esses centros do mundo da arte inglesa.

Dentre esses centros, um a se destacar por ser considerado o maior da Europa é o Barbican Center, que é um fórum para toda uma grande variedade de eventos culturais: concertos, representações teatrais, cinema, conferências etc. Fundado em 1982 como um "presente para a cidade" da City of London Corporation, é também a sede da London Symphony Orchestra (Orquestra Sinfônica de Londres) e da BBC Symphony Orchestra (Orquestra Sinfônica da BBC), além de ser a base londrina da Royal Shakespeare Company, cuja sede é em Stratford-on-Avon.

Todos esses centros fazem parte de uma rede mais ampla que inclui revistas de arte, críticos de arte, casas de leilão, como a Sotheby's e a Christie's, galerias de arte particulares, como a Saatchi Gallery, e escolas de arte como o Royal College of Art, a Slade e a antiga St. Martin's School of Art, que agora faz parte da University of the Arts London.

Em Londres, é comum haver grandes exposições de imenso sucesso, as chamadas *blockbusters*, que costumam apresentar, como um espetáculo paralelo, as longas filas de visitantes que, tendo perdido o prazo para as compras antecipadas de ingresso, dispõem-se a se enfileirar desde a madrugada na porta dos museus, a fim de garantir uma entrada. Alguns trazem cadeiras ou sacos de dormir, outros carregam cestas de piquenique, mas a maioria simplesmente conversa com seus vizinhos de fila para passar o tempo, numa atmosfera amistosa e agradável, que inclui guardar o lugar para um ou outro sair para tomar um café e comer um sanduíche.

A Royal Academy surgiu no século XVIII como um clube para artistas estabelecidos e como escola para artistas aprendizes. Hoje é mais conhecida por suas exposições, notavelmente a exposição anual de verão de novos trabalhos em pintura, escultura, arquitetura e artes gráficas. Essa instituição também organiza exposições de artistas consagrados mundialmente.

Para mencionar apenas alguns exemplos desse tipo, em 2010 houve uma exposição dedicada ao *The Real Van Gogh: the Artist and his Letters*, na Royal Academy, que atraiu 400 mil visitantes; outra, dedicada no mesmo ano a Gauguin, realizada na Tate Modern, atraiu outros 400 mil visitantes, e uma terceira dedicada a Leonardo da Vinci, realizada em 2011-2012 na National Gallery. Para ver pinturas e desenhos de Leonardo, as filas dos espectadores determinados se estendiam ao redor da Trafalgar Square e subiam em direção à Leicester Square desde as três ou quatro horas da manhã. Eles ali se enfileiravam a fim de obter os ingressos que começavam a ser vendidos às 9h30. Um dos autores deste livro, por exemplo, que ali chegou numa fria manhã de janeiro pouco antes das seis horas, foi polidamente avisado às 6h30, por um funcionário da National Gallery, que a entrada para aquele dia ficaria esgotada com os visitantes que estavam vários metros antes na fila. Foi preciso chegar antes das cinco horas da manhã no dia seguinte para conseguir entrada para o último horário do dia!

Outro exemplo de *blockbuster* foi a exposição dos recortes de Matisse (*Henri Matisse: the Cut-Outs*) realizada entre abril de setembro de 2014, e que reuniu, pela primeira vez, os trabalhos de recorte do grande pintor. A popularidade dessa exposição foi tamanha que superou, em número de visitantes, outros *blockbusters*, como as de Leonardo da Vinci e Damien Hirst.

Um grande evento cultural de Londres é a exposição de verão da Royal Academy, que reúne anualmente novos trabalhos de arte. Esse evento, que ocorre sem interrupção desde 1769, um ano após a academia de arte ter sido fundada, é um dos exemplos flagrantes da continuidade que caracteriza a cultura inglesa. Nem Napoleão, nem o *Kaiser* Wilhelm ou Hitler conseguiram interromper essa exposição anual!

Hoje em dia, por volta de mil trabalhos de arte (pinturas, gravuras, desenhos, esculturas etc.) são selecionados dentre mais ou menos 10 mil trabalhos apresentados por 5 mil artistas. Além da honra de serem selecionados, os artistas concorrem a prêmios em dinheiro e podem também ter seus trabalhos comprados pelos milhares de visitantes que lotam a Royal Academy de junho a agosto, a cada ano.

Mas talvez, de todas essas mencionadas, a exposição que mais "enlouqueceu" a capital inglesa foi a dedicada aos trabalhos de Claude Monet, a *Monet in the 20th Century*, realizada entre janeiro e abril de 1999 na Royal Academy. Como se dizia então, essa exposição fez *"London goes Monet mad"* (Londres ficar louca por Monet) e seguramente bateu o recorde no número de visitantes – 813 mil. A exposição reunia pela primeira vez os trabalhos do pintor impressionista menos conhecidos, criados nos últimos 26 anos de sua vida.

A procura foi tamanha e a frustração dos que não conseguiam entrada foi de tal monta, que a Royal Academy fez algo sem precedente: no último fim de semana da exposição, suas portas ficaram abertas 24 horas por dia e as filas começaram a crescer já na madrugada de sexta-feira. Ao preço de 9 libras a entrada, 44 mil visitantes tiveram, então, a última oportunidade de ver e apreciar os trabalhados reunidos de Monet. Mesmo os que vieram no meio da madrugada, como disse uma funcionária da Academia, "quase todos... passaram uma hora admirando as pinturas e ouvindo, na totalidade, os comentários do guia, através dos fones de ouvido". Esse foi, como se disse, um "evento histórico", revelador da "sociedade de 24 horas" na qual vivemos. O sucesso geral de Monet também salvou, de certo modo, a Royal Academy de suas dívidas, pois a renda da bilheteria praticamente cobriu os 3 milhões de seu déficit acumulado na época.

TEATRO

"Londres é a capital do teatro do mundo", afirmou o prefeito Boris Johnson, repetindo um lugar-comum. Há teatros fora da capital, evidentemente, mas nenhuma outra cidade pode competir com a movimentação e o sucesso do mundo teatral londrino. Uma pesquisa de 2014, encomendada pelo National Theatre, surpreendeu até os mais entendidos ao revelar que a frequência ao teatro é muito maior do que aos jogos da Premier League. De acordo com esse amplo estudo, os 241 teatros profissionais da capital inglesa, com capacidade para 110.000 pessoas, recebem por ano 22 milhões de espectadores, enquanto todos os jogos de futebol da Premier League, em toda a Inglaterra, são assistidos por 13 milhões de pessoas. Esses teatros incluem não só os 59 comerciais, a maioria no tradicional distrito do West End (o primeiro deles construído em 1663), como também 47 *fringe theatres* (os teatros "alternativos" ou "experimentais") e os 135 teatros sem fins lucrativos, como o Globe e o National Theatre. Não só os teatros têm uma frequência incrivelmente alta, como também a renda de suas bilheterias é maior do que a dos cinemas. Em 2012-2013, por exemplo, as bilheterias dos teatros londrinos renderam 618 milhões de libras, 9 milhões a mais do que no período anterior.

A Inglaterra foi relativamente lenta em criar um teatro nacional, ou seja, um teatro sustentado pelo dinheiro público. A França foi a pioneira nisso, quando Luís XIV fundou a *Comédie Française* em 1680, enquanto o Teatro Nacional Tcheco abriu em Praga em 1862, mais de meio século antes de sua população ter um Estado-nação propriamente seu. Na Inglaterra, foi só após uma longa campanha que, finalmente, a National Theatre Company foi formada por um Ato do Parlamento de 1949, uma realização do governo trabalhista do pós-guerra, ao lado do NHS (Serviço Nacional de Saúde). A abertura oficial foi retardada até 1963, quando passou a atuar no teatro Old Vic e não ainda em sua ampla sede atual, o National Theatre, às margens do Tâmisa, para onde foi transferida em 1976.

A famosa Royal Opera House, originalmente conhecida como a Covent Garden Opera Company, foi estabelecida em 1946 como mais uma realização do governo trabalhista do pós-guerra, que acreditava na importância do subsídio público para as artes.

Existe também uma English National Opera (ENO), que atua sob esse nome no London Coliseum, perto de Trafalgar Square, desde 1974, e um English National Ballet, assim batizado em 1989 – ambos, no entanto, com uma longa história que remonta ao século XIX. O que diferencia a ENO é o fato de as óperas ali serem cantadas em inglês, apesar de a maioria delas ter sido originalmente escrita em italiano ou alemão. Como é explicado por essa companhia, "nós acreditamos que os cantores atuando em sua língua materna diante de um público da mesma língua cria entre a audiência e o palco uma conexão mais sutil e mais profunda do que jamais poderia ser atingido com uma língua estrangeira".

Além dessas, há um bom número de instituições que podem ser chamadas não oficialmente de nacionais. No caso de teatro, vem imediatamente à mente a Royal Shakespeare Company, cuja sede fica na cidade-natal de Shakespeare, Stratford-on-Avon, e a Old Vic, uma companhia fundada em 1818, estabelecida nas proximidades da estação de Waterloo, ao sul do Tâmisa. Há também o Shakespeare's Globe, um teatro que parece antigo, mas que abriu suas portas somente em 1997 por iniciativa do diretor de cinema norte-americano Samuel Wanamaker, 365 anos após o espaço original ter sido fechado.

Sua aparência se deve ao fato de ser uma reconstrução do teatro ao ar livre em que Shakespeare atuou e para o qual escreveu no final do século XVI. Localizado originalmente também na margem sul do rio Tâmisa, não muito longe do atual teatro reconstruído, o Globe havia sido destruído totalmente duas vezes durante sua história: primeiramente, pelo fogo em 1613 e, após ter sido reconstruído, foi destruído pelos puritanos que, como parte de sua campanha contra os teatros, tidos como imorais, o fecharam em 1642 e o demoliram dois anos mais tarde.

Em janeiro de 2014, nas adjacências do Shakespeare Globe, foi acrescentado o Sam Wanamaker Playhouse. A inspiração para esse belo teatro à luz de velas foi o Blackfriars Theatre do século XVI que, diferentemente do Globe, era um teatro fechado construído na margem norte do Tâmisa. Não propriamente uma reconstrução, já que o desenho do Blackfriars jamais foi encontrado, o novo teatro baseia-se num plano para um teatro interno datado do século XVII, descoberto nos anos 1960 no Worcester College, em Oxford.

ARTES NAS PROVÍNCIAS

Apesar de as mais importantes instituições culturais inglesas estarem localizadas em Londres, há algumas igualmente importantes no resto do país. Dentre as galerias de arte, podemos citar como as mais antigas a Manchester Art Gallery, o Ashmolean Museum de Oxford, o Fitzwilliam Museum de Cambridge e a Walker Art Gallery em Liverpool. Houve recentemente um movimento de descentralização, com a fundação de mais galerias de artes nas províncias. Parte dessa inovação são as duas Tates, a Tate St. Ives, na Cornuália e a Tate Liverpool, ambas filiais das Tates de Londres; o Baltic Center for Contemporary Art em Gateshead na região de Northumbria e a Turner Contemporary em Margate, já mencionada. No mundo teatral, um caso semelhante de descentralização é a abertura de uma sucursal do Old Vic na cidade de Bristol, no sudoeste da Inglaterra.

No mundo musical, orquestras importantes que tradicionalmente se localizam fora da capital incluem a Hallé Orchestra em Manchester, a City of Birmingham Symphony Orchestra e a Leeds Symphony Orchestra. E no universo teatral, a Royal Shakespeare Company, como vimos, tem sua sede em Stratford-on-Avon, no condado de Warwickshire, desde 1879, mas o início de sua história remonta ao século XVIII.

Em Manchester, que foi a mais importante metrópole industrial da Grã-Bretanha, há um museu especialmente dedicado à história dos trabalhadores e da luta pela demo-

Se em Londres Shakespeare é comemorado modestamente, em Stratford-on-Avon, sua cidade natal, ele é tratado como herói, com um grande teatro com o seu nome, especialmente dedicado a apresentar suas peças.

cracia ao longo de quatro séculos: o People's History Museum. Para quem está interessado na vida das pessoas comuns e dos trabalhadores e na história dos sindicatos, dos movimentos radicais de esquerda e a favor do sufrágio universal – tudo, enfim que se relacione às conquistas sociais –, suas coleções são imperdíveis. A fim de levantar fundos e compensar o corte de subsídio do governo – uma tentativa, segundo os críticos, de o governo conservador de David Cameron "apagar os trabalhadores da História" –, o museu lançou uma campanha em que o público "patrocina 100 heróis radicais", ao custo de 3 mil libras cada um. A lista – que contém nomes ligados a causas e partidos políticos variados, tendo em comum a defesa de posições extremistas ou revolucionárias – inclui desde Oliver Cromwell, Clement Attlee e George Orwell até Margaret Thatcher e Tony Blair. Os "patrocinadores", além de terem seus nomes tornados públicos, adquirem o direito de acesso em primeira mão à coleção no museu relacionada aos seus "heróis".

A DEMOCRATIZAÇÃO DA ARTE

Pode-se dizer que há um século e meio existe na Inglaterra um movimento para a democratização da arte, e que um de seus principais líderes, o vitoriano rebelde e socialista William Morris, ainda hoje é lembrado e homenageado pelos que lutam pela centralidade da arte na vida nacional. Como afirmou um de seus biógrafos, Morris via as artes e a política como inseparáveis, argumentando "com ferocidade, que arte não significava simplesmente quadros na parede" e beleza acessível aos bem-nascidos. Como disse: "Eu não quero arte para uns poucos, assim como educação para uns poucos ou liberdade para uns poucos." Ao contrário, arte e beleza, exatamente porque não são luxo ou futilidade – mas "um acompanhamento natural e necessário do trabalho produtivo" –, deveriam fazer parte da vida do dia a dia. Daí que a beleza e a arte, como insistia, deveriam estar presentes nos utensílios domésticos, na conservação da natureza, no planejamento sábio das cidades, na manutenção das ruas e dos edifícios antigos e em muito mais. Ao longo de sua incansável campanha para a difusão da arte e da beleza para além dos círculos privilegiados e contra a desumanização da produção anônima do capitalismo industrial, Morris dedicou-se a várias atividades. Entre elas, à arte da impressão, às artes decorativas (produzindo móveis, tecidos, tapetes e papéis de parede) e ao influente Movimento das Artes e Ofícios, que igualando o artesão ao artista teria criado um novo tipo na sociedade inglesa: "o *gentleman* (e a *lady*) artesão".

Foi para homenagear Morris que o governo trabalhista fundou, em 1950, a bela William Morris Gallery, que é um pequeno museu a ser visitado por todos que se interessam pelo aspecto social da arte e pelo Movimento de Artes e Ofícios que, iniciado na Inglaterra, expandiu-se pelo mundo. Situada na antiga e imponente residência da família de Morris nas imediações de Londres (acessível por metrô), essa instituição pública foi uma das várias criações do governo do pós-guerra destinadas a revigorar a nação debilitada após anos de sofrimento, luta e destruição.

O Festival of Britain de 1951 – que tinha como tema a "contribuição britânica para a civilização passada, presente e futura" – representou um grande momento em que os ideais de Morris foram abraçados pelo governo trabalhista. De fato, o primeiro-ministro Clement Attlee reconheceu Morris como seu grande inspirador para um evento que buscava transmitir para a nação uma mensagem de esperança e de otimismo na reconstrução da sociedade em novos moldes, que estava em andamento. Descrito como "um ato unido de reavaliação nacional, e uma afirmação coletiva de fé no futuro da nação", o Festival não só contemplava a ciência, a tecnologia e o desenho industrial nas suas muitas exposições espalhadas pelo país, mas também a arquitetura e as artes em geral. A participação do povo no festival foi inédita; só o local central da exposição, no South Bank de Londres, foi visitado por 8 milhões e meio de pessoas.

A "centralidade da arte" permanece como um ideal em muitos círculos ingleses. A venda do patrimônio artístico realizada por várias municipalidades, devido à crise

A William Morris Gallery em Londres exibe trabalhos desse artista versátil, que foi ao mesmo tempo poeta, pintor, arquiteto, impressor e um defensor do socialismo. Morris queria que a arte fizesse parte da vida diária de todos.

causada pelo corte substancial de subsídios à arte feito pelo governo de David Cameron, tornou as ideias de Morris ainda mais atuais. Como afirmou um crítico em 2015, a preservação de

> nossas coleções de arte [...] é tão crucial para a saúde de uma sociedade integrada, civilizada, quanto são as escolas, hospitais, habitação pública e serviços sociais [...]. E o antigo *slogan* "Arte não é Luxo" precisa ser novamente gritado aos berros, do alto dos telhados.

Do mesmo modo, também permanecem vivos o otimismo, o vigor e a ira de Morris contra as injustiças sociais "que ainda nos afetam", como disse recentemente um crítico inglês. No entanto, não sobrou nenhum traço físico do Festival of Britain inspirado por Morris, a não ser o Royal Festival Hall, o belo salão de concertos construído no local central da exposição de 1951 e inaugurado como parte do Festival. Segundo consta, assim que assumiu o poder como primeiro-ministro do Partido Conservador, em outubro de 1951, Winston Churchill ordenou a destruição de todos os traços do Festival que, segundo ele, promovera a visão de uma Grã-Bretanha socialista.

Além de ser o símbolo de um ideal, o Royal Festival Hall é um lembrete permanente do lugar das artes, assim como da tecnologia, no Festival of Britain: uma sala de concertos com uma arquitetura magnífica e extremamente avançada para sua época, que quase não envelheceu com o tempo e que tem sido desde então o local de muitos e variados concertos, que vão de Bach a Caetano Veloso.

Como parte desse mesmo quadro de otimismo e de valorização da arte, outros festivais foram criados no pós-guerra e inspiraram toda uma descendência ainda hoje viva em muitas cidades inglesas. Um dos exemplos mais bem-sucedidos é o da cidade de Edimburgo, que inaugurou seu famoso festival anual em 1947, também como parte do esforço de elevar o espírito da nação no pós-guerra. Seguindo exemplos como esse, há outros, como o festival anual de música clássica em Aldeburgh, em Suffolk, uma pequena cidade associada ao compositor Benjamin Britten. Glastonbury, no oeste da Inglaterra, também abriga um festival "de artes cênicas contemporâneas" que ocorre todos os anos em junho. O festival literário de Hay-on-Wye (pequena cidade do País de Gales, na fronteira com a Inglaterra) é outro evento anual que se tornou famoso e influente tão logo foi fundado em 1987. No Brasil, a Flip (Festa Literária Internacional de Paraty) foi diretamente inspirada pelo festival de Hay-on-Wye.

Prêmios literários atraem muita publicidade, especialmente o Man Booker Prize anual, que era dado para o melhor romance em inglês escrito por um cidadão da Comunidade Britânica, desde a Irlanda do Norte até a Nigéria. Em 2014, ele foi ampliado para incluir escritores norte-americanos, decisão que foi bastante controversa, mas que agradou àqueles escritores excluídos que valorizavam esse prêmio acima de qualquer outro. Como disse um deles, "eis um prêmio pelo qual valeria a pena eu renunciar à minha cidadania norte-americana".

Nas artes visuais, há o prestigioso Stirling Prize para arquitetura, instituído em 1996 pelo RIBA (Royal Institute of British Architects) em memória do arquiteto James Stirling, e o *Turner Prize,* instituído em 1984 e concedido anualmente ao artista britânico mais preeminente de menos de 50 anos de idade.

O Royal Albert Hall, assim como o Albert Memorial, homenageia o marido da rainha Vitória, que era um grande incentivador das artes. No seu vasto e imponente auditório são apresentadas músicas clássica e popular para uma audiência ampla, variada e entusiástica.

Para a música clássica, os principais centros de apresentação são o Royal Festival Hall, inaugurado, como vimos, durante o Festival of Britain de 1951, e o Royal Albert Hall. Este grande centro de artes de vários gêneros e de ciência, inaugurado em 1871, ocupa uma imponente construção vitoriana redonda, em tijolo vermelho, e foi assim chamado em homenagem ao príncipe consorte Albert, que o idealizara, mas não o vira surgir devido à sua morte prematura. Como foi concebido para propósitos variados, o *hall* tem sido usado não só para concertos de música clássica, como também para música popular, exposições, eventos científicos e até mesmo espetáculos circenses. Foi ali que o Cirque du Soleil fez sua primeira apresentação em 2013.

O Sadler's Wells Theatre é o mais importante centro de dança da capital, e é ali que muitos balés e danças modernas são apresentados. Nos dois centros de ópera, o Royal Opera House em Covent Garden, e no London Coliseum, a sede da English National Opera, há também grandes espetáculos de balé. Música popular, ao contrário, geralmente não tem instituições propriamente suas, em parte porque os maiores shows atraem um público tão grande que eles são realizados em estádios esportivos, como os de Wembley e Emirates (a sede do Arsenal Football Club), em vez de em casas de espetáculo.

CORAIS

Já os corais, uma longa tradição na Inglaterra, têm experimentado uma grande explosão de interesse nos últimos tempos, especialmente no que diz respeito à musica sacra. Podendo ser vistos e ouvidos em várias catedrais do Reino Unido – tais como as de Wells, Hereford, Ely, Winchester etc. –, assim como na belíssima capela do King's College em Cambridge, esse novo apetite tem sido interpretado como a busca de inspiração e consolo por parte da sociedade secular, num período em que a crença cristã tradicional está em declínio. Pode ter havido uma grande diminuição de frequentadores de igreja, como foi observado recentemente, mas a música litúrgica, cada vez mais apreciada, parece indicar que está se vivendo um "momento de grande mudança, de uma era de materialismo a uma era do espiritual". Não só os cânticos de Natal consagrados e as músicas corais tradicionais, como *As Paixões* de Bach e o *Messiah* de Handel, são apreciados. A composição de novas músicas litúrgicas, assim como as competições para as melhores composições de *Christmas carols* (cânticos de Natal) são também amplamente louvadas.

Uma das mais famosas tradições de Natal na Inglaterra é a *Nine Lessons and Carols Service* do King's College, Cambridge, cantadas por um coral de 16 crianças, transmitida pela BBC na noite de Natal e ouvidas por mais de 30 milhões de pessoas ao redor do mundo. Essa tradição remonta a 1918, quando a apresentação foi feita pela primeira vez sob a direção do capelão recém-retornado da guerra e saudoso das "certezas e inocência da infância". Foi a partir de então que o coral de King's College – que já existia desde 1441 – passou a ser uma presença marcante do Natal britânico, já que é transmitido pela rádio BBC desde 1928 (e pelo BBC *World Service* a partir de algum momento nos anos 1930) sem interrupção, mesmo durante a Segunda Guerra Mundial.

Ao assumir o seu posto, em 1982, seu diretor musical, Stephen Cleobury, fez algumas mudanças. Uma delas foi permitir que a BBC filmasse o evento e o transmitisse pela televisão. Outra alteração, que ainda hoje provoca reações negativas dos mais tradicionalistas, é que a cada ano ele encomenda um novo *Christmas carol* a um músico britânico ou estrangeiro, que tenha experiência em música litúrgica. Em 1990, por exemplo, a música cantada pelos coristas foi em russo, e o compositor era da Estônia. Em 2003, o novo cântico de Natal incluiu gritos e batidas de pé dos coristas. No Natal de 2014, o compositor convidado a criar um novo *Christmas carol* foi o suíço Carl Rütti, que acredita ser esse um gênero essencialmente inglês e que escrever uma música sobre o nascimento de Jesus para ser cantada pelo coral do King's College e acompanhada pelo seu maravilhoso órgão é não só um desafio, mas também algo verdadeiramente "divino". Afinal, um *carol*, que parece ser algo simples, apresenta o desafio de ter de expressar "o fato mais misterioso de nossa religião na simplicidade de uma canção de criança", como disse Rütti.

BBC PROMS

Entre os concertos anuais, o mais famoso é o BBC *Proms*, tal como é conhecido *The Henry Wood Promenade Concerts*, inaugurado em 1895. Esse é um evento que, assim como a exposição da Royal Academy, jamais deixou de acontecer anualmente, tendo somente alguns concertos sido cancelados durante os ataques aéreos da Segunda Guerra Mundial. Originalmente, eram apresentados no *Queen's Hall*, conhecido por sua acústica inigualável, mas desde 1941, quando esse edifício foi destruído pelo bombardeio alemão, o local principal de apresentação do *Proms* passou a ser o Royal Albert Hall. Hoje em dia, suas apresentações londrinas também ocorrem em uma sala menor, para música de câmara, a Cadogan Hall, e no Hyde Park; e, desde os anos 1990, em várias outras cidades do Reino Unido, como Edimburgo, Belfast, Cardiff e Manchester.

Essa série de *promenade concerts*, que é apresentada no verão, constitui uma versão moderna dos concertos ao ar livre que se realizavam nas dezenas de *pleasure gardens* de Londres nos século XVIII e parte do XIX.

Nesses parques de diversão populares com ingressos muito baratos, a aristocracia se misturava com as pessoas comuns, todos atraídos pelos fogos de artifício, pelas acrobacias, por salões de dança, corridas de pôneis e muito mais. Neles, era prática comum o público passear enquanto ouvia a orquestra tocar. A partir de meados do século XIX, esses parques de diversão ou "jardins do prazer" foram desaparecendo, tanto devido ao moralismo vitoriano que considerava esse tipo de parque imoral, quanto em razão da ganância dos empreendedores que foram transformando os parques em áreas imobiliárias lucrativas.

Ao inaugurar, em 1895, a série de concertos musicais do que viria ser conhecido, desde os anos 1920, como o BBC *Proms*, o empresário Robert Newman inspirou-se nos antigos *promenade concerts*. A atmosfera informal e o preço barato atrairiam novamente um público não versado em música clássica, acreditava Newman. "Vou organizar concertos noturnos e treinar o público aos poucos. Inicialmente popular, gradualmente elevando o padrão até que eu consiga criar um público para música clássica e moderna", disse ele ao seu jovem colaborador, Henry Wood, o maestro que passou a dar o título oficial aos BBC *Proms – The Henry Wood Promenade Concerts*.

No contexto do Royal Albert Hall, o principal local em que esses concertos se realizam anualmente, os "passeadores" dos antigos *pleasure gardens* foram substituídos pelo público que assiste de pé aos concertos na "arena" ou na galeria do Albert Hall. Essa é uma opção que atrai 1.400 espectadores diários do *Proms*, tanto pelo baixo custo da entrada como pelas experiências inéditas que proporciona: de estar, por exemplo, exatamente na frente do palco, no caso da "arena", ou de ser envolvido pelo som à distância, na galeria, a área logo abaixo do teto do monumental edifício.

A crer nos comentaristas, tudo indica que a ambição original de Newman foi realizada. Em parte devido a uma feliz combinação de grandiosidade com informalidade, o impacto que o *Proms* teve no gosto musical é inegável. Como foi dito, "ajudou a estabelecer um cânone de grandes obras e mantém esse cânone constantemente renovado", já que dificilmente grandes compositores como Berlioz e Mahler teriam sido aceitos pelo grande público se o *Proms* não tivesse mostrado sua genialidade na "mais grandiosa das salas de espetáculo, o Royal Albert Hall".

Do mesmo modo, para a estupefação de grande parte da plateia, músicas de vanguarda, tais como as obras de Boulez, Stockhausen e Nono são ali apresentadas, para não mencionar a Soft Machine, a influente banda de rock psicodélico e jazz, que se tornou um sucesso mundial após aparecer no *Proms* em 1970.

Uma inovação marcante desse evento foi a sua internacionalização. Enquanto os *Proms* originais apresentavam, em geral, orquestras, maestros e solistas britânicos, a partir dos anos 1960 o número de estrangeiros cresceu imensamente, a ponto de se poder dizer que não há maestro, corais e orquestras de renome no mundo que não tenham participado dos BBC *Proms*. Até mesmo a música indiana teve toda uma noite do *Proms* reservada a ela. Quanto aos compositores apresentados, esses concertos sempre foram abertos a todos, independentemente das suas origens e das controvérsias que poderiam gerar. Os compositores alemães, por exemplo, continuaram a ser ouvidos no *Proms* durante as guerras, pois fazia parte da filosofia tanto de Newman quanto Wood a crença de que a música e a arte deveriam estar acima dos conflitos políticos do momento.

De todas as concorridas noites do *Proms*, sem dúvida a mais conhecida e disputada é a última, transmitida ao vivo para 25 países. Para o desagrado e frustração de críticos e apreciadores dos mais de 70 concertos que têm lugar no Royal Albert Hall durante as 8 semanas do verão, essa noite acaba representando todo o *Proms*, especialmente para os espectadores estrangeiros. Na verdade, a Last Night of the Proms (Última Noite do Proms) acabou por se impor como um ritual tradicional britânico – apesar de essa tradição recuar somente a 1947, quando um evento festivo foi considerado mais apropriado para causar impacto na nova era da televisão.

A música que se toca nessa noite é mais leve e popular do que nos programas anteriores e os balões, buzinas e bandeiras que fazem parte desse dia criam uma atmosfera carnavalesca. O programa inclui tradicionalmente, nos últimos 20 minutos, músicas patrióticas como *Land of Hope and Glory* (*Terra de esperança e glória,* também conhecida como *Pompa e circunstância*), *Rule, Britannia, Jerusalem* e *God Save the Queen* (*Deus salve a rainha* – ou *king, o rei*), com a participação da plateia, que se transformando em artista, canta acompanhada pela orquestra, acenando bandeiras e matracas e batendo os pés. Nenhuma dessas músicas é o hino oficial inglês propriamente dito, que não existe, mas cada uma delas tradicionalmente desempenha esse papel em várias ocasiões.

O Reino Unido, sim, tem seu hino nacional oficial, o *God Save the Queen* (ou *King*), em vigor desde meados do século XVIII, e que acabou por se tornar, na Inglaterra, o mais popular dos quatro hinos mencionados. *Rule, Britannia*, um hino associado à Marinha Real e ao Exército, também foi composto no século XVIII e é, dos quatro cantados no *Proms*, o que mais celebra a aspiração britânica a um domínio naval e a um futuro imperial – que ainda eram, no momento de sua composição, uma mera esperança (daí a importância da vírgula no título, muitas vezes erradamente omitida, o que oculta seu sentido imperativo: *Governe, Britannia*). *Jerusalem*, um hino muito cantado em jogos esportivos, é uma versão musicada, composta durante a Primeira Guerra Mundial, de um poema de William Blake que faz referência à lenda de que Jesus teria estado na Inglaterra. Conta-se que, quando o rei George V ouviu o hino pela primeira vez, ele teria dito que preferia que essa canção tomasse o lugar do *God Save the King* como hino nacional britânico. Finalmente, *Land of Hope and Glory* – música que o público inglês, segundo pesquisa de 2006, gostaria que fosse o hino nacional oficial da Inglaterra – foi composta em 1902 por E. Elgar e escrita por A. S. Benson para a coroação do rei Eduardo VII. Seguramente o hino cantado com mais entusiasmo e emoção no grande final do *Proms*, suas palavras não deixam dúvida sobre o ufanismo que incomoda muitos críticos:

Terra de Esperança e Glória.
Mãe dos livros...
Deus que te fez poderosa,
que te faça mais poderosa ainda!

A considerar a variedade de bandeiras que são agitadas dentro do Royal Albert Hall e na vasta área do Hyde Park, onde se reúnem milhares de pessoas que acompanham pelas telas o que se passa a poucos passos do parque, na sede do *Proms*, esse evento parece, no entanto, simbolizar coisas bastante diferentes para uma plateia bem diversificada, tanto britânica quanto estrangeira.

É verdade que ao ser introduzida a inovação da *Last Night*, logo após a Segunda Guerra Mundial, a exaltação da identidade britânica, ou inglesa, fazia parte de todo um clima de reconhecimento do papel heroico que o país tivera na luta contra Hitler. De qualquer modo, para contrabalançar o que alguns consideram uma demonstração de ufanismo exacerbado, o internacionalismo do evento é marcado, cada vez mais, pela participação de músicos estrangeiros e pela execução de canções de variadas procedências. Na última noite de *Proms* de 2014, por exemplo, o maestro era finlandês, o primeiro violinista era holandês e as músicas eram alemãs, norte-americanas, armênias e francesas, além de britânicas.

Como observou o barítono Roderick Williams, presença importante da "última noite" de 2014, para a maioria do público, todo o evento, com suas músicas ufanistas, pode simplesmente significar uma "celebração de grande música".

TRADIÇÕES

No que segue, vamos nos concentrar nos trabalhos que são tanto notáveis em si mesmos, como também tidos como caracteristicamente ingleses. Por "caracteristicamente inglês" não queremos dizer que sejam expressões do caráter nacional, supondo que exista um, mas exemplos admirados de tradições nacionais: pinturas que as pessoas "carregam" nos "olhos de suas mentes", como a tela *Hay Wain*, de Constable; músicas que eles assobiam ou cantarolam, como *Land of Hope and Glory*; poemas ou fragmentos de poemas, como o "*Daffodils*" (narcisos), de Wordsworth, que os ingleses conhecem de cor. São tradições como essas que gerações de artistas, de escritores e compositores seguem, citam, ecoam, zombam afetuosamente ou tentam ultrapassar, definindo-se contra os mais preeminentes artistas, escritores e compositores do passado, ao mesmo tempo que os homenageiam no próprio ato de se afirmarem.

Mesmo os críticos da tradição acabam, muitas vezes, por criar uma nova tradição, como no caso do Bloomsbury Group nos anos 1920, uma rede de inovadores da classe alta, baseados numa parte de Londres, perto do British Museum, conhecida como

Bloomsbury. O grupo incluía os artistas Duncan Grant e Vanessa Bell, o economista John Maynard Keynes, o biógrafo Lytton Strachey e os romancistas Virginia Woolf e E. M. Forster. Todos esses, de modos diferentes e em campos distintos, criaram tradições que ainda estão muito vivas.

Na música

Começando pela música, a Inglaterra tem muitas vezes sido descrita, especialmente pelos alemães, como uma "terra sem música", ou ao menos sem compositores da envergadura de Bach, Mozart, Beethoven e Wagner. De fato, houve uma época em que o melhor compositor inglês era estrangeiro: George Frideric Handel, um alemão que se mudou para Londres em 1712, naturalizou-se em 1727, ali fez sua carreira e passou o resto de seus dias.

A situação mudou, no entanto, no final do século XIX. As óperas cômicas de W. S. Gilbert e Arthur Sullivan (o primeiro escrevendo as letras e o segundo as músicas) tornaram seus autores, como o próprio Gilbert notou, "uma instituição tanto quanto a Abadia de Westminster". Óperas como a *Trial by Jury* (1875, O julgamento de Jury), HMS *Pinafore* (1878), *The Pirates of Penzance* (1879, Os piratas de Penzance) ou a *The Yeomen of the Guard* (1888, A guarda da Torre de Londres) zombavam carinhosamente das instituições inglesas como o Exército, a Marinha, as leis e a polícia (para não mencionar os estrangeiros), e provocavam muitas risadas, apesar de se manterem dentro dos limites da moralidade e do patriotismo vitorianos. Como um dos marinheiros de HMS *Pinafore* canta:

> ele é um inglês
> pois ele mesmo disse isso
> e é grandemente em seu louvor
> que ele é um inglês!...
> apesar das tentações
> de pertencer a outras nações
> ele permanece um inglês!

Gilbert e Sullivan ainda são parte da cultura comum inglesa, constantemente evocados por artistas contemporâneos. Mike Leigh, por exemplo, o conhecido diretor de cinema, os evocou no seu filme *Topsy Turvy*, de 1999.

A tradição da ópera cômica ou da comédia musical foi continuada por Noël Coward, que escreveu suas próprias letras e música. Seu *Cavalcade* (1931, Cavalgada) e *This Happy Breed* (1943, Esta raça feliz), reapresentado no West End em 2011, oferecem evocações de grandes momentos da história inglesa vistos por duas famílias comuns de classe média. Coward também escreveu sobre o império, a Marinha (um interesse que ele compartilhava com Gilbert e Sullivan) e sobre as *country houses* da aristocracia. Típico de seu estilo de humor, assim como de sua ambivalência em relação à classe social em que ele, talvez desafortunadamente, não nascera, é sua canção *The Stately Homes of England* (As casas majestosas da Inglaterra) que faz uma paródia de um poema mais antigo sobre o mesmo assunto, já citado no capítulo anterior.

A versão de Coward é a seguinte:

> *The Stately Homes of England*
> *How beautiful they stand,*
> *To prove the upper classes*
> *Have still the upper hand...*
> *The Stately Homes of England*
> *We proudly represent,*
> *We only keep them up for Americans to rent*
> *Though the pipes that supply the bathroom burst*
> *And the lavatory makes you fear the worst...*[1]

A tradição do musical inglês foi continuada por Andrew Webber (barão Lloyd-Webber) nos musicais *Evita* (1976), *The Phantom of the Opera* (1986, *O Fantasma da Ópera*), *Cats* (1981), *The Wizard of Oz* (2011, *O Mágico de Oz*), muitos deles mantendo-se em cartaz por décadas.

No campo da música clássica, uma sucessão de talentosos compositores ingleses emergiu no início do século XX, incluindo Hubert Parry, Frederick Delius, Ralph Vaughan Williams, Edward Elgar e Benjamin Britten. Eles foram todos inovadores que, no entanto, não quebraram totalmente com a tradição, especialmente com a tradição nacional, sempre evocando algum artefato cultural do passado inglês em suas produções.

Parry, por exemplo, é mais famoso por sua composição de *Jerusalem* – produzida durante atmosfera patriótica da Primeira Guerra Mundial – para acompanhar o poema de William Blake, que fala sobre "a terra verde e agradável da Inglaterra". Delius inspirou-se em Shakespeare para compor sua ópera *A Village Romeo and Juliet* (A aldeia Romeu e Julieta), do mesmo modo que Britten em sua ópera *A Midsummer Night's Dream* (Sonho de uma noite de verão). Vaughan Williams colecionou canções folclóricas inglesas, inspirou-se nas tradições inglesas do século XVII em trabalhos como sua *Fantasia on Greensleeves* (Fantasia em Greensleeves) e fez uma adaptação para a ópera do famoso romance religioso de John Bunyan, *The Pilgrim's Progress* (O progresso do peregrino), de 1678. A música de Elgar para o poema "*Land of Hope and Glory*" (Terra de esperança e glória) tornou-se, como vimos, uma espécie de segundo hino nacional, enquanto *Jerusalem*, de Parry, pode ser descrito como o terceiro hino nacional.

Na época em que esses compositores de música clássica estavam se tornando conhecidos, a música popular estava sendo apresentada nos *music halls*, que estavam no auge de sua fama na Era Eduardiana – assim nomeada após Eduardo VII, filho da rainha Vitória, ter subido ao trono em 1901. O *music hall* – que era uma das formas mais importantes e populares de entretenimento nas cidades britânicas entre meados do século XIX e do século XX – pode ser descrito como um teatro que apresentava o que era conhecido como um *variety show* (show de variedades): uma mistura de canções populares, danças, comédias, acrobacia, ventriloquismo, malabarismo, e assim por diante. Seguiam, enfim, tradições populares que eram, por assim dizer, reembaladas. O que antes, no meio rural, era apresentado em festividades e feiras anuais ou ocasionais, os *music halls* comercializavam e apresentavam no meio urbano todas as noites.

Esses estabelecimentos caíram em declínio devido à competição, primeiro, do cinema, e depois, da televisão. O Empire Leicester Square, que foi um importante teatro de variedades, é agora um cinema, enquanto o London Coliseum, outro antigo *music hall*, é agora a sede da English National Opera.

Não obstante o desaparecimento desse centro peculiar de entretenimento, algumas canções de *music hall* ainda permanecem na memória popular, desde *I Do Like to be beside the Seaside* (Eu gosto de estar junto ao mar) até *Let's All Go down the Strand* (Vamos todos descer a Strand), enquanto os *variety shows* na televisão continuam a tradição dos *music halls*.

Os anos 1940 e 1950 foram marcados pela invasão da música norte-americana, quando os ingleses dançavam ao som de Bing Crosby, Frank Sinatra, Bill Haley e Elvis Presley. Nos anos 1960, no entanto, essa tendência reverteu-se, e foi a vez de vários grupos musicais ingleses invadirem os Estados Unidos, tais como os Beatles, os Rolling Stones, os Kinks e o Pink Floyd.

Os Beatles combinavam elementos das tradições nacionais das canções do *music hall* com elementos mais exóticos da música afro-americana (e mais tarde também indiana), e exportavam essas combinações com grande sucesso para o mundo. Suas músicas representam tanto a abertura de uma cidade multiétnica, como era Liverpool, de onde eles vinham, e uma certa nostalgia das tradições populares inglesas, em especial a das *music halls* eduardianas. Por volta dos anos 1990, na era da chamada *Britpop* (ou mais exatamente *Engpop*), os anos 1960 já estavam suficientemente distantes para fornecerem uma tradição que novos grupos poderiam se apropriar e retrabalhar, tal como os casos dos grupos rivais Oasis e Blur. Nos últimos tempos, estes foram substituídos por outros grupos, como Coldplay e Arctic Monkeys, que assim como os Beatles são compostos por jovens originários da classe trabalhadora do norte da Inglaterra.

O cenário musical dos anos 1990 foi também marcado pela emergência de bandas de música asiáticas. Elas retomam, de certo modo, uma tradição inglesa do exótico, bem mais antiga. No início dos anos 1940, por exemplo, Edmond Ros, de Trinidad, já introduzira tanto a rumba quanto o samba em Londres. Desde então, com a grande onda de imigração, o *reggae* – que se originara na Jamaica nos anos 1960 – e o *bhangra*, do Punjab, tornaram-se parte da música inglesa. Originalmente, a audiência do *bhangra* era composta por paquistaneses, mas hoje em dia, no entanto, o que é algumas vezes referido como *indipop* ganhou uma audiência muito mais ampla, graças a uma espécie de "mestiçagem" musical na qual músicos sikhs, caribenhos e ingleses tocam juntos e combinam suas tradições em bandas como Cornershop e FunDamental. A combinação dá certo, mesmo quando dá margem a críticas por parte dos mais "puristas". Alguns músicos os criticam pela integração que promovem – em outras palavras, por abandonarem suas identidades asiáticas ou caribenhas.

No teatro

No teatro, o entusiasmo por Shakespeare continua, apoiado, como vimos, pela Royal Shakespeare Company e pelo Globe Theatre. Muitos artistas de teatro ingleses são igualmente famosos como estrelas de cinema e televisão, já que eles se locomovem facilmente do palco do teatro para as telas. Laurence Olivier é ainda lembrado por muitos ingleses mais velhos como o Hamlet, o Othello e o Henrique V de Shakespeare. Olivier e John Gielgud (outro intérprete memorável de Shakespeare) foram homenageados com os títulos de cavaleiros, enquanto Peggy Ashcroft, que representou Julieta ao lado de Olivier como Romeu, foi nomeada *dame* – sinais significativos do lugar que o teatro ocupa na cultura inglesa. Dentre os atores vivos, as grandes figuras do mundo do teatro e do cinema incluem Judi Dench, Maggie Smith, Vanessa Redgrave e Helen Mirren (todas elas *dames*, com exceção de Vanessa, que recusou o título duas vezes), Stephen Fry e Colin Firth.

Dramaturgos notáveis incluem o já falecido Harold Pinter, Alan Bennett e Tom Stoppard, todos eles conhecidos por seus diálogos espirituosos e concisos. Pinter, que recebeu o Prêmio Nobel de Literatura em 2005, é especialmente famoso por sua exploração do silêncio, um traço tão frequentemente apontado pelos estrangeiros como peculiarmente inglês. Em suas peças, como *The Caretaker* (O encarregado, 1959), *Silence* (Silêncio, 1969) ou *Betrayal* (Traição, 1978), as pausas ocorrem com frequência e os personagens, em vez de falarem um com o outro, dialogando, falam como se estivessem sozinhos.

Alan Bennett é um observador e comentarista arguto da Grã-Bretanha contemporânea. Seu *Forty Years On* (Quarenta anos depois), de 1968, que se passa numa *public school* inglesa decadente, contrasta o antigo diretor, um conservador, com seu sucessor mais progressista, zombando de ambos. Bennett, que estudou História em Oxford e ali ensinou, antes de se estabelecer como dramaturgo, dedicou duas de suas peças à história inglesa. *The Madness of George III* (A loucura de George III), de 1991 (filmada em 1994), evoca a Inglaterra do século XVIII, enquanto *The History Boys* (*Fazendo história*), de 2004 (filmada em 2006), trata de um grupo de alunos que a fim de tentar entrar em Oxford e Cambridge, estão se preparando para os exames de admissão de História.

Stoppard, que nasceu na Tchecoslováquia e veio para a Inglaterra quando criança, foi, como vimos, incentivado por seu padrasto inglês, o major Stoppard, a se tornar "um inglês honorário", como o major dizia. Apesar de uma de suas realizações mais notáveis ser a trilogia *The Coast of Utopia* (A costa da utopia) de 2002, que dramatiza os debates políticos travados entre revolucionários, radicais e liberais russos durante o século XIX, as referências ao passado inglês são recorrentes em seu trabalho. No *Rosencrantz and Guildenstern are Dead* (Rosencrantz e Guildenstern estão mortos), de 1966, por exemplo, Stoppard reconta a história de Hamlet do ponto de vista de dois personagens menores, enquanto *Arcadia* (de 1993), se passa numa *country house* inglesa e alterna entre o século XIX e o presente.

No cinema

No cinema, diretores ingleses notáveis incluem Ken Loach e Mike Leigh. Loach, que é politicamente de esquerda, dirigiu em 1993 o filme *Land and Freedom* (*Terra e liberdade*) sobre a Guerra Civil espanhola; *Bread and Roses* (*Pão e rosas*), em 2000, sobre a luta dos faxineiros de Los Angeles por melhores condições de trabalho; e *The Wind that Shakes the Barley* (*Ventos da liberdade*), em 2006, que trata da luta irlandesa pela independência.

Leigh, cujos trabalhos se destacam por sua insistência na importância de os atores improvisarem, ao invés de seguirem um roteiro previamente estabelecido, prefere abordar em seus filmes os eventos cotidianos das pessoas comuns, tal como em *High Hopes* (*Grandes ambições*, 1988), *Life is Sweet* (*A vida é doce*, 1990) e *Another Year* (*Mais um ano*, 2010). Seus filmes podem ser descritos como tipicamente ingleses no seu estilo *understated*, ou seja, não dramático, contido. Mesmo *Mr. Turner* (2014), um filme controverso sobre o artista Turner, não deixa de ser uma narrativa sobre uma pessoa, que, apesar de notável, era também bem comum em suas fraquezas humanas. Em muitos desses filmes, Leigh comunica um sentido vívido de lugar. A Londres de Leigh, por exemplo, já foi descrita como "tão distinta como a Roma de Fellini".

Dois filmes ingleses de 2014 têm sido louvados por oferecerem um "retrato acurado de 'inglesidade'": *The Theory of Everything* (*A teoria de tudo*), sobre o cosmólogo Stephen

Hawking, que se impôs como o mais importante físico teórico da atualidade, e *The Imitation Game* (*O jogo da imitação*), sobre o matemático Alan Turing, um dos maiores responsáveis por quebrar o código secreto dos nazistas e dar uma ajuda fundamental para a vitória dos Aliados. Além da genialidade que une esses dois cientistas e o fato de terem deixado sua forte marca no mundo, em comum entre eles há também duas tragédias: a denúncia da homossexualidade de Turing numa época em que isso era crime, o que o acaba levando ao suicídio, e a doença degenerativa de Hawking, que o paralisou por completo.

Segundo os críticos, tanto John Marsh, o diretor inglês do primeiro filme, como Morten Tyldum, o diretor norueguês do segundo, teriam sido capazes de dramatizar a vida desses dois indivíduos notáveis, revelando, ao mesmo tempo, os traços culturais tipicamente ingleses que esses gênios compartilham: o famoso *understatement*, as boas maneiras, a modéstia, o *fair play*, o humor e a ausência de ódio. É nesse sentido que Hawking e Turing teriam sido apresentados como representativos, cada um a seu modo, de "categorias de *gentleman* inglês", por serem ambos indivíduos que, não obstante suas genialidades, são *understated*, gentis e respondem heroicamente, com *stiff upper lip*, aos seus desafios. E mais, o que inexiste nos dois é ódio, pois isso "não é inglês", como disse um crítico. Turing não odeia o policial obcecado que revelou sua homossexualidade, convidando-o, ao contrário, a julgá-lo por suas realizações, como a de ter criado o primeiro computador; e a reação de Hawking à sua doença é de resistência corajosa, discreta e bem-humorada.

Na arte e na arquitetura

Em seu livro *The Englishness of English Art* (A inglesidade na arte britânica) – que é a versão impressa de uma série de aulas dadas na Rádio BBC, já várias vezes mencionada neste livro – o historiador de arte Pevsner enfatizou o caráter duplo dos ingleses. De um lado, como os leitores dos capítulos anteriores deste livro podem já imaginar, ele enfatizou "a moderação, a sensatez, a racionalidade, a observação e o conservadorismo", apresentando o estilo clássico da arte do século XVIII como um exemplo marcante dessas qualidades. De outro, do mesmo modo como o australiano Don Home observou em seu *God is an Englishman* (Deus é um inglês, 1970), Pevsner também achou nos ingleses o que ele chamou de "imaginação, fantasia, irracionalismo", especialmente, mas não de forma exclusiva, na Era do Romantismo.

No caso da arquitetura, Pevsner chamou a atenção para o contraste entre as catedrais inglesas medievais, que eram longas e baixas, e as catedrais francesas, que "voavam" nas alturas. Ele também descreveu as praças inglesas como "*understatements* da arquitetura" – o equivalente estético de modéstia e despretensão – e também notou o caráter angular da arquitetura inglesa do final da Idade Média (conhecida como "Perpendicular"), em contraste com o estilo francês "exibicionisticamente" ondulado. Os leitores do livro *Ingleses no Brasil* de Gilberto Freyre podem se lembrar que esse autor também apontou esse contraste entre a mobília angular inglesa e as curvas introduzidas quando essas mobílias foram imitadas pelos artesãos brasileiros.

Apesar desses contrastes, ainda parece mais esclarecedor analisar a "inglesidade" da arte inglesa não em termos de caráter nacional, mas de ligações com outros aspectos da cultura inglesa, tais como equilíbrio, moderação ou, novamente, *understatement*, assim como grande afeição pelos animais e pela vida e paisagem campestres. Mesmo artistas inovadores frequentemente respeitam essas tradições inglesas. O arquiteto inglês mais famoso da História, Christopher Wren, desenhou a Catedral de São Paulo, em Londres, no estilo clássico, mas quando lhe pediram que completasse a Abadia de Westminster, ele se inspirou na tradição do gótico medieval inglês.

A arquitetura geralmente é uma forma de arte internacional, e membros preeminentes da profissão são contratados para realizar trabalhos em muitas partes do mundo. De qualquer modo, podemos dizer que os últimos 50 ou 60 anos têm sido um período de grandes realizações para alguns poucos arquitetos ingleses. A época áurea iniciou-se com a construção do Royal Festival Hall na margem sul do rio Tâmisa, desenhado por Philip Powell e o mexicano-americano Hidalgo Moya e inaugurado em 1951. No seu levantamento clássico das construções inglesas, Nikolaus Pevsner descreveu essa sala de espetáculos como "a primeira construção de Londres desenhada no estilo contemporâneo de arquitetura", em contraste com o estilo clássico preferido nos anos 1930 e 1940. Duas gerações mais tarde, o Festival Hall ainda parece moderno.

Depois de Powell e Moya, foi a vez de Basil Spence, o arquiteto da Coventry Cathedral e da Universidade de Sussex, construções igualmente aclamadas por seu estilo. Denis Lasdun, cujos trabalhos incluem o National Theatre e a Universidade de East Anglia, e James Stirling, que desenhou os prédios da Universidade de Leicester, assim como os acréscimos modernos das Universidades de Oxford e Cambridge, também se destacam pelo estilo de arquitetura moderna que inauguraram.

Os arquitetos ingleses vivos mais famosos são seguramente Richard Rogers e Norman Foster. Foi Rogers que desenhou a nova sede do Lloyd's, a companhia de seguros da *City* que atrai turistas desde sua inauguração em 1986, assim como o Millennium Dome em 2000 – hoje um grande centro de espetáculo e entretenimento chamado The O2. Quanto a Foster, ele e seus associados desenharam o moderno Stansted Airport, o Wembley Stadium, a Law Faculty da Universidade de Cambridge, o Gherkin na City e a Millennium Bridge que atravessa o Tâmisa, ligando a catedral de St. Paul à Tate Modern.

O prédio da Faculdade de História da Universidade de Cambridge é obra premiada do arquiteto James Stirling. Seus usuários, no entanto, não acham suas acomodações muito apropriadas para as aulas diárias.

Com relação à escultura, Henry Moore, considerado por muitos o mais importante artista inglês do século XX, tentou escapar da tradição clássica, estudando a escultura não ocidental, especialmente a pré-colombiana. Suas estátuas mostram um respeito incomum pelo material utilizado, representando as pessoas tal como elas poderiam parecer se fossem feitas de pedra, em vez de carne e osso. Outros escultores ingleses de renome, mais jovens do que Moore, incluem Barbara Hepworth, criadora de esculturas abstratas delicadas, feitas em madeira e pedra; Anthony Caro, cujos desenhos geométricos são feitos de aço soldado; e Edoardo Paolozzi, que criou colagens e mosaicos assim como as esculturas inovadoras pelas quais é mais conhecido. Sua estátua de Isaac Newton, no pátio da British Library, foi inspirada por uma pintura de William Blake que Paolozzi "traduziu" em bronze, revelando, mais uma vez, um artista inovador que evoca as tradições inglesas.

A variedade da escultura inglesa hoje pode ser ilustrada por um contraste entre Anish Kapoor, cujas formas curvas simples são normalmente coloridas, e Anthony Gormley, cujas figuras humanas, frequentemente colocadas em telhados de prédios, são feitas de moldes de gesso de seu próprio corpo.

Desde 2009, o trabalho do vencedor de um prêmio anual patrocinado pela prefeitura de Londres é exibido no chamado 4th Plinth (Quarta Coluna) em Trafalgar Square, ao lado de estátuas de reis e almirantes famosos.

Como no caso da música, houve um tempo em que os melhores pintores ingleses eram estrangeiros, desde Hans Holbein, o alemão que pintou o rei Henrique VIII e sua corte, até Anthony van Dyck, o flamengo que fez o mesmo para a corte de Carlos I. No século XVIII, em contraste, artistas ingleses nativos tornaram-se importantes, e notam-se os primeiros sinais da chamada "idade áurea" da pintura inglesa, de Hogarth nos anos 1730-1740, a Turner, no século seguinte.

O 4th Plinth é uma área reservada em Trafalgar Square para a exibição temporária de esculturas de qualquer tipo, que ficam próximas das estátuas de célebres generais e políticos do século XIX que povoam a praça. *Gift Horse*, obra do artista alemão-americano Hans Haacke, foi a escolhida em 2015 para ocupar o espaço.

William Hogarth, por exemplo, era um patriota inglês – na verdade xenófobo – que criticava as influências estrangeiras na arte inglesas, tais como as de Rafael e Michelangelo, e aconselhava os jovens artistas a estudarem a natureza ao redor deles, em vez da arte italiana. Ele se opôs à fundação de uma Royal Academy no modelo francês, mas não foi bem-sucedido, pois ela foi criada e ainda hoje existe como uma instituição central da arte inglesa. Entre os trabalhos de Hogarth mais famosos estão o quadro *The Gate of Calais* (1748) em que os ingleses, bem alimentados de carne, são contrastados aos franceses magros e esfaimados; e duas gravuras, *Beer Street* e *Gin Lane* (1751), na qual os bebedores saudáveis e alegres de cerveja inglesa são comparados aos desgraçados consumidores de gim holandês.

Hogarth também gostava de opor seu próprio naturalismo ao que ele considerava a artificialidade francesa. Na verdade, ele estudava não somente a natureza, mas também a tradição literária inglesa, incluindo Shakespeare, o satirista Jonathan Swift e o romancista Henry Fielding, que era amigo do artista. Como no caso de Fielding, o ponto forte de Hogarth era a narrativa moral, exemplificada por várias séries de pinturas e gravuras, tais como *The Rake's Progress*, na qual oito pinturas contam a história do declínio e queda de Tom, o filho perdulário de um rico comerciante, que vai parar na prisão por causa das dívidas contraídas e termina sua vida num hospício.

Dentre todos os gêneros de pintura, no entanto, a maior contribuição dada pelos artistas ingleses foi para as pinturas de paisagens e de retratos. O amor do inglês pela pintura de paisagens é obviamente ligado ao seu amor pelo campo, proeminente a partir do século XVIII, como vimos no capítulo anterior. O fim do século XVIII e início do XIX foi uma grande época para a escola de paisagistas que usavam aquarela, um meio muito apropriado para retratar o céu nublado e o que os apresentadores da previsão do tempo na televisão descrevem como *sunshine and scattered showers* (sol com chuvas esparsas), tão característico do clima inglês. John Constable, o maior dos paisagistas ingleses, era fascinado pelas nuvens e, inspirando-se na tradição das aquarelas, pintou seus famosos quadros a óleo retratando cenas rurais das regiões de Suffolk, Essex e Wiltshire. Um de seus quadros, *The Hay Wain* (Carroça de feno) foi escolhido por voto popular como um "ícone inglês" em 2006, mantendo-se na lista de ícones ingleses desde então.

J. M. W. Turner, talvez o maior de todos os artistas ingleses, transformou a paisagem terrestre e marinha em estudos de atmosfera, incluindo a neblina tipicamente inglesa. Em 2005, em uma competição organizada pela BBC um trabalho de Turner foi escolhido como "a melhor pintura britânica"; a pintura mostrava um navio de guerra, em sua última viagem e, portanto, pode ter sido votada tanto por razões patrióticas, como por razões estéticas.

As paisagens urbanas das cidades industriais do norte da Inglaterra, por outro lado, iriam encontrar o seu pintor somente no século XX, com L. S. Lowry. Uma galeria de

The Hay Wain, óleo sobre tela, John Constable, 1821

O quadro *The Hay Wain*, de 1821, uma cena rural da Inglaterra retratada por um dos mais famosos pintores ingleses, John Constable, tornou-se um ícone nacional que é frequentemente reproduzido em fotografias, que ornamentam as paredes dos ambientes domésticos.

arte, um hotel e um centro cultural, todos na sua região de origem, Lancashire, foram chamados *Lowry* em sua homenagem.

Entre os mais famosos (e nos seus dias, os mais na moda) dos pintores de retrato ingleses estão Joshua Reynolds, o fundador da Royal Academy, e seu rival Thomas Gainsborough, que pintou por volta de 800 retratos, mas que confessou que teria preferido ganhar sua vida pintando paisagens. Os retratos feitos por Reynolds já foram descritos como "consideravelmente reticentes" – em outras palavras, muito ingleses. Pevsner, na verdade, descreveu os retratos ingleses em geral como *understated*. Em sua composição dos gestos do retratado, essas pinturas aludem muitas vezes ao trabalho de retratistas anteriores, especialmente a Van Dyck. Ainda seguindo essa tradição, o jovem artista inglês J. L. Devine expôs em 2011 uma pintura intitulada *Detail after Reynolds*, evocando e atualizando o famoso retrato que *sir* Joshua Reynolds fez da família Clive com sua empregada indiana.

Um artista do início do século XIX, Benjamin Haydon, chamou a pintura de retratos "uma das manufaturas básicas do império". Como disse: "Onde quer que os britânicos se estabeleçam, onde quer que eles colonizem, eles carregam e sempre irão carregar consigo o julgamento por jurados, corridas de cavalo e pintura de retratos". A National Portrait Gallery em Londres, que bem merece uma visita, é um monumento à pintura inglesa de retratos e aos heróis nacionais. Como a exposição anual de novos trabalhos na galeria atesta, o retrato pintado sobreviveu à competição com a fotografia e ainda prospera. Um expoente importante desse gênero foi Lucien Freud, neto de Sigmund Freud. Suas pinturas retratam desde a rainha até o artista anglo-irlandês Francis Bacon, um colega famoso por seus retratos destrutivos, que de tão distorcidos tornam praticamente irreconhecíveis as formas e os rostos humanos.

Pinturas de animais, especialmente de cachorros e cavalos, formam também uma tradição distintamente inglesa, relacionada ao amor dos ingleses pelos animais de estimação e também por seu entusiasmo pela caça e outros esportes ao ar livre. Animais aparecem frequentemente nas pinturas de Hogarth, incluindo o seu famoso autorretrato com um cachorro, cuja face se assemelha muito à do próprio artista. Dr. Johnson, o famoso crítico e escritor do século XVIII, declarou: "preferiria ver o retrato de um cachorro que eu conheço do que todas as alegorias que você pode me mostrar". Como Pevsner comentou, "esse comentário irritante, tanto quanto o que disse esse irritante doutor, é maciçamente inglês". Dois pintores preeminentes do século XIX especializaram-se em animais: George Stubbs pintava cavalos, enquanto Edwin Landseer preferia cachorros, apesar de ele ter também produzido uma imagem famosa de um veado, *Monarch of the Glen* (Monarca do Vale, 1851).

A tradição de famosos artistas ingleses ilustrarem livros é também tipicamente inglesa. William Blake, por exemplo, um poeta e pintor extremamente inovador e incompreendido em seu tempo, que se voltava para o mundo sobrenatural, escolheu ilustrar textos que lhe permitiam expressar seu simbolismo místico, como o "Livro de Jó" da Bíblia, *A Divina Comédia* de Dante e, mais próximo dele, o poema épico *Paraíso perdido*, do inglês John Milton.

Dada a importância das ilustrações na cultura inglesa, pode-se dizer que a memória que os ingleses têm de certas obras literárias é muito mediada por ilustrações famosas, reproduzidas com frequência. Os personagens dos romances de Charles Dickens, por exemplo, são praticamente inseparáveis das ilustrações do amigo do autor, George Cruikshank, conhecido no seu próprio tempo como o "Hogarth moderno".

Muitos livros infantis são também lembrados por suas ilustrações e têm atraído artistas famosos. *Alice no país das maravilhas* (1865), de Lewis Carroll, foi ilustrado por John Tenniel; *Winnie the Pooh* (*O ursinho Puff*, 1926), de A. A. Milne, por E. H.

Shepard; e *Charlie and the Chocolate Factory* (*A fantástica fábrica de chocolate*, 1964), de Roald Dahl, por Quentin Blake.

No mundo da arte visual, tanto na Inglaterra como no resto do mundo, os espectadores podem escolher entre uma pluralidade de estilos, desde o realismo de Ken Howard, mais conhecido por suas pinturas de Veneza e Londres, até a arte óptica (*op art*) de Bridget Reilly, ou a *living sculpture* (escultura viva) da dupla Gilbert e George.

No meio desses extremos, estão os trabalhos de um dos maiores pintores ingleses vivos, David Hockney. Talvez mais conhecido por suas pinturas das piscinas da Califórnia (tal como *A Bigger Splash* – O maior respingo –, de 1967) e das paisagens de sua região de origem, Yorkshire, Hockney tem uma relação especial com Hogarth. No início de sua carreira, ele produziu uma série de gravuras intituladas *The Rake's Progress* (A carreira de um libertino), traduzindo a história narrada por Hogarth no século XVIII para os anos 1960. Como resultado, o artista foi contratado, em 1974, para desenhar o cenário da produção de outra *Rake's Progress,* em Glyndbourne, dessa vez uma ópera com música do russo Igor Stravinsky e letra do poeta inglês W. H. Auden. Desde o início do século XXI, Hockney passou a dedicar-se a pinturas de paisagens e também retornou às suas raízes inglesas, em Yorkshire. Como revelou a aclamada exposição de seus trabalhos em 2012 na Royal Academy, *David Hockney: a Bigger Picture,* ele vem produzindo uma série de trabalhos espetaculares, evocando tanto o campo inglês em estações diferentes do ano, quanto a tradição inglesa de pinturas de paisagem.

CONTROVÉRSIAS

A arte contemporânea inglesa é bastante controversa. As controvérsias geralmente envolvem objeções às rupturas com a tradição, reforçando a impressão de que os ingleses são um povo muito conservador. Uma das que têm provocado publicidade há décadas diz respeito à questão da fronteira da arte e não arte. Os exemplos de Damien Hirst e Tracey Emin são bem ilustrativos disso. Em 1991, Damien Hirst exibiu um tubarão morto dentro de um tanque, com o título de *The Physical Impossibility of Death in the Mind of someone Living* (A impossibilidade física da morte na mente de alguém vivo), que foi aclamado como "símbolo da arte moderna" por uns e considerado, por outros, um exemplo da "obscenidade cultural" que imperava no mundo da arte.

Em 1999, Tracey Emin foi uma das finalistas do prestigioso Turner Prize apresentando a sua cama, *My Bed*, como obra de arte. Foi assim que sua própria cama – usada, desfeita, com lençóis sujos e lixo espalhado pelo chão, como maço de cigarro vazio, garrafas vazias de vodca, camisinhas etc. – foi exposta na Tate Gallery. Emin não ganhou o prêmio, mas tornou-se um exemplo de arte moderna sempre lembrado na História contemporânea. *My Bed*, que fora primeiramente comprada pelo colecionador Charles Saatchi, que a exibiu na abertura de sua Saatchi Gallery, foi posta em leilão em julho de 2014 pela Christie's. Avaliada entre 800 mil e 1 milhão e 200 mil libras, a obra alcançou mais de 2 milhões e meio de libras! Em março de 2015, pode-se dizer que Tracey Emin foi consagrada como a principal representante da arte moderna inglesa do final do século XX. Sua "cama" foi cedida pelo conde Christian Duerckheim, seu comprador, por um período de 10 anos e voltou à Tate Gallery. Essa vitória não resolve, certamente, a questão do critério da arte e não arte, havendo muitos críticos que ainda consideram a famosa *My Bed* de Emin mais um golpe publicitário bem-sucedido do que qualquer outra coisa.

A arquitetura também tem gerado muita controvérsia. O príncipe Charles, por exemplo, tem feito, há décadas, campanha contra o estilo modernista e pode-se dizer que ele tornou-se um líder dessa luta. Charles, certa vez, comparou o desenho de uma extensão da National Gallery a um "monstruoso furúnculo na face de um amigo muito amado e elegante". Esse projeto não foi adiante, mas a moderna *Sainsbury Wing*, desenhada por Robert Venturi e Denise Scott Brown, foi inaugurada em 1991. Charles prefere os desenhos do arquiteto Quinlan Terry, que continua a trabalhar inspirado na tradição clássica, com um resultado que alguns críticos consideram um verdadeiro pastiche. Segundo Terry, ao contrário do que dizem os adeptos do estilo modernista, o estilo tradicional de moradias pode ser adaptado para atender às exigências do crescimento populacional do século XXI.

Contra os arquitetos que pensam que o problema de moradia moderno exige a construção de condomínios verticais de grande altura, Terry defende que a solução está em ruas, espaços públicos e prédios em escala humana, argumentando que é possível se criar "densidade em baixo nível [...] assim como em Roma, Paris e Milão, onde existe esse tipo de densidade urbana". Seu grande objetivo é conseguir combater a construção de altas torres residenciais, ou arranha-céus em várias cidades da Inglaterra, com a construção de gigantescos *ground-scrapers* (arranha-solos) de cinco a oito andares, inspirados no estilo dos blocos de apartamento de Haussmann para Paris no século XIX.

Na literatura

É comum ouvir que os ingleses se sobressaem na literatura, tanto na prosa como na poesia, muito mais do que na música e nas artes visuais. Os ícones da "inglesidade" devem seguramente incluir não somente Shakespeare, mas também Dr. Johnson, que combinava os papéis de escritor (em verso e prosa), crítico, autoridade na língua inglesa (graças ao seu *Dictionary of the English Language*, de 1755), conversador e excêntrico. Johnson pode ter irritado Pevsner, como vimos anteriormente, mas ele é ainda bastante admirado por muitos ingleses, incluindo Boris Johnson, o prefeito de Londres (seu xará, mas não seu parente) – uma admiração muito apropriada para um amante de Londres como ele, pois uma das mais conhecidas frases de Dr. Johnson foi a seguinte: "quando um homem ficar cansado de Londres, ele está cansado da vida, pois tudo o que a vida pode oferecer está em Londres". No seu livro publicado em 2011, *Johnson's Life of London: the People that Made the City that Made the World* (A vida de Johnson de Londres: o povo que fez a cidade que fez o mundo), o prefeito Johnson fala sobre seus dois amores: Londres e Samuel Johnson.

Na longa tradição da poesia inglesa, alguns nomes se destacam porque são vividamente lembrados. De fato, muitas pessoas, especialmente as mais velhas, ainda podem recitar de cor versos de seus poemas. As poesias que estão mais fixadas na memória dos ingleses são as dos poetas românticos, especialmente William Wordsworth e John Keats, em particular poemas sobre o campo. Um trecho de "Os narcisos" (*Daffodils*) de Wordsworth, por exemplo, é famoso:

> *I wandered lonely as a Cloud*
> *That floats on high o'er Vales and Hills*
> *When all at once I saw a crowd*
> *A host of golden Daffodils*[2]

Keats é particularmente lembrado por uma ode ao outono que também evoca o campo inglês:

> *Season of mist and mellow fruitfulness*
> *Close bosom-friend of the maturing sun*
> *Conspiring with him how to load and bless*
> *With fruit the vines that round the thatch-eaves run*
> *To bend with apples the moss'd cottage-trees*
> *And fill all fruit with ripeness to the core...*[3]

"Patriotismo" é outro tema poderoso da poesia inglesa. Shakespeare é ainda lembrado – entre muitas outras coisas – por seu elogio à Inglaterra feito por um personagem na peça *King Richard III* (*Ricardo III*):

> *This other Eden, demi-paradise....*
> *This happy breed of men, this little world*
> *This precious stone set in the silver sea...*[4]

Essa é apenas uma dentre muitas outras menções à história inglesa na obra de Shakespeare. Na verdade, como lembrou Robert Tombs em seu livro *The English and their History* (O inglês e sua história, 2014), é inegável a importância de Shakespeare em tornar a história inglesa um assunto de todos os ingleses. Como disse, o poeta fez da "história recente da Inglaterra [...] um tema artístico tão grande quanto a história de Roma" – e nisso ele foi inédito. "A autodramatização nacional de Shakespeare talvez tenha feito os ingleses se considerarem especiais – e talvez, em algum grau, ainda os faça". Os franceses, como Tombs lembra, "nunca tiveram uma única peça de teatro dedicada à sua história até 1765".

Pouco mais de 300 anos depois, durante a Primeira Guerra Mundial, Rupert Brooke escreveu esses versos igualmente famosos:

> *If I should die, think only this of me*
> *That there's some corner of a foreign field*
> *That is forever England...*[5]

Esse autor, um jovem promissor de grande talento, realmente morreu numa ilha grega em 1915.

Dois outros escritores mais recentes, falecidos nos anos 1980, também se destacam como poetas de "inglesidade": John Betjeman, cuja evocação da cultura inglesa durante a guerra foi mencionada no primeiro capítulo, e Philip Larkin, um bibliotecário da Universidade de Hull. Esses dois autores escreveram com nostalgia e brilho sobre as velhas igrejas inglesas, as estações de trem e o litoral. A contribuição especial de Larkin foi escrever poesias sobre hotéis e parques, enquanto a de Betjeman foi fazer poesias sobre lojas de chá, esportes (tênis, críquete e golfe) e classe social. Uma estátua de Larkin, agora um herói local, foi erguida na estação de trem de Hull, enquanto Betjeman tornou-se uma espécie de ícone nacional, homenageado com uma estátua na bela estação de St. Pancras, em Londres – de onde sai o Eurostar para Paris e Bruxelas – perto de um *pub* chamado The Betjeman Arms. Essa estátua talvez seja um indício de que a tradição de não erigir monumentos aos escritores e artistas esteja sendo quebrada.

ROMANCE

A história do romance inglês é, num grau considerável, a história de autoras mulheres: Jane Austen; as irmãs Charlotte e Emily Brontë; Mary Ann Evans (que escrevia com o pseudônimo de George Eliot), famosa por seu retrato da vida da província em *Middlemarch* (1874), talvez o maior romance inglês; Virginia Woolf, autora de *Mrs. Dalloway* (1925); e muitas outras autoras, de Doris Lessing e Penelope Fitzgerald a Zadie Smith.

O entusiasmo contínuo por Jane Austen, em particular, é tão grande que uma associação, a Jane Austen Society, fundada em 1940, está ainda hoje em plena atividade. A casa onde a autora viveu os últimos 8 anos de sua vida, localizada na vila de Chawton em Hampshire, é um dos museus mais visitados da Inglaterra.

Entre os clássicos ingleses da literatura, não muito atrás das peças de Shakespeare, está o livro *Pride and Prejudice* (*Orgulho e preconceito*), publicado por Jane Austen em 1813. Essa obra foi, na verdade, escolhida como um "ícone da 'inglesidade'" numa pesquisa de opinião pública conduzida em 2006 pela English Heritage, a organização que cuida do patrimônio histórico da Inglaterra. Não é, pois, de surpreender que o bicentenário da publicação desse romance, em 2013, tenha sido festejado com a emissão de seis selos comemorativos. A história de amor e casamento de Elizabeth Bennett e Fitzwilliam Darcy, que finalmente supera tanto o orgulho de Darcy quanto o preconceito de Bennett, inspirou (e continua a inspirar) um número incrível de adaptações para o teatro e para as telas do cinema e da televisão, assim como incontáveis outras obras literárias. Já houve por volta de 70 adaptações que transpuseram a história para outros meios de comunicação, muitas delas dando prosseguimento à narrativa após a união do casal, ou mesmo imitando o enredo. O romance *best-seller* de Helen Fielding, *Bridget Jones's Diary* (*O diário de Bridget Jones*, 1996), por exemplo, que se tornou um filme de grande sucesso, homenageou Jane Austen ao criar um personagem chamado Mark Darcy, representado por Colin Firth – o mesmo ator que anos antes havia adquirido fama ao representar Mr. Darcy na versão para televisão de *Pride and Prejudice*. Em 2011, P. D. James, uma das mais conhecidas escritoras de romances policiais da Inglaterra, continuou *Pride and Prejudice* na forma de uma história de assassinato em seu *Death Comes to Pemberley* (*Morte em Pemberley*). Esse romance tornou-se uma série de TV em 2013, e no mesmo ano Jo Baker públicou *Longbourn* (*As sombras de Longbourn*), que reconta a história de *Pride e Prejudice* do ponto de vista dos serviçais da família Bennett.

Outro escritor que ocupa um lugar muito especial na memória do povo inglês, mesmo entre aqueles que só conhecem sua obra através de filmes ou de adaptações para a televisão, é o vitoriano Charles Dickens, que criou toda uma galeria de personagens memoráveis e excêntricos, ainda hoje muito lembrados. Mr. Gradgrind, por exemplo, era um inveterado otimista que, por pior que fosse a situação, continuava a dizer que *something will turn up* (alguma solução irá surgir) e tudo acabará muito bem; o serviçal, humilde e insincero, Uriah Heep é um personagem do romance *David Copperfield*, cujo nome foi utilizado para uma banda de rock criada em 1969; o personagem Sam Weller, um empregado astuto, tornou Dickens famoso já a partir de seu primeiro romance, *The Pickwick Papers* (*Os cadernos de Pickwick*).

De todos eles, o personagem Mr. Podsnap, de *Our Mutual Friend* (*Nosso amigo em comum*), é o que mais ilustra o descontentamento de Dickens com a sociedade autocomplacente em que vivia. Podsnap tinha de seu mundo e de si mesmo uma opinião elevada, e sua "podsnaperia" era anunciada com sonora pompa e inabalável confiança. Como escreveu Dickens: "ele nunca podia entender" por que o resto das pessoas não compartilhava de sua satisfação com o *status quo*. Ele não tinha nenhuma dúvida de que a Inglaterra era uma ilha abençoada e de que as qualidades do país e dos ingleses eram únicas: segundo Mr. Podsnap, seria esforço vão procurar entre diferentes povos e "entre as nações da Terra" outro povo equivalente ao inglês.

Dickens também criou personagens patéticos, especialmente os infantis, como a pequena Nell (que vive com seu avô em sua *Old curiosity shop* – loja de antiguidades), a pequena Dorrit (uma menina que cresceu numa prisão londrina para devedores) e Oliver Twist, um órfão que está sempre a implorar por mais comida no seu orfanato.

Dentre os romancistas contemporâneos, Peter Ackroyd, Antonia Byatt, Julian Barnes, David Lodge e William Boyd escolheram temas ligados à história da literatura inglesa para escrever alguns de seus romances.

The Great Fire of London (O grande incêndio de Londres, 1982), de Peter Ackroyd, é um romance sobre um diretor que tenta fazer um filme com base na obra de Dickens, *A pequena Dorrit*. O romance, que faz referências frequentes a Dickens e também o ecoa no enredo, nos personagens e até nos diálogos, pode ser considerado uma "tradução" de Dickens para a cultura do final do século XX, com a Londres de Thatcher substituindo a da rainha Vitória.

Em *Possession* (*Possessão*, 1990; filmado em 2000), A. S. Byatt faz um pastiche inteligente. O livro conta a história de dois pesquisadores do século XX que estão procurando descobrir os papéis de dois poetas vitorianos fictícios. A autora, então, não somente escreve sobre o século XIX, mas também escreve no elegante estilo desse século, ao inventar os poemas e as cartas encontrados. Desse modo, Byatt está se colocando na tradição dos poetas vitorianos, tais como Robert Browning e Alfred Tennyson.

Julian Barnes, cuja sátira *England, England* (*Inglaterra, Inglaterra*) já foi mencionada no primeiro capítulo, escreveu em seu *Arthur and George* (Artur e George, 2005) sobre a vida de Arthur Conan Doyle, o criador de Sherlock Holmes. Já David Lodge transformou a vida do escritor H. G. Wells em um romance em seu *A Man of Parts* (*Um homem de partes*, 2011).

William Boyd, muito conhecido por seus romances de suspense como *Restless* (*Inquietude*, 2006) e *Ordinary Thunderstorms* (*Tempestades comuns*, 2009), escolheu

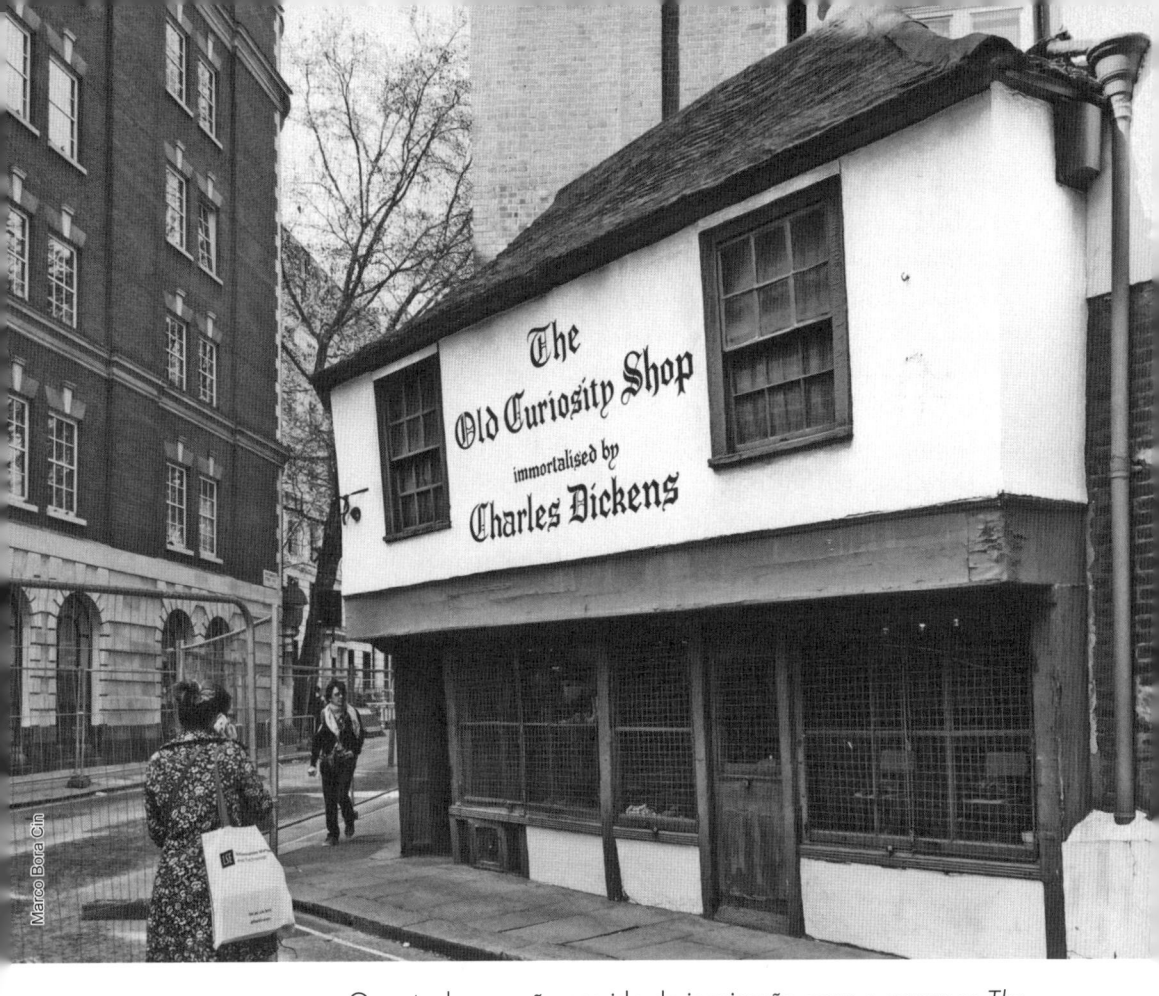

Quer tenha ou não servido de inspiração para o romance *The Old Curiosity Shop* do famoso escritor Charles Dickens, esta loja é um testemunho vívido do culto ao romancista, que ainda hoje atrai entusiastas e admiradores. A "Londres de Charles Dickens" é um passeio dos mais apreciados por seus fãs.

um tema literário para o seu belo romance *Any Human Heart* (*As aventuras de um coração humano*, 2002, adaptado para a televisão em 2011). Inspirando-se no escritor William Gerhardie – que após ter sido aclamado como um "gênio" nos anos 1920 caiu no esquecimento em 1940 –, Boyd usa o artifício do "diário íntimo" para narrar a vida de seu personagem Logan Mountstuart, cuja carreira literária também foi cheia de altos e baixos. O romance inclui encontros de Mountstuart/Gerhardie com escritores ingleses, entre eles Virginia Woolf, Evelyn Waugh e Ian Fleming, que recruta o protagonista para o serviço secreto inglês.

Dentre os romancistas ingleses mais jovens, um dos mais promissores é David Mitchell, que fez sua reputação com *Ghostwritten* (1999), uma história escrita numa variedade estonteante de estilos, que se move pelo mundo todo, do Japão à Irlanda. Mitchell, que viveu no Japão e casou-se com uma japonesa, é, sem dúvida, um cosmopolita; no entanto, ele também escreve sobre a vida inglesa, tal como em seu romance *Black Swan Green* (*Menino de lugar nenhum*, 2006), que se passa numa vila de Worcestershire, onde o próprio autor cresceu. Em um capítulo de seu *Cloud Atlas* (Atlas das nuvens, 2004), Mitchell também evoca o fantasma de Delius (como vimos, um famoso compositor inglês dos anos 1900-1920) na história de um jovem inglês que trabalha como amanuense de um famoso compositor inglês que vive na Bélgica.

Apesar das belas realizações de autores ingleses como Boyd ou Mitchell, o futuro do romance inglês parece estar nas mãos de imigrantes, ou ao menos de seus filhos. Timothy Mo, por exemplo, o autor de *Sour Sweet* (Doce amargo, 1982), é meio inglês e meio chinês. Hanif Kureishi, filha de pai paquistanês e mãe inglesa, é conhecida pelo roteiro do filme *My Beautiful Laundrette* (*Minha adorável lavanderia*, 1985), que conta a história de Omar, um jovem britânico-asiático gay crescendo em Londres; e também pelo seu romance *The Buddha of Suburbia* (*O buda do subúrbio*, 1990), sobre outro jovem mestiço, Karim. Monica Ali, que nasceu em Dhaka, e é filha de pai nascido em Bangladesh e mãe inglesa, é a autora premiada de *Brick Lane* (*Um lugar chamado Brick Lane*, 2003; filmado em 2007), um romance cuja história se passa na comunidade de Bangladesh do leste de Londres.

Alguns desses autores inspiram-se em tradições literárias inglesas, assim como em suas próprias experiências contemporâneas. Zadie Smith, filha de pai inglês e mãe jamaicana, é autora de *On Beauty* (*Sobre a beleza*, 2005), um romance que a autora descreve como tendo sido inspirado pelo livro clássico de E. M. Forster, *Howards End* (1910, filmado em 1992). Ambos os romances tratam da busca da identidade por parte de indivíduos mestiços: em *Howards End*, as irmãs Schlegel são meio alemãs e meio inglesas, enquanto *Sobre a beleza* narra a história da família Belsey, formada por um professor inglês, sua esposa afro-americana e seus filhos. Kazuo Ishiguro, o premiado escritor que nasceu no Japão, mas cresceu na Inglaterra desde os 5 anos de idade – e é descrito por alguns como "um gigante literário" do país – evoca o mundo da *country house* tradicional inglesa através das memórias de um mordomo, no seu aclamado *Remains of the Day* (*Vestígios do dia*, 1989; filmado em 1993).

Romances sobre *country houses* poderiam ser considerados pertencentes a um gênero específico de literatura; um gênero que oferece mais um testemunho do lugar do campo e da aristocracia na imaginação inglesa. Esse "gênero" de romance começou a florescer mais ou menos no momento em que o modo de vida que é ali descrito começava a desaparecer, a partir da Primeira Guerra Mundial. Como mencionamos, o pesado imposto sobre herança, ao lado de outras dificuldades, como a de encontrar empregados suficientes para servir nessas casas imensas, fez com que algumas delas fossem destruídas ou se transformassem em escola, asilo ou museu propriamente dito.

Os romances que se centram em *country houses* se desenrolam na primeira metade do século XX e são escritos, em geral, num tom elogioso pelo muito do que elas representavam. Entre os melhores e mais conhecidos desses romances, além de *Remains of the Day*, estão *Brideshead Revisited* (*A volta à velha mansão*, 1945) de Evelyn Waugh, inspirado diretamente no Castle Howard, uma das mais impressionantes *country houses* inglesas, localizada em Yorkshire; *The Go-Between* (*O mensageiro*, 1953) de L. P. Hartley; *The Shooting Party* (*A caçada*, 1980) de Isabel Colgate; e *Atonement* (*Reparação*, 2001) de Ian McEwan.

HISTÓRIAS DE DETETIVE

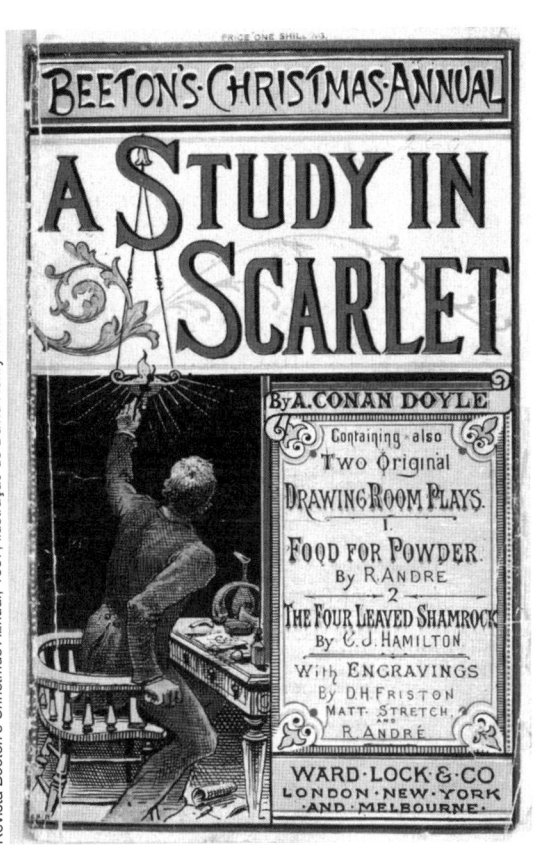

Histórias de detetive – que frequentemente incluem assassinatos e também se passam em *country houses* – foram durante muito tempo um gênero distintamente inglês, desde Arthur Conan Doyle, o criador de Sherlock Holmes, até Dorothy Sayers, criadora do detetive aristocrata amador *lord* Peter Wimsey, e Agatha Christie, cujos protagonistas

Revista *Beeton's Christmas Annual*, 1887, ilustração de David Henry Friston

O personagem Sherlock Holmes apareceu pela primeira vez nesta revista, em 1887, em um conto de Arthur Conan Doyle. Holmes logo se tornou um importante herói popular, uma espécie de ícone da "inglesidade", posição que ainda hoje ele ocupa.

incluem Hercule Poirot e Jane Marple. Desde a época em que esses autores publicaram suas obras, que vai dos anos 1880 aos anos 1960, a Inglaterra vem perdendo sua liderança nesse gênero de romance, já que outros países, especialmente os escandinavos, têm se destacado nesse campo. Os mais bem-sucedidos escritores desse gênero, desde os anos 1960, são Henning Mankell e Stieg Larsson da Suécia, país que é tido como um líder incontestável das histórias de detetive no início do século XXI.

De qualquer modo, o amor dos ingleses por histórias de detetives permanece inalterado, incluindo agora os escritores estrangeiros entre seus favoritos, ao lado dos tradicionais ingleses. Um exemplo ilustrativo desse "amor" é a impressionante longevidade da peça de Agatha Christie, *The Mousetrap* (*A ratoeira*), caso único na sociedade moderna, ao que tudo indica. Estreada em Londres em 1952, ainda está em cartaz, mais de 60 anos depois. Além disso, mesmo após a morte de sua criadora, tanto Poirot quanto Marple continuaram uma carreira muito bem-sucedida na televisão. Sherlock Holmes também permanece no "palco" mais de século após sua estreia. Em 2012-2013, ele tornou-se o herói de uma aclamada série de televisão, com o famoso ator Benedict Cumberbatch (que representa Alan Turing no filme *The Imitation Game – O jogo da imitação*) no papel do inesquecível detetive.

A continuidade da tradição Sayers-Christie de escritoras de romances de detetive foi garantida por duas escritoras: P. D. James (baronesa James), falecida em novembro de 2014, e Ruth Rendell (baronesa Rendell), falecida em maio de 2015. Os títulos de baronesa que foram outorgados a essas duas escritoras refletem não somente o talento pessoal de ambas, mas também o lugar especial que esse gênero literário tem na cultura inglesa. Muitos detetives da televisão inglesa também adquiriram *status* de estrelas, notavelmente o inspetor Wexford, o inspetor Frost e o inspetor Morse. Este último, talvez o mais bem-sucedido de todos, causou o que se chamava de "Morsemania", e recebeu o prêmio dado aos melhores produtos ingleses exportados, o Queen's Award for Export. No auge de sua fama, *Inspector Morse* foi visto por mais de 750 milhões de pessoas em 50 países. Dentre os seus milhões de fãs na Inglaterra, estava a rainha Elizabeth, que quis encontrar-se com o ator John Thaw, que representou o papel de Morse entre 1987 a 2000.

A "inglesidade" dos romances de detetive é enfatizada pelas localizações escolhidas para os crimes – especialmente *country houses*, vilas e *colleges* de Oxford e Cambridge –, assim como pelo caráter dos detetives, que são reticentes, justos e individualistas; às vezes, como nos casos de Holmes e Morse, a ponto de serem excêntricos. Holmes destaca-se, por exemplo, por seu inseparável cachimbo e seus hábitos de injetar cocaína e de repetir sempre ao seu assistente a frase *"Elementary, my dear Watson"* (Elementar, meu caro Watson), enquanto Morse se destaca por sua obsessão por ópera e por sua aversão à Universidade de Oxford, na cidade onde trabalhava.

Alguns desses romances de detetive fazem referência a trabalhos mais antigos dessa tradição. O Poirot de Agatha Christie, por exemplo, trabalha ao lado de Hastings, um homem agradável, mas não muito inteligente, ecoando com isso a dupla Sherlock Holmes e Watson, que são, por sua vez, ecoados mais tarde pelo time formado pelo inspetor Morse e o sargento Lewis. É interessante notar, no entanto, que, enquanto Holmes e Poirot, assim como o detetive Father Brown de G. K. Chesterton, eram amadores que investigam crimes pelo puro prazer de investigar, seus sucessores na arte da investigação geralmente são profissionais que pertencem aos escalões policiais.

HISTÓRIAS DE ESPIONAGEM

Histórias de espionagem são outra tradição inglesa, desde *The 39 Steps* (*Os 39 degraus*, 1915) e *Greenmantle* (*O manto verde*, 1916) de John Buchan, livros escritos durante a Primeira Guerra Mundial, até os romances de Fleming e Le Carré, que Buchan inspirou. Em seu famoso *James Bond*, Ian Fleming (ele próprio um ex-funcionário do serviço secreto inglês) oferece representações extravagantes da "inglesidade". Seu famoso personagem, em suas várias personificações – notavelmente os atores Sean Connery, Pierce Brosnan e Daniel Craig –, tende a tratar a espionagem da Guerra Fria como um jogo no estilo do críquete e demonstra sangue-frio quando é torturado – para não mencionar sua clara presunção da superioridade inglesa em relação aos estrangeiros.

Encontramos uma representação mais reticente da "inglesidade" no espião de classe alta George Smiley, o protagonista de oito romances de John Le Carré (que, como Fleming, era um antigo funcionário do serviço de inteligência inglês), incluindo seu *The Spy who Came in from the Cold* (*O espião que saiu do frio*, 1963), *Tinker Tailor Soldier Spy* (*O espião que sabia demais*, 1974; filmado em 2011) e *Smiley's People* (1979).

Nas adaptações para a televisão, Smiley – o detetive de *Smiley's People* – foi representado pelo famoso ator Alec Guiness, cuja interpretação do papel, segundo consta, teria influenciado Le Carré a mudar a caracterização de seu personagem nos romances subsequentes. Na verdade, essa interpretação memorável apresentou um desafio para Gary Oldman, o ator protagonista do filme *Tinker Tailor Soldier Spy* – mas um desafio que Oldman aceitou com determinação e que acabou resultando em grande sucesso.

Em contraste com Smiley, Harry Palmer é um espião originário da classe trabalhadora, protagonista principal nos romances de Len Deighton que se passam, mais uma vez, na Guerra Fria. O mais famoso desses romances é *The Ipcress File* (*O caso Ipcress*), de 1962. Nas versões cinematográficas, Palmer foi representado pelo grande artista Michael Caine, ele próprio de origem humilde.

O ROMANCE CÔMICO

O romance cômico inglês é um gênero que recua a *The Pickwick Papers* (*As aventuras do sr. Pickwick*, 1837) de Charles Dickens, uma obra ainda hoje muito apreciada, apesar de ter sido superada em popularidade pela de P. G. Wodehouse. Publicados entre 1919 e 1953, mas localizados no mundo aparentemente imutável da *country house* da classe alta inglesa nos anos 1920, as séries mais famosas dos livros de Wodehouse tratam das aventuras do jovem Bertie Wooster. Wooster é um jovem aristocrata elegante, mas não muito inteligente, que anda sempre acompanhado por seu engenhoso supercamareiro Jeeves, que é o verdadeiro herói das histórias. Foi "encarnado" pelo grande ator Stephen Fry na telessérie *Jeeves and Wooster* (1990-1993).

Numa entrevista, o escritor anglo-paquistanês Hanif Kureishi, já mencionado, declarou: "eu gosto de pensar que sou um escritor cômico na tradição cômica inglesa de Wodehouse".

Outras criações cômicas famosas incluem dois romances acadêmicos que se tornaram populares para além do mundo acadêmico: *Lucky Jim* (1954) de Kingsley Amis, contando a história de um jovem professor de História de uma universidade da província, e *Porterhouse Blue* (*A epopeia de mr. Skullion*, 1974) de Tom Sharpe, que se passa num *college* da Universidade de Cambridge.

O ENSAIO

O ensaio é um gênero literário que tem sido, há muito tempo, associado à Inglaterra. Mestres do gênero incluem, dentre muitos outros, Charles Lamb, autor do *The Essays of Elia* (*Ensaios de Elia*), e G. K. Chesterton, cujos ensaios compõem 11 volumes. Até os anos 1950, tanto Lamb como Chesterton eram bastante lidos nas escolas e fora delas. Hoje, eles podem ter sido quase esquecidos, mas ensaístas mais recentes tomaram os seus lugares, incluindo dois deles que nasceram no exterior – o filósofo político Isaiah Berlin (nascido em Riga) e o historiador da arte Ernst Gombrich (nascido em Viena) –, mas que se tornaram, em certo sentido, mais ingleses do que os ingleses. Comparados com seus predecessores, como Lamb, Gombrich e Berlin são mais especializados, mas continuam a manter o tom coloquial e despretensioso, tão característico do gênero ensaístico. O *Against the Current* (*Contra corrente*) e *The Crooked Timber of Humanity* (*Estudos sobre a humanidade*) de Isaiah Berlin, assim como o *Meditations on a Hobby Horse* (*Meditações sobre um cavalinho de pau*) de Gombrich tornaram-se clássicos ingleses.

Muitos dos melhores historiadores – entre eles A. J. P. Taylor e Hugh Trevor-Roper – também publicaram trabalhos na forma de ensaio. O mesmo fizeram alguns filósofos, como, por exemplo, Bernard Williams. A predileção pela forma ensaística serve muito bem ao individualismo inglês, enquanto sua natureza não sistemática é expressão do empiricismo inglês.

Dois anglófilos latino-americanos de renome, Jorge Luis Borges e Gilberto Freyre, foram muito marcados pelos ensaístas ingleses em sua formação, tornando-se, eles próprios, brilhantes ensaístas. Desde muito cedo, por exemplo, Freyre mostrou grande admiração por esse gênero literário despretensioso, claro e "meio meditativo", "meio coloquial", que era, como percebeu, livre do pedantismo, erudição vazia ou retórica bombástica e, por isso mesmo, muito apropriado para expressar a complexidade de tudo o que é humano. Chesterton, Charles Lamb e Samuel Johnson eram ensaístas muito admirados por esses dois escritores.

LIVROS INFANTOJUVENIS

Livros infantojuvenis famosos são originários de diversos países, incluindo a Itália (*Pinóquio*), França (*Babar*), assim como o Brasil (obras de Monteiro Lobato), mas o gênero tem sido particularmente vigoroso na Inglaterra. Exemplos populares atuais, tal como as séries *Horrid Henry* de Francesca Simon, *Harry Potter* de J. K. Rowling e *Charlie and Lola* (no Brasil, *Chalie e Lola*) de Lauren Child, fazem parte de uma longa tradição britânica. Marcos importantes dessa tradição são *Alice in Wonderland* (*Alice no país das maravilhas*, 1885) de Lewis Carroll; *Tale of Peter Rabbit* (*A história do Pedro Coelho*, 1901) de Beatrix Potter; *Peter Pan* (1904), originalmente uma peça de teatro de J. M. Barrie; *The Wind in the Willows* (*O vento nos salgueiros*, 1908) de Kenneth Grahame, em que o personagem principal é o sapo Toad of Toad Hall; *Winnie the Pooh* (*O ursinho Puff*, 1926) de A. A. Milne; e *The Hobbit* (1937), de J. R. Tolkien.

Como no caso da ficção para adultos, os autores ingleses de livros para crianças e jovens frequentemente buscam inspiração na tradição nacional. Tolkien, por exemplo, foi inspirado por um escritor vitoriano de histórias de aventuras, Henry Rider Haggard, autor do *King's Solomon's Mines* (*As minas do rei Salomão*, 1885), enquanto Horrid Henry é o equivalente atual de uma antiga série *best-seller* de livros sobre meninos levados, mas simpáticos, escritos pelo professor Richmal Crompton, que se iniciou com *Just William*, em 1922.

Alguns dos autores mencionados oferecem retratos humorísticos do dia a dia da vida na Inglaterra de sua época, enquanto outros evocam o passado. Toad of Toad Hall (o sapo da Casa Grande do sapo), personagem do *The Wind in the Willows*, de Barrie, por exemplo, comporta-se como um excêntrico aristocrata inglês, e a Hogwarts School of Witchcraft and Wizardry (Escola de bruxaria e magia de Hogwarts), central nos livros Harry Potter, evoca o mundo dos antigos internatos ingleses.

Em resumo, a "inglesidade" da arte, literatura e música inglesas reside parte no seu estilo, frequentemente *understated*, ou seja, modesto, minimalista, nada exagerado, e parte na preocupação com o modo inglês de viver manifestado por alguns artistas, escritores e compositores. Essa preocupação algumas vezes adquire a forma de ecos ou alusões a predecessores ingleses, mas também inclui muitas referências gerais ao passado inglês, particularmente ao que pode ser chamado de passado mitificado. O lugar do passado no presente será o assunto do próximo capítulo.

NOTAS

[1] As casas majestosas da Inglaterra/quão lindamente elas se erguem,/para provar que as classes altas/Ainda detêm o poder.../As casas majestosas da Inglaterra/Nós representamos com orgulho,/Nós somente as mantemos para os americanos as alugarem/Apesar de os canos dos banheiros estourarem/E as privadas te fazerem temer o pior...

[2] Eu vagava sozinho como uma nuvem/que flutua alto sobre os vales e colinas/quando de repente eu vi uma multidão/ de narcisos dourados.

[3] Estação de neblinas, doce e fecunda/companheira íntima do sol/com ele vais quando ele abençoa e inunda/de frutos as videiras junto dos beirais/para vergar de maçãs a musgosa macieira/e a fruta por inteiro tornar madura.

[4] O outro Eden, meio-paraíso.../esta feliz raça de homens, este pequeno mundo/esta pedra preciosa colocada no mar prateado...

[5] Se eu morrer, pense somente assim de mim/que existe algum canto do campo estrangeiro/que é eternamente a Inglaterra...

A PRESENÇA DO PASSADO

Apesar de o foco deste livro ser os ingleses, tal como os encontramos hoje, um capítulo sobre a história é indispensável, pois como outros povos – e mesmo indivíduos – os ingleses carregam sua história dentro de si. Para entender como eles são agora, é importante saber como eles eram antes. Esse ponto é particularmente importante no caso de pessoas tão afeiçoadas às suas glórias passadas e a seus fracassos heroicos, tal como os ingleses são. Sim, pois o fracasso, quer seja ou não militar, parece não ser necessariamente visto pelos ingleses como vergonhoso, podendo até ser tido, em certas circunstâncias, como honroso. Como já foi notado por alguns escritores e observadores, chamar um inglês de "perdedor" não é necessariamente considerado um insulto.

Em seu belo e famoso poema "*If*" ("Se"), o escritor Kipling, o primeiro britânico a ser laureado com o Prêmio Nobel, recomendou tratar tanto o triunfo quanto o fracasso com indiferença:

> *If you can meet with Triumph and Disaster*
> *And treat those two Impostors just the Same.*[1]

Um personagem do escritor William Boyd refere-se a essa indiferença diante do que poderia ser visto como um insulto, dizendo: "nós sabemos que, no final, iremos todos perder e, portanto, isso esvazia [o insulto] de qualquer força de calúnia".

O historiador Robert Tombs apontou em seu *The English and their History* (O inglês e sua história, 2014) que os ingleses se orgulham do fato de sua história ser marcada por uma ausência significativa: "a ausência de uma catástrofe transformadora, devido à invasão, derrota e revolução" – um contraste imenso com seus vizinhos, como a França, Holanda, Bélgica e Alemanha. É verdade que houve sérias tentativas de invasão, como as de Napoleão e Hitler, mas o fato é que a ilha da Grã-Bretanha foi subjugada pela última vez em 1066 – a não ser que se conte 1688 (a ser discutido mais adiante), quando os "invasores" vieram a convite. Essa ausência de uma "catástrofe transformadora" ajuda a explicar a importância da continuidade na história inglesa.

A Inglaterra é frequentemente descrita, quer com afeto ou desgosto, como um país velho. Muitas características inglesas, desde a jurisprudência até o *nice cup of tea*, têm uma longa história. O sistema legal, por exemplo, surgiu nos séculos XII e XIII, assim como as universidades de Oxford e Cambridge. O Parlamento, com as suas "casas" ou "câmaras", recua ao século XIV. A monarquia com poder limitado foi estabelecida pioneiramente pela Inglaterra no século XVII, quando a monarquia de direito divino ainda era a norma em muitos países europeus. E a Marinha Real foi criada no século XVIII.

Foi também no século XVIII, como vimos, que beber chá se tornou um hábito comum, que a elegante loja Fortnum & Mason foi inaugurada em Piccadilly, que o Times e o Middlesex Cricket Club foram fundados, e muito mais. No século XIX foi a vez da fundação do Old Vic, um teatro inovador, do British Museum, da National Gallery, da Harrods, do metrô londrino, do Savoy Hotel, do clube de futebol Arsenal, do jornal *Daily Mail*, entre muitas outras instituições. Até as telenovelas são velhas na Inglaterra: *Coronation Street*, por exemplo, começou a ser exibida em 1960, e vai ao ar ainda hoje.

Na Inglaterra, uma casa construída na época em que o Brasil se tornou independente de Portugal não é considerada realmente velha, já que restos materiais de um passado muito mais distante, incluindo castelos e igrejas medievais, ainda sobrevivem em número considerável. Há, por exemplo, por volta de 10 mil paróquias, a maioria delas construída na Idade Média. O estilo desses castelos e igrejas foi imitado durante a "Restauração Gótica" da Era Vitoriana, e agora, quando essas imitações são elas próprias já velhas, torna-se difícil muitas vezes distingui-las dos originais (que, de qualquer modo, foram mantidos e "restaurados" várias vezes durante seus muitos séculos de existência). A sobrevivência de tantos prédios ingleses antigos não é um acidente. Há grupos muito ativos, organizados em sociedades, dedicados à sua preservação, tal como o National Trust e a Victorian Society.

Em resumo, o passado está muito vivo no presente inglês. Como em outros países, ele é reconstruído, consciente ou inconscientemente, para servir a objetivos do presente. Entretanto, o que talvez seja distintivamente inglês (além da celebração de fracassos heroicos) é o hábito de disfarçar inovação como tradição. O jornalista Sidney Low, escrevendo em 1904, notou o que chamou de uma "maravilhosa permanência superficial" das instituições inglesas: "uma máquina que é pintada para parecer sempre a mesma". Não é, pois, de surpreender que a expressão "invenção da tradição" tenha sido cunhada pelo historiador inglês Eric Hobsbawm.

Na Inglaterra, diferentemente do que acontece em muitos outros países, as ruas não são nomeadas com datas de eventos históricos importantes, quer revolucionários, como a subida ao poder de Oliver Cromwell e o estabelecimento de uma breve república em 1649, quer relativos à vitória de uma batalha ou de uma guerra, como a Batalha de Waterloo em 18 de junho de 1815.

Podemos sugerir, portanto, que os ingleses preferem o mito da continuidade ao mito da revolução. Como o rei George VI disse com orgulho para o presidente Truman logo após o final da Segunda Guerra, "nós não temos revolução aqui" – convenientemente esquecendo de mencionar as de 1649 e 1688. Mais ou menos um século antes, no seu *Tale of Two Cities* (*Um conto de duas cidades*, 1859), o romancista Charles Dickens havia também contrastado a Revolução Francesa, rápida e violenta, com a evolução inglesa, suave e vagarosa. Um papel importante da esquerda britânica tem sido desempenhado pela organização socialista britânica, a Fabian Society, desde a sua fundação em 1884. Assim nomeada em homenagem ao general romano Fabius Maximus, que era famoso por evitar batalhas, a Fabian Society tem há mais de um século se dedicado ao estabelecimento do socialismo de modo gradual, reformista e por meios pacíficos.

Desde o final do século XVII, a violência tem sido, de fato, relativamente rara na vida pública inglesa, apesar de um primeiro-ministro, Spencer Perceval, ter sido assassinado em 1812, por um comerciante que se sentia injustiçado pelo governo. Mesmo no ano marcado pelas revoluções europeias, 1848 – que, apesar de efêmeras, foram importantes marcos na história da França, Alemanha, Itália e do Império Habsburgo –, os levantes e a violência não atravessaram o canal da Mancha. Os ingleses radicais preferiam demonstrações pacíficas a insurreições violentas. Um dos grupos mais importantes de radicais ingleses, os chamados *chartists* (cartistas), invocavam, nos anos 1830-40, a tradição medieval de liberdade, simbolizada pela Magna Carta, pretendendo completar o trabalho iniciado pelo documento de 1215 com uma "magna carta" popular, que denominaram *People's Charter*.

Duas conhecidas rebeliões populares do século XIX, uma na Inglaterra e outra na França, ilustram também o caráter relativamente pacífico da cultura inglesa: o famoso Massacre de Peterloo de 1819, em Manchester, e a Comuna de Paris, de 1871. Na primeira, morreram 11 pessoas, enquanto na segunda, 10 mil. Nos anos 1960 e 1970, cidades inglesas como Londres e Birmingham sofreram ataques terroristas, mas os ataques foram, em geral, obra de irlandeses, ou seja, dos que são vistos como estrangeiros, como os membros do Irish Republican Army (IRA), ativos especialmente na Irlanda do Norte.

Os ingleses tendem a pensar que eles sempre viveram numa democracia, esquecendo-se das conquistas difíceis, que foram corajosa e gradativamente alcançadas. Esquecem-se, por exemplo, de que as reformas de 1832, 1867 e 1884 (que estenderam o direito de voto, até então restrito a uma pequena minoria de adultos masculinos) bem como as leis de 1918 e 1928 (que estenderam o voto para as mulheres) enfrentaram ferrenha oposição, antes que todos os adultos adquirissem o direito irrestrito de eleger os membros do Parlamento. Quanto ao voto secreto, ele só foi instituído em 1872.

PRESERVANDO O PASSADO

Este capítulo concentra-se não tanto no passado em si mesmo, mas nas atitudes diante dele: quais aspectos da história inglesa as pessoas se lembram e como elas se lembram. Em outras palavras, este capítulo busca fazer um levantamento dos fragmentos mais conhecidos do que pode ser chamado de uma "autobiografia coletiva". A ênfase cairá na História Inglesa, em vez de britânica. A Escócia, o País de Gales e a Irlanda, apesar de compartilharem alguns aspectos da História Inglesa, têm suas próprias histórias e seus próprios heróis – não raramente heróis de resistência aos ingleses.

O conhecimento do passado inglês e talvez do passado em geral parece estar desaparecendo. De acordo com uma pesquisa do *Gallup* de 1996, menos de 25% das pessoas entre 16 e 24 anos de idade sabiam o nome do notável arquiteto que desenhou a St. Paul's Cathedral (Christopher Wren), e somente 10% sabiam o nome do rei que selou a Magna Carta (*king* John). O que talvez explique esse desconhecimento elevado é o declínio no número de horas destinado ao ensino de História Inglesa nas escolas e o fato de essa disciplina não ser compulsória no exame nacional que todos os jovens de 16 anos devem prestar, a fim de obter o diploma do ensino secundário, o GCSE (General Certificate of Secondary Education).

Em contrapartida, a English Heritage e o National Trust são instituições extremamente ativas, devotadas a conservar muito do que resta do passado nacional e a torná-lo disponível ao público; ao mesmo tempo, uma minoria substancial e crescente de pessoas interessa-se seriamente por alguns aspectos da história inglesa, visitando museus e *country houses*, assistindo a programas de História na televisão, assim por diante.

Tornar-se membro de associações é uma das formas que toma esse interesse pelo passado, como no caso de tantos aspectos da cultura inglesa, como já vimos. Há, por exemplo, a Historical Association (Associação Histórica) e a Social History Society (Sociedade de História Social), que incluem entre seus membros não só historiadores profissionais, mas também muitos amadores. Há também uma miríade de sociedades com interesses mais especializados, como a Devon History Society (Sociedade da História de Devon), voltada para a história da região de Devon, a Furniture History Society (Sociedade da História Mobiliária) e a Pub History Society (Sociedade da História do Pub). A Richard III Society (Sociedade Ricardo III) é uma das entidades devotadas a figuras reais, dentre as quais estão a Tudor Society (Sociedade Tudor) e a Society of King Charles the Martyr (Sociedade do rei Charles, o Mártir), ou seja, o rei Carlos I. Fundada em 1924, a Richard III Society dedicou-se, durante décadas, a encontrar os despojos do rei medieval, morto em batalha em 1485, e "perdido" por mais de 500 anos. Finalmente, em 2012, um esqueleto foi encontrado embaixo de um estacionamento de carros na cidade de Leicester e identificado como Richard III, graças à análise do DNA.

Além da história de seus reis e rainhas, os ingleses demonstram também um entusiasmo especial pela História Militar e pela História da Família. Tantas são as associações para a História da Família, por exemplo, que elas se juntaram para formar uma federação.

Quanto à História Militar, existe a Great War Society (Sociedade da Grande Guerra), dedicada à História da Primeira Guerra Mundial, assim como a *World War II Living History Association*, que congrega entusiastas que colecionam *memorabilia* militares e até mesmo encenam episódios da Segunda Guerra. A associação The Sealed Knot (O nó selado) especializa-se em encenar batalhas da Guerra Civil do século XVII, tendo o cuidado de fazer os combatentes usarem as roupas apropriadas para a ocasião. As prateleiras de muitas livrarias inglesas são também reveladoras desse interesse peculiar, com seções substanciais dedicadas à História, especialmente à das duas grandes guerras.

Deixando de lado esses entusiasmos, alguns eventos e personagens permanecem gravados no que poderíamos chamar de "memória nacional".

Uns poucos indivíduos e acontecimentos famosos são lembrados sem que datas específicas sejam ligadas a eles. *King Arthur* (rei Artur) é exemplo de um herói que pode nem ter existido; mas que pode também ter sido o líder da resistência céltica à invasão de anglos e saxões, antes de ter sido transformado em um herói dos romances medievais. Há também o *king Alfred*, um anglo-saxão que reinou sobre a região de Wessex de 871 a 899, mas é lembrado como um rei da Inglaterra, por tê-la protegido da invasão dos dinamarqueses. De modo semelhante, Robin Hood, bandido bom que, segundo a lenda, roubava dos ricos para dar aos pobres, é lembrado como vagamente "medieval".

Algumas datas famosas também são lembradas. Quando a BBC realizou em 2006 uma pesquisa de opinião pública sobre a data possível para um feriado nacional, as 5 mais escolhidas pelos participantes foram 15 de junho (quando a Magna Carta foi selada, em 1215), 8 de maio (vitória dos Aliados na Segunda Guerra Mundial, em 1945), 6 de junho (o Dia D, a invasão britânica da França ocupada pelos alemães, em 1944), 11 de novembro (o Armistício de 1914) e 21 de outubro (a Batalha de Trafalgar nas Guerras Napoleônicas, em 1805).

Evidentemente muitos eventos importantes não têm datas tão precisas quanto essas, mas pode ser útil examinar alguns momentos-chave da história inglesa, tal como eles são lembrados hoje, em ordem cronológica. A maioria das datas refere-se a realizações militares, talvez porque realizações civis sejam menos dramáticas e menos datáveis, apesar de 1215, 1688 e talvez 1605 simbolizarem a Constituição britânica, como logo veremos.

55 A.C.

A Inglaterra já era certamente habitada no ano 8000 a.C., e é mesmo provável que já o fosse muito antes. O impressionante monumento de Stonehenge em Wiltshire, composto de um círculo de pedras gigantescas, impõe-se como o mais importante e misterioso legado de uma era pré-histórica, que ainda intriga os arqueólogos. Erigido em data incerta, sabe-se, no entanto, que a construção de Stonehenge certamente recua a entre 3000 e 2000 anos a.C. A origem e a função desse monumento estão rodeadas de mitos e mistérios. O que é certo, entretanto, é que só uma cultura adiantada poderia ter erigido um monumento dessa magnitude. A incerteza a respeito do passado inglês remoto, que acompanha qualquer pré-História, só iria terminar muito tempo mais tarde, com a chegada dos primeiros invasores de que se tem notícia.

A Inglaterra é frequentemente descrita como um país antigo porque está repleto de artefatos do passado. Às vezes, trata-se de um passado bastante remoto, como no caso do impressionante círculo de pedras monumentais em Stonehenge, na região de Wiltshire, que data do período neolítico.

O ano 55 a.C. é o equivalente inglês ao ano 1500 para os brasileiros, pois marca o momento em que registros escritos da história inglesa se iniciam, graças à chegada, em solo inglês, de um exército romano sob o comando de Júlio César. Àquela época, os nativos, conhecidos hoje como bretões, eram divididos em várias tribos, incluindo os iceni, na East Anglia. Foram eles que mais tarde iriam se rebelar, sem sucesso, contra os romanos, sob a liderança da rainha Boudicca, a primeira heroína da História Inglesa registrada nos anais históricos. Boudicca e suas filhas são celebradas em um monumento perto da Westminster Bridge, em Londres, erigido em 1905, em que elas são representadas em pé, dentro de uma carruagem de guerra.

Os romanos permaneceram na Inglaterra por volta de 450 anos, mantendo ali 50 mil soldados. Alguns dos rastros que deixaram ainda podem ser visitados, como, por exemplo, a impressionante Muralha de Adriano, que foi construída ao norte da Inglaterra por volta do ano 122 d.C. a fim de impedir invasões dos escoceses; várias fortalezas, como Vindolanda, ao sul da muralha; e os 3.000 quilômetros das famosas estradas romanas em linha reta, ou o mais reta possível, tal como a Watling Street, que liga Londres a Dover. O nome de várias cidades inglesas, terminadas em *chester* (Chichester, Colchester e Winchester) registram o fato de que os romanos construíram fortes (*castrum*) nesses locais. Os arqueólogos têm também encontrado vestígios de *villas* romanas completas com aquecimento sob o chão, assim como banhos romanos, o mais impressionante de todos sendo em Bath, na região de Somerset, que era um *spa* muito conhecido e usado naquele tempo.

A ERA DAS INVASÕES

Após os romanos terem abandonado a Inglaterra, decidindo que não era mais de seu interesse defender essa colônia das ameaças externas, iniciou-se uma era de novas invasões, quando os ingleses foram subjugados, total ou parcialmente, pelos vikings e anglo-saxões, tal como passaram a ser chamados os vários invasores germânicos. Povos conhecidos como os anglos, saxões, frísios e jutes – grupos originários do território que é hoje a Alemanha, Dinamarca e Holanda – chegaram no século VI, fazendo com que muitos dos antigos bretões se refugiassem nas colinas no norte e oeste da ilha; em outras palavras, na Escócia e no País de Gales. Foi assim que se iniciou a era dos "anglo-saxões", tal como os grupos invasores são conhecidos hoje, e a Inglaterra passou a ser dividida em vários reinos, como Northumbria ao norte, Mercia nas Midlands (região central) e Wessex a oeste. Foi nesse período, por volta do ano 600, que missionários começaram a chegar para converter o povo ao cristianismo.

Novos invasores, os vikings, desembarcaram a partir do ano 700, vindos do que agora é a Noruega, a Dinamarca e a Suécia. Inicialmente, eles simplesmente pilharam o país, mas após algum tempo estabeleceram-se, fixando-se especialmente na região de Yorkshire, onde os nomes de cidades como Grimsby, Wetherby e Selby ("*by*" significa "cidade" em dinamarquês) são um lembrete de sua presença; uma presença celebrada pelo belo e inovador museu, o Jorvik Viking Centre, na cidade de York. Há, na verdade, 1.400 cidades ou vilas com nomes escandinavos na Inglaterra. O país chegou a ser governado, no século XI, pelo *king* Cnut, o rei dinamarquês do chamado Império Anglo-escandinavo, que incluía a Inglaterra, Dinamarca, Noruega e partes da Suécia.

1066 – A CONQUISTA NORMANDA

O momento que se convencionou como o início da história inglesa, distinta da anglo-saxá, data desta última grande invasão da Inglaterra, a Conquista Normanda em 1066. É por essa razão que uma famosa narrativa cômica da história inglesa, já mencionada, tem o título de *1066 and All That* (1066 e tudo aquilo). Logo após a derrota do último rei anglo-saxão, *king* Harold, e seu exército em Hastings, na região de Sussex, em 1066, a Inglaterra foi ocupada por um grupo normando de fala francesa, liderado por *William, the Conqueror* (Guilherme, o Conquistador). Vindos da Escandinávia, esses *normans*, ou "homens do norte", haviam se estabelecido no norte da França antes de virem para a Inglaterra. Dali, eles jamais foram expulsos, sendo gradualmente absorvidos no corpo da nação, já composta de uma variada mistura étnica: celtas, romanos, anglos, saxões, jutes, frísios, escandinavos etc. Essa permanência foi responsável por ter dado, durante várias centenas de anos, uma grande estabilidade ao país.

Quando os normandos invadiram a Grã-Bretanha em 1066, eles introduziram um novo tipo de arquitetura, o romanesco, reconhecível por seus arcos arredondados e por tipos específicos de decoração. Um bom exemplo desse estilo é esta igreja em Cambridge, conhecida como *Round Church*, uma das poucas igrejas circulares do Reino Unido.

A catedral de Ely, originalmente construída no estilo normando como a *Round Church*, recebeu acréscimos no século XIII, no chamado Primeiro Estilo inglês, gótico. Com a mudança, ganhou arcos pontudos em vez de arredondados.

Com a chegada dos normandos, ocorreram mudanças importantes na sociedade e na cultura inglesas, algumas delas sendo ainda visíveis ou audíveis. Na arquitetura, por exemplo, foi introduzido o estilo normando com seus arcos redondos, colunas pesadas e decorações geométricas simples. As catedrais de Durham e de Ely são belos exemplos dessa sobrevivência; no caso de Ely, com muitos acréscimos góticos.

A língua inglesa também mudou muito significativamente após a conquista normanda, com o vocabulário anglo-saxão sendo acrescido de palavras de origem francesa, o que enriqueceu substancialmente o vocábulo nacional. Animais vivos, tais como vacas e carneiros, retiveram seus nomes anglo-saxões (*cow* e *sheep*), mas a carne desses animas, servida à mesa, tornaram-se *beef* e *mutton*, do francês *boeuf* e *mouton*. Muitos poetas fizeram uso criativo desse contraste entre palavras simples de origem anglo-saxã e as mais complexas derivadas do latim, através do francês. Na tragédia de Shakespeare, *Macbeth*, por exemplo, após esse personagem ter assassinado seu predecessor a fim de subir ao trono, ele se sente culpado. "*Will all great Neptune's ocean wash this blood/Clean from my hand?*", ele pergunta. "*No, this my hand will rather/The multitudinous seas incarnadine/Making the green one red.*" As palavras monossilábicas anglo-saxãs, como *green* e *red*, soam mais efetivas quando elas vêm logo após as polissilábicas palavras latinas, como *multitudinous* e *incarnadine*.[2]

1215 – MAGNA CARTA

Esta é uma data que surpreendentemente não está profundamente gravada na memória coletiva nacional, apesar de a Magna Carta ser, como foi dito, o "maior produto de exportação da Inglaterra". Levada, por exemplo, para os Estados Unidos no século XVII, serviu mais tarde de base para a Declaração da Independência e da Constituição norte-americana, assim como de inspiração para Abraham Lincoln em sua luta pela abolição da escravidão. Nelson Mandela, quando julgado em 1964, apelou para a Magna Carta como sendo "um dos documentos venerados por democratas ao redor do mundo". De fato, a relevância desse documento de 3.500 palavras, escrito em latim, em muitos processos judiciais é inconteste, assim como a admiração que atrai de juristas de várias partes do mundo por ter estabelecido as bases da moderna democracia e da defesa da liberdade pelo mundo afora.

Apesar de tudo, dentro da própria Inglaterra, esse documento permanece "a mais importante e a mais esquecida das criações inglesas". É verdade que o plano para comemorar o aniversário de 700 anos foi cancelado devido à Primeira Guerra Mundial. No entanto, o aniversário de 750 anos passou quase silenciosamente; e uma solicitação, em 2006, para que o governo criasse um feriado nacional para se festejar a Magna

Carta foi rejeitada. O único monumento em honra à Magna Carta foi construído em 1957 – no local onde o documento foi selado em 1215, próximo às margens do Tâmisa, na região de Surrey – não por iniciativa inglesa, mas da Ordem dos Advogados dos Estados Unidos (ABA). Quem visita esse local histórico – nas imediações de Windsor e do aeroporto de Heathrow – esperando ali encontrar um monumento grandioso, muito provavelmente fará o mesmo comentário de uma família britânica-asiática: "Mas o que significa isso? Isso é tudo?"

E foi para lhe trazer um reconhecimento tardio que grandes festividades foram programadas na Inglaterra para celebrar, em 2015, o aniversário de 800 anos do que ficou conhecido pelo seu nome latino, Magna Carta, significando *Great Charter* em inglês. Na Idade Média, um *charter* era uma concessão dada pelo regente a indivíduos ou grupos, registrada em pergaminho e selada pelo rei com lacre de cera. No caso da Magna Carta, ela foi concedida por *king* John, que regeu a Inglaterra entre 1199 e 1216, e era tido como um governante despótico, cujo estilo autoritário de governar, não consultando a nobreza ou os *barons* (barões), os teriam levado a se unir para limitar o poder real. Encontrando-se com o rei em Runnymede, em Surrey, eles o teriam forçado a emitir o *charter* com as concessões exigidas, que impunham, pioneiramente, as maiores e mais detalhadas restrições ao poder do rei; ou seja, o colocavam, por assim dizer, abaixo da lei. As quatro cópias que sobrevivem desse *charter* foram, todas elas, expostas na British Library em 2015, por ocasião das comemorações dos seus 800 anos.

Esse documento, como não poderia deixar de ser, refletia os interesses dos barões. Por exemplo, declarava que o rei não tinha o direito de taxar seus súditos sem o "consentimento comum do reino", mas que o consentimento seria dado por uma assembleia de barões. O *charter* também afirmava que "nenhum homem livre poderia ser preso ou exilado sem julgamento de seus pares", mas o termo *free man* (*liber homo*) referia-se, na época, somente aos membros de uma elite.

Pode-se dizer que alguns mal-entendidos desse texto latino do século XIII – como o de entender o *liber homo* como a maioria da população adulta masculina – garantiram, na verdade, que ele permanecesse atualizado. Ao longo dos séculos, a Magna Carta foi sendo reinterpretada pelos juristas nessa linha, adquirindo uma feição cada vez mais democrática, especialmente a partir do século XVII. Foi nessa época que o Parlamento apelou para esse documento a fim de buscar apoio para o argumento de que o rei Carlos I estava infringindo as liberdades inglesas tradicionais. O "consentimento comum" agora se referia ao Parlamento, enquanto o termo *free man* abarcava maior parcela da população do que antes.

Foi assim, pois, que o *charter* de 1215 acabou se impondo como a asserção do "estado de direito" e base do *habeas corpus*, que, como vimos, é um instrumento jurídico que protege os indivíduos contra a detenção arbitrária pelo Estado – partes fundamentais da Constituição inglesa e esteio das liberdades individuais que são tidas hoje como direito inalienável em várias partes do mundo. É por isso que a emissão desse texto é geralmente considerada um evento capital na história da nação, equivalente à Revolução de 1789 na França.

1415 – AGINCOURT

1415 é a data da Batalha de Agincourt, na qual os ingleses, liderados pelo jovem rei Henrique V, derrotaram bravamente o exército francês, apesar de este ser muito maior do que o inglês. A derrota da França em Crécy em 1346 foi igualmente importante, mas Agincourt é mais lembrada hoje por ter sido tratada por Shakespeare na sua tragédia *Henrique V*, escrita em 1599, quando os ingleses estavam sendo ameaçados por outro inimigo estrangeiro, a Espanha. Por sua vez, a peça de Shakespeare é lembrada por muitas pessoas, mesmo hoje, após tantos séculos, em decorrência da versão cinematográfica da obra, em que o grande ator Laurence Olivier representava o rei Henrique V. O filme foi lançado em 1944 para encorajar o patriotismo no momento em que os ingleses estavam novamente sendo ameaçados por um inimigo poderoso, a Alemanha. Essa foi a razão de algumas crianças inglesas, inclusive um dos autores deste livro, serem levadas por seus professores ao cinema, para assistir a esse filme.

1534 – A REFORMA INGLESA

Foi em 1534 que Henrique VIII se separou da Igreja Católica. Pode-se dizer que a história dessa separação é bem conhecida de todos os britânicos, desde quando crianças. A primeira esposa de Henrique, Catarina de Aragão, lhe dera uma filha, mas não o filho que o rei queria. Por essa razão, Henrique quis que seu casamento com Catarina fosse anulado para que ele pudesse casar-se novamente. Como o papa da época recusou o pedido de anulação, e não deu permissão ao rei para se casar com Ana Bolena, o rei declarou-se, ele mesmo e seus sucessores, os verdadeiros chefes da Igreja Anglicana, uma Igreja independente dos ditames do papa. Foi assim que a Inglaterra, por razões políticas e não propriamente religiosas, tornou-se, ao menos oficialmente, um país protestante e anticatólico.

Data dessa época não só a apropriação de terras, tesouros e edifícios da Igreja Católica, mas também o que foi muito adequadamente chamado de "vandalismo coletivo". A ideia de que toda arte sacra era uma forma de idolatria católica levou não só à dissolução dos monastérios, como também à destruição de grande parte da tradição medieval de pinturas e esculturas.

Por outro lado, data também dessa época a grande atração que o país exerceu para os refugiados protestantes que estavam sendo perseguidos em outros países. Milhares desses perseguidos, especialmente do que hoje é França e Bélgica, e em menor número da Itália, vieram para a Inglaterra no século XVI, seguidos de outra grande onda de exilados da França em 1685. Nessa data, o rei Luís XIV revogou o Edito de Nantes, que um de seus antecessores, Henrique IV, havia concedido aos protestantes em 1598, garantindo-lhes a liberdade de culto. A chegada dos huguenotes (tal como eram chamados os protestantes franceses) enriqueceu tremendamente a cultura inglesa. A importância dos tecelões de seda que se estabeleceram em Spitalfields, ao leste de Londres, é só um de muitos exemplos. Provocou não só o crescimento de uma indústria lucrativa, como também toda uma mudança da moda usada pelas mulheres inglesas. Ainda é possível encontrar londrinos com sobrenomes franceses, que descendem desses refugiados, tal como foi descoberto pela pesquisa do Museum of London realizada em 1985, por ocasião do terceiro centenário da chegada dos exilados.

1588 – A ARMADA ESPANHOLA

O anos de 1588 é a data de uma vitória inglesa ainda mais importante do que a de Agincourt: a vitória sobre a Spanish Armada (Armada Espanhola), chamada então pelos espanhóis como a "Felicíssima Armada" – e, mais tarde, pelos ingleses, com ironia, de a Invencível Armada. O rei Felipe II da Espanha enviou sua esquadra de 150 potentes navios para invadir a Inglaterra, e os ingleses enviaram os seus ao mar para impedir que os espanhóis chegassem em solo inglês. Um dos eventos mais famosos ligados a esse acontecimento foi o discurso feito pela rainha Elizabeth I em Tilbury, Kent, diante do exército que ali se reunia preparando-se para embarcar na frota inglesa. Um dos trechos do discurso até hoje lembrado e citado diz o seguinte: "*I know I have the body but of a weak and feeble woman; but I have the heart and stomach of a king and of a king of England too*" ("Eu sei que só tenho o corpo de uma mulher frágil e fraca; mas tenho o coração e a coragem de um rei, e, ainda mais, de um rei da Inglaterra"). Na verdade, as tempestades nas costas inglesas, assim como o uso de *fireships* (navios de fogo) – e não tanto os marinheiros propriamente ditos – destruíram a Armada Espanhola que navegava em águas desconhecidas com seus navios pesados. De qualquer modo, os marinheiros ingleses foram louvados por uma grande vitória, que teriam conseguido com a imensa ajuda divina; uma medalha comemorativa foi gravada com as seguintes palavras: "*Deus flavit et dissipati sunt*" ("Deus soprou e eles [os navios] se espalharam").

Apesar de não estar no comando da frota inglesa, o capitão mais associado à vitória é Francis Drake. A memória coletiva de 1588 inclui a história de Drake ouvindo a notícia da aproximação da Armada, enquanto jogava uma partida de bocha perto do porto de Plymouth, mas insistindo em terminar o jogo antes de se juntar à frota – uma cena pintada pelo artista vitoriano John Seymour Lucas. Não há evidência de que a história seja verdadeira, mas os ingleses lembram-se dos capitães da Royal Navy Francis Drake e Horatio Nelson (ver capítulo "Como o país funciona") como representativos de sua visão do "caráter nacional": ambos teriam sido indivíduos inabaláveis (*unflappable*), que mantinham a calma e o sangue-frio em qualquer circunstância – a mesma atitude recomendada pelo cartazes "*keep calm and carry on*" produzidos na Segunda Guerra Mundial, como vimos.

A derrota da Armada Espanhola também reforçou, e ainda reforça, a imagem que os ingleses têm de si mesmos como fazendo parte de uma nação marítima, cuja ilha (partilhada, evidentemente, pelos galeses e escoceses) funciona como uma fortaleza, ou seja, uma defesa natural impenetrável contra ataques estrangeiros. Essa é a razão pela qual a construção do túnel da Mancha (*Channel Tunnel*), inaugurado em 1994, gerou tanta controvérsia, até ter sido aprovada, em conjunto, pelos governos francês e britânico em 1964. Quando a proposta de ligar a ilha da Grã-Bretanha ao continente europeu foi inicialmente feita, ela sofreu uma oposição considerável por parte de muitos britânicos que não queriam colocar em risco o caráter insular do país. Afinal, como muitos deles talvez soubessem, a ideia original, visionária na época, viera de Napoleão, que chegara a pensar num túnel como uma estratégia de invasão da Grã-Bretanha.

Em 1988, quando a Derrota da Armada completou 400 anos, a comemoração do evento foi bastante discreta, sem qualquer alarde, seguramente a fim de não aborrecer a Espanha, vista agora como uma grande aliada da Grã-Bretanha. O National Maritime Museum (Museu Marítimo Nacional) organizou uma exposição sobre a Armada, mas a figura do capitão Francis Drake foi marginalizada, em parte para poupar os brios espanhóis, mas também para não ofender os britânicos negros, já que Drake estava profundamente envolvido com o tráfico de escravos e com a pirataria, atividades que contavam com o apoio da rainha Elizabeth I. No entanto, Plymouth, a cidade onde Drake foi prefeito, ainda o considera um grande herói e protestou contra essa marginalização.

1605 – A CONSPIRAÇÃO DA PÓLVORA (*THE GUNPOWDER PLOT*)

O ano de 1605 é a data de uma conspiração fracassada, na qual Guy Fawkes e outros católicos planejaram explodir o Parlamento. Esse era para ser o primeiro passo da almejada restauração da monarquia católica na Inglaterra. Descoberta a conspiração e derrotada a tempo, o dia 5 de novembro passou a ser festejado oficialmente como a data em que a nação foi salva, uma salvação tão milagrosa quanto a destruição da Armada Espanhola poucos anos antes. Como vimos no capítulo "Como o país funciona", a partir da instauração da Igreja Anglicana, os católicos, vistos como ameaça, foram perdendo seus direitos civis. O quadro só começou a mudar no final do século XVIII, e, finalmente, em 1829, o Roman Catholic Relief Act concedeu aos católicos vários direitos civis, inclusive o de votar e de ocupar cargos públicos, que lhes haviam sido proibidos séculos antes. Já o Act of Settlement, de 1701, que proibia que um rei ou rainha fosse católico ainda permanece em vigor. O que mudou em 2013 foi que ele ou ela pode se casar com um católico sem que, por isso, tenha que abdicar do trono.

Sinos tocando nas igrejas, grandes fogueiras, assim como fogos de artifício fizeram parte das comemorações oficiais do Gunpowder Plot durante mais de 200 anos. Elas incorporavam elementos de festividades bem antigas, como, por exemplo, acender fogueiras, que já fazia parte de uma longa tradição de celebrações pagãs incorporada às festas religiosas. A fogueira de São João, acesa no verão europeu em vários países da Europa continental, é um exemplo dessa tradição pagã, "batizada" pelo cristianismo como São João – e mantida também no Brasil nas festas juninas.

O Observance 5th November Act 1605, instituído em janeiro de 1606, vigorou até 1859, quando foi revogado, mas a essa altura a celebração já se estabelecera como um evento popular, especialmente para as crianças. Também chamado de *bonfire night*, *fireworks night* e *guy fawkes night*, ainda hoje a festa com fogueiras e fogos de artifício, em áreas públicas e em jardins particulares, celebra a descoberta e o desmantelamento dessa traição. Na região de Sussex, e especialmente na cidade de Lewes, essas comemorações são as mais elaboradas, pois as *Bonfire Societies* (Associações de Fogueiras) locais, além de exibirem fogueiras imensas e espetáculos de fogos de artifício, organizam grandes processões.

Até por volta dos anos 1980, crianças em toda a Inglaterra costumavam fazer espantalhos representando Guy Fawkes para exibi-los nas ruas e pedir aos transeuntes *a penny for the guy* – esperando, na verdade, uma contribuição não de um *penny*, mas de 50 centavos a 1 libra para a compra de fogos de artifício. Elas também costumavam recitar as seguintes palavras:

> *Please to remember*
> *The fifth of November*
> *Gunpowder, treason and plot.*
> *I see no reason*
> *why Gunpowder treason*
> *should ever be forgot.*[3]

O nome Guy Fawkes é ainda lembrado, mas é duvidoso que a maioria das crianças realmente saiba o que ele representa, o que ele tentou fazer e por qual razão. Por outro lado, a palavra *guy* – originária do nome Guy Fawkes – foi também incorporada ao vocabulário. No século XIX designava um indivíduo vestido de modo esquisito, e nos séculos XX e XXI estabeleceu-se como uma palavra para designar qualquer pessoa do sexo masculino – *guy;* enquanto no plural, *guys*, significa pessoa de qualquer sexo.

1642-51 – GUERRA CIVIL INGLESA

O ano de 1649 é a data mais famosa da Guerra Civil entre o rei Carlos I e seus "cavaleiros", de um lado, e o Parlamento e os "de cabelo-curto", ou *roundheads*, de outro. Essa foi uma guerra que incluiu batalhas famosas, como a de Naseby na região de Northamptonshire (1645), que marcou o início do fim dos realistas. Essa é uma das batalhas regularmente reencenadas, como vimos, pela Sealed Knot Society.

O ponto alto da Guerra Civil Inglesa (ou baixo, dependendo de quem avalia), que se estendeu de 1642 a 1651, foi o ano de 1649 porque foi nessa data que a Inglaterra, sob a liderança de Oliver Cromwell, se tornou, pela primeira e única vez, uma república – após o rei Carlos I ter sido julgado e executado. Cromwell governou o país até sua morte, em 1658, mas a república vigorou até 1660, quando a monarquia foi restaurada.

A cabeça de Cromwell

Em 1661, teve início um incidente dos mais macabros e bizarros da história inglesa. Logo após ter subido ao trono, o rei Carlos II insistiu para que o corpo de Cromwell, o homem responsável pela decaptação de seu pai, fosse exumado, esquartejado e igualmente decapitado. A cabeça foi então exposta a público, como comumente se fazia com os traidores, e permaneceu no telhado de Westminster Hall, uma ala do Parlamento, durante 25 anos. Finalmente, após ter sido dada como perdida e ter passado por várias mãos e aventuras ao longo de três séculos, ela foi reenterrada em 1960, em cerimônia secreta, nos jardins do Sidney Sussex, o antigo *college* de Cambridge onde Cromwell estudara. É ali, pois, num local não precisamente identificado, que jazem os restos mortais do fundador da república inglesa.

Oliver Cromwell foi tratado como um traidor após sua morte em 1658. Seu corpo foi desenterrado, esquartejado e sua cabeça exibida ao público. Seus restos mortais estão enterrados no Sidney Sussex College, em Cambridge.

Até hoje a guerra civil é assunto discutido por historiadores e é lembrada de dois modos muito diferentes: "Guerra religiosa" e "Revolução Inglesa".

Para os que acreditam que a principal razão da disputa era religiosa, a guerra foi efetivamente entre duas facções que discordavam em questões religiosas específicas, mas que não almejavam mudanças estruturais da sociedade. Era, enfim, uma luta entre os protestantes que consideravam que a Igreja Anglicana, apoiada pelo rei de então, seu chefe, estava muito próxima do catolicismo, descrito como "papismo", e os que apoiavam o anglicanismo tal como estava instituído.

Para outros – os que enfatizam a oposição ao pretendido poder "absoluto" do rei Carlos I, visto como um ataque às liberdades tradicionais dos ingleses garantidas pela Magna Carta – a guerra foi, na verdade, uma "Revolução Inglesa", ou seja, uma tentativa de transformar radicalmente as bases da sociedade, como se fosse uma *avant-première* da Revolução Francesa.

Portanto, como não poderia deixar de ser, os heróis dessa guerra são diferentes para cada um dos grupos. Para alguns dos adeptos da interpretação religiosa da guerra, o rei Carlos I era e ainda é considerado um santo, e algumas poucas igrejas anglicanas – a mais famosa delas, a de Tunbridge Wells, em Kent – são dedicadas a "Carlos, o mártir". Já para os adeptos da interpretação política da guerra, Cromwell é o herói.

No final do século XIX, três séculos após esses eventos, um primeiro-ministro liberal propôs ao Parlamento que financiasse uma estátua de Cromwell em Westminster, a ser inaugurada no terceiro centenário de seu nascimento, 1899. A proposta foi, sem dúvida, controversa e não obteve o apoio político necessário, mas graças a um doador anônimo a estátua foi erigida. Assim, nos jardins do Parlamento pode-se ver a estátua dedicada a um dos maiores inimigos da monarquia britânica.

Tanto as razões religiosas como políticas para a guerra foram, na verdade, igualmente importantes e, como é comum em casos de conflitos como esse, a rebelião contra o rei encorajou algumas pessoas a pensarem em alternativas possíveis aos regimes em que viviam, quer relacionados à igreja, ao Estado ou à sociedade em geral. Houve, pois, nessa época o surgimento de seitas religiosas constituídas por grupos de protestantes radicais liderados por profetas carismáticos. Estes eram, em geral, homens comuns, mas também – o que chocava na época – mulheres, que começaram a pregar e anunciar suas visões. Muitos desses grupos foram rapidamente dissolvidos, mas um deles, a Society of Friends, mais conhecidos como os quakers, ainda é ativo hoje em dia. Os quakers não aceitavam a hierarquia social e permaneciam de chapéu, não os tirando em deferência aos superiores, como era a convenção. Eles também usavam o *thee* (a antiga forma para *you*), indistintamente, para se dirigirem a qualquer pessoa, quer de *status* baixo ou elevado na hierarquia social.

Uma das consequências de os quakers terem sido barrados de várias carreiras – militar, política e muitas áreas da vida pública – foi eles inicialmente se dedicarem a negócios, como a bancos, confeitarias e produção de cervejas de qualidade. Três famosas famílias quakers – os Fry, os Cadbury e os Rowntree – ainda são lembradas como produtores de chocolates. Atualmente, há ainda por volta de 17 mil quakers no Reino Unido que, mesmo podendo se dedicar, sem restrição, a qualquer atividade, devotam-se a organizações não governamentais tais como *Amnesty International* (Anistia Internacional), *Anti-Slavery International* (Antiescravatura Internacional), *Oxfam* e *Campaign Against Arms Trade* (Campanha contra o Comércio de Armas).

Em meados do século XVII, houve também um grande aumento de "seitas" políticas. Um grupo, conhecido na época como Levellers (Niveladores), por exemplo, apoiava a igualdade perante a lei e queria que o direito de voto se estendesse substancialmente, para incluir a maioria das pessoas. Nos famosos *Putney debates* de 1647, quando membros do exército de Cromwell discutiam uma nova Constituição, consta que um soldado radical disse o seguinte: "Realmente, penso que o homem mais pobre na Inglaterra tem uma vida tão importante como o mais rico; e portanto, de verdade, Senhor, penso que é claro que todo homem que vive sob um governo deve primeiramente, por sua própria vontade, aceitar esse governo."

Outro grupo, conhecido como Diggers (Escavadores), começou a estabelecer fazendas em terras comuns em Surrey e outras regiões, argumentando a favor da ideia de "fazer da terra um tesouro comum a todos, tanto ricos como pobres, a fim de que quem tiver nascido na terra possa ser alimentado pela terra, a mãe que lhe deu a vida".

Após a restauração da monarquia, em 1660, e o subsequente monopólio religioso da Igreja Anglicana, todos esses movimentos políticos foram forçados a passar para a clandestinidade e gradualmente foram desaparecendo. Com a emergência do socialismo no final do século XIX e início do XX, houve uma redescoberta da história desses movimentos políticos, em especial, o dos Diggers.

1688 – A REVOLUÇÃO GLORIOSA

Foi em 1688 que o príncipe protestante holandês Guilherme de Orange invadiu a Inglaterra, após ter sido convidado pelos inimigos do rei católico Jaime II. Expulso o rei – que era o pai de Mary, esposa de Guilherme –, o príncipe de Orange assumiu o trono da Inglaterra sob o título de Guilherme III, ao lado de sua esposa inglesa. Esse evento ficou conhecido como a *Glorious Revolution* (Revolução Gloriosa), que pacificamente terminou com o monarquia absolutista na Inglaterra. As condições sob as quais Guilherme deveria reinar foram estabelecidas pelo *Bill of Rights* (Declaração de Direitos) do Parlamento em 1689, que restringiu o poder do monarca, ampliou enormemente o poder do Parlamento e proibiu que um católico voltasse ao trono.

Foi a partir daí que se instituiu a pioneira monarquia parlamentar pela qual a Inglaterra passaria a ser tomada como exemplar. É a essa mudança profunda na Constituição que Margaret Thatcher referiu-se em 1989, durante o bicentenário da Revolução Francesa e da Declaração dos Direitos do Homem. Como mencionamos, foi nessa ocasião que ela disse ao presidente Mitterrand que a democracia era 100 anos mais velha na Inglaterra do que na França. De modo semelhante, o primeiro-ministro Gordon Brown falou em 2006 de um *golden thread* (fio dourado) que corre pela história britânica, "que vai daquele dia distante em Runnymede em 1215 ao *Bill of Rights* (Declaração de Direitos) em 1689". Apesar da afirmação ufanista de Thatcher, a comemoração dos 300 anos da Revolução Gloriosa em 1988 foi bastante discreta, quase silenciosa. Nessa época, a situação da Irlanda do Norte tornava inapropriada qualquer festividade aberta, já que esse país dividido entre católicos e protestantes estava vivendo uma quase guerra civil. Guilherme III, conhecido afetuosamente como *king* Billy, era, e ainda é, um herói para os protestantes irlandeses. Para os católicos, em contrapartida, o rei Guilherme III, que depusera o rei católico Jaime II, tornou-se uma figura odiosa.

A REVOLUÇÃO INDUSTRIAL

O final do século XVIII marca o que se convencionou como o início de uma revolução ainda mais importante, a Revolução Industrial, que seria a base da riqueza e do poderio do Reino Unido moderno. Na verdade, esse evento envolveu um processo longo, cuja data inicial é difícil de se estabelecer com precisão, mas que seguramente remodelou, primeiramente o Reino Unido e, a seguir, grande parte do mundo. Uma sociedade, como a inglesa, que era predominantemente agrária e rural, tornou-se industrial e urbana. Em 1801, por exemplo, somente um quarto da população inglesa era urbana, mas, na metade do século XIX, a Inglaterra liderava os países do mundo em que a população estava concentrada nas cidades. Os tecidos de algodão e lã, produzidos nas fábricas construídas na cidade de Manchester e em outras partes do norte da Inglaterra, passaram a ser exportados para muitos países, inclusive o Brasil, ao lado de facas, garfos e outros utensílios de metal feitos em Birmingham e Sheffield, duas cidades originalmente pequenas que se tornaram muito importantes no decorrer do século XIX. A necessidade de energia a vapor para movimentar as máquinas aumentou a demanda por carvão, o que, por sua vez, tornou a mineração outra indústria central; e a necessidade de transportar os produtos encorajou o surgimento das estradas de ferro em 1825, que deram início a uma nova era.

Não obstante o orgulho que muitos ingleses sentiam pelas realizações econômicas, tecnológicas e científicas desse período, o custo social dessa revolução foi alto. As condições de trabalho eram muito ruins, para não dizer desumanas, tanto nas fábricas quanto nas minas, com longas horas corridas, salários baixos e o uso considerável de trabalho infantil, às vezes de crianças de 4 ou 5 anos de idade. Somente em 1833 o Factory Act tornou ilegal o emprego de crianças abaixo de 9 anos de idade, enquanto o Mines Act de 1842 proibiu o emprego nas minas de carvão de meninos com menos de 10 anos e de meninas e mulheres em geral.

As condições de vida nas cidades industriais eram também bastante duras em consequência da superlotação, da poluição industrial e da baixa qualidade das moradias. Essas condições foram vividamente descritas por Friedrich Engels, o amigo de Karl Marx, num livro de 1845 – *The Condition of the Working Class in England* (*A situação da classe trabalhadora na Inglaterra*) – que se baseava em suas observações da favelas de Manchester. O escritor Charles Dickens, ao lado de outros autores, também considerava seu dever denunciar as brutalidades e as destruições que essa era pretensamente avançada causava. É assim que, em seus "romances industriais", as realidades sombrias do trabalho infantil, da superpopulação urbana, do domínio desumano das máquinas, enfim, das doenças, desigualdades, injustiças e misérias que acompanhavam a Revolução Industrial eram vividamente colocadas diante dos olhos do público. Os romances *Oliver Twist* e *Hard Times* (*Tempos difíceis*), por exemplo, ilustram a desumanidade do trabalho infantil e os grandes danos causados nas cidades e no meio ambiente pela industrialização desvairada.

Pode-se dizer, pois, que o sacrifício de uma ou duas gerações foi o preço pago pelo rápido crescimento industrial da Inglaterra vitoriana.

Houve uma época em que as crianças das escolas inglesas estudavam a Revolução Industrial, que transformara o país na "fábrica do mundo", como o resultado de inovações tecnológicas, tais como a *spinning jenny* (máquina de fiar hidráulica) e da *spinning frame* (tear mecânico), que recuam aos anos 1760 e preparavam mais rapidamente a lã e o algodão antes de serem tecidos. Essa ênfase no papel das inovações tecnológicas tinha a vantagem de explicar a Revolução Industrial como o resultado da genialidade de inventores ingleses, deixando de lado o fato de que muitas das realizações do período se deviam também à contribuição de várias partes do Império Britânico. Matérias-primas, trabalho e mercado cativo para os produtos ingleses – como tecidos de algodão para a Índia – foram contribuições essenciais dadas pelas colônias britânicas, sem o que a Revolução Industrial dificilmente teria ocorrido.

Na verdade, diminuindo ainda mais o papel dos ingleses na Revolução Industrial, alguns estudiosos do Caribe têm argumentado que foi somente a partir do lucro obtido nas plantações de cana e na produção do açúcar sob o regime escravocrata que os ingleses acumularam o capital que lhes permitiu inaugurar a Revolução Industrial.

De qualquer modo, os ingleses continuam a se orgulhar da Revolução Industrial que a Inglaterra iniciou. Memórias dessa grande transformação são mantidas vivas não só por livros como também por museus. Por exemplo, o Ironbridge Gorge Museum, em Shropshire, perto da fronteira com o País de Gales, comemora a primeira ponte de ferro do mundo, construída sobre o rio Severn e inaugurada em 1782. O Science Museum de Londres também exibe o famoso Rocket, uma máquina a vapor desenhada em 1829 pelo engenheiro escocês Robert Stephenson, figura-chave da Revolução Industrial. Como esses exemplos sugerem, avanços na engenharia são lembrados mais vividamente do que avanços na manufatura do algodão. De modo semelhante, uma nova universidade em Uxbridge, no oeste de Londres, fundada em 1966, foi nomeada Brunel University em honra ao engenheiro e inventor vitoriano Isombard Kingdom Brunel.

TRAFALGAR E WATERLOO

A era da Revolução Industrial foi também a era da guerra contra Napoleão, que é ainda lembrada e cuja vitória é comemorada. A guerra durou 12 anos (1803-1815), mas fazia parte de um conflito mais longo com a França que recua a 1793, o que significa uma situação de guerra estendendo-se por praticamente 22 anos. Nesse longo conflito, duas vitórias se sobressaem na memória nacional: Trafalgar (1805), uma vitória marítima, e Waterloo (1815) uma vitória terrestre, as quais são associadas a dois heróis nacionais: o vice-almirante Horatio Nelson e o marechal de campo Arthur Wellesley, duque de Wellington. Um sinal de que ambos tornaram-se heróis oficiais e também populares é o número de estabelecimentos por todo o país que são nomeados em homenagem a eles, tais como *pubs*, hotéis e restaurantes com os nomes The Nelson Arms ou The Duke of Wellington.

A Batalha de Waterloo, famosa vitória sobre Napoleão, é celebrada no nome de uma estação de trem de Londres. A escolha dessa estação como ponto de chegada do Eurostar – antes de se mudar para St. Pancras – foi interpretada como um modo de os britânicos provocarem os franceses, relembrando sua derrota em Waterloo.

Diferentemente da maioria das praças londrinas, Trafalgar Square foi desenhada especialmente para emoldurar uma estátua, a do almirante Nelson no topo de uma coluna. Seu nome, Trafalgar, foi uma homenagem à sua maior vitória sobre os franceses em 1805, nas Guerras Napoleônicas.

Um desses dois heróis, Nelson, é mais vividamente lembrado do que o outro, e isso talvez se deva a alguns fatores: ao prestígio da Marinha britânica, discutido no capítulo "Inglesidades"; ao famoso apelo que Nelson fez à sua frota pouco antes da batalha de Trafalgar, quando disse: "a Inglaterra espera que todo homem faça seu dever"; e à sua morte dramática no exato momento da vitória. Estátuas para homenagear Wellington foram construídas em Londres, mas nenhuma é tão imponente quanto a Coluna de Nelson na Trafalgar Square, um local mais importante e central do que a Waterloo Station, a estação de trem que homenageia Wellington.

O *REFORM ACT* DE 1832

O ano de 1832 é a data de um dos maiores eventos ocorridos em tempos de paz. Foi nesse ano que, graças aos esforços do primeiro-ministro *earl* Grey (que dá o nome ao famoso chá), foi promulgada uma lei que reformava o Parlamento, ampliando substancialmente o eleitorado. A partir da perspectiva do século XXI, esse ato de governo pode parecer tímido, já que precisou ser complementado por quatro outros atos: o de 1867, que estendia o direito de voto para os homens da classe trabalhadora; o de 1884, que o estendia ainda mais, para abarcar 60% dos adultos homens, incluindo os trabalhadores agrícolas; o de 1918, que incluía todos os homens acima de 18 anos e todas as mulheres acima de 30; e, finalmente, o de 1928, que dava às mulheres os mesmos direitos de voto dos homens. Na verdade, cada um desses atos representou uma grande conquista, que chocou a parcela mais conservadora da população, antes de ter sido aceita como parte do sistema inglês.

Por exemplo, o *Reform Act* de 1867 foi descrito por um eminente intelectual da época, Thomas Carlyle, como sendo tão perigoso quanto *shooting Niagara*, ou seja, descer as cataratas de Niágara de barco. De acordo com Carlyle, a Inglaterra estava atravessando sua maior crise desde os tempos anglo-saxões. No seu estilo vívido, Carlyle tentou prever os resultados da nova lei, que era, segundo ele, uma doença infecciosa vinda dos Estados Unidos, e que se alastrava e degradava a sociedade – constituindo um verdadeiro salto para a "Niágara do caos". "Eu não acredito na sabedoria coletiva da ignorância individual", disse ele. A democracia, que "nada mais é do que a ausência de grandes homens que poderiam governar", e a tentativa de se viver bem sem esses espíritos superiores não são, como se supõe, "inevitáveis como a morte". Dar poder às massas populares, a um "formigueiro de gente", não é aceitável ou sábio – argumentava Carlyle –, pois as pessoas comuns são inaptas para governar e necessitam, ao contrário, de heróis e grandes homens para liderá-las – heróis e grandes homens que elas não têm condição de escolher.

Foi também o ato de 1867 que levou um ministro a comentar que "nós precisamos educar nossos (novos) senhores", a fim de ajudá-los a discriminar os candidatos ao Parlamento e seus partidos. Foi essa preocupação que levou o governo a promulgar outro ato, o Education Act de 1870, tornando a educação compulsória para todos entre as idades de 5 e 12 anos. De qualquer modo, apesar de todas as leis que se seguiram à de 1832, essa primeira é a que está mais vividamente gravada na memória nacional.

1851 – *THE GREAT EXHIBITION*

O ano de 1851 é a data de outra realização de tempos de paz, "a Grande Exposição", que representou não só um marco muito importante na história das exposições, mas também simbolizou o sucesso inglês no domínio da indústria. A *Great Exhibition* ocorreu no Hyde Park, em um edifício espetacular, inteiramente feito de estrutura de ferro fundido e vidro e construído especialmente para a ocasião, o Crystal Palace. Essa feira mundial – a primeira a ser organizada – pretendia expor "os trabalhos da indústria de todas as nações", mas os ingleses se sobressaíam, a começar pelo próprio palácio de cristal imenso que, construído em nove meses, simbolizava o triunfo da arquitetura e da engenharia britânicas. Seis milhões de pessoas visitaram a exposição, transformando-a talvez num *blockbuster* pioneiro dentre os eventos dessa magnitude. O alto lucro obtido foi investido na compra da área onde hoje está a Exhibition Road e na fundação do South Kensington Museum, mais tarde conhecido como Victoria and Albert Museum, ou V&A, um dos mais visitados museus londrinos.

Como vimos no capítulo "As artes", foi para celebrar o centenário da *Great Exhibition* de 1851 e também, em parte, mostrar que o Reino Unido, apesar da crescente competição, ainda era uma nação líder no campo industrial, que foi organizado pelo governo de Clement Attlee o Festival of Britain de 1951.

Os anos 1850 são também lembrados pelos ingleses como a década da Guerra da Crimeia, que durou de 1853 a 1856. Apesar de, para muitas pessoas, ser muito nebulosa a razão de os britânicos entrarem nessa guerra e com quem e contra quem eles lutaram, ela é ainda lembrada por dois acontecimentos em especial: em primeiro lugar, pela desastrosa Carga da Brigada Ligeira contra a artilharia inimiga russa, quando os ingleses foram praticamente aniquilados em decorrência da decisão errada de seu comandante *lord* Cardigan – uma lembrança acentuada pelo belo poema de Tennyson louvando o heroísmo e a bravura dos combatentes. Em segundo lugar, pelo trabalho da enfermeira Florence Nightingale junto aos feridos nos hospitais próximos aos campos de batalha.

Geralmente, pode-se dizer que a Era Vitoriana, incluindo a própria rainha Vitória, que reinou durante grande parte do século xix – de 1837 a 1901 – está firmemente gravada na memória nacional como a era de crescente poderio econômico, expansão industrial e um império tão vasto que, como se dizia, nele o sol nunca se punha. No caso da rainha Vitória, sua fama era tal que para muitos ela era vista como parte constitutiva do poderoso império. Isso pode ser ilustrado pelo número de parques, ruas, estações, jardins, montanhas, cidades, províncias, lagos e até flores, como vitória-régia, que, pelo mundo afora, adotavam o seu nome. Ao longo dos anos, sua memória foi também reforçada por inúmeros filmes em que ela é protagonista, os mais recentes sendo *Her Majesty Mr. Brown* (*Sua Majestade, Mrs. Brown*, 1997) e *The Young Victoria* (*A jovem rainha Vitória*, 2009).

Apesar de todos esses séculos de história serem vistos com certo orgulho pelos ingleses, é muito provável que, quando muitos deles refletem sobre o passado, eles pensem, em particular, sobre a primeira metade do século XX e, acima de tudo, nas duas guerras mundiais.

A PRIMEIRA GUERRA MUNDIAL

A Primeira Guerra Mundial (1914-1918) foi um trauma nacional de imensas proporções, que não poupou nenhuma classe. Mais de 5 milhões de soldados britânicos nela lutaram, e mais de 40% foram mortos ou feridos. Dos mortos, somente metade foi enterrada como soldado conhecido. Os demais foram sepultados como soldados desconhecidos ou simplesmente considerados perdidos no meio desse dramático conflito mundial. Num único dia, 1º de julho de 1916, o primeiro da desastrosa e mesmo suicida Batalha do Somme, houve 60 mil perdas.

Nem mesmo a hierarquia de classe, tão presente na sociedade de então, pesou a favor dos privilegiados, fazendo com que fossem menos atingidos pelos horrores da guerra. Por volta de 18% dos oficiais – em geral vindos da elite – morreram em combate, enquanto 12% dos soldados comuns tiveram a mesma sina. Só a famosa *public school* Eton, por exemplo, perdeu mais de mil de seus ex-alunos, o que representava 20% dos etonianos que serviram na guerra.

Muitos soldados viveram durante anos em condições infernais nas trincheiras encharcadas e frias. Por mais que possa parecer estranho, para muitos combatentes a guerra era lembrada e, em certo sentido, experimentada através da mediação de um livro – um texto religioso do século XVII, que era muito familiar para muitos àquela época –, o *Pilgrim's Progress* de John Bunyan. A vívida descrição do "Lamaçal do Desespero" evocava a vida nas trincheiras encharcadas, enquanto o capítulo sobre a "Cidade da Destruição" trazia de volta memórias de bombardeio.

No Reino Unido, memoriais aos mortos existem aos milhares, assim como alguns monumentos em homenagem aos oficiais em comando das batalhas, mesmo quando a sabedoria do comandante homenageado tenha sido muito questionada. Por exemplo, apesar de haver grande controvérsia sobre as razões do fracassado ataque em Somme, na França, que durou vários meses e onde ocorreu um verdadeiro massacre, uma estátua em memória ao comandante britânico, o marechal de campo

Douglas Haig, foi erigida num lugar de honra, em Whitehall. No entanto, outro monumento também erigido nesse local, o Cenotaph (literalmente significando "túmulo vazio"), que homenageia todas as vítimas da Batalha do Somme, é hoje mais conhecido e respeitado.

Foi para lamentar as perdas dessa guerra que um ritual anual, o *Remembrance Sunday* (já tratado no capítulo "Como o país funciona"), foi estabelecido e que inúmeros monumentos foram erigidos em cidades e vilas ao redor do país, listando os nomes de todos os habitantes de cada uma daquelas localidades que perderam a vida lutando pela pátria. A poesia escrita por alguns soldados ainda é lembrada, dentre elas as de Wilfred Owen, morto em ação uma semana antes do fim da guerra. Owen dizia que o tema de seus poemas era "a guerra e a piedade da guerra" e que a "poesia estava na piedade". Um de seus poemas mais conhecidos é o "*Anthem for Doomed Youth*" (Hino para aqueles que são destinados a morrer jovens), em que mostra indignação diante do sacrifício humano:

> Que sinos dobrarão por estes que assim morrem como animais?
> Só a ira horrenda dos canhões.
> Só o rápido estrondar dos fuzis gaguejantes
> deles dirá as apressadas orações. [...].[4]

Enfim, a Primeira Guerra Mundial, apesar de distante no tempo, continua a ser tema de muitas histórias, filmes e romances, incluindo a trilogia de Pat Rogers – *Regeneration* (Regeneração, 1991), *The Eye in the Door* (O olho na porta, 1993), *The Ghost Road* (A estrada fantasma, 1995) – e também *Birdsong* (*O canto do pássaro*, 1993), um romance de Sebastian Faulks que foi adaptado para a televisão em 2010.

Enfim, por todas essas razões, não é surpreendente que o dia 11 de novembro, a data do Armistício de 1919, tenha sido um dos mais votados pela população para ser um dia nacional – que, como vimos, não existe oficialmente no Reino Unido.

A SEGUNDA GUERRA MUNDIAL

A Segunda Guerra Mundial (1939-1945) permanece na memória nacional num sentido mais literal, já que os mais velhos ainda se lembram de alguns eventos, em geral da perspectiva das crianças que eram na época.

O ano de 1942, por exemplo, faz recordar a Batalha de El Alamein, no norte da África, quando o general Bernard Montgomery, conhecido por seus soldados como Monty, derrotou o general alemão Erwin Rommel. Já 1943 evoca o desembarque do

8º Exército no sul da Itália de Mussolini, dando início à liberação do país do fascismo. O de 1944 traz de volta à memória o Dia D, quando os britânicos e os americanos invadiram a França e começaram a expulsar os alemães que haviam dominado o país desde maio de 1940. Como vimos, o Dia D, 6 de junho, foi uma das escolhas mais populares para figurar como dia nacional, ao lado do 8 de maio, a data oficial da vitória dos Aliados sobre a Alemanha em 1945.

As memórias mais vívidas da guerra, no entanto, vêm não tanto da fase vitoriosa, mas de seu início, quando o futuro do Reino Unido estava totalmente inseguro. Foi nesse clima de incerteza e perigo que, em junho de 1940, o governo britânico decidiu desmilitarizar e evacuar as Channel Islands (Ilhas do Canal – Guernsey, Jersey, Alderney, Sark e Herm), considerando que elas não tinham importância estratégica que justificasse recursos para defendê-las e que a ocupação alemã, que seguramente ocorreria tão logo chegassem ao território indefeso, poderia até trazer vantagens para o Reino Unido: de um lado, desviaria forças alemãs de territórios europeus e drenaria seus recursos, de outro, poderia satisfazer os anseios nazistas de invadir territórios britânicos. Foi assim que, sem que o governo britânico reagisse disparando "um único tiro", as Channel Islands foram ocupadas pelos alemães – ou "entregues" aos alemães, como muitos diriam – de julho de 1940 a maio de 1945.

Se nessa pequena parte do território britânico, com uma população desfalcada e desarmada, a resistência não era nem esperada nem possível, o estado de espírito da nação em geral para resistir e sua disposição para isso eram grandes. Com sua eloquência habitual, o primeiro-ministro Winston Churchill deu expressão a esse estado de espírito em três discursos famosos que pronunciou na Câmara dos Comuns em maio e junho de 1940. O momento em que esses discursos foram pronunciados era dos mais dramáticos, pois a Inglaterra lutava sozinha contra os alemães, que haviam acabado de invadir a Noruega e a Dinamarca em abril, e a França, Holanda, Bélgica e Luxemburgo em maio. Neles, Churchill declarou que nada tinha a oferecer ao povo britânico a não ser "sangue, labuta, lágrimas e suor", mas prometia uma luta incansável: "Iremos até o fim, vamos lutar na França, vamos lutar nos mares e oceanos [...] nós defenderemos nossa ilha a qualquer custo, lutaremos nas praias [...] lutaremos nos campos e nas ruas, lutaremos nos morros; não nos renderemos jamais, e mesmo se acontecer, o que no momento não acredito por um segundo, de esta ilha ou parte dela ficar subjugada e faminta, então o nosso Império do além-mar, armado e protegido pela Esquadra Britânica, continuará a combater até que, quando Deus quiser, o Novo Mundo, com todo seu poder e força, tome a iniciativa de salvar e liberar o Velho".

Três eventos da guerra, em particular, expressaram e, ao mesmo tempo, reforçaram a identidade nacional: Dunquerque, a Batalha da Grã-Bretanha e a Blitz.

Dunquerque

A Retirada de Dunquerque, também chamada de "O Milagre de Dunquerque", foi a operação de resgate de mais de 200 mil soldados e oficiais do exército britânico, que estavam cercados pelos alemães, após terem fracassado na defesa da França – um evento que Churchill descreveu como um "desastre militar colossal". A operação de evacuação e resgate foi feita pelo porto francês de Dunquerque, e a maior parte da tropa foi salva por grandes navios da Marinha inglesa. O que, no entanto, é lembrado ainda hoje é a ajuda prestada por pequenos barcos dirigidos por seus próprios proprietários, que foram prestar seu socorro ao exército humilhado. Eram indivíduos comuns dando sua pequena contribuição para a nação numa hora de necessidade, ou "*doing their bit*", como se dizia. Esse espírito de colaboração passou a ser chamado de *Dunkirk Spirit*, e foi evocado muitas vezes desde então, especialmente por políticos em momento de crise.

A Batalha da Grã-Bretanha

Falando à Câmara dos Comuns, após a evacuação de Dunquerque, que a Batalha da França terminara, mas que a Batalha da Grã-Bretanha iria agora começar, Churchill proferiu o terceiro de seus famosos discursos que captaram o estado de espírito da nação do mesmo modo que, séculos antes, o discurso da rainha Elizabeth o captara em Tilbury.

Essa batalha, que iria ser travada de julho a outubro de 1940 entre as forças aéreas alemãs e britânicas, foi feroz, pois os alemães tinham o que se supunha ser a maior e mais poderosa força aérea do mundo e consideravam essa uma luta estratégica para os seus objetivos de dominação. Com palavras que ainda persistem na memória coletiva, Churchill exortou seus compatriotas a "agir" bravamente e insistiu: "pois se o Império Britânico e seu *Commonwealth* durarem mil anos, a posteridade irá ainda dizer que 'este foi o seu melhor momento'".

Ao pronunciar esse discurso em junho de 1940, Churchill ainda não sabia que a Batalha da Grã-Bretanha estava prestes a ser travada no ar, durante o verão e o outono de 1940. Nesse período, a força aérea alemã, a Luftwaffe, tentou destruir a Royal Air Force (RAF, Força Aérea Real), a fim de neutralizá-la e permitir a invasão alemã das Ilhas britânicas – invasão que estava planejada sob o codinome Operação Leão-marinho. No desenrolar dos acontecimentos, por volta de 1.500 aviões britânicos foram destruídos. Os alemães, contudo, perderam por volta de 1.900, uma perda suficientemente grande para que a Operação Leão-marinho fosse suspensa. Churchill, ao referir-se à bravura dos pilotos britânicos numa das fases mais agudas e perigosas da guerra, declarou: "nunca na história dos conflitos humanos, tantos deveram tanto a tão poucos".

É verdade que a vitória da Batalha da Grã-Bretanha, que representou a primeira grande derrota dos alemães, deveu-se, em grande parte, a algumas poucas centenas de pilotos destemidos. Contudo, na Blitz, nome dado à ofensiva violenta e fulminante sobre a Grã-Bretanha, foram os londrinos comuns que tiveram um papel central.

Blitz

Quando a Batalha da Grã-Bretanha estava chegando ao seu final, o Luftwaffe passou a concentrar-se no bombardeio de cidades britânicas e de Londres, em especial, com o objetivo de desmoralizar a população e tornar o país como um todo mais disposto a se render. Mais de 2 milhões de casas foram destruídas e mais de 40 mil civis foram mortos (metade desses em Londres) nesses ataques aéreos, entre setembro de 1940 e maio de 1941. A violência e a constância dos ataques eram marcas da Blitz. Londres, por exemplo, a partir de 7 de setembro de 1940, foi bombardeada noite após noite, ao longo de 57 noites consecutivas.

Apesar de tudo, e contra as expectativas de Hitler, a população não ficou desmoralizada, mas, pelo contrário, ganhou até mais ânimo para resistir às adversidades.

Por exemplo, o folheto jogado do ar pelos aviões alemães, *A Last Appeal to Reason by Adolph Hitler* (Um último apelo à razão, de Adolph Hitler) – tradução para o inglês de um discurso pronunciado por Hitler, pouco antes em Berlim –, ao invés de ser levado a sério, foi recebido pela população jocosamente. Nele, o *Führer*, mostrando-se autoconfiante com a vitória da guerra, caso ela continuasse, enfatizava seus "honestos esforços" para se aproximar amistosamente da Inglaterra, para o benefício dos "dois povos", e fazia um "último apelo à razão e ao bom senso" dos britânicos e outros, já que, como dizia, "eu não vejo razão para essa guerra continuar". Alguns londrinos, como relatado em jornal da época, recolheram os folhetos e os venderam como *souvenir*, repassando o lucro para a Cruz Vermelha.

O heroísmo dos bombeiros era completado com o estoicismo das pessoas comuns. Em Londres, uma das cidades europeias mais duramente atingidas pelos ataques aéreos durante toda a guerra, essa atitude dos moradores era notória e reveladora de que *London can take it* (Londres pode suportar isso), para usar o título de um filme da época. Os londrinos se ajudavam mutuamente, dormiam em porões, abrigos antiaéreos, ou nos túneis dos metrôs, mas tentavam *keep calm and carry on* no seu dia a dia, com o mínimo de mudança possível. A situação foi assim descrita por um jornal diário londrino da época: "Todas as manhãs, não importa quantas bombas tenham sido jogadas durante a noite, o transporte público de Londres funciona, as cartas são entregues, leite e pão são deixados nas portas, os confeiteiros recebem seus suprimentos e os fruteiros arrumam seus produtos em suas vitrines".

Uma presença constante nas regiões abatidas pela Blitz era o rei George VI, pai da atual rainha, que, acompanhado muitas vezes por sua mulher, subia nos escombros e procurava levar conforto às pessoas arrasadas com a destruição de suas casas e a perda de seus bens. "A presença real", como foi observado, "tinha quase um poder mágico para elevar os espíritos e estimular o autorrespeito daqueles que haviam sido gravemente golpeados pela guerra". O rei era, enfim, "extraordinário na sua ordinariedade", como muitos observadores atestaram, e isso era exatamente o que seus súditos apreciavam, como disse recentemente um de seus biógrafos. Ele mesmo permaneceu em sua casa em Londres – o Buckingham Palace – apesar de este ser um dos alvos importantes dos bombardeios alemães e ter sido atingido nove vezes durante a guerra. Seus filhos foram enviados para o campo e viviam no Windsor Castle, até sua filha mais velha, a atual rainha Elizabeth, fazer valer a sua vontade e, ao completar 18 anos, unir-se às milhares de mulheres que participavam ativamente dos esforços de guerra não só como enfermeiras, mas também como pilotas, motoristas, bombeiras etc. Filiando-se ao *Women's Auxiliary Territorial Service* (ATS), o setor feminino do exército britânico, Elizabeth Windsor foi treinada em Londres e serviu como mecânica e motorista de caminhão militar.

A solidariedade e o chamado *Blitz Spirit* (o espírito em tempos de Blitz) permaneceram vivos durante toda a guerra. Foram novamente marcantes em 1944-5, quando a capital foi duramente atacada por mísseis automáticos conhecidos como "bombas voadoras" (*flying bombs*). Um dos autores deste livro lembra-se de que, ainda menino e vivendo em Londres, surpreendeu-se quando, após uma noite de bombardeio em que todas as vidraças de sua casa quebraram, um vizinho ferido e ensanguentado veio oferecer ajuda.

Enfim, se a Primeira Guerra Mundial é lembrada como uma guerra de trincheiras, travada longe da vista dos cidadãos comuns, a Segunda Guerra Mundial, em que muito mais civis foram mortos de ambos os lados, é lembrada como uma guerra que aconteceu *at home* ("em casa").

No continente, por outro lado, cidadãos de países que haviam sido invadidos pelos alemães impressionaram-se com a resistência britânica a Hitler – uma resistência corajosa e solitária desde o início de 1940 até 1943, ano em que os soviéticos e os norte-americanos começaram a ajudar – e seu papel na liberação da Dinamarca e da Holanda ao final da guerra. Quando, em 1970, um dos autores deste livro visitou pela primeira vez Copenhagen, os dinamarqueses insistiam em lhe oferecer cerveja, assim que descobriam que ele era inglês. Esse era, como explicaram, um gesto de agradecimento pelo que os ingleses haviam feito por eles na Segunda Guerra Mundial.

Tanto a Segunda quanto a Primeira Guerra são lembradas em comemorações oficiais. Os monumentos erigidos em homenagem aos combatentes da de 1914-8 foram usados pela segunda vez após o final da Segunda Guerra, quando novos nomes de combatentes mortos foram acrescentados. Estátuas em homenagem a alguns oficiais foram também erigidas, algumas delas controversas, como a do marechal do ar Arthur Harris, conhecido como *Bomber Harris* (bombardeiro Harris), por ele ter aconselhado Churchill a dar ordens para a destruição de Dresden – uma decisão que começou a ser considerada imoral e desastrosa pouco tempo após o evento.

Apesar de a Royal Air Force ter usado vários tipos de aviões, os *spitfires* ("cuspidores de fogo") são não somente os mais vividamente lembrados ainda hoje, como também se transformaram em símbolos da Batalha da Grã-Bretanha. Uma celebração chamada *Spitfire Day*, quando velhos aviões remanescentes da guerra voam novamente, ocorre todos os anos em agosto em Duxford, perto de Cambridge, onde uma antigo aeródromo da Royal Air Force foi transformado num ramo do Imperial War Museum (Museu Imperial da Guerra). Os aniversários de 50, 60 e 70 anos da Batalha da Grã-Bretanha foram comemorados nos anos 1990, 2000 e 2010 respectivamente, com paradas militares que incluíam um show aéreo grandioso dado por *spitfires*; nessas ocasiões, seus antigos pilotos sobreviventes – é claro que em número decrescente ao longo dessas décadas – participaram da comemoração.

O TRIUNFO DO FRACASSO

Desde *the War* (a Guerra), tal como os britânicos ainda chamam a Segunda Guerra Mundial, há, para o bem ou para o mal, uma carência de datas memoráveis na história nacional. O ano de 1947, quando os britânicos "perderam" a Índia, ou seja, quando a Índia se tornou independente, é uma possível exceção. O ano de 1956, a data da crise do canal de Suez, quando os britânicos atacaram o Egito e se retiraram, é provavelmente melhor que permaneça esquecida, já que não foi nem foi heroica nem bem-sucedida. Do mesmo modo, é o ano de 1982, a data da Guerra das Malvinas, ou Guerra das Falkland Islands, como os ingleses a chamam, uma guerra, por assim dizer, feia, em que os britânicos, ao menos uma vez, deixaram de seguir os seus próprios princípios de uma luta decente. O afundamento do navio de guerra argentino Belgrano, torpedeado por um submarino nuclear britânico, chegou a ser descrito como um "crime de guerra" porque foi feito fora da zona de exclusão estabelecida pelo próprio governo britânico ao redor das ilhas. Por essa razão, essa guerra acabou por se constituir em um episódio desconfortável e que "pede" esquecimento.

De qualquer modo, deixando as guerras de lado, na história inglesa, ao menos na história de que os próprios ingleses se lembram (ou a imaginam), a continuidade prevalece sobre as mudanças. Essa é uma característica da memória coletiva inglesa. Outra, como apontamos no início deste capítulo, é o fato de que na memória coletiva dos ingleses não há espaço somente para os triunfos, para as grandes vitórias militares e para as grandes realizações em qualquer campo. Como vimos, não são as vitórias da Guerra da Crimeia que permanecem na memória nacional, mas o grande fracasso da *Charge of the Light Brigade* (Carga da Brigada Ligeira). Da ocupação britânica da Índia, o evento militar que sobressai na memória popular não é uma batalha gloriosa, mas o longo Cerco de Lucknow durante o Indian Mutiny (Motim Indiano), quando os britânicos resistiram heroicamente ao exército rebelde durante três meses, até que os reforços chegassem. Da Primeira Guerra Mundial, o que mais ficou gravado na memória é a desastrosa Batalha do Somme, que, iniciada com a intenção de ser um avanço decisivo dos britânicos, acabou sendo, segundo muitos estudiosos, um fracasso monumental. Da Segunda Guerra Mundial, mais do que o ousado ataque britânico a Berlim, o que mais faz parte da memória coletiva é a fracassada tentativa de combater Hitler em 1940, que resultou na dramática Retirada de Dunquerque.

O IMPÉRIO

No caso dos ingleses, ou mais exatamente dos britânicos – já que escoceses, galeses e irlandeses também estiveram envolvidos nesse empreendimento –, é impossível se falar na história nacional sem incluir a história do Império, que mudou o Reino Unido ao mesmo tempo que os britânicos estavam mudando a Índia, a África, o Caribe etc. Na verdade, não há como negar que o Império e sua história ainda provocam certa nostalgia pela glória passada e pelo estilo de vida associado a essa época poderosa da Inglaterra. Até a segunda metade do século XX, por exemplo, a nostalgia pelos dias da Índia imperial parecia bem viva, como a grande popularidade de filmes e livros sobre esse período atesta. O incrível sucesso da série de televisão *The Jewel in the Crown* (A joia da coroa), transmitida em 1984 e baseada em quatro romances escritos por Paul Scott, um antigo funcionário do exército indiano, é só um exemplo dentre muitos.

A maioria das datas e dos incidentes importantes da história imperial foi esquecida por quase todos, com exceção dos professores e estudantes de História. No entanto, a antiga existência de um império imenso, em que o sol nunca se punha porque se estendia por todos os cantos do mundo, é ainda lembrada por muitos, assim como o nome da rainha Vitória, em cujo governo esse império atingiu o seu ápice de poder e amplidão.

O mais famoso enunciado sobre o Império foi feito por um estudioso vitoriano, *sir* John Seeley: "Parece, por assim dizer, que nós conquistamos e povoamos metade do mundo num momento de distração." Essa frase pode soar absurda – e Seeley quis que soasse originalmente como um sarcasmo –, mas, na verdade, ela chama a atenção para a importância das consequências não intencionadas na história do Império e na história em geral. Uma longa sucessão de governos britânicos, ao longo de séculos, não seguiu um plano diretor para dominar outras partes do mundo. Eles simplesmente reagiram, de modo oportunista, a iniciativas tomadas por indivíduos ou grupos que haviam migrado para outras partes do mundo por diferentes razões.

Alguns emigraram da Inglaterra por razões religiosas, como os chamados *pilgrim fathers* (peregrinos fundadores), que foram para os Estados Unidos no navio Mayflower no século XVII. Eram protestantes que não aceitavam as práticas da Igreja Anglicana e se estabeleceram na América do Norte a fim de poder praticar seus cultos com liberdade. Eles fundaram a Plymouth Colony em 1620 no que é hoje o estado de Massachusetts. Do mesmo modo, o quaker William Penn deixou a Inglaterra em 1682 para estabelecer-se no que mais tarde se tornou o estado da Pensilvânia.

Outros indivíduos saíram da Inglaterra à revelia, especialmente após 1788, quando os tribunais britânicos começaram a enviar criminosos condenados para as novas "colônias penais" na Austrália. Imigrantes voluntários só começaram a ali chegar mais tarde, à época das *gold rushes* (corridas ao ouro), após a descoberta do ouro na New South Wales em 1851.

Como esses garimpeiros, muitos outros aventureiros deixaram a Inglaterra e foram para o que ficou conhecido como "as colônias" por razões econômicas, em busca de fortunas. A Virginia Company, por exemplo, foi fundada em 1601 para encorajar a migração para o que agora é o estado da Virgínia nos Estados Unidos. De forma semelhante, mas numa escala muito maior, a East India Company (Companhia das Índias Orientais), que começou dedicando-se ao comércio nas chamadas "Índias Orientais", dirigiu a Índia durante 100 anos, de 1757 a 1857. Foi somente após uma rebelião que se espalhou pelo país, e que os ingleses chamam de *Indian Mutiny* (mas conhecido pelos indianos como a Primeira Guerra da Independência), que o governo britânico assumiu o comando da região no lugar da Company. Dentre os muitos episódios dessa rebelião, um dos mais conhecidos e dramáticos é o Cerco de Lucknow, em que os britânicos, como vimos, ficaram confinados por vários meses ao complexo residencial em condições sofríveis.

Do mesmo modo, o aventureiro Cecil Rhodes, fundador da companhia de diamante De Beers (ainda em plena atividade) e da British South Africa Company, estava interessado tanto na colonização como na exploração econômica do sul da África. Foi em sua honra que colônias britânicas foram nomeadas: a Southern Rhodesia em 1901 (agora Zimbábue) e Northern Rhodesia em 1911 (agora Zâmbia). Da mesma forma, a Royal Niger Company explorou o que se tornou a colônia da Nigéria em 1914, enquanto a British East Africa Company encorajou imigração para o Quênia, região que se tornou uma colônia britânica em 1920.

Outras partes do mundo entraram no Império Britânico como resultado da assinatura de tratados. A Jamaica, anteriormente Santiago, passou da Espanha para a Inglaterra em 1655, enquanto o Canadá passou da França para o Império Britânico em 1763. Nos anos 1920, quando o Império atingiu a sua máxima extensão, ele continha mais de 450 milhões de pessoas e mais de 80 territórios diferentes. Esse Império não era centralizado, mas administrado de modo complexo, que a primeira vista pode parecer desorganizado. Tipos diferentes de territórios, por exemplo, eram governados de maneiras diferentes. Havia domínios autônomos de colonos brancos (Austrália, Canadá e Nova Zelândia); colônias tais como a Nigéria e as duas Rodésias eram submetidas a governadores britânicos e ao Colonial Office, o órgão administrativo central do Império; e "protetorados", tais como o Egito, que eram um tipo de colônia sob "domínio indireto", administrada por seus líderes tradicionais, mas supervisionada cuidadosamente pelo Ministério dos Negócios Estrangeiros britânico e sob constante pressão para fazer o que a metrópole queria.

Além do Império propriamente dito, não se pode esquecer do chamado "Império informal", em que o domínio britânico era mais econômico do que político. Foi a esse Império que tantos outros países do mundo, fora do Império Britânico propriamente dito, pertenciam. O Brasil era um deles e passou a ocupar, de fato, um lugar preeminente nesse "Império informal" a partir de 1808, quando Portugal se viu obrigado pela Inglaterra a abrir os portos de sua colônia para "as nações amigas". Quase imediatamente o país tornou-se o terceiro maior mercado do mundo – e o maior da América Latina – para os produtos britânicos. A invasão desses produtos foi de tal monta que deu origem, no Brasil, a reclamações de que o território estava sendo "londonizado" e perdendo seu caráter próprio.

Em meados do século XIX, os britânicos frequentemente justificavam seu Império em termos de *white man's burden* (o fardo do homem branco) – ou seja, como uma espécie de missão dos povos tidos como superiores para levar a civilização, o cristianismo, a paz e uma forma justa de governo para os chamados povos "primitivos". Nesse aspecto, na verdade, o Reino Unido em nada diferia das demais metrópoles imperialistas, como, por exemplo, a França, a Bélgica, a Holanda, a Alemanha, Portugal e Espanha, que também partilhavam da mesma visão do mundo habitado por povos ocupando lugares diferentes na hierarquia racial e cultural – visão que era bastante difundida e aceita como natural e cientificamente provada.

O governo britânico, no entanto, estava bem ciente dos benefícios econômicos do Império. As colônias serviam tanto como fonte de matéria-prima (lã da Austrália, madeira do Canadá, açúcar do Caribe, cobre do leste da África, borracha e estanho da Malásia, e assim por diante), como de mercado para os produtos manufaturados britânicos, como os tecidos fabricados em Manchester, por exemplo.

Alguns historiadores indianos têm argumentado que os britânicos "drenaram" a Índia de sua riqueza, que foi toda enviada para Londres. É curioso saber que o criador dessa teoria foi Dadabhai Naoroji, um intelectual, educador, empreendedor e político indiano, que também foi o primeiro asiático a ser eleito para o Parlamento inglês. Ele não só lutou na Câmara dos Comuns, entre 1892 e 1895, por suas ideias sobre a Índia, como também defendeu o movimento pela autonomia da Irlanda. Ao ser eleito, recusou-se a fazer o juramento sobre a Bíblia, e lhe foi permitido que o fizesse sobre sua cópia do texto sagrado do zoroastrismo. Uma das críticas que ele fazia ao Império era o excessivo imposto que seu país tinha de pagar pelo funcionamento das estradas de ferro, que nenhum lucro dava para a própria Índia, drenava suas riquezas e causava a terrível miséria do país.

De fato, o investimento britânico na construção das estradas de ferro na Índia, Canadá e África do Sul – assim como no "Império informal", que incluía a Argentina e o Brasil – trouxe lucros consideráveis para a *City*, o centro financeiro de Londres.

Uma exploração desmesurada é ainda mais óbvia no caso dos recursos minerais da África no final do século XIX, que beneficiavam os acionistas britânicos a expensas dos povos africanos. A exploração dos recursos era, na verdade, baseada em trabalho não oficialmente, mas efetivamente escravo.

O famoso *nice cup of tea* dos ingleses dependia das importações da Índia e do Ceilão (agora Sri Lanka) e também do açúcar do Caribe, já que os ingleses gostavam de chá doce. Os bebedores de café dependiam das importações do Quênia. Os fumantes do século XVIII dependiam das importações da colônia norte-americana da Virgínia e de seus sucessores na Imperial Tobacco Company, sediada na cidade inglesa de Bristol, mas em controle de mais de uma dezena de companhias de tabaco. O comércio com o Império Britânico era também encorajado por instituições tais como o Empire Marketing Board, que fazia promoções para convencer os consumidores a "*Buy Empire*" (comprar do Império) e pelo Empire Shopping Week, uma feira de negócios que acontecia anualmente a partir de 1922. A mensagem desses empreendimentos para o consumidor britânico era simples: comprem produtos do Império e façam seus amigos, parentes e todos nós, britânicos, mais fortes e poderosos.

Se os britânicos tomaram posse do que se tornou um imenso Império, este, por sua vez, invadiu a imaginação dos meninos, alguns dos quais, ao crescerem, tornaram-se importantes funcionários do governo, oficiais do exército, escritores etc. O Império foi descrito e celebrado, por exemplo, por George Henty, um correspondente de guerra que se tornou escritor de romances históricos e escreveu sobre aventuras na África e na Índia, além de na própria Europa; por Henry Rider Haggard, que viveu na África do Sul e ali localizou suas histórias de aventura, tais como *King Solomon's Mines* (*As minas do rei Salomão*, 1885); e pelo mais famoso dentre esses escritores, Rudyard Kipling, que nasceu na Índia e escreveu sobre ela e o Império em poemas como "*The White Man's Burden*" ("Fardo do homem branco", 1899), e romances de aventura como *Kim* (1901) – a história de um jovem órfão britânico que vivia na Índia e foi recrutado por um oficial britânico, primeiro para atuar como mensageiro e depois como espião. Um público ainda mais vasto do que os leitores desses romances foi atingido pela British Empire Exhibition (Exposição Império Britânico) realizada em Wembley, Londres, em 1925 e visitada por 27 milhões de pessoas.

Já com o Império estabelecido, muitas famílias britânicas emigraram para a Austrália, Canadá e também para a Nova Zelândia, onde um clima temperado e uma paisagem verde evocavam lembranças de uma Inglaterra rural, em que a natureza se mantinha intocada pelo homem. Foram 23 milhões de pessoas que emigraram das ilhas britânicas em cem anos, entre 1815 e 1914, em muito encorajadas por sucessivos governos britânicos que encaravam esse êxodo como um remédio para o desemprego e, portanto, uma defesa contra conflitos sociais internos.

Descolonização

De toda a história do Império, o que permanece mais vivo na memória dos britânicos mais velhos hoje é provavelmente o processo de descolonização, que tendo começado com a Guerra da Independência Americana em 1775-83 prosseguiu, após um intervalo bem longo, com a independência da Índia em 1947. A independência dessa imensa colônia foi obtida após uma longa campanha do Indian National Congress (Congresso Nacional Indiano). O Congresso, fundado em 1885, iniciou sua luta com uma demanda pela participação indiana no governo da Índia, ainda dentro da estrutura do Império, argumentando que o governo exercido por um vice-rei e funcionários britânicos não era democrático e, por conseguinte, não britânico. No entanto, ao fracassar no empenho de convencer o governo em Londres da justiça de suas demandas, o Congresso, liderado pelo carismático Mahatma Gandhi, continuou em campanha, agora pela independência. Esta foi finalmente concedida em 1947 – em consonância com uma promessa feita pelos britânicos em 1942, como uma contrapartida ao apoio dado pela Índia ao Império durante a Segunda Guerra Mundial. A independência da Índia foi seguida pela da Gold Coast (Costa do Ouro, hoje Gana) em 1957, da Nigéria em 1960, da Jamaica em 1962, do Quênia em 1963, e assim por diante, até 1997 quando, ao ser devolvido Hong Kong para a China, o Império Britânico efetivamente chegou ao fim.

Grande parte da independência das colônias britânicas foi realizada de modo pacífico, ou mesmo civilizado e elegante, se contrastado com o final de outros impérios modernos, como o francês, por exemplo. É verdade que houve muitos abusos por parte do Império e que, durante a primeira metade do século XX, houve firme resistência às demandas das colônias e forte repressão aos rebeldes, que foram muitas vezes aprisionados, como Gandhi na Índia, Kwame Nkrumah em Gana e Jomo Kenyatta no Quênia. O Massacre de Amritsar em 1919 – quando centenas de indianos desarmados, inclusive mulheres e crianças, foram mortos por desafiarem a proibição de participar de reuniões públicas emitida pelo governo colonial – é a mais célebre, violenta e vergonhosa dessas repressões. Seu responsável, general Reginald Dyer, foi seriamente criticado pelo governo britânico e forçado a se afastar do Exército indiano. O belo seriado *Indian Summers* (Verões indianos), transmitido em 2015 pela televisão britânica, passou a ser chamado de *Downton Abbey* indiano, exatamente porque trata do início do fim de uma era, quando o sol parecia começar a se pôr, finalmente, no imenso Império Britânico. Reagindo aos movimentos de libertação da Índia nas primeiras décadas do século XX com maior ou menor violência, o Império só conseguia acirrar os ânimos da população indiana e aumentar a sua própria angústia.

No entanto, como foi frequentemente observado, mais realista do que outros impérios – e não necessariamente mais generoso – o britânico acabou por reconhecer, em meados do século XX, que era chegada a hora de renunciar às suas colônias. Como disse um assistente de *lord* Mountbatten, o vice-rei da Índia, pouco antes de ser concedida a independência do país, "se você está num lugar em que não o querem mais e onde você não tem mais a força, ou talvez a vontade de destroçar aqueles que não o querem, a única coisa a fazer é sair. Esta verdade muito simples terá de ser aplicada em outros lugares também". E a História mostra que foi isso que aconteceu.

Num famoso discurso sobre a inevitabilidade da descolonização, pronunciado em 1960 – que ficou conhecido como *Wind of change* (Vento da mudança) –, o primeiro-ministro Macmillan foi enfático ao justificar a rapidez com que o governo estava concedendo a independência para as suas colônias. Diante do Parlamento da África do Sul, ele disse: "O vento da mudança está soprando por todo esse continente. Quer queiramos ou não, esse crescimento de consciência nacional é um fato político. Precisamos aceitar isso como um fato." E assim, consistente com sua declaração, 27 possessões africanas, asiáticas e caribenhas tornaram-se nações independentes nos anos 1960 e os britânicos delas normalmente se retiraram sem *fuss*, ou seja, sem escândalo ou espalhafato. Ao contrário, saíram, em geral, com estilo e dignidade no meio de cerimônias orquestradas pelo governo britânico na capital das novas nações – nisso seguindo o cerimonial de despedida criado por *lord* Mountbatten na Índia em 1947.

Em eventos que ficaram conhecidos como *"freedom at midnight"* (liberdade à meia-noite) – porque aconteciam exatamente à meia-noite –, uma sucessão de espetáculos-rituais de despedida foram realizados por todo o antigo Império, a maioria nos anos 1960, marcando a transição de um regime para outro com procissões, fogos de artifício e discursos que expressavam admiração mútua, afeto e boa vontade, e eram recebidos com aplausos entusiasmados. O ritual atingia o seu apogeu exatamente na batida da meia-noite quando, diante de membros da família real representando a rainha, de funcionários do Império em extinção e dos novos funcionários da nascente nação independente, a bandeira britânica era arreada, enquanto uma nova era hasteada.

Commonwealth of Nations (Comunidade das Nações)

O fato de grande parte desses países ter optado por se filiar ao Commonwealth of Nations (Comunidade das Nações) e, portanto, manter uma ligação cultural e econômica entre eles e com a antiga metrópole é bastante revelador de que a história do imperialismo não se encerrou com o cerimonial de arreamento da bandeira do Reino Unido e a retirada dos britânicos. A verdade é que o Império Britânico, apesar de todos os seus senões e dos ressentimentos que obviamente provocou entre os súditos ao longo de sua história, reteve algum grau de amizade e influência em suas antigas colônias.

Do mesmo modo, a filiação maciça ao Commonwealth revela que o sentimento de boa vontade em relação ao antigo poder imperial – que os rituais de despedida do poder britânico buscavam estimular – é mais do que uma quimera.

O Commonwealth of Nations, antes conhecido como British Commonwealth, é uma "organização voluntária" composta por 53 estados independentes (52 dos quais foram, no passado, parte do Império Britânico), "livres e iguais", que realizam reuniões regulares, como o Commonwealth Games, têm instituições comuns voltadas para defesa do "interesse de seus povos" e 16 desses têm o soberano britânico como seu chefe de Estado; todos os demais, qualquer que seja sua forma de governo, reconhecem o soberano britânico como chefe do Commonwealth. Como disse a rainha Elizabeth em 1977, essa associação simboliza "a transformação da Coroa, de um emblema de domínio, em um símbolo de associação livre e voluntária".

Os países que compõem essa associação, que conta com quase um terço da população mundial, são os mais variados. Como diz o website oficial do Commonwealth, eles estão "entre os maiores, menores, mais ricos e mais pobres países" do mundo; mas todos participam "em pé de igualdade", ou seja, têm "*equal say*" em todas as decisões tomadas.

A história comum dessas antigas colônias ainda pode ser percebida, mais ou menos claramente, em muitas delas, apesar dos diferentes rumos políticos que elas tomaram. Algumas se tornaram repúblicas e têm presidentes, mas outras têm reis e parlamentos, que seguem o modelo de Westminster, e ainda outras optaram por permanecer reinos, tendo a rainha do Reino Unido como sua soberana. Críquete, como vimos, é ainda um jogo popular do Caribe ao Paquistão; catedrais anglicanas existem às centenas pelos quatro cantos do mundo, desde Kuala Lumpur, Cingapura e Nova Deli até Cidade do Cabo, Trinidad e Tobago e Toronto, enquanto muitos dos descendentes de imigrantes na Austrália, Canadá e Nova Zelândia – países conhecidos no passado como *Greater Britain* – ainda demonstram um patriotismo vagamente "britânico".

A influência do Império

Inversamente, a influência do Império e seus povos na Grã-Bretanha e nos britânicos tem sido e continua a ser profunda. A migração em direção à Grã-Bretanha, como apontamos no capítulo "Inglesidades", teve um grande impulso após o final da Segunda Guerra e da descolonização, quando habitantes de antigas colônias britânicas da África, Caribe e Índia, que estavam se tornando independentes, transformaram drasticamente a paisagem cultural britânica.

Um dos resultados desse fluxo foi que, hoje, por volta de 1 milhão e 700 mil londrinos falam urdu, punjabi, sylheti ou bengali, e umas 700 palavras das línguas indianas, especialmente do hindi e urdu, foram incorporadas à língua inglesa. Elas incluem *pukka* (excelente, primeira classe), *bangle* (pulseira), *bungalow*, *chit* (um recado enviado a alguém), *raj* (império, regime), entre muitas outras. Outra consequência, talvez a mais importante para muitos britânicos, foi a influência que esses imigrantes tiveram na cozinha inglesa – uma influência já preparada, por assim dizer, pelos britânicos que, ao servirem o Império no ultramar, foram adquirindo um novo paladar e aprendendo a apreciar comidas e temperos, como o *chutney* indiano e o *curry*, hoje um dos pratos favoritos dos ingleses, como vimos.

As ligações econômicas entre os países do Império também desencorajaram os britânicos, ao menos inicialmente, a estabelecer ligações com a Europa continental e se juntar ao Mercado Comum Europeu. O comércio britânico com o Commonwealth era quatro vezes maior do que com a Europa no final da década de 1950, quando o Mercado Comum foi instituído. O governo britânico chegou a pensar, na mesma época, em convidar os escandinavos e outros países europeus a se unirem ao Commonwealth a fim de que, juntos, se tornassem um mercado comum econômico de imensas proporções. O Reino Unido só iria se juntar à União Europeia, conhecida na época como European Economic Community, em 1973, ao lado da Dinamarca e da Irlanda. Até então, eram somente 6 os membros dessa comunidade, que agora tem 28 membros.

MITOS, HERÓIS E VILÕES

A excepcionalidade da história inglesa é muitas vezes enfatizada em demasia, ignorando-se o que essa história tem em comum com a de outras partes da Europa: por exemplo, as estradas e leis romanas, a Reforma Protestante, o Iluminismo, e assim por diante.

Os episódios da história nacional resumidos nas páginas anteriores nem sempre são lembrados acuradamente. Qualquer um que se dispuser a ler a Magna Carta descobre que apesar de ter capítulos voltados para grandes princípios, tais como o da liberdade, grande parte dela é bastante remota e trata de problemas locais específicos, como a remoção de armadilhas para peixes no Tâmisa. Não há evidência sobre o famoso episódio do jogo de bocha que Drake estaria jogando em 1588, antes de derrotar a Armada Espanhola. A rainha Elizabeth I pode nunca ter estado em Tilbury, e seu famoso discurso talvez não tenha sido jamais pronunciado. Existe também uma suspeita de que um dos mais famosos e comoventes discursos de guerra de Churchill transmitido pela rádio foi lido por um ator. Em Dunquerque, a Royal Navy (Marinha Real Britânica) resgatou muito mais soldados do que os pequenos barcos particulares, apesar de ser esse ato de solidariedade de pessoas comuns o que mais marcou a memória coletiva. A RAF sofreu perdas bastante pesadas durante a Batalha da Grã-Bretanha, enquanto um número suficientemente grande de aviões e pilotos da Luftwaffe sobreviveu para realizar a Blitz. Esses e outros episódios referem-se a momentos da história britânica que se prestam muito bem à criação de mitos.

Mais exatamente, poderíamos dizer que a História dos ingleses, como a História de outras nações, oferece exemplos de "mitologização da história". Em outras palavras, muitos eventos que realmente aconteceram são descritos de tal modo que se tornam, com o passar do tempo, cada vez mais estereotipados e dramáticos – ainda que não de todo inverídicos.

Alguns eventos recentes, por exemplo, são lembrados, consciente ou inconscientemente, como se fossem reencenações de eventos mais antigos. A Batalha da Grã-Bretanha é relembrada hoje como uma espécie de reencenação das realizações de Drake contra a Armada Espanhola e de Nelson contra a Marinha francesa, mas no ar, ao invés de no mar. A superioridade numérica das forças inimigas é exagerada na memória coletiva, tanto no caso da Batalha da Grã-Bretanha, em 1940, quanto no caso da Armada. Por trás desses exemplos de história mitologizada está o episódio bíblico de David e Golias. Como vimos, os ingleses tendem a se enxergar como um franzino David enfrentando o gigante Golias nas figuras de Felipe II da Espanha, Napoleão e Hitler. Alternativamente, os ingleses se consideram representando novamente o papel de seu patrono, São Jorge, enquanto o inimigo representa o enorme e temido dragão, que acaba sendo morto pelo heroico santo protetor da Inglaterra.

Mitos podem ser descritos como histórias nas quais os protagonistas têm suas características exageradas, quer eles sejam vilões ou heróis. De qualquer modo, o estudo de heróis e vilões selecionados por uma cultura pode nos dizer algo importante sobre ela. Assim, pode ser iluminador fazer a seguinte pergunta: quais são os principais heróis e vilões nacionais dos ingleses?

Em 2002, a BBC fez uma pesquisa de opinião pública na qual uma amostra de ingleses expôs suas ideias sobre quais seriam os *Hundred Greatest Britons* (os cem maiores britânicos) de todas as épocas. Churchill ganhou o primeiro lugar, com 28% dos votos, seguido, talvez para surpresa de muitos, pelo engenheiro inovador da Revolução Industrial, Isambard Brunel, que foi seguido, dessa vez de modo mais previsível, pela princesa Diana, Darwin, Shakespeare, Newton, rainha Elizabeth I, John Lennon, Nelson e Cromwell. Quanto aos vilões, o líder fascista Oswald Mosley, fundador do partido fascista inglês, liderou o lista de outra pesquisa da BBC, seguido pelo assassino em série, jamais identificado, conhecido como *Jack, the Ripper* (Jack, o Estripador).

Se pesquisas de opinião como essas tivessem sido feitas 50 ou 100 anos atrás, muito provavelmente outros nomes estariam na lista, assim como outras datas seriam consideradas memoráveis, especialmente nomes e datas relacionados à história do Império Britânico: 1857, por exemplo, a data do Indian Mutiny; 1899-1902, as datas da Guerra dos Bôeres entre os colonizadores britânicos e holandeses da África do Sul, e especialmente o trágico Cerco de Mafeking que durou 7 meses – um evento que é lembrado nos nomes de muitas ruas e estradas por todo o Reino Unido.

Quanto aos heróis do Império, antigas pesquisas de opinião provavelmente teriam incluído o general Charles Gordon, que foi morto em 1885 ao defender Khartoum, no Sudão, dos rebeldes muçulmanos que se opunham ao domínio britânico, liderados pelo líder carismático Mahdi.

Hoje em dia, como mencionamos no capítulo "Inglesidades", mais de 10% da população da Inglaterra nasceu no exterior, grande parte dela em locais que faziam parte do Império Britânico. O aumento da imigração levanta a questão do significado que pode ter a História Inglesa para os recém-chegados, e que tipo de História deve ser ensinado nas escolas. O que dizer, por exemplo, de 1066? Será que a Conquista Normanda deveria ser ensinada da mesma forma que no passado, tirada do currículo, ou ensinada de um novo modo, considerando que, afinal de contas, os normandos nada mais foram do que outra antiga onda de imigração?

Como vimos no capítulo "Quem são os ingleses?", dentre os ícones nacionais propostos por membros do público está incluído hoje o Empire Windrush, o navio que trouxe os primeiros imigrantes jamaicanos para a Inglaterra em 1948, assim como o Carnaval de Notting Hill, que eles instituíram. Do mesmo modo, a sexta escolha mais popular feita em 2006 de uma data para um dia nacional foi 25 de março, Dia da Abolição do Tráfico de Escravos (em 1807). Estes últimos exemplos sugerem a seguinte questão: será que a Inglaterra, mais mestiça agora que nunca, está se tornando meio parecida com o Brasil em certos aspectos? Vamos tentar refletir brevemente sobre essa questão no epílogo deste livro.

NOTAS

[1] Se encontrando a desgraça e o triunfo/conseguires tratar da mesma forma a esses dois impostores (tradução de Gilherme de Almeida).
[2] Todo o oceano do potente Netuno poderia de tanto sangue a mão deixar-me limpa? Não, antes minha mão faria púrpura do mar universal, tornando rubro o que em si mesmo é verde.
[3] Por favor, lembrem-se/do dia 5 de novembro/Pólvora, traição e conspiração/Não vejo razão/para que a traição da pólvora/seja jamais esquecida.
[4] Tradução de Abgar Renault.

EPÍLOGO – UM BRASIL NUM CLIMA FRIO?

Outro modo de identificar a "inglesidade" é fazer comparações e contrastes com o Brasil. Os contrastes são mais óbvios e incluem tanto os que dizem respeito a distinções incontroversas, quanto àqueles que se prestam mais facilmente a estereótipos, ou seja, a simplificações e exageros.

CONTRASTES

A Inglaterra é um país relativamente pequeno, enquanto o Brasil é enorme. Não é pois surpreendente que os brasileiros recebam muito bem seus muitos imigrantes, enquanto os ingleses meramente os tolerem, e às vezes nem mesmo isso, como atesta o assassinato de S. Lawrence (já mencionado). No Brasil, o clima é quente e as pessoas são calorosas, enquanto na Inglaterra ambos são frios. Foi nessa linha que o jornalista João do Rio descreveu certa vez um aristocrata inglês, William Beckford, como "um inglês frio e fatalmente de gelo, como todos os ingleses". A cultura brasileira pode ser descrita como uma "cultura falante", enquanto a inglesa como uma "cultura silenciosa". Se as culturas pudessem ser divididas do mesmo modo como o analista Carl Gustav Jung dividiu os indivíduos, entre introvertidos e extrovertidos, há pouca dúvida de que a cultura inglesa pertence ao primeiro grupo e a brasileira ao segundo.

As famílias inglesas são geralmente pequenas, se comparadas com as brasileiras, mantendo pouco contato entre si, além do círculo de avós, pais e filhos. A Inglaterra é um país velho, com 2000 anos de História registrada e com muitos artefatos antigos, enquanto o Brasil é um país novo, que não valoriza as tradições e a antiguidade.

Na Inglaterra, os espaços públicos, como praças e parques, são bem conservados, enquanto no Brasil eles são relativamente negligenciados. Esse contraste simboliza um traço mais abrangente dos dois países: enquanto na Inglaterra o espírito público é forte, levando os particulares, por exemplo, a fazer polpudas doações a instituições que beneficiam a todos, no Brasil esse espírito é relativamente fraco. O espírito público inglês se refletiria no respeito que se tem na Inglaterra pela lei e no esforço permanente por manter vivo o "Estado de Direito". Em contraste, como já dizia Machado de Assis no final do século XIX, da ausência de espírito público no Brasil derivam tanto a falta do "sentimento da legalidade" quanto o "gosto de não obedecer às leis" que permeia o país. Daí ser o Brasil considerado tradicionalmente um bom refúgio para criminosos, como o exemplo do famoso assaltante de trem Ronald Biggs atesta.

Se os brasileiros podem ser descritos como tendo um complexo de inferioridade, que os faz valorizar e imitar o que vem de fora, nem sempre criticamente, os ingleses, ao contrário, têm o que pode ser descrito como um complexo de superioridade, que implica uma convicção teimosa, mas sem *fuss*, de que o modo de eles fazerem as coisas é o melhor. Já na primeira metade do século XIX, o influente "Padre Carapuceiro" (Miguel do Sacramento Lopes Gama) escrevia que enquanto a peculiaridade dos ingleses era serem graves e taciturnos, os franceses alegres e os italianos afeminados, os brasileiros se distinguiam pelo "gosto de macaquear o estrangeiro".

Os ingleses falam e pensam muito mais sobre o passado, enquanto os brasileiros são orientados para o futuro, para "seguir em frente", como diz um *slogan* recorrente. Afinal, o Brasil tem sido muitas vezes descrito – mais famosamente pelo incompreendido escritor austríaco Stefan Zweig, exilado no Brasil durante a Segunda Guerra Mundial – como um "país do futuro".

Na Inglaterra, por volta de 17% da população tem mais de 65 anos, enquanto no Brasil essa proporção é por volta de 6%. Londres é uma das cidades mais seguras do mundo, com uma taxa de homicídio de 1,67 por 100 mil habitantes por ano, o que é bem baixo se comparado, por exemplo, com Salvador, cuja taxa é de 60,6 por 100 mil habitantes, ou mesmo com São Paulo, cuja taxa caiu drasticamente, mas ainda é 10,5 homicídios por 100 mil habitantes, segundo dados de 2013. Em todo o Brasil, a taxa de homicídio anual é de 25,2 por 100 mil habitantes (equivalendo a um total de 50.108 homicídios), enquanto a do Reino Unido é 1 homicídio para o mesmo número de habitantes (equivalendo a um total de 653 homicídios).[1] Quanto a linchamentos, enquanto o Reino Unido só registrou um caso desse tipo de justiçamento popular após a Primeira Guerra Mundial, no Brasil esse é um crime que faz parte da realidade brasileira. Segundo um estudo do sociólogo José de Souza Martins de 2015, nos últimos 60 anos o número de brasileiros que participou de linchamento ultrapassa 1 milhão. E hoje, o Brasil é o país que mais lincha no mundo: um linchamento ou tentativa de linchamento por dia.

Os brasileiros não podem se vangloriar, como o rei George VI, de que "não temos revoluções aqui" – se pensarmos em eventos como a Revolução Praieira, a Revolução Farroupilha, a Revolução Constitucionalista, a Intentona Comunista, e muitos mais –, mas podem apontar para a quase ausência de guerras estrangeiras, em contraste, por exemplo, com o envolvimento britânico recente nas invasões do Iraque e Afeganistão.

Os brasileiros têm debatido sobre sua identidade há muitas e muitas décadas, enquanto os ingleses, ao menos até recentemente, não se preocupavam com isso. Somente durante a Segunda Guerra Mundial, como vimos, alguns intelectuais tentaram descrever o que eles consideravam como traços essencialmente ingleses. Os brasileiros celebram o Dia da Pátria com entusiasmo, mas no Reino Unido, quando o primeiro-ministro Gordon Brown propôs que um dia nacional fosse criado, isso não gerou qualquer ação concreta ou teve efetiva repercussão, talvez porque não haja mesmo um momento dramático de independência para as pessoas celebrarem. O ritual anual da *Trooping of the Colour*, no aniversário do monarca, ocupa o lugar de um dia nacional.

HISTÓRIAS ENTRELAÇADAS

Apesar de todas essas diferenças, algumas reais e outras exageradas ou estereotipadas, não se deve esquecer as muitas ligações e afinidades que existem entre os dois países. Lembremos, por exemplo, de algumas conexões em dois momentos históricos diferentes: o início do século XIX, no caso de ingleses no Brasil, e o início do século XXI, no caso dos brasileiros na Inglaterra.

As relações políticas entre os dois países nem sempre foram amistosas. O governo britânico tentou, por exemplo, atrelar o reconhecimento da independência do Brasil à abolição do tráfico de escravos; e o direito que se arrogaram de interceptar e investigar os navios que eram suspeitos de transportar escravos causou muito ressentimento entre os brasileiros.

Na esfera econômica, no entanto, as relações eram melhores. Como Gilberto Freyre apontou em seu *Ingleses no Brasil* (1948), um número substancial de comerciantes ingleses, ao lado de escoceses, veio viver no Brasil, especialmente em Recife e Rio de Janeiro, após a corte portuguesa transferir-se para o Brasil em 1808 e o país abrir seus portos ao comércio estrangeiro – o que significava especialmente ao comércio com a

Inglaterra. Uma Association of English Merchants Trading in Brazil (Associação dos Comerciantes Ingleses Fazendo Negócios no Brasil) chegou a ser fundada em Londres em 1808. Mais tarde, a partir de meados desse mesmo século, a construção das estradas de ferro provocou a chegada de um grande número de engenheiros e técnicos ao país que faziam parte de uma verdadeira "diáspora" de britânicos que acompanharam a abertura de linhas de ferro pelo mundo afora.

INGLESES NO BRASIL

Como resultado desse "Império informal", uma imensa variedade de produtos, ideias e hábitos britânicos invadiu o Brasil e, por meio de uma "revolução branca, macia", deu origem a novos costumes, novos gostos e novas modas. A dívida dos brasileiros para com os britânicos inclui desde lâmpadas a gás, *water closets* (privadas), estradas de ferro, telégrafos, vidraças e esgotos, até novas palavras (como, por exemplo, time, redingote, júri, gol, pudim e deque), chapéus, gravatas, cerveja, pão, manteiga, chá da tarde, uso de facas e garfos, hábito de se barbear diariamente, de tomar banho de mar, de comer bife, de se perfumar com água de alfazema, de tocar piano, de imitar a pontualidade britânica, a chamada "hora inglesa", e muito mais.

A construção de estradas de ferro a partir dos anos 1850, com capital e engenheiros britânicos, estava muito ligada à expansão do comércio do café e do açúcar. O crescimento da rede ferroviária foi de tal monta que se falava numa verdadeira *railway mania* (febre de estrada de ferro) no Brasil. Não só os 13 mil quilômetros das linhas de ferro que foram abertas até o final do século XIX dão testemunho disso, mas também as próprias estações de ferro atestam a presença inglesa no país. A Estação da Luz, em São Paulo, é um dos mais famosos exemplos. Desenhada por um inglês e construída em Glasgow, na Escócia, a estação chegou em partes no Brasil onde foi finalmente montada. O Mappin, a elegante e sofisticada loja de departamentos de São Paulo aberta em 1913 – cujo nome oficial era Casa Anglo-Brasileira S.A. –, originou-se de uma empresa que fabricava talheres e cutelaria em Sheffield, antes

A Estação da Luz em São Paulo (foto acima), desenhada por um arquiteto inglês, é uma das muitas marcas deixadas pelos britânicos no Brasil. Paranapiacaba, no município de Santo André, também em São Paulo (abaixo), originalmente construída para os empregados da São Paulo Railway Company – nacionalizada em 1946 como Estrada de Ferro Santos-Jundiaí – conserva construções que remetem a modelos ingleses, como a torre do relógio.

Epílogo | 385

da família Mappin ampliar seu ramo de negócios e transferir-se para Londres. O primeiro bairro-jardim do Brasil, o Jardim América, em São Paulo, como vimos, foi planejado pelos arquitetos ingleses Raymond Unwin e Barry Parker, que seguiram o modelo da Letchworth Garden City. Eles haviam sido contratados pela Companhia City, que não deixava de fazer referência, em suas propagandas, ao modelo inglês que seguiam: "os grandes *boulevards*, os extensos gramados de diferentes formatos para a recreação pública [...] dão ao Jardim América um aspecto peculiar, semelhante às casas anglo-saxônicas do outro lado do oceano Atlântico. É um lugar realmente pitoresco e charmoso e o único jardim desse tipo existente no Brasil.". Tendo se tornado símbolo de elegância, esse bairro-jardim serviu de modelo para outros como, por exemplo, o Jardim Europa, o Pacaembu e o Alto de Pinheiros. Bancos ingleses também chegaram ao Brasil com as companhias britânicas que dirigiam as estradas de ferro, o telégrafo, o gás, a luz elétrica e os sistemas de esgoto.

Muitos viajantes britânicos, tais como o diplomata e explorador Richard Burton, os homens de negócio Thomas Lindley e John Luccock, a esposa de um oficial da Marinha Maria Graham, o naturalista Alfred Wallace e o engenheiro sanitário Ulick Burke, publicaram relatos de seus anos no Brasil, que se tornaram fontes valiosas para os historiadores.

RELAÇÕES CULTURAIS

Foi, pois, a partir do século XIX que a cultura inglesa passou a exercer maior influência no Brasil, apesar de a cultura francesa ser uma rival poderosa. Os romances do "ciclo da cana-de-açúcar" de José Lins do Rego, por exemplo, foram não só inspirados pelo povo e pelas condições de sua terra natal, a Paraíba, mas também pelo "ciclo Wessex" dos romances de escritor inglês Thomas Hardy – livros que Lins do Rego leu por indicação e insistência do amigo anglófilo Gilberto Freyre.

Outro resultado das relações culturais entre os dois países foi, por assim dizer, a domesticação ou apropriação de um certo número de palavras inglesas para o português brasileiro, como Freyre gostava de assinalar. No século XIX, essas palavras se originaram na Grã-Bretanha em vez de nos Estados Unidos, um fenômeno mais tardio, do século XX, e muitas delas entraram no vocabulário "brasileiro" ao lado dos produtos que eles nomeavam: rosbife, por exemplo, assim como *whisky*, cutelaria, *tweed* etc. Outras palavras se referiam a práticas ou valores distintamente ingleses nas suas origens, tais como *jockey*, *snob* (de onde vem a palavra "esnobe"), *gentleman* e, talvez a mais importante, futebol.

Charles Miller, segurando a bola – nascido no Brasil de pai escocês e mãe brasileira, descendente de ingleses –, introduziu o futebol em nosso país no final do século XIX. O que ele pensaria se pudesse ter previsto o lugar dos jogadores de futebol brasileiros no mundo muitas décadas mais tarde?

Introduzido no Brasil em 1894 por Charles Miller, filho de um engenheiro escocês que trabalhava na construção da estrada de ferro entre Santos e as plantações de café do interior do estado de São Paulo, o futebol tornou-se rapidamente um esporte popular tanto entre os ricos como entre os pobres. Em 1904, Miller escreveu sobre uma experiência que tivera em São Paulo: "há uma semana me pediram para ser um *referee* em um jogo de meninos... Eu pensei de antemão que tudo não passaria de uma imensa confusão, mas descobri que estava muito enganado... mesmo nesse jogo de criança vieram 1.500 espectadores. Não menos que 2.000 bolas de futebol foram vendidas aqui nos últimos 12 meses; quase todo vilarejo tem um clube agora".

ANGLÓFILOS BRASILEIROS

Testemunhando a crescente importância da cultura inglesa no século XIX, uma tradição de anglofilia desenvolveu-se no Brasil nessa época. O escritor Machado de Assis, um grande admirador de autores ingleses, como o romancista do século XVIII Laurence Sterne, chegou a ser descrito como "quase um inglês tristonho desgarrado nos trópicos", e seus romances foram vistos como fazendo uma "assimilação genial" do humor inglês. Joaquim Nabuco, que morou por algum tempo na Inglaterra e admirava seus escritores assim como seu sistema parlamentar, é outro exemplo de anglófilo. "Londres foi para mim" – declarou ele – "o que teria sido Roma, se eu vivesse entre o século II e o século IV". Em sua autobiografia *Minha formação*, ele expressou sua dívida às ideias de Walter Bagehot, cuja visão da Constituição inglesa discutimos no capítulo "Como o país funciona".

Rui Barbosa, como também mencionamos, era um grande admirador da Inglaterra e de seu sistema liberal. Sua confessa anglofilia viu-se, na verdade, aumentada quando ali se exilou em 1894 e, como disse certa vez, ele considerava a Inglaterra sua "pátria espiritual". Era o país, "dentre todos, onde a humanidade tem sua maior glorificação, porque é aquele onde a liberdade é mais perfeita, o direito o mais seguro, onde o indivíduo é mais independente e onde, por isso mesmo, o homem é mais feliz".

Igualmente enfático na sua anglofilia foi Gilberto Freyre, que andava de paletó de tweed no Recife tropical e chegou a dizer que sentia um "amor físico e ao mesmo tempo místico" pela Inglaterra que às vezes, de tão grande, lhe turvava a visão. Conforme admitiu certa vez, foi ali, em Oxford, que ele viveu "a época paradisíaca" de sua vida. Ao chegar a terras britânicas, em 1922, já na alfândega ele sentira como se estivesse "fora desse planeta", pois a cortesia dos oficiais de imigração, que tratavam os recém-chegados como "se fossem todos *gentlemen*", contrastava com o que observara em outras fronteiras europeias, onde o estrangeiro era tratado como se fosse "contrabandista, anarquista e portador de micróbios – tudo reunido". Quando jovem, Freyre chegou a admitir sua frustração de ser brasileiro, lamentando: "por que não nasci inglês? [...] não tem o espírito sua árvore genealógica?", para logo confessar, como Rui Barbosa havia feito antes, que sua família espiritual era inglesa e seus "avós mentais mais queridos" eram escritores ingleses, que lhe valiam muito mais do que Camões.

José Lins do Rego, uma das maiores figuras do romance moderno brasileiro, expressou sua anglofilia de modo ainda mais enfático e complexo. Os ingleses, disse ele, são uma "gente-síntese da humanidade" e a Inglaterra, essa "terra brumosa, de céus escuros, de silêncios fecundos", é o lugar em que "a humanidade se encontra nos seus extremos", com "tudo o que é de bom e tudo o que é de ruim da natureza humana". Eles são grandes, não por serem louváveis e perfeitos como um todo, mas pelo que têm de contraditório, pelo que têm de "anglos" e de "anjos": "anglos que massacraram os hindus, egípcios, malaios, mas que liquidaram a cólera [...] da Ásia, que fizeram a Austrália [...] e criaram este país de sonhos que é o Canadá". Anglos que foram pelo mundo "arrancar dos nativos as riquezas, e destruir-lhes muitas vezes a vida", mas que também "amam os nativos e se confundem com eles como se fossem seus irmãos bem-amados". Povo capaz de uma sublime arte poética, mas que também "bota Oscar Wilde no cárcere, que amarrota e dilacera... o infeliz poeta da *Balada do enforcado*". E, escrevendo durante a Segunda Guerra Mundial, quando os britânicos, "esses cabeçudos ilhéus", lutavam sozinhos contra Hitler, refere-se a uma ironia da história: essa Inglaterra "que escravizou povos dos continentes é hoje o único obstáculo à escravidão de todas as nações. Sem ela, uma única raça, um único credo, uma única bandeira comandariam nos sete mares".

BRASIL NA INGLATERRA

Inversamente, visitantes brasileiros na Inglaterra multiplicaram-se nos últimos anos, e estão levando para lá mais do que as exóticas borboletas, orquídeas, papagaios e macacos que os britânicos carregavam consigo do Brasil ao retornarem à sua terra no século XIX. Alguns cafés e restaurantes brasileiros têm sido abertos não só na capital britânica, mas também em outros lugares. Música brasileira pode ser ouvida em muitos locais públicos, mesmo quando não são imediatamente reconhecidas como sendo do Brasil. Clubes ou escolas são abertas para se ensinar capoeira desde os anos 1980 – duas ou três delas até mesmo numa cidade pequena como Cambridge – e também forró, a dança popular nordestina cujo nome é possível que seja uma corruptela do inglês *for all*. Segundo uma das versões, essa dança teria surgido nos bailes promovidos "para todos" (*for all*) pelos engenheiros britânicos da ferrovia Great Western que se instalaram em Pernambuco.

Estima-se que haja em 2015, só considerando Londres, por volta de 200 mil brasileiros ali estudando ou trabalhando – em restaurantes, museus ou bancos, para não mencionar em clubes de futebol como o Arsenal. Em grande parte do tempo, esses milhares de brasileiros se dispersam e se diluem no ambiente urbano, mas ocasionalmente eles se tornam visíveis em situações especiais, como, por exemplo, em uma apresentação de Caetano Veloso e Gilberto Gil no Royal Festival Hall. Esses dois artistas, que escolheram se exilar em Londres durante a ditadura militar brasileira, admitem ter sido marcados pelo muito que ali descobriram, e volta e meia revisitam o Reino Unido.

Alguns britânicos hoje, como Liz Calder, a fundadora da editora Bloomsbury, que viveu no Brasil quando jovem e apaixonou-se pelo país, demonstram "brasiliofilia". Foi Calder, por exemplo, que criou o Festival Literário de Paraty (Flip) em 2003, e foi sua editora que publicou livros interessantes sobre o Brasil, tais como *Futebol: the Brazilian Way of Life* (*Futebol, o Brasil em campo*, 2002), de Alex Bellos, *A Death in Brazil* (*Uma morte no Brasil*, 2005), de Peter Robb, e *Brazilian Food: Race, Class and Identity in Regional Cuisines* (A culinária brasileira: raça, classe e identidade nas culinárias regionais, 2012), de Jane Fajans. Por outro lado, Calder também tem sido pródiga em levar escritores brasileiros para o público inglês, traduzindo Chico Buarque, Milton Hatoum, Adriana Lisboa etc. Afinal, como ela disse, "a coisa realmente *sexy* sobre o Brasil é sua literatura".

AFINIDADES

Tanto a anglofilia de alguns brasileiros quanto a brasiliofilia de alguns britânicos são reveladoras de afinidades entre Brasil e Inglaterra. Por exemplo, muitas pessoas dos dois países demonstram acreditar no valor da hierarquia social – um dos legados da escravidão, no caso do Brasil, e da sociedade de classe no caso da Inglaterra – em contraste com o que ocorre em outros países, como os Estados Unidos, Noruega ou Finlândia. Novamente, tantos os britânicos como os brasileiros demonstram uma espécie de insularidade. Os britânicos comumente falam da "Europa" sem se incluírem nela, e os brasileiros fazem o mesmo quando falam sobre a "América Latina".

De acordo com alguns estudiosos, como Gilberto Freyre, tanto os britânicos quanto os brasileiros têm um pendor para o compromisso e a conciliação, optando por soluções pacíficas para os conflitos, ou seja, preferindo evolução à revolução, diferentemente dos seus vizinhos: os hispano-americanos, no caso do Brasil, e os franceses, no caso dos britânicos. A tradição inglesa de revoluções sem sangue, "revoluções brancas", revelava, para Freyre, "o dom angélico do inglês de contemporizar, harmonizar e equilibrar antagonismos entre os homens, as gerações, os credos, as classes, os povos, os sexos e as raças"; um dom que podia ser encontrado também no Brasil, especialmente entre os mineiros e os baianos. Exímios na arte da conciliação de valores antagônicos, como ordem e liberdade, e avessos a "extremismos, simplismos ou purismos ideológicos", os estados de Minas Gerais e Bahia deveriam ser "a nossa Grã-Bretanha", proclamou Freyre em 1946, quando o Brasil, após anos sob o governo ditatorial do Estado Novo, se democratizava.

DEUS É BRASILEIRO OU INGLÊS?

Outra afinidade interessante a ser apontada é a "crença" de que Deus é parte da riqueza nacional dos dois países: Brasil e Inglaterra.

Geralmente mencionado de modo jocoso na linguagem comum, em canções e por políticos e esportistas, o provérbio "Deus é brasileiro" tem uma contrapartida na cultura britânica, em que também se diz que "Deus é inglês", se bem que não tão frequentemente.

A origem do provérbio popular brasileiro é nebulosa e é bem possível, como já foi sugerido, que a "teologia de botequim" o tenha cunhado, em algum momento, para compensar as carências brasileiras e dar expressão à fé no futuro, que se mantém, mesmo quando os prospectos são negros. Por exemplo, no meio de uma falta de água sem precedentes, o ministro de Minas e Energia disse em janeiro de 2015, em tom de brincadeira: "Deus é brasileiro e vai fazer chover e aliviar a situação dos reservatórios de água no Sudeste."

Apesar de ser menos mencionada do que a versão brasileira, a frase inglesa pode ser rastreada ao século XVI, quando alguns escritores ingleses já descreviam sua nação como de um "povo escolhido" por um Deus que atendia às suas necessidades e lhes havia assegurado a vitória sobre a até então invencível Espanha, em 1588. Foi um futuro bispo anglicano que pronunciou, ao que se saiba pela primeira vez, a frase "*God is English*". A ideia permaneceu viva e adquiriu grande força na época áurea do Império Britânico, durante o reinado da rainha Vitória, quando a justificativa para a manutenção e a expansão do Império adquiriu conotações morais, senão divinas; supondo-se superiores aos demais povos, os britânicos assumiram como um dever moral a missão de colonizar aqueles outros povos que não haviam sido abençoados como eles.

Foi a esse moralismo que, já no século XX, o escritor irlandês George Bernard Shaw dirigiu sua crítica quando disse: "o britânico comum imagina que Deus é um inglês". Exemplos mais recentes que brincam com a ideia de que "Deus é inglês" revelam que o provérbio ainda está presente na cultura inglesa. Um romance de 1970 de R. F. Delderfield, *God is an Englishman* (Deus é um inglês), cuja história passa-se na Inglaterra vitoriana e trata de um veterano do exército britânico na Índia, foi transformado numa série de televisão com grande sucesso. E em 2010, foi publicado *Is God still an Englishman?* (Deus ainda é um inglês?), um livro que ganhou as manchetes dos jornais. Nele, o autor Cole Moreton declara que escreveu "sobre a alma da Inglaterra".

HIBRIDISMO

Porém, talvez a mais importante das afinidades entre Brasil e Inglaterra resida no papel central do hibridismo nos dois países. No Brasil, miscigenação e mestiçagem tornaram-se parte da autoimagem dos brasileiros desde os anos 1930 quando, especialmente a partir de *Casa-grande & senzala* de Gilberto Freyre, houve uma redefinição da identidade brasileira: o que era tido como obstáculo para o progresso nacional passou a ser considerado qualidade a ser louvada internamente e imitada no exterior. Stefan Zweig, ao publicar em 1941, em plena guerra, seu livro *Brasil, país do futuro,* queria exatamente divulgar o "experimento" de um país "exemplar" que merecia a "admiração do mundo" por ter resolvido "a mais simples e, apesar disso, a mais necessária pergunta: como poderá conseguir-se no mundo viverem os entes humanos pacificamente uns ao lado dos outros, não obstante todas as diferenças de raças, classes, pigmentos, crenças e opiniões?" Chegara ao Brasil, como admitiu, cheio de "presunção europeia", mas logo teve de reconhecer, humildemente, que ali havia um "novo tipo de civilização", muito distante da de onde viera, dominada, então, pela ideia insana de "criar seres humanos puros, como cavalos de corrida ou cães de exposição". O Brasil era, enfim, um país que deveria servir de modelo para o "desenvolvimento futuro do mundo". A piada a que o título do livro de Zweig se presta até hoje – de que o Brasil é um país do futuro, que nunca chega – desvirtua o sentido que esse autor exilado e sofrido, que compreensivelmente observava o país com lentes cor-de-rosa, quis dar ao seu livro; ele não se referia a um maior desenvolvimento do país a ser atingido no futuro, mas ao futuro de um mundo que tomasse a civilização brasileira como modelo a ser imitado.

Assim, contrariamente ao que o estereótipo nacional e internacional até então dizia sobre a falta de esperança para um país de população mestiça e com um "governo mulato", o futuro do Brasil passou a ser visto como promissor, dado o papel positivo que a miscigenação e o hibridismo cultural exerciam no país, e a relativa harmonia "racial" que daí resultava.

Não surpreende, pois, que a partir de Getúlio Vargas, nos anos 1940, essas características nacionais tenham sido praticamente adotadas pelos sucessivos regimes políticos, interessados em criar uma identidade nacional e transformar essa interpretação do país em uma espécie de ideologia semioficial. Foi dentro desse espírito que, ao longo das décadas, foram erigidos monumentos em homenagem à chegada dos imigrantes.

É verdade, no entanto, que os milhões de imigrantes involuntários, os escravos africanos, que tão importantes foram na formação da identidade e da cultura brasileiras, tiveram de aguardar bastante para serem homenageados publicamente com monumentos, museus e outros lugares de memória. O Museu Afro Brasil, por exemplo, data de 2005 e o Monumento à Zumbi, em Salvador, data de 2008.

Os demais imigrantes, contudo, foram mais rapidamente reconhecidos. Um Monumento Nacional ao Imigrante foi inaugurado em 1954 pelo presidente Getúlio Vargas em Caxias do Sul. A ideia original veio da comunidade local, que pretendia homenagear os imigrantes italianos que povoaram a região. No entanto, uma lei de 1953 ampliou a homenagem, que passou a incluir todas as etnias que haviam participado da construção do país. Desde então, outros monumentos homenageando grupos de imigrantes como, por exemplo, os japoneses, ucranianos, italianos e alemães foram dando testemunho da dívida da nação para a riqueza multicultural que a construiu.

O ex-presidente Lula reproduziu essa ideia com sucesso em seu discurso em Copenhagen, quando o Rio competia para ser a sede das Olimpíadas de 2016. Louvando os brasileiros como um povo apaixonado pela vida e originário dos vários cantos do mundo, afirmou: "não só somos um povo misturado, mas um povo que gosta muito de ser misturado; é o que faz nossa identidade".

Essa ideia de que o Brasil foi enriquecido pela mistura das "raças" e das culturas, que criaram um país onde a harmonia social prevalece, não é obviamente aceita por todos, sendo, na verdade, periodicamente denunciada como pura idealização e até mesmo como "linchamento étnico", ou seja, como um modo de desconsiderar a presença negra no país.

No entanto, tal visão da identidade brasileira como híbrida e relativamente harmoniosa tornou-se parte da visão pública que muitos estrangeiros também têm do país. Há alguns anos, a cantora pop afro-americana Dionne Warwick, por exemplo, explicou em uma entrevista a um jornal inglês a razão de ter decidido fazer da Bahia o seu lar: "De onde eu venho, as pessoas me estigmatizam por causa da cor da minha pele." No Brasil, "eu não vi isso acontecer [...] Para mim, o Brasil é um paraíso. Realmente é. Eu penso que é ali que Deus vive..." E em Copenhagen, Lula foi interrompido pela plateia estrangeira quatro vezes com aplausos, e o então chefe da Fifa, Joseph Blatter, declarou que ficara comovido com as palavras do ex-presidente sobre o Brasil – "seu discurso me arrepiou", disse. Enfim, a bem-sucedida e harmoniosa mestiçagem "racial" e cultural brasileira, quer aceita como um fato ou denunciada como uma quimera, é um tema bastante presente entre os brasileiros.

Inglaterra híbrida

Os ingleses, ao contrário dos brasileiros, tendem a colocar menos ênfase na miscigenação e, na verdade, pode-se dizer que muitos deles são pouco conscientes da importância da mistura em sua cultura, mesmo diante do fato, registrado pelo censo de 2011, de que o país está se tornando "cada vez menos branco". De qualquer modo, uma tradição de valorização e de reconhecimento do hibridismo como ingrediente essencial de "inglesidade" ou "britanicidade" recua muito no tempo. Como vimos, primeiro chegaram os romanos à Inglaterra e ali ficaram por mais de 400 anos. Depois, vieram os anglos e saxões, seguidos pelos dinamarqueses e finalmente os normandos em 1066. Após um grande intervalo, foi a vez de, nos séculos XVI e XVII, os refugiados protestantes da França e da Holanda fazerem seu acréscimo à mistura, seguidos dos judeus do Império Russo fugindo dos pogroms no século XIX, dos judeus alemães fugindo de Hitler no século XX, e assim por diante.

No início do século XVIII, o fato de os ingleses serem fruto de uma grande mistura foi assunto tratado pelo escritor Daniel Defoe, mais conhecido por seu livro *Robinson Crusoé*. Em resposta a um poema xenófobo chamado "*The Foreigners*" (Os estrangeiros) – que fora escrito como uma reação ao domínio dos holandeses na corte inglesa de Guilherme III –, Defoe públicou "*The True-Born Englishman*" (O verdadeiro inglês). Nesse poema, Defoe criticava veementemente os ingleses que se orgulhavam de sua pretensa linhagem pura, descrevendo-os como "*a mongrel half-bred race*" (uma raça mestiça vira-lata), composta de "*Roman-Saxon-Danish-Norman English*" (ingleses romanos saxões, dinamarqueses, normandos) – deixando, intrigantemente, de lado os britânicos originais, os celtas:

> Thus from a mixture of all kinds began
> that heterogeneous thing, an Englishman[2]

O argumento de Defoe foi repetido inúmeras vezes desde 1701. Já no século XX, confrontando a eugenia em plena ascensão e a crença de que os nórdicos eram uma raça superior, o renomado ensaísta G. K. Chesterton uniu-se à tradição que afirmava ser a sociedade inglesa fruto de "uma saudável mistura de raças". Combatendo com veemência a "vaidade" e as "ilusões" dos seus compatriotas que propagavam a ideia da "pureza da raça anglo-saxônica", ele afirmou: a "arrogante teoria da superioridade anglo-saxônica" que diz aos ingleses que eles "eram teutões, que eles eram vikings", é uma doutrina na qual "nenhuma pessoa inteligente pode acreditar". Unindo-se, na mesma época, a críticos como Chesterton, o famoso antropólogo brasileiro Roquette-Pinto disse com humor, que a crença de que "só os louros nórdicos são gente boa", pode não ser pecado, mas certamente é "estupidez".

Bronze Woman, estátua situada em Stockwell – região no sudeste de Londres habitada por muitos mestiços e negros – presta homenagem aos imigrantes de origem africana e caribenha.

Assim, ao longo dos anos na Inglaterra, descrições depreciativas de *half-castes* (mestiços) foram sendo contrapostas a expressões como "*racial blend*" (mistura racial), "*an astonishingly mixed blend*" (uma surpreendente mistura) ou "a *glorious amalgam*" (uma amálgama gloriosa) – expressões, enfim, que fazem lembrar a definição da identidade brasileira em termos de mistura racial e cultural, que se tornou tão popular desde que foi proposta nos anos 1930 por Gilberto Freyre e aclamada tanto pelos vários governos quanto por grande parte da população brasileira.

Um dos resultados da campanha iniciada por Defoe há séculos é que, hoje, os *black british* e todos os que apoiam políticas multiculturais no Reino Unido têm uma longa tradição na qual se sustentar, mesmo se essa tradição encontrou e ainda encontra seus muitos oponentes. Os imigrantes do século XX, especialmente das ex-colônias britânicas, vêm sendo homenageados, ainda que, alguns digam, tardiamente.

Em 1998, ao completar meio século da chegada do navio *Empire Windrush* trazendo a primeira grande leva de imigrantes no pós-guerra, uma área de Brixton, em Londres, foi rebatizada Windrush Square. Em 2008, uma placa colocada no porto de Tilbury, no Tâmisa, celebrava os 60 anos da chegada dos imigrantes caribenhos que tanto modificaram a paisagem cultural inglesa. No mesmo ano, marcando essa mesma data e também os 200 anos do fim do tráfico de escravos, foi inaugurada uma belíssima estátua em Stockwell, em Londres. Chamada *Bronze Woman* e representando uma mulher negra segurando uma criança no ar, essa foi a primeira estátua pública dedicada a uma mulher afro-caribenha erigida no Reino Unido.

Desde o início do século XXI, senão antes, surgiu o costume não oficial de se celebrar o dia 22 de junho como o Windrush Day, em que se comemora não só a chegada dos 492 caribenhos na Inglaterra, mas também a contribuição dada ao Reino Unido, nos últimos 60 e tantos anos, pelas várias minorias étnicas, como as asiáticas, africanas etc. Uma campanha está em andamento desde 2010 para que essa data seja transformada em feriado, e que seja oficializado o Windrush Day como um dia nacional a ser celebrado anualmente. Considerado um símbolo poderoso do início da moderna cultura multicultural britânica, esse dia, 22 de junho, representaria a chegada de todos os que vieram do Império Britânico e contribuíram para a diversidade cultural que faz a riqueza da "britanicidade" moderna.

Em novembro de 2014, inaugurou-se em Londres, no Black Cultural Archives em Windrush Square, o que foi descrito como o "primeiro Memorial de Guerra dedicado aos negros no Reino Unido e na Europa". O objetivo era fazer uma homenagem tardia aos heróis esquecidos africanos e caribenhos que lutaram nas duas guerras mundiais, mas que não haviam sido devidamente reconhecidos. A solenidade foi aberta com o seguinte alerta: "O propósito deste memorial não é glorificar a guerra; a guerra é inglória tanto quando se é vitorioso ou derrotado". Na verdade, como foi enfatizado, o propósito do Memorial de Guerra era outro: ressaltar que os africanos e caribenhos fazem parte essencial da "história compartilhada da nação". Como disse uma das autoridades presentes: "Muitos regimentos africanos lutaram na África, na Mesopotâmia e na Itália, e muitos britânicos negros lutaram como membros dos regimentos britânicos por toda

A Windrush Square foi assim chamada em homenagem ao Empire Windrush, navio que levou os primeiros imigrantes caribenhos para a Grã-Bretanha, logo após o final da Segunda Guerra Mundial. A praça abriga o Black Cultural Archives, espaço dedicado a preservar a memória dos africanos e caribenhos que tiveram um papel essencial nas duas guerras mundiais.

a Europa. É importante que nós sempre nos lembremos deles, a fim de que não nos esqueçamos do preço terrível que eles pagaram para garantir que possamos usufruir de nossa contínua liberdade".

Enfim, apesar dos muitos contrastes entre as duas culturas, a brasileira e a inglesa, há também algumas afinidades importantes entre elas, assim como uma história de ligações que recua há mais de 200 anos.

NOTAS

[1] Segundo dados publicados em *Global Study on Homicide 2013*, pela United Nations Office on Drugs and Crimes.
[2] Assim, de uma mistura de todos os tipos se iniciou/aquela coisa heterogênia, um inglês.

CRONOLOGIA

- 1066 – Conquista normanda.
- 1215 – Magna Carta é selada.
- 1415 – Batalha de Agincourt.
- 1534 – Henrique VIII se autodenomina chefe da Igreja Anglicana.
- 1588 – Derrota da Armada Espanhola.
- 1605 – Conspiração da Pólvora (*Gunpowder Plot*) fracassa.
- 1642 – Guerra Civil se inicia.
- 1649 – Carlos I é executado.
- 1649-60 – Inglaterra é uma república.
- 1660 – Restauração da monarquia.
- 1688 – Revolução Gloriosa.
- 1689 – Declaração de Direitos (*Bill of Rights*).
- 1707 – Fortnum and Mason's é inaugurada.
- 1744 – Regras do críquete são formuladas.
- 1785 – Jornal *Daily Universal Register* (agora *The Times*) inicia sua publicação.
- 1787 – Marylebone Cricket Club (MCC) é fundado.
- 1803-15 – Guerras Napoleônicas.
- 1805 – Batalha de Trafalgar.
- 1807 – Abolição do tráfico de escravos.
- 1808 – *Association of English Merchants Trading to Brazil* é fundada.
- 1813 – *Orgulho e preconceito,* de Jane Austen, é publicado.
- 1815 – Batalha de Waterloo.

- 1821 – *Manchester Guardian* (agora *The Guardian*) inicia sua publicação.
- 1823 – British Museum é inaugurado.
- 1824 – National Gallery é aberta.
- 1824 – The Athenaeum é fundado.
- 1832 – Reform Act é promulgado.
- 1834 – Harrod's é inaugurado.
- 1836 – Reform Club é fundado.
- 1837 – Rainha Vitória sobe ao trono.
- 1851 – *Great Exhibition*.
- 1857 – South Kensington Museum (agora Victoria and Albert) é inaugurado.
- 1863 – Regras do futebol são adotadas pela Football Association.
- 1863 – Metrô de Londres é inaugurado.
- 1867 – O segundo Reform Act do Parlamento é promulgado
- 1867 – *The English Constitution* é publicado.
- 1871 – Royal Albert Hall é inaugurado.
- 1874 – *Middlemarch*, de George Eliot, é publicado.
- 1878 – Manchester United Football Club é fundado.
- 1884 – Marks and Spencer é inaugurada.
- 1885 – O terceiro Reform Act do Parlamento é promulgado.
- 1886 – Arsenal Football Club é fundado.
- 1889 – Savoy Hotel é inaugurado.
- 1895 – National Trust é fundado.
- 1896 – *Daily Mail* inicia sua publicação.
- 1897 – National Gallery of British Art (Tate Gallery) é aberta.
- 1901 – Morte da rainha Vitória.
- 1903 – *Daily Mirror* inicia sua publicação diária.
- 1906 – Ritz Hotel é fundado.
- 1909 – Selfridges é inaugurada.
- 1914-8 – Primeira Guerra Mundial.

- 1922 – BBC é fundada.
- 1926 – Greve geral dos trabalhadores.
- 1928 – Mulheres adquirem o direito de voto.
- 1929 – Heathrow Airport é aberto.
- 1932 – British Union of Fascists é fundada.
- 1937 – Televisão BBC começa a transmitir.
- 1939-45 – Segunda Guerra Mundial.
- 1940 – Retirada de Dunquerque.
- 1940 – Batalha da Grã-Bretanha.
- 1940-1 – Blitz.
- 1942 – Oxfam é fundada.
- 1944 – Dia D.
- 1944 – Education Act é assinado pelo Parlamento.
- 1945 – Arts Council é fundado.
- 1947 – Independência da Índia.
- 1947 – Festival de Edimburgo é inaugurado.
- 1948 – *Empire Windrush* chega da Jamaica.
- 1948 – O National Health Service (NHS) é fundado.
- 1949 – National Theatre Act é promulgado.
- 1950 – Novela *The Archers* inicia sua transmissão.
- 1951 – Festival of Britain (centenário da Great Exhibition).
- 1951 – Royal Festival Hall é inaugurado.
- 1951 – Burgess e Maclean fogem para Moscou.
- 1952 – *A ratoeira,* de Agatha Christie, estreia em teatro londrino.
- 1952 – Rainha Elizabeth II sobe ao trono.
- 1955 – ITV, televisão comercial, inicia sua transmissão.
- 1958 – Life Peerages Act é promulgado.
- 1958 – Tumultos raciais de Notting Hill.
- 1959 – Carnaval de Notting Hill é inaugurado.

- 1960 – *Coronation Street* inicia sua transmissão
- 1960 – Julgamento de *O amante de lady Chatterley*.
- 1961 – *Private Eye* inicia sua publicação.
- 1961 – Amnesty International é fundada.
- 1963 – *Love me Do* dos Beatles é lançada.
- 1963 – Hunt Saboteurs Association é fundada.
- 1964 – Três últimos enforcamentos são realizados na Grã-Bretanha.
- 1965 – Abolição da Pena de Morte.
- 1965 – Race Relations Act é promulgado.
- 1967 – Sexual Offences Act é promulgado.
- 1967 – National Front é fundada.
- 1967 – Beatles lançam o disco *Sgt. Pepper's Lonely Hearts Club Band*.
- 1968 – *40 Years On*, de Bennett, estreia em Londres.
- 1970 – Women's Liberation Conference é realizada.
- 1971 – Asiáticos de Uganda recebem asilo.
- 1973 – Reino Unido entra no Mercado Comum Europeu.
- 1973 – IRA explode bombas em Londres.
- 1974 – Prevention of Terrorism Act é promulgado.
- 1974 – English National Opera é inaugurada.
- 1975 – Equal Pay Act é promulgado.
- 1976 – Race Relations Act é promulgado.
- 1976 – National Theatre é fundado.
- 1976 – IRA explode bomba no metrô de Londres.
- 1979-90 – Margaret Thatcher se torna primeira-ministra.
- 1981 – Casamento do príncipe Charles e Diana.
- 1981 – Tumultos raciais em Brixton e Toxteth.
- 1981 – Rupert Murdoch compra o *Times*.
- 1982 – BNP (British National Party) é fundada.
- 1982 – Guerra das Malvinas.

- 1983 – English Heritage é fundada.
- 1985 – Tumultos raciais em Brixton.
- 1986 – Novo prédio Lloyd's é inaugurado.
- 1986 – John Humphrys inicia sua participação no programa *Today* da BBC.
- 1986 – Jornal *The Independent* inicia sua publicação.
- 1988 – Passaporte azul britânico é substituído pelo da União Europeia.
- 1989 – *Versos satânicos,* de Salman Rushdie, é queimado em Bradford.
- 1989 – Sikhs isentados de usar capacetes de segurança em locais de construção.
- 1990-7 – John Major se torna primeiro-ministro.
- 1992 – *Annus horribilis* para a família real.
- 1993 – UKIP (United Kingdom Independence Party) é fundada.
- 1993 – Welsh Language Act é promulgado.
- 1994 – Channel Tunnel é aberto.
- 1994 – Sunday Trading Act é promulgado.
- 1994 – Comitê sobre os Padrões da Vida Pública (Committee on Standards in Public Life) inicia seu trabalho.
- 1995 – Tumultos raciais em Brixton.
- 1995 – *Panorama* da BBC entrevista a princesa Diana.
- 1997-2007 – Tony Blair se torna primeiro-ministro
- 1997 – Morte da Princesa Diana.
- 1997 – Teatro Globe é inaugurado.
- 1997 – Bank of England torna-se autônomo.
- 1997 – Countryside Alliance é fundada.
- 1998 – Human Rights Act é promulgado.
- 1998 – Scotland Act (devolução) é promulgado.
- 1999 – Parlamento escocês e Assembleia galesa são instituídos.
- 1999 – House of Lords Act é promulgado.
- 2000-8 – Ken Livingstone torna-se primeiro prefeito de Londres.
- 2000 – Parekh Report é publicado.

- 2001 – Tumultos raciais de Bradford.
- 2002 – Assembleias regionais são propostas.
- 2003 – Reino Unido participa na Guerra do Iraque.
- 2004 – St. Mary Axe (o "Gherkin") é inaugurado.
- 2005 – Teste de cidadania é instituído.
- 2005 – Terroristas islâmicos explodem bombas em Londres.
- 2005 – Jean Charles de Menezes é morto em Londres pela polícia.
- 2005 – Lei proibindo caçar com cães de caça é promulgada.
- 2007-10 – Gordon Brown torna-se primeiro-ministro.
- 2007 – Scottish National Party assume o poder na Escócia.
- 2008 – Boris Johnson torna-se prefeito de Londres.
- 2008 – Forced Marriage Act é promulgado.
- 2010 – Governo de coalizão Cameron-Clegg é instituído.
- 2012 – Jogos Olímpicos em Londres.
- 2014 – Escócia vota contra independência do Reino Unido.
- 2015 – Aniversário de 800 anos da Magna Carta é celebrado.
- 2015 – Partido Conservador obtém maioria de votos e assume o poder.

SUGESTÕES DE LEITURA

Sobre "inglesidade", pode-se começar pelos clássicos: George Orwell, *The Lion and the Unicorn* (1941) e George Mikes, *How to be an Alien* (1950), e a seguir ler Jeremy Paxman, *The English: a Portrait of a People* (1998); Kate Fox, *Watching the English* (2005); Simon Featherstone, *Englishness: Twentieth-Century Popular Culture and the Forming of English Identity* (2009). Ver também Jean Duhamel, *The Fifty Days: Napoleon in England* (1969); Karel Capek, *Letters from England* (1925); G. J. Renier, *The English: are They Human?* (1931); André Maurois, *The Miracle of England* (1937); Nikos Kazantzakis, *England* (1965).

Sobre caráter nacional: Peter Mandler, *The English National Character: the History of an Idea from Edmund Burke to Tony Blair* (2006) e Paul Langford, *Englishness Identified: Manners and Character 1650-1850* (Oxford, 2000).

Sobre liberdade: Daniel Hannan, *How We Invented Freedom and Why it Matters* (2013). Sobre Inglaterra *versus* Grã-Bretanha, ver Linda Colley, *Acts of Union and Disunion* (2014).

Sobre identidade: Linda Colley, *Britons* (1992); Richard Weight, *Patriots: National Identity in Britain* (2002); Ben Rogers, *Beef and Liberty: Roast Beef, John Bull and the English Nation* (2003); Krishan Kumar, *The Making of English National Identity* (2003). Sobre documentos de identidade: S. A. Mathieson, *Card Declined: how Britain Said no to ID Cards, Three Times Over* (2013).

Sobre política: Anthony Sampson, *Who Runs This Place? The Anatomy of Britain in the 21st Century* (2004); Peter Hennessy, *The Great and the Good: an Inquiry into the British Establishment* (1986); Hennessy, *Whitehall* (3ª ed., 2001); Vernon Bogdanor (ed.), *The British Constitution in the 20th Century* (2003); Rodney Lowe, *The Welfare State in Britain since 1945* (1993); Nicholas Timmins, *The Five Giants: a Biography of the Welfare State* (1995).

Sobre a monarquia: Ben Pimlott, *The Queen: Elizabeth II and the Monarchy* (2001); Philip Ziegler, *George VI: the Dutiful King* (2014); Phillip Hall, *Royal Fortune: Tax, Money and the Monarchy* (1992); Jude Davies, *Diana: a Cultural History* (1992).

Sobre a polícia: Charles Reith, *A New Study of Police History* (1956) e Lillian Wyles, *A Woman at Scotland Yard* (1952); R. Evans e F. Lewis, *Undercover* (2013).

Sobre o tempo: Peter Jefferson, *And Now the Shipping Forecast* (2011); Peter Collyer, *Rain Later, Good* (2013).

Sobre classe: David Cannadine, *Class in Britain* (1998); Ross MacKibbin, *Classes and Cultures* (1998); Owen Jones, *Chavs* (2011); Alwyn W. Turner, *Classless Society: Britain in the 1990s* (2013).

Sobre mulheres: Hannah Barker e Elaine Chalus (eds.), *Gender in Eighteenth-Century England* (1997); Gareth Beynon, *Women and the English Civil War* (2012); Dale Spender, *Women of Ideas and What Men Have Done to Them* (1982); Andrew Rosen, *Rise Up Women: the Militant Campaign of the Women's Social and Political Union, 1903-14* (1974).

Sobre a ideia de *gentleman*: Harold Laski, *The Danger of Being a Gentleman* (1939); Christine Berberich, *The Image of the English Gentleman in Twentieth-Century Literature* (2007). Sobre o comportamento de *gentlemen* no Titanic: Walter Lord, *A Night to Remember* (1955).

Sobre humor: J. B. Priestley, *English Humour* (1929; 2ª ed., 1976); Humphrey Carpenter, *That Was Satire that Was: the Satire Boom of the 1960s* (2009).

Sobre sexo: Paul Ferris, *Sex and the British* (1993).

Sobre comida: Stephen Mennell, *All Manners of Food* (1985); Ben Rogers, *Beef and Liberty* (2003); Elizabeth Collingham, *Curry* (2005); Jamie Oliver, *Jamie's Great Britain* (2011); Christel Lane, *The Cultivation of Taste: Chefs and the Organization of Fine Dining* (2014).

Sobre bebida e *pubs*: Ian Homsey, *A History of Beer and Brewing* (2003); Mark Girouard, *Victorian Pubs* (1984); George Orwell, "The Moon under Water", *Evening Standard*, 9 Feb. 1946; Kate Fox e Desmond Morris, *Pubwatching* (1993); Paul Haydon, *The English Pub, a History* (1994).

Sobre roupas: Christopher Breward, Becky Conekin e Caroline Cox (eds.), *The Englishness of English Dress* (2002); Andrew Bolton, *AngloMania: Tradition and Transgression in English Fashion* (2006).

Sobre casas: Mark Girouard, *Life in the English Country House* (1979); Peter Mandler, *The Fall and Rise of the Stately Home* (1997); Clive Aslet, *An Exuberant Catalogue of Dreams: the Americans who Revived the Country House in Britain* (2013); Stefan Muthesius, *The English Terraced House* (1982); Rachel Stewart, *The Town House in Georgian London* (2009); Joyce Miles, *Owl's Hoot: how People Name their Houses* (2009); Jeremy Musson, *Up and Down Stairs: the History of the Country House Servant* (2010).

Sobre esportes: Richard Holt, *Sport and the British* (1990); Dave Russell, *Football and the English* (1997); Norman Itzkowitz, *Peculiar Privilege: a History of English Fox-hunting* (1977); Kate Fox, *The Racing Tribe* (1999); C. L. R. James, *Beyond the Boundary* (1963); Anthony Bateman e Jeffrey Hill (eds.), *The Cambridge Companion to Cricket* (2011).

Sobre a mídia: Asa Briggs, *The BBC* (1985); Dominic Strinati e Stephen Wagg (eds.), *Come on Down? Popular Media Culture in Post-War Britain* (1992).

Sobre música popular: Andy Bennett e Jon Stratton (eds.), *Britpop and the English Music Tradition* (2010); John Astley, *Why don't We Do it in the Road? The Beatles Phenomenon* (2006).

Sobre paisagem: John Barrell, *The Dark Side of the Landscape: the Rural Poor in English Painting, 1730-1840* (1983); John Taylor, *A Dream of England: Landscape, Photography and the Tourist's Imagination* (1994); David Matless, *Landscape and Englishness* (1998).

Sobre Londres: Roy Porter, *London: a Social History* (1994); David Kynaston, *The City of London* (2002); Caroline Taggart, *The Book of London Place Names* (2012).

Sobre educação: Ken Jones, *Education in Britain* (2003).

Sobre intelectuais: Stefan Collini, *Absent Minds, Intellectuals in Britain* (2006).

Sobre a língua: Celia Millward, *A Biography of the English Language* (1989); Bill Bryson, *Mother Tongue* (1990); Melvyn Bragg, *The Adventure of English* (2003, originalmente, uma série de programas de televisão); David Crystal, *The Stories of English* (2004).

Sobre arte: Nikolaus Pevsner, *The Englishness of English Art* (1956); William Vaughan, *British Painting: the Golden Age from Hogarth to Turner* (1999).

Sobre a história inglesa: Robert Tombs, *The English and their History* (2014); Andrew Marr, *A History of Modern Britain* (2007). Sobre tópicos específicos: Michael Braddick, *God's Fury, England's Fire: a New History of the English Civil War* (2008); Jonathan Fitzgibbons, *Cromwell's Head* (2008); Peter Haining, *The Spitfire Summer: a People's Eye-view of the Battle of Britain* (1990); Carl Harris, *Blitz Diary* (2010).

Sobre mitos históricos: W. Sellar e J. Yeatman, *1066 and All That* (1930); Nicholas Harman, *Dunkirk, the Necessary Myth* (1990); Angus Calder, *The Myth of the Blitz* (1991); Mark Connelly, *We Can Take It! Britain and the Memory of the Second World War* (2004).

Sobre o Império Britânico: Bernard Porter, *Absent-Minded Imperialists: Empire, Society and Culture in Britain* (2004); John Darwin, *Unfinished Empire* (2012); Jeremy Paxman, *Empire: what Ruling the World Did to the British* (2011); Tony Smith, "A Comparative Study of French and British Decolonization", *Comparative Studies in Society and History* 20, 1978.

Sobre a Grã-Bretanha multicultural: Gerd Baumann, *Contesting Culture: Discourses of Identity in Multi-ethnic London* (1996); Robert Winder, *Bloody Foreigners: the Story of Immigration to Britain* (2004); Panikos Panayi, *An Immigration History of Britain* (2010); Bhikhu Parekh, *The Future of Multiethnic Britain* (2000). Sobre imigrantes asiáticos: Ziauddin Sardar, *Balti Britain* (2008). Sobre imigrantes do Caribe: Trevor Phillips, *Windrush* (1998).

Sobre Inglaterra e Brasil: Gilberto Freyre, *Ingleses no Brasil* (1948; nova edição, 2000); Josh Lacey, *God is Brazilian: Charles Miller, the Man who Brought Football to Brazil* (2005); Alan K. Manchester, *British Preëminence in Brazil: its Rise and Decline* (1933); Richard Graham, *Britain and the Onset of Modernization in Brazil, 1850-1914* (1972); Barry Parker, "Two Years in Brazil", *Garden Cities and Town Planning Magazine*, vol. 9, 1919; June E. Hahner, *Emancipating the Female Sex: the Struggle for Women's Rights in Brazil, 1850-1940* (1990); Maria Lúcia G. Pallares-Burke, "A Mary Wollstonecraft que o Brasil conheceu", em Pallares-Burke, *Nísia Floresta, O Carupuceiro e outros ensaios de tradução cultural* (1996); Pallares-Burke, *Gilberto Freyre: um vitoriano dos trópicos* (2005); Pallares-Burke e Peter Burke, *Repensando os trópicos: um retrato intelectual de Gilberto Freyre* (2008); José de Souza Martins, *Linchamentos: a justiça popular no Brasil* (2015).

AGRADECIMENTOS

Foi nosso amigo José de Souza Martins quem sugeriu que escrevêssemos um livro sobre "os ingleses", e a ele devemos agradecer calorosamente a essa grande oportunidade de nos debruçarmos sobre alguns assuntos que pouco conhecíamos e de refletir sobre temas que estão, normalmente, longe de nossas preocupações de historiadores. Se isso é verdade mesmo para o inglês nato dessa dupla de autores, que confessa que muito aprendeu sobre seu próprio país ao escrever este livro, muito mais ainda se aplica à estrangeira da dupla.

Experiências, conversas, observações e leituras feitas ao longo de toda uma vida, no caso de Peter, e ao longo de mais de 25 anos, no caso de Maria Lúcia, foram fontes para muito do que este livro tratou. Não podemos, no entanto, deixar de reconhecer que, durante anos, muitos familiares e amigos foram nos chamando a atenção para alguns aspectos da vida dos ingleses que, de tão familiares, não mais notávamos muito claramente. Até mesmo a série de TV *Downton Abbey*, que tanto sucesso faz pelo mundo afora, só foi "descoberta" por nós depois de sermos abordados no Brasil por fãs brasileiros da família Crawley, que queriam saber sobre o que acontecia com o conde Grantham na temporada três ou quatro – supondo que certamente éramos fãs bem informados dessa "novela" de época.

Apontando o que admiravam, menosprezavam, achavam estranho ou intrigante nos ingleses – desde o gosto por *marmite* e cerveja quente até o fascínio por *Downton Abbey*, passando pelo "amor" por sapos, cortesia, esnobismo, a inexistência de RG ou de qualquer documento de identidade e muito mais –, nossos parentes e amigos, do Brasil e de outros lugares, deram uma inestimável contribuição à escrita deste livro. Por exemplo, nossa filha/enteada Renata Pallares Schaeffer nos chamou a atenção para o fato de que, contradizendo o estereótipo, os laços que unem a família nuclear inglesa são fortes e profundos. Nossa amiga Eliane Brígida Morais Falcão nos contou com muito humor as experiências excêntricas que viveu na Inglaterra, inclusive a sua "visita" à "livraria" doméstica, no centro de Cambridge, a que nos referimos no prefácio deste livro. Fabiana Ribeiro dos Santos Schaeffer, nossa nora, nos lembrou de incluir o notável texto do passaporte britânico, em que *Her Majesty* "requer e exige" que as autoridades de qualquer país deem total apoio e assistência ao portador desse documento real, seu súdito. E nossas amigas Lucinha Leontino e Patrícia Pires Boulhosa nos descortinaram dois aspectos muito reveladores da cultura inglesa. Lucinha nos apontou para a inusitada gentileza e cortesia com que foi tratada na Inglaterra, algo muito diferente da experiência que, como uma afro-brasileira, ela tem no Brasil; e Patrícia nos alertou para o fato de que o amor dos ingleses aos animais se estende não só aos imponentes cavalos, aos belos cachorros e aos coloridos pintarroxos de peito vermelho, mas também aos feios sapos, que são objeto de grande cuidado por parte do público.

Um agradecimento muito especial e caloroso devemos ao nosso amigo João Adolfo Hansen e aos nossos filhos/enteados Marcelo, Fernando e Guilherme Garcia Pallares Schaeffer, que leram partes do manuscrito e nos deram, com seus comentários, um *feedback* extremamente valioso para o nosso trabalho.

Finalmente, devemos muitas fotos incluídas neste livro à arte de Lara e Marco, nossos netos, e de Fernando, que nos acompanharam pacientemente nas muitas caminhadas que fizemos para buscar imagens sobre alguns temas tratados, que queríamos ilustrar com um toque pessoal – desde lugares conhecidos, como a Burlington Arcade e a loja Fortnum and Masons em Picadilly, até os mais desconhecidos, como a belíssima escultura *Bronze Woman* em Stockwell, um bairro pobre de Londres (em cuja estação de metrô o brasileiro Jean Charles de Menezes foi assassinado por policiais da Scotland Yard em 2005), e o The Green Man, um *pub* no pitoresco vilarejo de Grantchester, nos arredores de Cambridge. Agradecemos também ao nosso amigo José de Souza Martins por nos ter cedido algumas belas fotos de Cambridge, cidade e universidade que ele grandemente admira.

A Editora Contexto agradece também a Julia Gleich, Mateus Fry Pereira e Gustavo S. Vilas Boas pela cessão de suas fotos.

OS AUTORES

Peter Burke estudou em Oxford e foi professor da nova Universidade de Sussex (1962-1978) antes de se transferir para a Universidade de Cambridge, onde foi professor de História Cultural. É Fellow da British Academy, da Academia Europeia, e públicou 26 livros, a maioria sobre a história da Europa dos séculos XVI e XVII, que foram traduzidos em 31 línguas. Entre suas obras, incluem-se *Cultura popular na Europa moderna* (1989), *The European Renaissance, Centers and Peripheries* (1998), *História e teoria social* (2000), *Uma história social do conhecimento* (2 vols., 2003-2012) e, em coautoria com Maria Lúcia, *Gilberto Freyre: Social Theory in the Tropics* (2008).

Maria Lúcia Garcia Pallares-Burke foi professora da Faculdade de Educação da Universidade de São Paulo e há vários anos é *Research Associate* do Centre of Latin American Studies da Universidade de Cambridge. É autora, entre outras obras, de *Gilberto Freyre: um vitoriano dos trópicos*, livro laureado em 2006 com os prêmios Senador José Ermírio de Moraes, da Academia Brasileira de Letras, e Jabuti. Seu livro mais recente é *O triunfo do fracasso: Rüdiger Bilden, o amigo esquecido de Gilberto Freyre* (2012).

LEIA TAMBÉM

OS INDIANOS
Florência Costa

A Índia é tudo aquilo que um turista vê. Mas também o seu oposto. Os contrastes estão a cada esquina. O país é espiritual e material; pacífico e violento; rico e pobre; antigo e moderno. Cultiva a democracia, mas mantém as castas. Criou o *Kama Sutra*, mas veta beijos nos filmes de Bollywood. Há indianos encantadores de cobra – ainda que a atividade seja proibida – e engenheiros de software. É perigoso generalizar sobre um país com mais de um bilhão de pessoas, divididas em milhares de castas, com sete religiões e mais de 20 línguas oficiais. Então, como conhecer esse povo que fascina tanto o Ocidente? Partir de sua história é essencial, desde a primeira civilização, que surgiu naquelas terras há 5 mil anos, até a recente independência, incluindo a relação com os vizinhos China e Paquistão e a explosão tecnológica dos dias de hoje. A jornalista Florência Costa – que tem laços de família com a Índia, onde viveu por muitos anos – nos leva à cozinha indiana, com seus múltiplos temperos; às festas monumentais de casamentos arranjados; à espiritualidade e às religiões e até aos banheiros (raros). Livro imperdível para quem quer conhecer (ou acha que conhece) os indianos.

CADASTRE-SE
EM NOSSO SITE,
FIQUE POR DENTRO DAS NOVIDADES
E APROVEITE OS MELHORES DESCONTOS

LIVROS NAS ÁREAS DE:

História | Língua Portuguesa
Educação | Geografia | Comunicação
Relações Internacionais | Ciências Sociais
Formação de professor | Interesse geral

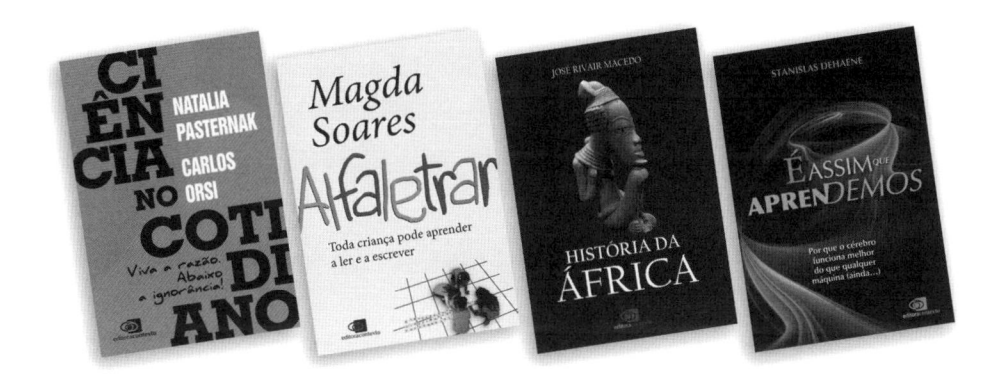

ou
editoracontexto.com.br/newscontexto

Siga a Contexto
nas Redes Sociais:
@editoracontexto

GRÁFICA PAYM
Tel. [11] 4392-3344
paym@graficapaym.com.br